AMY DEMPSEY

ENCYCLOPEDIE VAN DE
MODERNE KUNST

stijlen · scholen · stromingen

WAANDERS UITGEVERS

Inhoud

Aan Justin Saunders

Colofon
Uitgave Nederlandstalige editie: Waanders Uitgevers, Zwolle
Vertaling: A.R.T. Translation Services, Harry Siers
Typografie Nederlandstalige uitgave: Frank de Wit
Ontwerp stofomslag: Marjo Starink
Gedrukt in China
Gebonden in Singapore, CS Graphics

Published by arrangement with Thames & Hudson, London
© 2002 Thames & Hudson Ltd., London
© 2002 Nederlandstalige editie: Uitgeverij Waanders b.v., Zwolle

3de druk 2005

ISBN 90 400 9030 0
NUR 654

Afbeelding omslag: Jan Wolkers, 2000 (detail), olie op linnen
120 x 70 cm, foto: Peter Mookhoek.
Pagina 1: Piero Manzoni, *Living Sculpture*, 1961.
Pagina 2-3: Gerhard Richter, *Abstraktes Bild* (detail), zie pag. 277.

Informatie over Waanders Uitgevers
www.waanders.nl

Voorwoord

De terminologie die wordt gebruikt bij de beschrijving van moderne kunst – van impressionisme tot installatiekunst, van Nabis tot neo-expressionisme en van symbolisme tot superrealisme – heeft zich ontwikkeld tot een ingewikkelde, en vaak intimiderende, eigen taal. Stijlen, scholen en stromingen staan zelden op zichzelf en zijn zelden duidelijk begrensd; ze zijn soms tegenstrijdig, vaak overlappend en altijd complex. Desondanks houdt het concept van stijlen, scholen en stromingen stand; inzicht daarin blijft essentieel voor elke bespreking van moderne kunst en het omschrijven daarvan blijft de beste manier om een notoir complex en soms lastig onderwerp in kaart te brengen. Dit boek is bedoeld als een brede inleiding tot, een persoonlijke beschouwing van en een leidraad bij een van de meest dynamische en interessantste perioden in de kunst.

De 300 stijlen, scholen en stromingen die in deze gids zijn samengebracht, vormen samen de belangrijkste ontwikkelingen in de Westerse schilderkunst, beeldbouwkunst, architectuur en ontwerpkunst. De onderwerpen worden in grote lijnen in chronologische volgorde besproken, van het impressionisme in de negentiende eeuw tot en met land-art, geluidskunst en internetkunst in de eenentwintigste eeuw.

Onder de hoofdingangen van dit boek worden honderd van de belangrijkste stijlen en stromingen van de moderne kunst besproken, met vermelding van stellingen uit de manifesten van kunstenaars, perikelen rond de tentoonstellingen, de uitspraken van de critici en de verrukking, of verontwaardiging, van het publiek. De werken worden bezien in hun historische en culturele context en aangevuld met biografische informatie en mogelijke interpretaties van de kunst zelf. Al deze informatie is nuttig, aangezien kunst niet in een vacuüm tot stand komt, noch in een vacuüm wordt ontvangen.

Aan het eind van elke hoofdingang wordt een beknopt overzicht gegeven van de belangrijke internationale collecties, de voornaamste monumenten en actuele publicatiegegevens over de belangrijkste literatuur (gepubliceerd in New York of Londen, tenzij anders aangegeven). Doordat de tekst rijkelijk is voorzien van verwijzingen (in de hoofdingangen aangegeven door een sterretje), kunnen lezers verwante bewegingen met elkaar vergelijken en diverse beïnvloedingspatronen en ontwikkelingen in de periode ontdekken.

Bij de samenstelling van elke gids moet worden erkend dat classificaties en grenzen niet vaststaan en niet altijd door de kunstenaars zelf in acht worden genomen of tot stand worden gebracht. Hoewel veel kunstenaars groepen hebben gevormd of manifesten hebben opgesteld, zijn de bekendste benamingen die tegenwoordig worden gebruikt, als eerste door critici, museummedewerkers of verzamelaars aangereikt. Zo zijn "impressionisme" en "fauvisme" benamingen die door sarcastische critici werden gebruikt. Diverse groepen, zoals Les Vingt en de Salon de la Rose+Croix, waren tentoonstellingsverenigingen, het postimpressionisme is eerder een tijdsperiode dan een stijl, video is een medium en het Bauhaus is een onderwijsinstelling.

Classificaties en selecties, die afhankelijk zijn van persoonlijke keuzes, lokken meestal discussies uit. Ongeacht het oordeel dat impliciet mocht blijken uit het feit dat een bepaalde kunstenaar of stijl wel of niet is opgenomen, is de selectie van de hier besproken onderwerpen en beoefenaars weliswaar subjectief, maar niet willekeurig. Het doel is om de relatieve invloeden aan te geven,

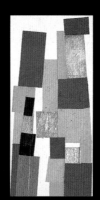

om lezers een inleiding te geven tot de wereld van de moderne kunst en om hun hulpmiddelen aan te reiken om hun eigen conclusies te trekken.

Hoewel de hier behandelde onderwerpen voornamelijk binnen de grenzen van de schilderkunst en beeldbouwkunst vallen, is het belangrijk om de relatieve betekenis en de context van een kunstmedium in de cultuur van de desbetreffende periode in te zien. Fotografie, die vaak een belangrijke rol speelt in de beeldende kunsten wordt in deze uitgave slechts associatief behandeld.

Architectuur neemt een prominente plaats in dit boek in, niet in het minst omdat manifesten, verklaringen en besluiten ook vaak de bewegingen in de architectuur hebben bepaald. Hoewel veel architectonische stijlen nauw samenhangen met andere beeldende kunsten, zoals de Arts and Crafts-beweging, art nouveau, modernisme en futurisme, dienen sommige stijlen als op zichzelf staande bewegingen te worden besproken. Voorbeelden hiervan zijn de Chicago School, de Internationale stijl, het Italiaanse rationalisme (M.I.A.R.) en hightech.

De hoofdingangen zijn ook op de uitklapbare tijdlijn voor in het boek opgenomen, zodat in één oogopslag gelijktijdige verschuivingen in stijlen en denken te zien zijn. Aangezien het begin en einde van bewegingen vaak niet exact kunnen worden aangegeven, wordt op de tijdlijn de duur van de bewegingen bij benadering aangegeven.

De tijdlijn is onderverdeeld in drie belangrijke stilistische stromingen waarin bewegingen zijn ondergebracht die dezelfde onderscheidende kenmerken hebben. "Kunst voor iedereen" omvat stijlen en bewegingen waarbij de kunstenaars, architecten en ontwerpers zich richten op

het creëren van een totale leefomgeving voor de moderne wereld. Onder "Kunst en stijl" zijn groepen kunstenaars ondergebracht die op zoek zijn naar nieuwe manieren waarop zij de veranderende wereld om hen heen kunnen beschrijven. "Kunst en geest" omvat experimentele kunstenaars voor wie de kunst tot doel heeft de innerlijke wereld van emotie, stemmingen en intellect te verbeelden.

Achter in het boek wordt essentiële historische informatie gegeven over nog eens 200 stijlen en stromingen. Veel van deze bewegingen zijn binnen bepaalde nationale tradities nog steeds van invloed en genieten daarbinnen nog steeds belangstelling. Voorbeelden van deze bewegingen zijn de St. Ives-groep in het Verenigd Koninkrijk, de Duitse groep Stupid, de Praesens-groep in Polen, de BMPT-groep in Frankrijk, de Scuola Romana in Italië, de Zweedse Halmstad-groep en de Equipo Crónica in Spanje. Hun activiteiten geven vaak een waardevol inzicht in de belangrijkste bewegingen.

Het register bevat niet alleen alle genoemde bewegingen, maar ook ruim 1000 kunstenaars, architecten, ontwerpers, impresario's, critici, verzamelaars en voorvechters van moderne kunst, waarbij verbanden worden gelegd tussen de stijlen, scholen en stromingen en de mensen die daarvoor van belang zijn geweest.

1860-1900

De opkomst van
de avant-gardisten

Camille Pissarro in zijn studio in Eragny, ca. 1897

Impressionisme

Behang in onafgewerkte staat is nog beter afgewerkt dan dat zeegezicht.

LOUIS LEROY, 1874

Het impressionisme is ontstaan in april 1874, toen een groep jonge Parijse kunstenaars, uit onvrede met het feit dat hun werk nooit tot de officiële salons werd toegelaten, in de studio van de fotograaf Félix Nadar een eigen tentoonstelling organiseerde. Claude Monet (1840-1926), Pierre-Auguste Renoir (1841-1919), Edgar Degas (1834-1917), Camille Pissarro (1830-1903), Alfred Sisley (1839-99), Berthe Morisot (1841-95) en Paul Cézanne (1839-1906, zie ook *Postimpressionisme) behoorden tot de dertig schilders die als de *Société Anonyme des Artistes Peintres, Sculpteurs, Graveurs*, etc. hun werk tentoonstelden. Andere belangrijke Franse impressionisten die later exposeerden, waren Jean-Frédéric Bazille (1841-70), Gustave Caillebotte (1848-94) en de Amerikaanse Mary Cassatt (1844-1926).

De tentoonstelling van 1874 leidde tot nieuwsgierigheid en verwarring bij het publiek, maar tot honende kritieken van de pers. De titel van Monets schilderij *Impressie, zonsopgang* (ca. 1872) gaf de criticus Louis Leroy, die vol minachting was over de tentoonstelling, het idee voor de naam van de groep: 'impressionisten'. Jaren later vertelde Monet hoe de naam van het schilderij was ontstaan en tot welke ophef het had geleid:

> Ze wilden voor de catalogus weten wat de titel van het werk was, [want] het kon niet echt doorgaan voor een gezicht op Le Havre. Ik antwoordde: "Noem het maar Impressie." Hiervan leidde iemand 'impressionisme' af en zo is de pret begonnen.

Het schetsmatige karakter en het schijnbare gebrek aan afwerking in hun werken, waartegen veel vroege critici bezwaar maakten, waren precies de kwaliteiten die meer genegen critici later als de kracht ervan zouden bestempelen.

Wat deze heterogene groep kunstenaars met elkaar verbond, was hun afwijzing van de gevestigde kunstwereld en zijn monopolie op wat kon worden geëxposeerd. Tegen het einde van de negentiende eeuw propageerde de Academie nog steeds de idealen van de Renaissance, namelijk dat het onderwerp van kunst edel of leerzaam

Boven: Auguste Rodin, *Hurkende vrouw*, 1880-82
Net als de impressionisten wilde Rodin bewust de indruk van een voltooid werk vermijden en gaf hij er de voorkeur aan om iets aan de verbeelding over te laten. Het eerste succes voor Monet kwam na een gezamenlijke tentoonstelling met Rodin in 1889 en de faam van Rodin droeg bij aan de acceptatie van het impressionisme buiten Frankrijk.

Tegenoverliggende pagina: **Claude Monet, *Impressie, zonsopgang*, ca. 1872-73**
Dit gezicht op de haven van Le Havre in de ochtendmist werd tentoongesteld in 1874. De titel van dit werk gaf de criticus Louis Leroy het idee voor de naam voor de groep: 'impressionisten'. De eigentijdse critici hadden minachting voor het schetsmatige en schijnbaar onafgewerkte karakter.

moest zijn en dat de waarde van een kunstwerk kon worden beoordeeld op basis van de beschrijvende 'gelijkenis' van het werk met natuurlijke objecten. De actie van de impressionisten, die zich met hun onafhankelijke tentoonstelling tegen de conventies en de macht van de traditionele cultuurwachters kantten, gold als voorbeeld voor vernieuwers van de daaropvolgende eeuw. Ook het verzinnen van een 'isme' door een sarcastische of gechoqueerde criticus om een radicale nieuwe vorm van kunst te beschrijven, zou alom navolging vinden.

Sinds halverwege de negentiende eeuw was Parijs de eerste echt moderne metropool, zowel fysiek als sociaal, en dit nieuwe Parijse stadsgezicht werd op veel impressionistische werken afgebeeld. De rol van de kunst in een veranderde maatschappij vormde in die tijd het onderwerp van artistieke, literaire en sociale debatten, en de impressionisten waren op een zelfbewuste manier vooruitstrevend in de toepassing van nieuwe technieken, theorieën, praktijken en onderwerpen. Hun interesse voor het vastleggen van de visuele impressie van een omgeving, om te schilderen wat het oog zag en niet zozeer wat de kunstenaar wist, was even revolutionair als hun gewoonte om buiten te werken (in plaats van uitsluitend in de studio) teneinde het spel van licht en kleur te observeren. Het vermijden van historische of allegorische onderwerpen, alsook hun nadruk op de vluchtige momenten van het moderne leven – om wat Monet "een spontaan werk in plaats van een berekend werk" noemde te creëren - vormde een definitieve breuk met de conventionele onderwerpen en werkwijzen.

Het werk van Edouard Manet (1832-83) had een grote invloed op de impressionisten. Manet verwierp het idee van één verdwijnpunt ten gunste van een 'natuurlijk perspectief', terwijl hij met zijn schijnbaar onduidelijke of onvolledige onderwerpen met opzet de klassieke idealen ondermijnde. Ook zondigde hij tegen de hiërarchie van genres met zijn grootschalige afbeelding van 'onbeduidende' onderwerpen, en in het bijzonder hechtte hij aan het weergeven van de eigentijdse ervaringswereld. Toen *Olympia* (1863) in 1865 werd tentoongesteld, werd zijn behandeling van traditionele onderwerpen (het vrouwelijk naakt) door conservatieve critici als schandalig aangemerkt.

De werken van anderen, zoals Camille Corot (1796-1875) en de School van Barbizon, Gustave Courbet (1819-77) en de Engelse schilders van de vorige generatie, J.M.W. Turner (1775-1851) en John Constable (1776-1837), toonden de impressionisten hoe de visuele effecten van licht en het weer in verf konden worden verkend. De impressionisten werden ook in hoge mate beïnvloed door de effecten die zij in de fotografische kunst zagen: het contrast, het wazige beeld en de fragmentatie die het bijsnijden van foto's tot gevolg had. Daarnaast hadden Japanse prenten, met hun niet-westerse compositie, perspectief en vlakke kleurvlakken, een grote invloed.

In de jaren zestig van de negentiende eeuw namen de impressionisten deze lessen in zich op en ontwikkelden zij hun eigen stijl. Ze schilderden vaak samen of kwamen bijeen (in het Café Guerbois in Montmartre bijvoorbeeld) om over hun werk te discussiëren en om ideeën uit te wisselen. Tussen 1874 en 1886 vonden de acht nu beroemde onafhankelijke tentoonstellingen van hun werk plaats, die onmiddellijk de aandacht van het publiek trokken. De reacties van de critici waren vaak vijandig, vooral in het begin, maar de impressionisten hadden invloedrijke voorvechters, waarvan sommigen, zoals de schrijvers Emile Zola en J.K. Huysmans, tevens vrienden waren. Ze trokken ook belangrijke persoonlijke begunstigers en handelaren aan, waaronder Dr. Paul Gachet (die later de arts van Vincent van Gogh in Auvers zou worden, zie *Postimpressionisme) en Paul Durand-Ruel.

Het is niet overdreven om te stellen dat het in de meeste impressionistische werken die tussen 1870 en 1880 zijn gemaakt, draait om de effecten van licht op landschappen. In het begin van de jaren tachtig vond echter een verandering plaats die doorgaans de 'impressionistische crisis' wordt genoemd. Bij veel kunstenaars ontstond het gevoel dat ze bij hun pogingen om het licht en het vluchtige karakter van de atmosfeer vast te leggen de menselijke figuur te veel hadden verwaarloosd. Vanaf dit moment werd de beweging gevarieerder van aard. Renoir ging zich bijvoorbeeld meer richten op het schilderen van figuren in een meer klassieke stijl. Monet gaf zijn figuren een meer solide gestalte en hanteerde later een meer analytische benadering van de visuele waarneming. De groep begon een breder scala van onderwerpen af te beelden. De crisis, die ook zijn weerslag had op de jongere generatie die naast de impressionisten exposeerde, zou er later toe leiden dat kunstenaars radicaal afweken van de oorspronkelijke ideeën van de impressionisten. Kunstenaars zoals Paul Gauguin (zie *Synthetisme), Paul Cézanne (zie Postimpressionisme), Georges Seurat en Paul Signac (zie *Neo-impressionisme) ontwikkelden uiteindelijk hun eigen stijl.

De ontwikkelingen die de impressionisten hebben beïnvloed, zijn het best zichtbaar in het werk van een aantal toonaangevende individuele kunstenaars. Voor velen blijft Monet de impressionist bij uitstek. Zijn schilderijen van het spoorwegstation, *Gare Saint-Lazare* (1876-77), waarin de moderne architectuur van het station wordt gecombineerd én gecontrasteerd met de nieuwe, amorfe, modernistische atmosfeer (van stoom), zijn wel de meest representatieve impressionistische schilderijen genoemd. Monets

interesse voor atmosfeer zou nog duidelijker worden in andere reeksen schilderijen, zoals *Hooibergen* (1890-92) en *Populieren* (1890-92), waarin hetzelfde onderwerp op verschillende tijden van de dag, in verschillende perioden van het jaar en onder verschillende klimatologische omstandigheden wordt afgebeeld. In de reeks *Populieren* geeft de gebogen rangschikking van vormen zowel diepte als de platheid van het oppervlak aan. Het gebruik van de S-vormige curve duidt op banden met *Art nouveau-werk uit dezelfde periode. Tegen het eind van zijn leven, in de periode van 1914 tot 1923, wijdde Monet zich aan acht enorme doeken met waterlelies voor een

Linksboven: **Edgar Degas, *Vrouw die haar haar laat kammen*, ca. 1886**
De interesse van Degas voor het spel van licht en schaduw op de menselijke vorm komt in deze pasteltekening duidelijk naar voren. Zeker twintig procent van de enorme hoeveelheid werken die Degas heeft voortgebracht, bestond uit naakten.

Rechtsboven: **Pierre-Auguste Renoir, *Mevrouw Portalis*, 1890**
Renoir, die verklaarde dat schilderen "iets prettigs, vrolijks en moois, ja, moois!" moest zijn, schiep er een groot behagen in om op verfijnde, kleurrijke wijze weelderige materialen en lichamen af te beelden. Zijn latere werken zijn echter sterker gekleurd met warm rood en oranje en zijn op meer solide wijze vormgegeven.

Tegenoverliggende pagina: **Berthe Morisot, *Boten in aanbouw*, 1874**
In het jaar waarin Morisot dit werk schilderde, trouwde zij met de broer van Edouard Manet. Morisot was een zeer toegewijd lid van de groep impressionisten. Behalve in 1879, het jaar na de geboorte van haar dochter, heeft ze aan alle impressionistische tentoonstellingen deelgenomen.

speciale ruimte in de Orangerie (Tuilerieën, Parijs). Samen creëren deze werken een omgeving die de toeschouwer volledig omgeeft, een gevoel van oneindigheid of, zoals Monet het uitdrukte, de "instabiliteit van het universum dat zich onder onze ogen transformeert". De penseelstreken, die met elkaar moeten worden verbonden om de werken te kunnen 'lezen', stimuleren de toeschouwer om te helpen betekenis aan de werken te geven - een cruciaal concept bij andere kunstuitingen in de twintigste eeuw. Het abstracte karakter van de waterlelies loopt vooruit op het *Abstract-expressionistische werk van de jaren veertig en vijftig van de twintigste eeuw.

Hoewel Renoir aan het eind van de jaren zestig van de negentiende eeuw samen met Monet landschappen schilderde, bleef hij altijd het meest geïnteresseerd in de menselijke figuur. Zijn grootste bijdrage aan het impressionisme bestond uit het toepassen van de impressionistische behandeling van licht, kleur en beweging op onderwerpen zoals de mensenmenigte in *Dansen bij de Moulin de la Galette* (1876). Renoir, die verklaarde dat schilderen "iets prettigs, vrolijks en moois, ja, moois!" moest zijn, keerde altijd weer terug naar taferelen van zich vermakende Parijzenaars, waarbij hij er een groot behagen in schiep om op verfijnde, kleurrijke wijze weelderige

materialen en lichamen af te beelden. Rond 1883 brak hij definitief met het zuivere impressionisme en begon hij klassieke naakten te schilderen op een onopgesmukte, minder zintuiglijke manier. Hoewel deze periode maar van korte duur was, combineerde hij later zijn interesse voor het classicisme met hetgeen het impressionisme hem had geleerd. Zijn penseelstreken werden losser en gebarender. Sommige critici hebben de late werken van Renoir, evenals die van Monet, wel als voorlopers van het *abstract expressionisme gezien.

Hoewel het werk van Edgar Degas op zeven van de acht groepstentoonstellingen van de impressionisten werd geëxposeerd, heeft hij zichzelf altijd als realist beschouwd:

> Er is geen enkele kunst die minder spontaan is dan de mijne. Wat ik doe, is het resultaat van reflectie en de bestudering van de grote meesters. Van inspiratie, spontaniteit en temperament weet ik niets.

Degas was een bekwaam tekenaar die van de impressionisten leerde hoe hij licht kon gebruiken om een gevoel van volume en beweging in zijn werk uit te drukken. Zoals veel van zijn collega's, maakte Degas vaak ter plaatse schetsen, maar gaf hij er de voorkeur

aan om het werk in de studio voort te zetten, aangezien hij van mening was dat het "veel beter [was] om alleen te tekenen wat je in je herinnering ziet. Tijdens zo'n transformatie werkt de verbeelding samen met het geheugen.... Vervolgens worden uw geheugen en uw verbeelding bevrijd van de tirannie die wordt opgelegd door de natuur." Degas ging naar cafés, theaters, circussen, racebanen en het ballet, op zoek naar zijn onderwerpen. Van alle impressionisten werd Degas het meest beinvloed door de fotografie, met zijn kenmerkende uiteenvallen van het picturale beeld, het idee van het voorbijgaande moment, de fragmentatie van lichamen en ruimte en het afkappen van het beeld. In de late jaren tachtig van de negentiende eeuw begon hij pastelkleuren te gebruiken en paste hij een 'sleutelgat-esthetica' toe voor het afbeelden van vrouwen in natuurlijke, intieme poses, een ontwikkeling die ongekend was in de geschiedenis van de kunst. Zoals de kunsthistoricus George Heard Hamilton opmerkte over deze late werken: "Zijn kleuren waren waarlijk zijn laatste en grootste geschenk aan de moderne kunst. Zelfs toen hij blind begon te worden, verschoof zijn palet in de richting van dat van de *fauves."

Berthe Morisot en Mary Cassatt waren de twee meest prominente vrouwen die samen met de impressionisten exposeerden. Hun gebruik van lijn en schilderkunstige vrijheid, en hun keuze van intieme voorstellingen als onderwerp zijn verwant aan het werk van Manet en Degas. Het werk van Cassett lijkt te zijn gebaseerd op vele bronnen - de voorkeur voor lijnen in Japanse prenten, de heldere kleuren van de impressionisten en de hellende perspectieven en fotografische afkapping van Degas - en creëert een unieke stijl waarin ze haar kenmerkende gevoelige, intieme weergaven van het lokale leven afbeeldt.

Een andere Amerikaanse emigrant, James Abbott McNeill Whistler (1834-1903, zie ook *Decadentenbeweging), was in Engeland de centrale figuur in de ontwikkeling van het impressionisme, en van het modernisme in het algemeen. Whistler betoogde dat een schilderij helemaal niet beschrijvend was, maar dat het in plaats daarvan zuiver een rangschikking was van kleuren, vormen en lijnen op doek. Zijn *Nocturne in Black and Gold: The Falling Rocket* (ca. 1874), dat door de Engelse kunstcriticus John Ruskin werd afgewezen als 'een pot verf dat in het gezicht van het publiek wordt gesmeten,' combineert impressionistische ideeën over kleur en atmosfeer met de vlakke decoratieve kwaliteit van Japanse prenten, waarbij een oorspronkelijke en memorabele weergave van stemming en atmosfeer wordt gecreëerd, twintig jaar voor Monets katedralen. De toonaangevende Britse impressionist, Walter Sickert (1860-1942), absorbeerde de lessen van zowel Whistler en Degas, en in zijn werk wordt het donkere palet van de Britse landschapstraditie getransformeerd tot iets moderners.

Tegen het einde van de jaren tachtig en negentig van de negentiende eeuw werd het impressionisme geaccepteerd als artistieke stijl, en verspreidde het zich door Europa en Amerika. Na de eeuwwisseling stond Duitsland open voor invloeden van buitenaf, en de nieuwe Franse technieken werden toegevoegd aan het gangbare binnenlandse naturalisme. Max Liebermann (1847-1935), Max Slevogt (1868-1932) en Lovis Corinth (1858-1925) blijven de beroemdste Duitse impressionisten. In Amerika werd het impressionisme enthousiast onthaald door de pers, het publiek, kunstenaars en verzamelaars, en sommige van de kostbaarste verzamelingen van impressionistische werken bevinden zich tegenwoordig in Amerika. De belangrijkste beoefenaars van het impressionisme in Amerika waren William Merritt Chase (1849-1916), Childe Hassam (1859-1935), Julian Alden Weir (1852-1919) en John Twachtman (1853-1902).

Ondanks het bestaan van gebeeldhouwde werken van Degas en Renoir waren er geen beeldhouwers direct verbonden met de beweging. Toen de term echter gebruikt ging worden voor een algemene stijl in plaats van voor de schilderijen van de oorspronkelijke groep, werden werken van zowel de Franse beeldhouwer Auguste Rodin (1840-1917) als de Italiaan Medardo Rosso (1858-1928) impressionistisch genoemd. Hun sculpturen brachten de interesse in licht, beweging, spontaniteit, fragmentatie en disintegratie van vorm door licht en schaduw ook in de derde dimensie tot uitdrukking. Evenzo worden werken op andere terreinen waarin men vergankelijke impressies tracht vast te leggen vaak 'impressionistisch' genoemd, (soms terecht, soms minder terecht), zoals de muziek van Ravel en Debussy of zelfs de romans van Virginia Woolf.

De impact van het impressionisme kan niet worden overschat. De acties en experimenten van de impressionisten symboliseerden de afwijzing van artistieke tradities en de waardeoordelen van de kunstkritiek, en toekomstige avant-gardebewegingen zouden hun voorbeeld volgen en pleiten voor artistieke vrijheid en vernieuwing. Door 'visie' te schilderen - niet wat men ziet, maar wat zien is - kondigden zij het begin van het modernisme aan, waarbij ze een proces initieerden dat de conceptie en de perceptie van het artistieke object op een revolutionaire manier zou veranderen. Het impressionisme vertegenwoordigt het begin van de twintigste-eeuwse verkenning van de expressieve eigenschappen van kleur, licht, lijn en vorm, een bijzonder krachtig thema in de moderne kunst. Wat misschien nog het belangrijkst van alles is, het impressionisme kan worden beschouwd als het begin van de strijd om de schilder- en beeldhouwkunst te bevrijden van zijn puur beschrijvende taak, en een nieuwe taal en rol te creëren, vergelijkbaar met andere kunstvormen zoals muziek en poëzie.

Belangrijke collecties
Haags Gemeentemuseum, Den Haag
Courtauld Gallery, Londen
Metropolitan Museum of Art, New York
Musée d'Orsay, Parijs
Musée de l'Orangerie, Parijs
National Gallery of Art, Washington, D.C.

Belangrijke boeken
D. Kelder, *The Great Book of French Impressionism* (1980)
T. J. Clark, *The Painting of Modern Life: Paris in the Art of Manet and his Followers* (Princeton, NJ, 1984)
B. Denvir, *The Impressionists at First Hand* (1987)
R. Herbert, *Impressionism: Art, Leisure and Parisian Society* (1988)
B. Denvir, *Chronicle of Impressionism* (1993)
B. Thomson, *Impressionism* (2000)

Arts and Crafts

Zorg dat uw huizen niets bevatten waarvan u niet weet dat het nuttig is of denkt dat het mooi is.

WILLIAM MORRIS

De Arts and Crafts-beweging was een sociale en artistieke beweging, die begon in Engeland in de tweede helft van de negentiende eeuw en die duurde tot in de twintigste eeuw. De beweging verspreidde zich over continentaal Europa en de Verenigde Staten. De volgelingen - kunstenaars, architecten, ontwerpers, schrijvers, ambachtslieden en filantropen - probeerden het belang van design en handwerksnijverheid voor alle kunsten opnieuw te bevestigen in een steeds meer geïndustrialiseerde samenleving, waarin naar hun idee kwaliteit werd opgeofferd aan het streven naar kwantiteit. De voorvechters en beoefenaars waren niet zozeer verenigd door een stijl, als wel door een gezamenlijk doel - de wens om de hiërarchie binnen de verschillende kunsten (waarbij de schilder- en beeldhouwkunst het hoogst werden aangeslagen) te doorbreken, om traditioneel handwerksnijverheid te doen herleven en weer waardigheid te geven en kunst te maken die voor iedereen betaalbaar was.

De toonaangevende exponent en propagandist van de Arts and Crafts-beweging was de ontwerper, schilder, dichter en sociaal hervormer William Morris (1834-96). Morris, een gepassionneerd socialist, verklaarde: "Ik wil geen kunst voor een enkeling, net zo min als ik onderwijs voor een enkeling wil, of vrijheid voor een enkeling." Morris bouwde voort op de ideeën van de architect Augustus W.N. Pugin (1812-52), die de morele superioriteit van de kunst van de Middeleeuwen benadrukte, en van de kunstcriticus en schrijver John Ruskin (1819-1900), die de hebzucht en het egocentrische karakter van de moderne kapitalistische maatschappij verwierp, en ontwikkelde het gezichtspunt dat kunst zowel mooi als functioneel moest zijn. Zijn ideaal, de pure en eenvoudige schoonheid van middeleeuws handwerksnijverheid, werd verder versterkt door zijn vriendschappen met de tot de prerafaëlieten behorende schilders Edward Burne-Jones (1833-96) en Dante Gabriel Rossetti (1828-82), die ook naar de Middeleeuwen keken (vandaar 'prerafaëlieten') voor esthetische inspiratie en morele ondersteuning.

Het rode huis (1859) in Bexley Heath, Kent, markeert het symbolische begin van de beweging. Morris gaf zijn vriend, de

architect Philip Webb (1831-1915), opdracht om het huis te bouwen voor Morris zelf en zijn nieuwe bruid. Het huis van rode bakstenen (vandaar de naam), met zijn vloeiende ontwerp, afwezigheid van pretentieuze façades, aandacht voor structuur en lokale materialen, traditionele bouwmethoden en bijzondere locatie, is een mijlpaal binnen de beweging die zich richtte op de revival van de lokale vormgeving. Morris zelf ontwierp de tuin, en het interieur werd ingericht en verfraaid door Webb, de Morrissen, Rosetti en Burne-Jones. Het resultaat werd door Rossetti omschreven als zijnde "meer

Boven: **Philip Webb, Het rode huis, Bexley Heath, Kent, 1859**
Het rode huis was Webbs eerste opdracht en blijft een van zijn meest beroemde. Voor de onderneming van Morris ontwierp hij ook meubels, metaalwerk en glas-in-lood.

Rechts: **Interieur met twee Philip Webb tafels, Ford Madox Browns versie van de 'Sussex'-stoel en het 'Fruit'-behang van William Morris** Dit interieur van The Grange in Fulham, Londen, illustreert de karakteristieke stijl en manier van ontwerpen van de beweging, die teruggreep op middeleeuwse architectuur, wandtapijten, verluchte manuscripten en rustieke meubels en kunstnijverheidsstijlen.

een gedicht dan een huis". Het was in feite het vroegste voorbeeld van het concept van een 'volledig kunstwerk' dat niet alleen van groot belang zou worden voor de Arts and Crafts-filosofie, maar ook voor veel andere bewegingen, waaronder *art nouveau en *art deco.

Dit project van een aantal vrienden leidde al snel tot een commerciële onderneming. In 1861 stichtten Morris, Webb, Rossetti, Burne-Jones, de schilder Ford Madox Brown (1821-93), de bouwmeester P.P. Marshall en de accountant Charles Faulkner de fabricage- en kunstnijverheidsfirma Morris, Marshall, Faulkner & Co. (later Morris & Co.). De anti-industriële structuur van de firma was gebaseerd op het concept van middeleeuwse gilden, waarin ambachtslieden het werk zowel ontwierpen als uitvoerden. Het doel van de onderneming was om mooie, nuttige en betaalbare toegepaste kunstobjecten te maken, zodat kunst voor iedereen bereikbaar zou worden, niet alleen voor de rijken. De leden van de onderneming legden zich toe op het ontwerpen en produceren van huishoudelijke objecten, waaronder meubels, (wand)tapijten, glas-in-lood, bekledingsstoffen, tegels en behang.

De belangrijkste vernieuwing van de Arts and Crafts-beweging had echter betrekking op hun ideologie, niet op hun stijl of ontwerpen, die teruggrepen op middeleeuwse architectuur en wandtapijten, verluchte manuscripten en rustieke meubels en kunstnijverheidsstijlen. Het was kenmerkend voor de beweging dat hun thema's en onderwerpen vaak werden ontleend aan de Arthurlegenden of de poëzie van de veertiende-eeuwse dichter Geoffrey Chaucer. Bovendien faalde de beweging in het produceren van kunst voor de massa. Hoewel ze succesvol was in het verhogen van de status van de ambachtsman en het bevorderen van het respect voor

lokale materialen en tradities, waren de handgemaakte producten duur. Tegen de jaren tachtig van de negentiende eeuw was het mogelijk om in een huis te wonen dat was ontworpen door Webb, en verfraaid met behang van Morris, ceramiek van William de Morgan (1839-1917) en schilderijen van Burne-Jones, en kleren te dragen die waren gebaseerd op kleding van de prerafaëlieten - maar alleen voor de rijken.

Morris zelf is het meest bekend om zijn gebruik van vlakke, formele patroonontwerpen voor behang en tegels die worden gekenmerkt door een rijkdom aan kleuren en een complex ontwerp. De vloeiende, dynamische lijn van zulke ontwerpen, vooral die van tweede generatie-ontwerpers Arthur Heygate Mackmurdo (1851-1942, zie *Art nouveau) en Charles Voysey (1857-1941), zou later de internationale art nouveau beïnvloeden, waarin ontwerpers het uiterlijk verder zouden ontwikkelen zonder het sociale programma.

De architectuur van Arts and Crafts was misschien wel het meest radicale en invloedrijke aspect van de beweging, en architecten zoals Webb, Voysey, M.H. Baillie Scott (1865-1945), Norman Shaw (1831-1912) en Charles Rennie Mackintosh (zie *Art nouveau) ontwikkelden principes die later de toetsstenen van twintigste-eeuwse architecten zouden worden. Tot deze principes behoorde het geloof dat ontwerp diende te worden gedicteerd door functie, dat lokale architectuurstijlen en materialen dienden te worden gerespecteerd, dat gebouwen geïntegreerd dienden te worden met het omringende landschap, en dat het van essentieel belang was dat men niet gebonden was aan historische stijlen. Het resultaat was een aantal huizen - in het bijzonder huizen voor de middenklasse - die architectuurhistoricus Nikolaus Pevsner 'frisser en esthetisch avontuurlijker [noemde] dan alles wat in die tijd in het buitenland werd gebouwd.

Deze architecturale principes voedden de groeiende Garden City-beweging in Engeland in de vroege twintigste eeuw, die op grote schaal Arts and Crafts-ontwerpen en de idealen van Morris voor sociale hervorming samenbracht. De Garden City-beweging was gebaseerd op de theorieën van Ebenezer Howard (1850-1928), zoals uiteengezet in zijn zeer invloedrijke boek, *Tomorrow: a Peaceful Path to Real Reform*, 1898 (in 1902 herzien en onder een nieuwe titel gepubliceerd als *Garden Cities of Tomorrow*). Howards sociale principes waren gericht op het ontwerpen van kleine, economisch onafhankelijke steden in het hele land, met als doel om de stedelijke uitdijing en overbevolking een halt toe te roepen. Er werden talrijke van die steden gebouwd, met wisselend succes, en het gewone huis

Links: **Gustav Stickley, Spindelbankje, 1905–7**
Eenvoud, nuttigheid en een 'eerlijke' constructie kenmerkten Stickleys ontwerpen. Door het voorbeeld van de Engelse Arts and Crafts-ontwerpers, met name van Morris, na te volgen, wilde hij de Amerikanen 'een materiële omgeving [bieden] die bevorderlijk was voor een zuivere manier van leven en een hoogstaande manier van denken'.

Tegenoverliggende pagina: **C. F. A. Voysey, Behang met een karikatuur van zichzelf als een demon, ontwerp uit 1889** Voysey verkocht zijn eerste behangontwerp in 1883. Zijn succes hielp hem om in de moeilijke jaren van zijn bouwkundige activiteiten, vóór *ca.* 1895 en na *ca.* 1910 zijn inkomen aan te vullen.

werd het aandachtspunt voor progressieve architecten in het hele land. Deze opleving van de interesse in lokale kunst, in het bijzonder van Arts and Crafts-ontwerpen en -architectuur, breidde zich later uit naar continentaal Europa. *Het Engelse huis* (1904-5) van de Duitse architect Hermann Muthesius (1861-1927), zie *Deutscher Werkbund), en exposities gepresenteerd door *Les Vingt en de opvolger ervan, La Libre Esthétique, in Brussel, introduceerden de nieuwe Britse stijl bij een continentaal publiek.

De Arts and Crafts-beweging omvatte andere Engelse gilden van architecten en ontwerpers. Tot de leden van de Century Guild (opgericht in 1882 als een democratisch collectief) behoorden Mackmurdo en Selwyn Image (1849-1930), die ook een tijdschrift uitgaf, *The Hobby Horse* (1884, 1886-92). Tot de Art Workers' Guild (opgericht in 1884) behoorden ook William Lethaby (1857-1931) en Voysey. De doelstellingen van dit gilde waren 'het bevorderen van het onderwijs in alle beeldende kunsten...en het ontwikkelen en onderhouden van hoge standaards met betrekking tot ontwerp en vakmanschap'. Het inzicht dat openbare tentoonstellingen essentieel waren voor het bereiken van hun onderwijskundige doelstellingen en om in commercieel opzicht te overleven (de Royal Academy stelde geen kunstvormen op het gebied van kunstnijverheid tentoon) leidde tot de oprichting van de Arts and Crafts Exhibition Society in 1888 door een aantal tweede generatie-ambachtslieden, met Walter Crane (1845-1915) als zijn eerste voorzitter. Een van de leden, T.J. Cobden-Sanderson (1840-1922), die in 1887 de naam voor de beweging bedacht, definieerde als zijn belangrijkste doelstelling om 'alle activiteiten van de menselijke geest onder de invloed [te brengen] van één idee, het idee dat leven gelijkstaat aan creëren'. In 1893 werd het blad *The Studio* gelanceerd om de boodschap en de ontwerpen van de Arts and Crafts-beweging te verspreiden over Engeland, Europa en de Verenigde Staten.

Arts and Crafts-workshops die werden gebaseerd op hun Britse tegenhangers werden opgericht in het Amerika van de late negentiende eeuw. De esthetiek van eenvoudige, niet-versierde meubelontwerpen van Gustav Stickley (1857-1942) en zijn workshop, gepropageerd door het tijdschrift *The Craftsman* (1901-16) is zelfs tegenwoordig nog populair. Eenvoud, bruikbaarheid en een 'eerlijke' constructie waren de belangrijkste concepten achter de ontwerpen. In tegenstelling tot Morris was Stickley geen tegenstander van massaproductie. Zijn producten, toegankelijker en betaalbaarder dan die van Morris, waren verkrijgbaar in warenhuizen of per postorder uit catalogi, en konden zelfs thuis in elkaar worden gezet aan de hand van ontwerpen en instructies die werden gepubliceerd in *The Craftsman*.

De architecturale principes van Arts and Crafts - het gebruik van de lokale materialen en het volgen van de tradities op het gebied van kunstnijverheid - floreerden ook in Amerika, waar ze een inspiratiebron vormden voor een verscheidenheid aan regionale architectuur. De prachtig gemaakte huizen en bijbehorende meubels die werden ontworpen door de broers Charles (1868-1957) en Henry (1870-1954) Green in Pasadena en Los Angeles, Californië, belichamen de verfijnde West Coast-variant van de Amerikaanse Arts and Crafts-architectuur. Maar de belangrijkste figuur in de

Amerikaanse lokale architectuur van de vroege twintigste eeuw was Frank Lloyd Wright (1867-1959). Zijn Prairiehuizen, gesitueerd buiten Chicago, met hun kenmerkende horizontaliteit, overhangende daken en hun vrij rond een centrale schoorsteen gerangschikte kamers, verraden een sterke invloed van de Arts and Crafts-beweging. Wright, evenals veel andere Arts and Crafts-architecten, omhelsde het concept van een 'totaalontwerp' en ontwierp vaak ingebouwd meubilair om controle te houden over de interieurs. Andere populaire Prairie School-architecten waren onder andere William Gray Purcell (1880-1965) en George Grant Elmslie (1871-1952).

De Arts and Crafts-esthetiek en idealen waren ook zeer succesvol in Duitsland, Oostenrijk, Hongarije en Scandinavië met hun sterke tradities op het gebied van kunstnijverheid die tot op de dag van vandaag populair zijn. Arts and Crafts-principes werden gekoppeld aan machinale productie en gebruikt als uitdrukking van de nationale identiteit. Volkskunst werd nieuw leven ingeblazen, evenals lokale typen middeleeuwse architectuur. Tot de belangrijkste figuren behoorden in Finland de kunstenaar Akseli Gallen-Kallela (1865-1931) en de architect Eliel Saarinen (1873-1950), in Zweden de kunstenaar Carl Larsson (1853-1919), in Hongarije Aladár Körösfoi-Kriesch (1863-1920), en in Oostenrijk, Josef Hoffmann (1870-1956, zie *Weense Sezession) en Koloman Moser (1868-1918). De idealen van de Arts and Crafts-beweging vormden ook de basis van veel Duitse *Jugendstil-workshops en uiteindelijk het *Bauhaus, dat ook streefde naar schone en toegepaste kunsten binnen een principe van een totaalontwerp.

Toen de invloed van de Arts and Crafts-beweging begon af te nemen, ten tijde van de Eerste Wereldoorlog, bleven de voorschriften 'geschiktheid voor het doel' en 'trouw aan materialen' van grote invloed. Meer recentelijk ligt het kunstnijverheidsideaal van de Arts and Crafts-beweging ten grondslag aan de opkomst van de ontwerper-fabrikant, en sinds de jaren vijftig van de twintigste eeuw, aan de Crafts Revival in Engeland, de Verenigde Staten en Scandinavië.

Belangrijke collecties
Metropolitan Museum of Art, New York
Musée d'Orsay, Parijs
Tate Gallery, Londen
Victoria & Albert Museum, Londen
Virginia Museum of Fine Arts, Richmond, Virginia
William Morris Gallery, Londen

Belangrijke boeken
P. Davey, *The Arts and Crafts Movement in Architecture* (1980)
P. Sparke, et al., *Design Source Book* (Sydney, 1986)
G. Naylor, *The Arts and Crafts Movement. A study of its sources, ideals and influence on design theory* (1990)
E. Cumming and W. Kaplan, *The Arts and Crafts Movement* (1991)

Chicago School

Naar mijn mening zou het in esthetisch opzicht heel goed zijn als we een aantal jaren helemaal zouden afzien van ornamentatie.

LOUIS SULLIVAN, 'ORNAMENT IN ARCHITECTURE', 1892

De Chicago School - geen beweging die zichzelf als zodanig uitriep - was een informele groep architecten en engineers die werkzaam waren in Chicago vanaf omstreeks 1875 tot 1910. Het belangrijkst van hen waren Dankmar Adler (1844-1900), Daniel H. Burnham (1846-1912), William Holabird (1854-1923), William Le Baron Jenney (1832-1907), Martin Roche (1853-1927), John Wellborn Root (1850-91), en, vooral, Louis Sullivan (1856-1924). Hun erfenis was de ontwikkeling van de wolkenkrabber, een prestatie die zowel zeer modern als zeer Amerikaans was.

In de periode die volgde op de Amerikaanse Burgeroorlog, bood Chicago architecten unieke mogelijkheden. Expansie in westelijke richting had de populatie en economie van de stad een grote impuls gegeven, en in 1871 brandde een groot deel van het centrum tijdens de Grote Brand tot de grond toe af. De prijzen van land waren echter zeer hoog, en de beschikbare ruimte was beperkt. De oplossing bestond uit de hoogbouw, die door de uitvinding van de lift door Elisha Graves Otis in 1853 levensvatbaar was geworden. Twee problemen moesten echter nog worden opgelost: dat van het volumineuze, lastdragende metselwerk, en dat van het risico van brand.

Het eerste probleem werd opgelost door het gebruik van een intern metalen frame. Jenney's Home Insurance Building (1883-85, verlengd in 1891, vernietigd in 1931) was het eerste gebouw ter wereld dat volledig werd ondersteund door een intern metalen frame, in plaats van door conventionele lastdragende muren. De ijzeren en stalen skeletten ervan, bekleed met metselwerk, bleken zowel betrouwbaar qua structuur, voor grote hoogten, als hittebestendiger dan gietijzeren frames. Technische ontwikkelingen waren nauw verbonden met esthetische aspecten. In het Tacoma Building (1886-89, afgebroken) en het Marquette Building (1895) van Holabird en Roche, en in Burnham, Root en Charles Atwoods Reliance Building (1891-95), waren de stalen skeletten omhuld door wanden van glas die zowel de interne structuur weerspiegelden als de lichtheid ervan benadrukten. Door het gebruik van metalen frames waren minder ondersteunende muren nodig, en werden de façades blootgelegd – vernieuwingen die later ook in de rest van het land in zwang raakten, en die een transformatie van de Amerikaanse steden teweeg brachten in de jaren vijftig van de twintigste eeuw (zie *Internationale stijl). De

D. H. Burnham & Co., Reliance Building, Chicago, 1891–95

Het gebouw van veertien verdiepingen, dat oorspronkelijk werd gebouwd met slechts vier verdiepingen, werd in 1894 verlengd door de ontwerper, Charles B. Atwood en de bouwkundig ingenieur, E. C. Shankland. Als gevolg hiervan bereikte het gebouw een hoogte van 61 meter, waarbij het stalen raamwerk een maximaal gebruik van glas mogelijk maakte.

exterieuren van gebouwen veranderden eveneens. De architecten van de Chicago School maakten gebruik van een bekleding van metselwerk (vaak terracotta) om het frame extra te benadrukken, er werd gebruik gemaakt van zogeheten 'Chicago ramen' (grote, uit drie gedeelten bestaande ramen met een centraal, vast paneel en aan elke kant kleinere vensters met dubbele ramen) en een radicaal vereenvoudigde externe decoratie.

Meer dan enig ander partnerschap in die periode is het team van Adler en Sullivan synoniem voor de stijl van de Chicago School. De wellevende en beschaafde Adler, wiens socialistische ideeën waren ontleend aan William Morris (zie *Arts and Crafts), en wiens technisch meesterschap beroemd was, was de ideale tegenhanger van de onverzettelijke en visionaire Sullivan, wiens boeken soms de indruk geven van een profeet in de wildernis. Zowel het Wainwright Building (1890-91) in St. Louis, Missouri, als het Guaranty Building (1894-95, nu het Prudential Building) in Buffalo, New York, zijn goede voorbeelden van de wolkenkrabbervorm. In deze gebouwen wordt het ontwerpprobleem van een verticaal gebouw dat bestaat uit horizontale lagen op een radicale manier opgelost. De horizontale lagen worden benadrukt door de ornamentatie onder de ramen, en door de decoratieve fries en de karakteristieke kornis erboven. Het verticale stalen skelet wordt benadrukt door de kolomachtige organisatie van

het gebouw, met zijn drie secties: basis, schacht en kapiteel. Deze demonstreren Sullivans visie, zoals hij die uiteenzette in zijn bekende essay van 1896 'The Tall Office Building Artistically Considered', 'form follows function'. Sullivans conceptie van functie was echter erg breed, en omvatte structurele, utilitaire en sociale overwegingen. Hij schuwde de ornamenatie niet – zoas hij zei dat hij zou moeten doen, en zoals latere architecten ook deden – maar probeerde om deze te integreren in het ontwerp van het gebouw, zodat het zou lijken alsof de versiering 'was voorgekomen uit de substantie van het materiaal zelf.'

Sterker nog, ornamentatie is opvallend aanwezig in Sullivans meesterwerk, het Schlesinger and Mayer Department Store (nu Carson, Pirie, Scott & Co.) dat hij in twee fasen ontwierp (1899 en 1903–4). Het stalen skelet wordt op een krachtige manier zichtbaar gemaakt door de externe nadruk op de verticale en horizontale lijnen, en de kantoormuren van de bovenste verdiepingen zijn onversierd, maar op de eerste drie verdiepingen zijn de grote etalageramen van het warenhuis ingekaderd in overdadige, gietijzeren ornamentatie in *art nouveau-stijl. Geen enkel gebouw drukt zo duidelijk zijn inspanningen uit om het natuurlijke en het industriële te verenigen, of bevestigt zijn dubbele reputatie als grondlegger van zowel het moderne functionalisme als van organische architectuur.

Na de dood van Adler in 1900 bleef Sullivan achter als een geïsoleerde en moeilijke figuur en op het laatst kreeg hij geen opdrachten meer. Tegelijkertijd beleefde de neo-klassieke traditie van de architectuur een comeback in de Verenigde Staten, en raakten de ontwerpen van de Chicago School uit de mode. Pas later in de twintigste eeuw zouden hun technologische doorbraken en gedurfde ontwerpen erg invloedrijk worden. Chicago zelf bleef echter voortdurend een vruchtbare grond voor bouwkundige vernieuwingen. Tegen het einde van de twintigste eeuw leidde Sullivans meest talentvolle student, Frank Lloyd Wright, een andere informele groep van in Chicago gevestigde architecten die een revolutionaire ontwikkeling teweeg zou brengen in de lokale architectuur: de Prairie School (zie *Arts and Crafts).

Louis Sullivan, Carson, Pirie Scott & Co., Chicago, 1899 en 1903–4
Sullivan was van mening dat de etalages van het warenhuis als schilderijen waren, en ontwierp daarom overdadige 'lijsten' voor de onderste façade van zijn gebouw. Veel van zijn ontwerpen werden uitgevoerd door George Elmslie.

Belangrijke monumenten
Louis Sullivan, Carson, Pirie, Scott & Co. Building, State St, Chicago, Illinois
Holabird and Roche, Marquette Building, Dearborn St, Chicago, Illinois
Burnham and Root, Monadnock Block, Jackson Blvd, Chicago, Illinois
Charles Atwood, Reliance Building, State St, Chicago, Illinois

Belangrijke boeken
J. Siry, 'Carson Pirie Scott' (*Chicago Architecture and Urbanism*, vol. 2, 1988)
H. Frie, *Louis Henry Sullivan* (1992)
H. Morrison and T. J. Samuelson, *Louis Sullivan: Prophet of Modern Architecture* (1998)

Les Vingt

Wij geloven in art nouveau.

L'ART MODERNE

Fernand Khnopff, *Liefkozingen van de Sfinx (De Sfinx),* **1896**
Het uitgebeelde moment is geïnspireerd door de verbeelding van de
kunstenaar en niet door een literaire bron. De Sfinx liefkoost Oedipus, die
haar afweert. Hij denkt na over haar raadsel of hij heeft het al opgelost. In
het posthomerische verhaal lost Oedipus het raadsel op en doodt de Sfinx
zichzelf.

De groep die bekend staat als Les Vingt (De Twintig), bestond uit
twintig progressieve schilders, beeldhouwers en schrijvers in Brussel
die van 1883 tot 1893 gezamenlijk vernieuwende kunst uit België en
daarbuiten exposeerden en propageerden. De oorspronkelijke twintig
kunstenaars waren onder anderen James Ensor (1860-1949, zie
*Symbolisme), Alfred William Finch (1854-1930), Fernand Khnopff
(1858-1921) en Théo Van Rysselberghe (1862-1926). De groep,
waarin uiteenlopende stijlen waren verenigd, was door de advocaat
Octave Maus (1856-1919) bijeengebracht om een forum voor avant-
gardistische kunst, muziek, poëzie en kunstnijverheid te bieden.

Via het tijdschrift *L'Art Moderne* (1881-1914), wat Maus samen
met Edmond Picard (1836-1924), een bevriende advocaat, had
opgezet, was hij al begonnen met de verspreiding van zijn ideeën over
eigentijdse kunst. Met dit tijdschrift als spreekbuis vielen Maus en
Picard de traditiegebonden Academie en conservatieve Salons aan en
streden zij voor de introductie van kunst in het alledaagse leven. Een
aantal van de conservatievere leden van Les Vingt werd afgeschrikt
door de vijandige kritieken die de retoriek van de redacteurs uitlokte
en verliet de groep. Hun plaats werd al snel ingenomen door anderen,
waaronder de Belgische kunstenaars Anna Boch (1848-1926),
Félicien Rops (1833-98), Henry Van de Velde (1863-1957, zie *Art
nouveau) en Isidor Verheyden, de Franse beeldhouwer Auguste Rodin
(1840-1917, zie *Impressionisme), de Franse *neo-impressionist Paul
Signac (1863-1935) en de Nederlandse symbolist Jan Toorop (1858-
1928). Gedurende het tienjarige bestaan van Les Vingt had de groep

in totaal tweeëndertig leden. Met de hulp van de schilder Van
Rysselberghe en de dichter en criticus Emile Verhaeren organiseerde
Maus van 1884 tot de ontbinding van de groep in 1893 jaarlijks
tentoonstellingen die telkens in de maand februari werden gehouden.
De eerste tentoonstelling, waarop het werk van leden van Les Vingt
naast dat van gevestigde en opkomende internationale kunstenaars
werd getoond en waarmee nieuwe stijlen in de moderne kunst aan het
publiek werden geïntroduceerd, zette de toon voor de latere
tentoonstellingen. Onder de 126 uitgenodigde kunstenaars die
deelnamen, bevonden zich Rodin, Whistler, Monet, Renoir en Pissaro
(zie *Impressionisme); Redon (zie *Symbolisme); Denis (zie *Nabis);
Anquetin en Bernard (zie *Cloisonnisme); Seurat en Signac (zie
*Neo-impressionisme); Gauguin (zie *Synthetisme); Toulouse-
Lautrec, Cézanne en Van Gogh (zie *Postimpressionisme); en Crane
(zie *Art nouveau). Deze uitwisseling van informatie leidde tot de
ontwikkeling van lokale versies van het symbolisme door Les Vingt-
leden Khnopff, George Minne (1866-1941) en Rops, en een
kortstondig enthousiasme voor het neo-impressionisme bij Boch,
Finch, Georges Lemmen (1845-1916), Van Rysselberghe en Van de
Velde. Vanaf 1892 werd in de tentoonstellingen ook kunstnijverheid
opgenomen, waaruit de toenemende belangstelling voor toegepaste
kunsten bleek. Als een op de buitenwereld gerichte tentoonstellingsvereniging voor kunstenaars gold Les Vingt als belangrijk
model voor vele groepen die volgden, zoals de *Weense Sezession.

Nadat de groep in 1893 was ontbonden, gingen Maus en Van
Rysselberghe verder met een nieuwe vereniging, La Libre Esthétique
(1894-1914), die nog meer nadruk op de versieringskunsten legde.
Schilderkunst, beeldbouwkunst, meubelkunst en toegepaste kunst
kregen alle gelijke status. Op de eerste tentoonstelling waren werken
te zien van de Engelse *Arts and Crafts-beoefenaars William Morris,
Walter Crane, T.J. Cobden-Sanderson en C.R. Ashbee, boek-

illustraties van de *decadentistische kunstenaar Aubrey Beardsley, alsook schilderijen van Toulouse-Lautrec en Seurat. Zelfs muziek was vertegenwoordigd, aangezien Claude Debussy tijdens de opening speelde.

Als gevolg van deze experimenten en uitwisseling van ideeën waren de eerste tekenen van art nouveau van het Europese vasteland te zien in Brussel, met name in het werk van de architect Victor Horta (1861-1947) en van het voormalige Les Vingt-lid Van de Velde. De nieuwe beweging werd enthousiast gesteund door *L'Art Moderne*, en de redacteurs, Maus en Picard, riepen zich uit tot "gelovers in art nouveau".

Belangrijke collecties
Fine Arts Museums of San Francisco, San Francisco, California
Koninklijke Musea van Schone Kunsten, Brussel
Petit Palais, Geneve
Kunsthaus, Zürich

Belangrijke boeken
Belgian Art, 1880–1914
    (tent. cat.) (Brooklyn Museum of Art, 1980)
Impressionism to Symbolism: The Belgian Avant-garde,
    1880–1900 (tent. cat.) Royal Academy of Art, Londen, 1994)
C. Brown, *James Ensor* (1997)

Neo-impressionisme

De neo-impressionist plaatst geen punten, hij verdeelt.

PAUL SIGNAC, 1899

Op voorstel van Camille Pissarro (1830-1903), een van de oprichters van de *impressionistische groep, werden werken van zijn zoon, Lucien (1863-1944), en van twee andere jonge Franse schilders, Paul Signac (1863-1935) en Georges Seurat (1859-91), opgenomen in de laatste impressionistische tentoonstelling die werd gehouden in 1886. De Pissarro's hadden het jaar daarvoor al kennis gemaakt met Seurat en Signac, en alle vier werkten ze in de stijl die al gauw neo-impressionisme (nieuw impressionisme) werd genoemd door de criticus Félix Fénéon.

De nieuwe schilderijen werden gescheiden van de hoofdtentoon-

stelling opgehangen, als uitnodiging aan de critici om de oude en de nieuwe stijlen van het impressionisme met elkaar te vergelijken. Deze strategie was een succes en de reacties van de critici waren gunstig. Fénéons bespreking, waarin hij zowel de oorsprong van de impressionistische stijl als de reactie op impressionistische technieken benadrukte, was positief. Een andere criticus, Paul Adam, besloot zijn bespreking met de bewering dat 'deze tentoonstelling [ons] inwijdt in een nieuwe kunst.' Tegen de vroege jaren tachtig van de negentiende eeuw vonden veel van de impressionisten dat het impressionisme te ver was gegaan bij het dematerialiseren van het object en dat het een

Boven: **Fernand Khnopff, *Les XX*, Poster voor de tentoonstelling van 1891** Khnopff, die het logo voor Les Vingt ontwierp, was illustrator van boeken en schilder. Zijn zus wordt afgebeeld op veel van zijn schilderijen van vrouwen, waarbij haar in vervoering gebrachte gelaatstrekken een transcendentale, en mogelijk sexuele sfeer suggereren.

Tegenoverliggende pagina: **Georges Seurat, *Zondagmiddag op het eiland La Grande Jatte*, 1883–86** Seurats meesterwerk, dat zorgvuldig is geconstrueerd, en dat een compositie heeft waarin geen enkel aspect van het schilderij voorrang heeft boven een ander aspect, creëert uitzonderlijke optische effecten.

te vluchtig karakter had gekregen. Deze bezorgdheid werd gedeeld door jongere kunstenaars als Seurat. In zijn vroege werk, *De baders in Asnières* (1884), probeert hij de impressionistische helderheid te behouden, terwijl hij gelijkertijd het object weer in zijn oude staat brengt. Hoewel hij een typisch impressionistisch onderwerp kiest – stedelijk vertier – zijn Seurats zorgvuldig samengestelde ontwerp en zijn werkmethode ver verwijderd van de spontaniteit die wordt geassocieerd met impressionistische schilderijen. In werkelijkheid maakte Seurat ten minste veertien olieschetsen voor dit werk voordat hij zijn uiteindelijke keuze maakte, die hij vervolgens op het doek afbeeldde, niet in de openlucht, maar in zijn atelier.

In 1884 bracht Signac een bezoek aan Seurat, nadat hij *De baders* had gezien, en ze ontdekten dat ze een gemeenschappelijke interesse hadden in kleurtheorie en optica. Ze begonnen samen te werken aan hun theorie van het 'divisionisme'. Hun onderzoek leidde hen naar wetenschappelijke studies over de transmissie en perceptie van licht en kleur, zoals het *Students' Text-book of Colour: or, Modern Chromatics, with Applications to Art and Industry* (1881) van de Amerikaanse natuurkundige Ogden Rood en het zeer invloedrijke *Principle of Harmony and Contrast of Colours and Their Application to the Arts* (1839) van Michel-Eugène Chevreul. Signac spoorde de negentigjarige Chevreul zelfs op om hem te interviewen over zijn ontdekkingen. Chevreul was de belangrijkste chemicus in een tapijtfabriek geweest, waar hij zijn 'principe van gelijktijdige

contrasten' ontwikkelde, die was gebaseerd op zijn observaties met betrekking tot de weefkunst. Hij beweerde dat het gebied van het netvlies, wanneer dit wordt gestimuleerd door een bepaalde kleur, een 'afterimage' van de complementaire kleur ervan produceert, en dat contrasterende kleuren elkaar versterken. Seurat en Signac maakten van deze ideeën gebruik. Wat de oorspronkelijke impressionisten op een intuïtieve manier hadden ontdekt – dat een grotere helderheid en glans van de kleuren kan worden bereikt door ongemengde pigmenten direct aan te brengen op het doek – werkten de twee neo-impressionisten nu verder uit op basis van een wetenschappelijke benadering.

Uitgaande van de vooronderstelling dat kleur wordt gemengd in het menselijk oog, en niet op het palet, perfectioneerden ze een techniek voor het toepassen van kleurstippen op het doek, op zo'n manier dat deze werden vermengd wanneer ze vanaf de juiste afstand werden bekeken. Fénéon bedacht de term 'pointillisme' voor het beschrijven van deze techniek, hoewel Seurat en Signac spraken van divisionisme. Tegenwoordig wordt de term divisionisme gebruikt als aanduiding van de theorie, en pointillisme als aanduiding van de techniek.

Seurats invloedrijke doek, *Zondagmiddag op het eiland van La Grande Jatte* (1884-86), werd opgenomen in de tentoonstelling van 1886. In dit doek valt Seurats affiniteit met het impressionisme te bespeuren, zijn kritiek op de beperkingen ervan en zijn eigen weg

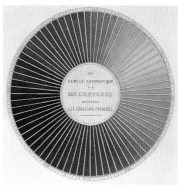

gevoel van platheid en een verschuivend perspectief. Het werk combineert een klassiek Renaissance-perspectief en een eigentijdse interesse in licht, kleur en patroon van het oppervlak.

Zoals *La Grand Jatte* illustreert, is de meerderheid van de neo-impressionistische schilderijen gelijkmatig geconstrueerd, terwijl de divisionistische techniek speciale optische effecten produceert. Aangezien het oog constant beweegt, versmelten de stippen nooit helemaal, maar produceren ze een glinsterend, nevelig effect, zoals men waarneemt in fel zonlicht. Het na-effect is zodanig dat de afbeelding lijkt te zweven in tijd en ruimte. Deze illusie wordt vaak versterkt door nog een van Seurats vernieuwingen: een pointillistisch kader dat op het doek zelf wordt geschilderd, en dat zich soms uitstrekt tot de lijst zelf.

De groep rond Seurat en Signac breidde zich snel uit. Nieuwe leden waren Charles Angrand (1854-1926), Henri-Edmond Cross (1856-1910), Albert Dubois-Pillet (1845-1890), Léo Gausson (1860-1942), Maximilien Luce (1858-1941) en Hippolyte Petitjean (1854-1929). Signac stond ook dicht bij een aantal *symbolistische schrijvers, waaronder Fénéon, Gustave Kahn en Henri de Régnier, die de neo-impressionistische werken bewonderden om hun symbolistische en expressieve aard. Veel symbolisten en neo-impressionisten, zoals Cross, de Pissarro's en Signac, sympatiseerden met anarchisten en illustreerden verschillende anarchistische publicaties zoals *La Révolte* en *Les Temps Nouveaux*. De neo-impressionistische schilders waren echter niet zo militant als Fénéon, die gevangen werd gezet vanwege zijn vermeende deelname aan de anarchistische bombardementen in Parijs in de vroege jaren negentig van de negentiende eeuw. Ze drukten hun radicale sympathieën uit door middel van hun kunst, waarin ze de alledaagse werkelijkheid afbeelden – arbeiders, boeren, fabrieken en sociale ongelijkheid – en visies creëerden van een harmonieuze toekomst, die bereikt zou worden door middel van de politiek en de democratisering van de kunst.

De neo-impressionistische beeldspraak werd ook beïnvloed door progressieve esthetische theorieën uit die tijd, zoals de theorieën van Charles Henry en anderen, die betrekking hadden op psychologische reacties op lijnen en kleuren. Volgens hun theorieën brachten horizontale lijnen rust teweeg; schuin omhoog gaande lijnen vrolijkheid; schuin omlaag gaande lijnen verdriet. Verkenning van de affectieve mogelijkheden van lijnen is duidelijk zichtbaar in een werk als Seurats *Le Chahut* (1889-90). In 1890 schreef Seurat:

Kunst is harmonie. Harmonie is de analogie van tegengestelde en gelijksoortige elementen van toon, kleur en lijn, beschouwd op basis van hun dominante factoren en onder invloed van licht in vrolijke, rustige of verdrietige combinaties.

voorwaarts. Het monumentale tafereel is een combinatie van bekende impressionistische onderwerpen – een landschap en eigentijdse Parijzenaren die zich ontspannen – maar het schilderij legt niet zozeer het vergankelijke moment vast, als wel een gevoel van eeuwigheid. Dat deze spanning tussen het tijdige en tijdloze aura opzettelijk was, wordt bevestigd door Seurats opmerkingen over het schilderij: "Phidias' Panathenaea was een processie. Ik wil de moderne mensen tonen die zich op dezelfde manier op friezen voortbewegen, gereduceerd tot hun essentie." Sommige kijkers werden in verwarring gebracht door de stilering van de figuren, anderen interpreteerden het werk als een uiting van kritiek met betrekking tot de gewoonten en sociale attitudes van die tijd. Seurat zelf definieerde het schilderij als 'de kunst van het uithollen van een oppervlak', en in *La Grande Jatte* creëerde hij een diepe, continue ruimte die contrasteerde met het

Linksboven: **Georges Seurat, *Eindstudie voor 'Le Chahut'*, 1889**
Seurats verkenning van de affectieve mogelijkheden van lijnen is duidelijk zichtbaar in dit werk: de warme kleuren en de opwaartse positie van de benen van de danseressen zijn bedoeld om vrolijkheid weer te geven.

Rechtsboven: **Michel-Eugène Chevreul, *Premier cercle chromatique*,** uit zijn studie getiteld ***Des Couleurs et de leurs applications aux arts industriels*, 1864** Chevreuls 'chromatische cirkel' bewees voor de eerste keer dat alle kleuren aan naburige kleuren een kleurzweem van hun eigen complementaire kleuren meegeven.

Tegenoverliggende pagina: **Paul Signac, *Portret van Félix Fénéon tegen een achtergrondritmiek met gebogen lijnen en hoeken, tonen en kleuren*, 1890** De anarchist en criticus Félix Fénéon was de eerste grote voorvechter en begunstiger van de neo-impressionisten. Hij was het die de term 'pointillisme' bedacht – hoewel de kunstenaars zelf de voorkeur gaven aan een door henzelf bedachte term: 'divisionisme'.

Seurat stierf slechts een jaar later, op de leeftijd van eenendertig jaar. Zijn vriendschap met Signac en Pissarro was onder druk komen te staan, en er waren ruzies geweest over wie de neo-impressionistische technieken had uitgevonden. In het laatste jaar van zijn leven werd Seurat een kluizenaar, en de critici leken de interesse in zijn werk te verliezen. Zijn invloed op toekomstige stromingen in de kunst was echter groot. Zijn nieuwe schildertaal bleek een aantrekkelijke, en tegen de tijd dat hij stierf was zijn stijl zich ook buiten Frankrijk beginnen te verspreiden, hoewel de oorspronkelijke beoefenaars ervan zich in verschillende richtingen ontwikkelden.

Werken van zowel Seurat en Pissarro werden opgenomen in een tentoonstelling die werd georganiseerd door *Les Vingt in Brussel in 1887. Signac en Dubois-Pillet exposeerden daar in 1888, en Seurat opnieuw in 1889, 1891 en 1892 (een herdenkingstentoonstelling). Sommige leden van Les Vingt – Alfred William Finch (1854-1930), Anna Boch (1848-1926), Jan Toorop (1858-1928), Georges Lemmen (1865-1916), Théo Van Rysselberghe (1862-1926) en, gedurende korte tijd, Henry Van de Velde (1863-1957, zie *Art nouveau) – experimenteerden met neo-impressionistische technieken. Het

divisionisme floreerde ook in Italië, door de werken van Giovanni Segantini (1858-99) en Gaetano Previati (1852-1920), waar het een inspiratiebron voor het *futurisme bleek.

In 1899 kreeg het neo-impressionisme in Frankrijk een nieuwe impuls met de publicatie van Signacs *From Eugène Delacroix to Neoimpressionism*. In dat boek lichtte hij de werkwijze van de neo-impressionisten toe voor een nieuwe generatie kunstenaars:

Wel, divisionisme houdt in:
Zichzelf overtuigen van alle voordelen van helderheid, kleurgebruik en harmonie, door:
1. De optische mengeling van uitsluitend zuivere pigmenten…
2. De scheiding van lokale kleuren van de kleur van het licht, weerkaatsingen, etc…
3. Het evenwicht van deze elementen en hun verhoudingen (volgens de wetten van contrast, gradatie en belichting);
4. De keuze van een penseelstreek die past bij de dimensies van het schilderij.

Veel kunstenaars, waaronder Vincent van Gogh, Paul Gauguin en Henri Matisse (die in 1904 samen met Signac in St Tropez schilderde), experimenteerden gedurende hun schilderscarrières met neo-impressionistische technieken (zie *Postimpressionisme, *Synthetisme en *Fauvisme). Het neo-impressionisme hielp vorm te geven aan zeer verschillende stijlen en bewegingen als *art nouveau, *De Stijl, het *orfisme, het *synchromisme, het *symbolisme, het *surrealisme van René Magritte, en zelfs, later in de eeuw, het *abstract expressionisme en *pop-art.

Als de eersten van een nieuw soort kunstenaar-wetenschappers maken Seurat en Signac ook deel uit van een andere kunstgeschiedenis, die tot uitdrukking komt in het Russische *constructivisme, de *kinetische kunst van László Moholy-Nagy en Jean Tinguely, in *op-art, zoals beoefend door Victor Vasarely en Bridget Riley, en in experimentele groepen in de jaren vijftig en zestig van de twintigste eeuw, zoals *GRAV.

Belangrijke collecties
Jeu de Paume, Parijs
Musée d'Orsay, Parijs
Metropolitan Museum of Art, New York
Minneapolis Institute of Arts, Minneapolis, Minnesota
National Gallery, Londen
Petit Palais, Geneve

Belangrijke boeken
R. L. Herbert, *Neo-Impressionism* (tent. cat.) Guggenheim Museum, 1968)
J. Rewald, *Post-Impressionism from van Gogh to Gauguin* (1979)
R. L. Herbert, *Georges Seurat, 1859–1891* (tent. cat.) Metropolitan Museum of Art, 1991)

Decadentenbeweging

Het tijdperk van de natuur is voorbij; die heeft het geduld uitgeput van alle fijngevoelige geesten door de weerzinwekkende monotonie van zijn landschappen en luchten.

DES ESSEINTES IN A REBOURS VAN JORIS-KARL HUYSMANS, 1884

Hoewel de decadentenbeweging een informele classificatie is, omvat deze literaire en artistieke uitingen van de late negentiende eeuw, waarbij in Frankrijk sprake is van overlapping met het *symbolisme, en in Engeland met de esthetische beweging. Zowel de literatuur als de kunst brengen de malaise en de verveling tot uitdrukking die worden geassocieerd met *fin-de-siècle* ideeën, en worden gekenmerkt door romantische visies van het kwaad, het groteske, van sensatiezucht en van het leven dat wordt opgevat als drama. De beeldende kunst is vaak elegant, en excentriek; favoriete motieven omvatten exotische natuurfenomenen als orchideeën, pauwen en vlinders, zoals we die aantreffen in James Abbott McNeill Whistlers (1834-1903) weelderige *Peacock Room* (1876-77).

De sleutelfiguur voor de decadentenbeweging, het symbolisme en het estheticisme was de Franse dichter en kunstcriticus Charles Baudelaire (1821-67), wiens verzameling gedichten *Les Fleurs du Mal* (De bloemen van het kwaad), die werd gepubliceerd in 1857, verrassende ideeën introduceerde. Zijn werk, dat de gevestigde burgerij in essentie vijandig gezind was, verraadt een grote interesse in het morbide en perverse, en een fascinatie voor de vrouw als een erotische en destructieve kracht. Voor hem was de natuur inferieur aan het kunstmatige, omdat de natuur op een spontane manier het kwaad voortbracht, terwijl het goede en mooie moesten worden geschapen. Baudelaire's moderne kunstenaar was een outsider die zich afzijdig hield van de maatschappij, en die de verveling en leugenachtigheid van het conventionele leven van de middenklasse ontvluchtte en zich richtte op de kunstmatige wereld van de cultuur.

Zijn grootste uitdaging was zijn geloof dat de kunst geen moreel doel hoefde te hebben. Baudelaire beschreef zijn eigen boek als 'gekleed in een duistere en koele schoonheid', een beschrijving die met recht kon worden toegepast op veel werk van de decadentenbeweging.

De ontwikkelingen van de decadentenbeweging na Baudelaire worden geïllustreerd in de roman *A Rebours* (Tegen de keer, 1884) van Joris-Karl Huysmans (1848-1907), een voormalig aanhanger van de *impressionisten. De held van het boek, Des Esseintes, is de archetypische estheet of decadent. Hij snijdt zichzelf volledig af van de buitenwereld en creëert zijn eigen valse realiteit, waarbij hij de kamers van zijn huis decoreert met de excentrieke kunst van Gustave Moreau en Odilon Redon (zie *Symbolisme): "evocatieve kunstwerken die hem zouden transporteren naar een of andere onbekende wereld, en die de weg naar nieuwe mogelijkheden zouden tonen en zijn zenuwstelsel zouden stimuleren door middel van erudiete fantasieën, complexe nachtmerries en milde en duistere visioenen." Moreaus

Hierboven: **James Abbott McNeill Whistler, Eind-muurpaneel van *Harmony in Blue and Gold: The Peacock Room*, 1876–77**
De pauw aan de rechterkant stelt Frederick Leyland voor, die de opdracht voor het paneel verstrekte, en met wie Whistler ruzie maakte. Whistler (links) wijst de goud- en zilverstukken af die Leyland voor hem neersmijt.

Tegenoverliggende pagina: **Aubrey Beardsley, Ontwerp voor de omslag van *The Yellow Book*, Volume 1, 1894** Walter Crane, een eigentijdse kunstenaar, gaf het volgende oordeel over de stijl van Beardsley: "Zijn werk lijkt een curieuze Japans-achtige sfeer van duivelachtigheid en grilligheid uit te stralen, en van de opiumdroom."

schilderijen van Salome werden geselecteerd om hun aantrekkelijke decadentie en erotiek. Hier is de overgang compleet – de cultus van de natuur is vervangen door de cultus van de dandy, de realiteit door fictie, het praktische leven door het geestelijke leven.

In Engeland werden Franse invloeden gecombineerd met de idealen van de esthetische beweging. Estheten, zoals de schrijver Walter Pater (1839-94) en de in Londen gevestigde Amerikaanse schilder Whistler, volgden Baudelaire in het verwerpen van het idee dat kunst een moreel, politiek of religieus doel moest dienen. Evenals John Ruskin en William Morris (zie *Arts and Crafts), legden ze de nadruk op de schoonheid van de kunst, maar ontkenden ze het sociale en morele nut ervan. Pater stelde zelfs voor om religie te vervangen door de 'religie van de kunst'; zijn 'esthetische held' in *Marius the Epicurean* (1885), bood estheten en decadenten een ander model. De doelstelling van de estheet was om de esthetische ervaring te verhevigen, en 'kunst omwille van de kunst' werd de leus van de beweging.

Een kenmerk van decadentistische kunst was het krachtige gevoel van *fin-de-siècle* wanhoop en crisis. Kunstenaars zoals Albert Moore (1841-93) en Sir Lawrence Alma-Tadema (1836-1912), die waren gefascineerd door ten ondergang gedoemde, verzwakte civilisaties uit het verleden, het Hellenistische Griekenland en het Rome van de latere keizers, schiepen werken die even over-verfijnd waren als de rococo meesterwerken die ze bewonderden. Hun boodschap is dat de enige ontsnapping uit monotonie en verval is gelegen in hedonistisch sensualisme. Het was een opzettelijk shockerende boodschap in het

Engeland van de jaren negentig van de negentiende eeuw, een decennium waarin de decadenten hun beruchtheid tentoonspreidden tegenover een steeds meer verontwaardigde middenklasse, culminerend in het schandaal van Oscar Wilde (1854-1900). In veel opzichten was Aubrey Beardsley (1872-98) de archetypische decadentistische kunstenaar. Hij werd in 1894 beroemd met zijn illustraties voor Wilde's toneelstuk *Salome*, en zijn radicaal decoratieve stijl van zwart en wit verbaasde zijn tijdgenoten evenzeer als de verdorvenheid van zijn onderwerpen. Zijn nieuwe stijl, die gedeeltelijk was ontleend aan Japanse prenten en aan de prerafaëlitische schilderijen van Edward Burne-Jones, zou een beslissend element vormen in de ontwikkeling van de *art nouveau. Gedurende een korte periode was hij kunstredacteur van *The Yellow Book*, een tijdschrift dat werk bevatte van veel schrijvers en kunstenaars die worden geassocieerd met de decadentenbeweging en art nouveau. Maar er zou een einde aan komen. Beardsley's verbintenis met Wilde had hem beroemd gemaakt, maar leidde ook tot zijn val. Toen Wilde in 1895 werd veroordeeld wegens sodomie, vielen een aantal mensen uit protest de kantoren van *The Yellow Book* aan en Beardsley werd ontslagen. In de laatste drie jaren van zijn leven (hij stierf op de leeftijd van vijfentwintig) werkte hij bij een nieuw tijdschrift, *The Savoy*, dat werd uitgegeven door Leonard Smithers,

voor wie Beardsley ook pornografische illustraties maakte in privé-uitgaven van klassiekers als *Lysistrata* van Aristophanes.

Tegen het midden van de jaren negentig van de negentiende eeuw verschoof de aandacht tijdens discussies binnen de kunsten van 'decadentie' naar 'symbolisme', en van het sensuele naar het spirituele. Verleidelijke elementen van het esthetische en decadente denken – het idee van de kunstenaar als een hoger wezen, het geloof in het belang van kunst omwille van de kunst zelf, en in kunst als een soort religie – zouden echter, in verschillende vormen, actueel blijven in verschillende van de avant-gardebewegingen van de twintigste eeuw.

Lawrence Alma-Tadema, *The Roses of Heliogabalus*, 1888
Heliogabalus – de verdorven Romeinse keizer Marcus Aurelius Antoninus – 'overlaadde zijn parasieten met...bloemen in een eetzaal met een omkeerbaar plafond, op zo'n manier dat sommigen van hen stierven toen ze niet naar de oppervlakte konden kruipen.'

Belangrijke collecties
Aubrey Beardsley Collection at Pittsburgh State University, Pittsburgh, Pennsylvania
Jeu de Paume, Parijs
Louvre, Parijs
Metropolitan Museum of Art, New York
National Gallery, Londen

Belangrijke boeken
W. Gaunt, *Victorian Olympus* (1952)
—, *The Aesthetic Adventure* (1967)
P. Jullian, *Dreamers of Decadence* (1971)
J. Christian, *Symbolists and Decadents* (1977)
B. Dijkstra, *Idols of Perversity* (Oxford, 1989)

Art nouveau

Bepalende lijnen, nadrukkelijke lijnen, subtiele lijnen, expressieve lijnen, beheersende en verenigende lijnen.

WALTER CRANE, 1889

Art nouveau (Nieuwe kunst) is de naam die werd gegeven aan de internationale beweging die vanaf het eind van de jaren tachtig van de negentiende eeuw tot de Eerste Wereldoorlog immens populair was in Europa en de Verenigde Staten. Na de Victoriaanse rommelige drukte en de Victoriaanse preoccupatie met historische stijlen, was het een vastberaden en succesvolle poging om een volledig moderne kunst te creëren, een kunst die werd gekenmerkt door de nadruk op lijnen – hetzij golvend, representatief, abstract of geometrisch – die duidelijk en eenvoudig werden weergegeven. De stijl is in uiteenlopende kunstvormen te vinden en het was ook een van de doelstellingen van art-nouveaubeoefenaars om de scheiding tussen de schone en toegepaste kunsten op te heffen.

De beweging had in verschillende landen verschillende namen: *Jugendstil (Jeugdstijl) in Duitsland, *modernisme in Catalonië, Sezessionstil in Oostenrijk (naar de *Weense Sezession), Palingstijl en

Hector Guimard, metrostation Bastille, gietijzer en glas, ca. 1900
Guimard schreef zich in 1896 in voor een wedstrijd voor het ontwerp van de Parijse metrostations. Hoewel hij de wedstrijd niet won, kreeg hij toch de opdracht van de directeur van het bedrijf, die een voorkeur voor de art-nouveaustijl had. Guimards stations waren tot 1913 in productie.

Style des Vingt (naar *Les Vingt) in België, Stil' Modern in Rusland, en in Italië Stile Nouille (Noedelstijl), Stile Floreale (Florale stijl) en Stile Liberty – naar het Londense warenhuis Liberty dat door middel van zijn bedrukte stoffen een grote bijdrage heeft geleverd aan de popularisering van de beweging. De internationale naam was afkomstig van de galerie La Maison de l'Art Nouveau, die in 1895 door Siegfried Bing (1838-1905) in Parijs was geopend om nieuwe Europese kunsten en ambachten onder de aandacht van het Parijse publiek te brengen.

Art nouveau was een echt internationaal verschijnsel en verspreidde zich snel door Europa en Amerika, daarbij geholpen door tal van nieuwe publicaties die in diverse landen verschenen: *The Studio, The Yellow Book, The Savoy, L'Art Moderne, Jugend, Pan, Art et Décoration, Deutsche Kunst und Dekoration, Ver Sacrum, The Chapbook* en *Mir Isskustva* (zie *Mir Iskusstva). Internationale tentoonstellingen, zoals de tentoonstellingen die door Les Vingt in Brussel werden gehouden (1884-93), de tentoonstellingen die door de Sezessionisten in Wenen werden gehouden (1898-1905), de Exposition Universelle in Parijs (1900), de Esposizione Internazionale d'Arte Decorative in Turijn (1902) en de St. Louis World's Fair

(1902), introduceerden de nieuwe kunst bij een enthousiast publiek.

Hoewel art nouveau een uitdrukkelijk moderne stijl was die het academische historicisme van de negentiende eeuw verwierp, lieten de art-nouveaubeoefenaars zich desondanks inspireren door voorbeelden van weleer, en met name door datgene wat genegeerd of exotisch was, zoals Japanse kunst en versiering, Keltische en Saksische ornamenten en sieraden, en gotische architectuur. De invloed van de wetenschap was even belangrijk. Onder invloed van wetenschappelijke ontdekkingen, met name die van Charles Darwin, werd het gebruik van natuurlijke vormen niet langer als romantisch en escapistisch gezien, maar als modern en progressief. Eigentijdse ontwikkelingen in de schilderkunst waren ook van belang en art-nouveaukunstenaars en -ontwerpers volgden de avant-gardeontwikkelingen in die tijd op de voet. De expressieve en erotische stijl van de *symbolisten Odilon Redon en Edvard Munch, de subtiele lijnen en hedonistische decadentie van Aubrey Beardsley (zie *Decadentenbeweging) en de krachtige contouren van de *neo-impressionisten, de *Nabis, Paul Gauguin (zie *Synthetisme) en Henri de Toulouse-Lautrec (zie *Postimpressionisme) kan men alle terugvinden in art-nouveauwerk.

De wortels van art nouveau liggen in de Britse *Arts and Crafts-beweging, met name in William Morris' evangeliserende geloof in het belang en de waardigheid van goed vakmanschap en zijn voornemen om de scheiding tussen de schone kunsten en de versieringskunsten op te heffen. Net als *Arts and Crafts omvatte art nouveau alle kunsten, en de succesvolste voorbeelden van art nouveau zijn te vinden in de architectuur, in de grafische kunsten en in de toegepaste kunst. In tegenstelling tot hun Arts and Crafts-voorgangers echter pasten art-nouveaubeoefenaars nieuwe materialen en technologieën toe. Vanuit dit prille begin ontwikkelden zich twee belangrijke stijlvarianten, waarvan de ene was gebaseerd op een complexe, asymmetrische, kronkelende lijn (Frankrijk, België), terwijl in de andere variant een rechtlijniger benadering werd gehanteerd (Schotland, Oostenrijk).

Veel tweedegeneratiebeoefenaars van Arts and Crafts, zoals C.R. Ashbee, Charles Voysey, M.H. Baillie Scott, Walter Crane en Arthur Mackmurdo zijn overgangsfiguren geweest tussen Arts and Crafts en art nouveau. Mackmurdo's rugleuning en de titelpagina voor *Wren's City Churches* (1883) zijn de vroegste voorbeelden van werk dat de kenmerken vertoont die synoniem zijn aan art nouveau: lineaire eenvoud, langgerekte, asymmetrische gebogen lijnen, sterk contrasterende kleuren, abstracte, organische vormen en een ritmisch gevoel van beweging.

Hoewel de florale stijl van art nouveau zijn oorsprong had in het werk van Mackmurdo, was het de unieke stijl van de Glasgow Four – Charles Rennie Mackintosh (1868-1928), zijn vrouw Margaret Macdonald (1865-1933), haar zus Frances Macdonald (1874-1921) en haar man Herbert McNair (1870-1945) – die een rechtstreekse

Tegenoverliggende pagina: **Victor Horta, smeedijzeren trap voor het Hotel Tassel, Brussel, 1893** Horta had de vrije hand gekregen bij het ontwerp van het huis van zijn vriend Emile Tassel, een welvarende, Belgische industrieel, die "hem de gelegenheid zou geven om de droom te verwezenlijken die hem niet losliet, namelijk de droom om in een woonhuis een monumentaal effect te creëren."

invloed had op de ontwikkeling van de latere, meer geometrische versie van art nouveau. De vier waren in diverse disciplines actief: schilderkunst, grafische kunsten, architectuur, interieurs, meubilair, glas, metaal, boekillustraties en smeedijzer. De invloed van hun typisch ingetogen versiering en zachte kleuren, gebogen verticale lijnen en gestileerde roos-, ei- en bladmotieven was van geweldige omvang.

Ontwerper en architect Mackintosh was de productiefste van de vier. Zijn samenwerking met anderen had, net als zijn lineaire stijl van rasters en langgerekte verticale lijnen en curven, een enorme invloed op de Weense Sezessionisten. Het is zelfs niet overdreven om te stellen dat zijn geïntegreerde interieurs, de pure, geometrische stijl van zijn meubilair en zijn architectuur een bron van inspiratie zijn geweest voor vele twintigste-eeuwse ontwikkelingen op het gebied van kunst, architectuur en vormgeving.

Art nouveau kwam al snel tot bloei in België, waar de progressieve kunstenaarsgroep Les Vingt een gunstig experimenteel artistiek en intellectueel klimaat had geschapen. Het was dan ook in Brussel dat de nieuwe stijl zijn eerste belangrijkste vertegenwoordigers vond in de persoon van Victor Horta (1861-1947) en Henry van de Velde (1863-1957). Horta, de 'vader van de art-nouveau-architectuur', is beroemd om de 'Belgische lijn' of 'Horta'-lijn: de kenmerkende 'zweepslagcurve' die bijvoorbeeld te vinden is in het Brusselse Hotel Tassel (1892-93), dat als monument op het gebied van art-nouveau-architectuur geldt. Het was het eerste gebouw waarin zowel voor bouwkundige doeleinden als voor het interieurontwerp op grote schaal ijzer werd toegepast. Hoewel de buitenkant betrekkelijk ingetogen lijkt, is elk element van Horta's interieur een expressie van weelderige, complexe, gebogen oppervlakken, van de gebrandschilderde ramen en mozaïektegels tot de smeedijzeren trap en balustrade.

Henry van de Velde was een andere belangrijke figuur in de Europese art nouveau, niet alleen om zijn abstracte, vloeiende, kromlijnige stijl in interieurs, meubels en metaalwerk, maar ook om zijn verspreiding van de ideeën achter de beweging. Net als Morris (wiens theorieën hij had bestudeerd), predikte Van de Velde de sociale voordelen van een nauwere relatie tussen kunst en industrie en geloofde hij vurig in het principe van een totaalkunstwerk: "Wij kunnen onze huizen een directe weerspiegeling laten zijn van onze eigen wensen, onze eigen smaak, als we maar willen." Toen hij in 1895 buiten Brussel zijn eigen huis bouwde, voerde hij dit idee uit en ontwierp hij alles, van het gebouw zelf tot het eetservies. In 1900 verhuisde Van de Velde naar Duitsland, waar hij directeur was van de school voor kunstnijverheid in Weimar (1902-14) en in 1907 oprichter-lid van de *Deutscher Werkbund. Beide functies stelden hem in staat om zijn ideeën te propageren en te ontwikkelen. Hij was de eerste invloedrijke figuur die probeerde de Arts and Crafts-idealen aan machinale productie te koppelen - een ontwikkeling die door zijn opvolger, Walter Gropius, werd gestimuleerd met de oprichting van de *Bauhaus-school.

Een meer bloemrijke en spectaculaire tak van art nouveau ontwikkelde zich in Frankrijk. Voorbeelden van deze tak zijn te vinden in de Parijse metrostations die zijn ontworpen door Hector

Guimard (1867-1942), de sieraden en het glaswerk van René Lalique (1860-1945) en het glaswerk van Emile Gallé (1846-1904). In Frankrijk had art nouveau twee hoofdcentra: in Nancy rond Gallé, en in Parijs rond de galerie van Bing.

De producten van de School van Nancy, waarin kromlijnige elementen en versieringen met realistische planten- en insectenmotieven waren verwerkt, waren doorgaans luxueus en duur. Naast Gallé waren andere belangrijke leden van de groep de glasmakende broers Auguste (1853-1909) en Antonin (1864-1930) Daum, meubelmakers Louis Majorelle (1859-1929) en Eugène Vallin (1856-1925), en ontwerper Victor Prouvé (1858-1943).

In Parijs toonden Guimards architectonische ontwerpen voor de metrostations en het flatgebouw de Castel Béranger (1894-97) een dynamisch persoonlijke interpretatie van de art-nouveauprincipes. Hoewel hij net als de kunstenaars van de School van Nancy beelden aan de natuur ontleende, was zijn toepassing daarvan eclectischer. Hieruit bleek de invloed van Horta, die hij in 1895 had ontmoet. De zichtbaarheid en populariteit van zijn stations leidde tot nog een andere naam voor art nouveau: "Style Métro" (Metrostijl). Op het gebied van glaswerk en sieraden was de productieve Lalique net zo beroemd. Zijn werk, dat over het algemeen fantasierijk en inventief was, weerspiegelt zowel de art-nouveau- als de *art-decostijl.

Een van de beroemdste grafisch kunstenaars van de art nouveau was de in Parijs woonachtige Tsjechische schilder en ontwerper Alphonse Mucha (1860-1939), wiens posters met zinnenstrelende vrouwen in luxueuze florale composities, zoals de beroemde actrice Sarah Bernhardt, erg geliefd waren bij het publiek. De vrouwelijke vorm was net als voor de symbolisten, estheten en decadenten een centraal motief voor veel art-nouveauontwerpers, hoewel art-nouveauvrouwen doorgaans eerder allegorische, sprookjesachtige figuren waren dan femme fatales. De feeërieke Loïe Fuller, een Amerikaanse danseres in Parijs, was een bijzonder populair onderwerp en de bron van veel afbeeldingen en beeldhouwwerken.

In de Verenigde Staten werd de art-nouveaustijl met name populair gemaakt door Louis Comfort Tiffany (1848-1933). Zijn weelderige, rijk gekleurde glazen voorwerpen – lampen, schalen, gebrandschilderde ramen, vazen, enzovoorts – brachten hem zowel in Europa als in Amerika faam. Schilders die ontwerpen voor zijn glaswerk maakten, waren onder anderen Pierre Bonnard, Edouard Vuillard en Toulouse-Lautrec. Andere art-nouveaubeoefenaars in de Verenigde Staten waren grafisch kunstenaar William Bradley (1868-1962), de in Polen geboren beeldhouwer Elie Nadelman (1885-

Links: **Charles Rennie Mackintosh, Stoel, ca. 1902**
Buiten Engeland verwierf Mackintosh met zijn werk een gunstige reputatie, maar in Engeland zelf vond men werk in de continentale art-nouveaustijl getuigen van wansmaak. Zijn Stoel werd gemaakt in het jaar van de tentoonstelling in Turijn, waarop hij exposeerde.

Tegenoverliggende pagina: **Alphonso Mucha, Gismonda, 1894**
Deze bijna levensgrote poster voor Sarah Bernhardts toneelstuk *Gismonda* veroorzaakte ophef toen deze voor het eerst in Parijs verscheen. De actrice zelf was zo onder de indruk dat ze Mucha later voor zes jaar contracteerde om nog meer posters, sets en kostuums voor haar toneelstukken te ontwerpen.

voorwerpen, waarvan vele vandaag de dag nog steeds in productie zijn. In Italië zijn de bouwwerken van Raimondo d'Aronco (1857-1932), Guiseppe Sommaruga (1867-1917) en Ernesto Basile (1857-1932) nog steeds belangrijke monumenten.

Maar juist de populariteit van art nouveau leidde uiteindelijk tot de ondergang ervan. De wildgroei van tweede- en derderangs imitators veroorzaakte een verzadiging van de markt. De smaken veranderden en een nieuw tijdperk verlangde een nieuw soort decoratieve kunst om moderniteit uit te drukken: art deco. Walter Crane distantieerde zich al in 1903 van art nouveau en beschreef het als "deze vreemde decoratieziekte", terwijl Charles Voysey het verwierp als "het werk van een groot aantal imitators die zich door niets anders dan idiote excentriciteit laten leiden".

De verspreiding van art nouveau was in eerste instantie gemeten aan de hand van de toename van het aantal namen voor art nouveau. In de jaren twintig van de twintigste eeuw had art nouveau er uitsluitend ongunstige benamingen bijgekregen: Style branche de persil (peterselietakjesstijl) en Style guimauve (marshmallowstijl) in Frankrijk, en Bandwurmstil (lintwormstijl) in Duitsland. Pas aan het eind van de jaren zestig van de twintigste eeuw, toen de versieringskunsten opnieuw in de belangstelling kwamen te staan, zou art nouveau opnieuw worden geëvalueerd en weer waardering krijgen.

Dat art nouveau een vergaande invloed had, stond echter altijd buiten kijf. Het geloof van art-nouveaubeoefenaars in de expressieve eigenschappen van vorm, lijnen en kleur, en hun nadruk op de creatie van totaalkunstwerken, waren inspirerend. Hun uitstapjes naar semi-abstractie werden in de nieuwe eeuw voortgezet door de kunstenaars en architecten die het *expressionisme, de niet-objectieve kunst en de modernistische architectuur ontwikkelden.

1946), de in Frankrijk geboren beeldhouwer Gaston Lachaise (1882-1935) en de beeldhouwer Paul Manship (1885-1966). Hoewel de bouwwerken van Louis Sullivan (zie *Chicago School) op zich niet art nouveau zijn, deelde Sullivan met art-nouveau-architecten een liefde voor gedetailleerde, op planten geïnspireerde ornamentatie.

De art-nouveaustijl leek gedurende enige tijd onstuitbaar en verspreidde zich oostwaarts naar Rusland, in noordelijke richting naar Scandinavië en zuidwaarts naar Italië. In Denemarken is de zilversmid Georg Jensen (1866-1935) bekend om zijn sierlijke sieraden en

Belangrijke collecties
Mackintosh Collection, Glasgow
Morse Museum of American Art, Winter Park, Florida
Mucha Museum, Praag
Musée de l'Ecole de Nancy, Nancy
Victoria & Albert Museum, Londen

Belangrijke boeken
L. V. Masini, *Art Nouveau* (1984)
A. Duncan, *Art Nouveau* (1994)
J. Howard, *Art Nouveau* (1996)
P. Greenhalgh, *Art Nouveau 1890–1914* (2000)

Modernisme

Het stoffelijke zal zichzelf tonen in de rijkdom van zijn astrale curven, de zon zal door alle vier de zijden heen stralen – en het zal lijken op een visioen van het paradijs.

ANTONI GAUDÍ OVER CASA BATLLÓ

Modernisme is de naam van de *art nouveau-achtige beweging in Catalonië, Spanje, tussen ca. 1880 en ca. 1910 die groeide uit twee intellectuele en culturele bewegingen in Catalonië, het nationaal romanticisme en het progressivisme. De eerste beweging propageerde de studie en revival van de middeleeuwse Catalaanse architectuur en taal, in een zoektocht naar een specifiek Catalaanse (in tegenstelling tot een Spaanse) identiteit, terwijl de laatste zich op de wetenschap en de technologie richtte voor het creëren van een moderne maatschappij. Deze ogenschijnlijk tegengestelde ideologieën kwamen

bij elkaar in het modernisme, en leidden tot de opkomst van een periode waarin de architectuur een grote bloeitijd doormaakte, en waarin monumenten krachtige symbolen van de populaire culturele identiteit werden. Meer dan duizend gebouwen die tot het modernisme worden gerekend, staan tegenwoordig nog steeds overeind in Catalonië.

De toonaangevende architecten van Barcelona, waaronder Lluís Domènech i Montaner (1850-1923), José Puig i Cadafalch (1867-1957) en Antoni Gaudí (1852-1926), voerden deze separatistische beweging aan. Hun gebouwen zijn op een karakteristieke manier eclectisch en expressief, en respecteren de structurele en decoratieve eigenschappen van de verschillende materialen, in het bijzonder van steen. Decoratie is een essentieel kenmerk, dat vaak is geïntegreerd in het gebouw zelf, en dat het ontwerp, de functie en de constructie van het gebouw benadrukt. Antoni Gaudí, wiens grillige architectuur synoniem met het modernisme – en met Barcelona zelf – is geworden, was de belangrijkste figuur van deze beweging. Hij werd beïnvloed door de architecten van de *Arts and Crafts-beweging en stond erop om elk aspect van een gebouw te ontwerpen. Hij maakte ook gebruik van de structurele theorieën van de Franse architect van de middeleeuwse revival, Eugène Emmanuel Viollet-le-Duc (1814-79), in het bijzonder van zijn aanbevelingen op het gebied van nieuwe technologieën voor Gothische reconstructie, en voor directe metaalconstructie. Naast deze externe invloeden ontwikkelde Gaudí ook zijn eigen persoonlijke interesse in natuurlijke vormen, misschien wel het meest verrassende aspect van zijn organische, visionaire structuren. Gaudí's eerste belangrijke opdracht, in 1833, was om de kerk van de Sagrada Familia in Barcelona te voltooien. Hij werkte er gedurende de rest van zijn carrière aan. De kerk is onvoltooid gebleven. Aan de bestaande neogotische structuur voegde hij Moorsachtige spitsen toe, die hij versierde met felgekleurde keramische tegels, waarmee hij een gebouw creëerde dat zonder historisch precedent was. Gaudí's vriendschap met de textielfabrikant en

Boven: **Antoni Gaudí, Siertorentje van een van de torens van de Sagrada Familia, Barcelona, 1883–** Gaudí's meesterwerk is tegelijkertijd zijn levenswerk. Hij begon eraan te werken toen hij 31 jaar was, en liet het onvoltooid achter toen hij 43 jaar later stierf. Het was de bedoeling dat de kerk een "kerk van boetedoening" zou zijn, die geheel gefinancierd zou worden door middel van donaties, maar de fondswerving was altijd een probleem: tijdens de Eerste Wereldoorlog ging Gaudí persoonlijk van deur tot deur om geld in te zamelen.

Tegenoverliggende pagina: **Antoni Gaudí, Park Güell, Barcelona, 1900–14** Het verleden is altijd aanwezig in Gaudí's werk, maar in getransformeerde vorm, zoals in een droom. De Dorische zuilen, die de vloer van het Griekse theater erboven ondersteunen, hellen over en verdringen zich als bomen in een mythisch bos.

scheepsmagnaat Don Eusebi Güell y Bacigalupi, leidde tot een aantal belangrijke opdrachten. In 1888 vroeg Güell aan Gaudí om zijn huis in Barcelona te ontwerpen, het Palau Güell; in 1891, vroeg hij hem het Colonia Güell te ontwerpen, een woonomgeving voor arbeiders in de buurt van een van zijn textielfabrieken, en in 1900 gaf hij hem opdracht het park Güell te ontwerpen (1900-14). Het Casa Batlló (1904-6) en het Casa Milà (1906-8) volgden, beide appartementen in Barcelona. Gaudí's inrichting en meubels voor deze gebouwen dienen niet over het hoofd te worden gezien; evenals de gebouwen zelf, tonen ze zijn interesse in organische vormen, waarbij hij gebruik maakte van zogeheten 'shell-and-bone'-motieven. Eén zo'n meubelstuk, de Calvet-stoel (1902), werd in de jaren zeventig van de twintigste eeuw opnieuw in productie genomen door de Spaanse onderneming B. D. Ediciones de Diseño, wat de wereldwijde revival weerspiegelt van de interesse in art nouveau sinds de jaren zestig.

Hoewel het modernisme en de internationale art nouveau relatief van korte duur waren, waren deze bewegingen kunstenaars in de twintigste eeuw tot voorbeeld. In 1933 claimde de schilder Salvador Dalí art nouveau, en in het bijzonder wat hij Gaudí's 'golvend-

samentrekkende' architectuur noemde, als een voorloper van het *surrealisme. Gaudí's individualistische benadering – die onder andere tot uitdrukking kwam in het opnemen van kleur, textuur en beweging in gebouwen – was een inspiratiebron voor de *expressionistische architecten van de jaren twintig en dertig van de twintigste eeuw, voor de *Amsterdamse school – dit gold met name de golvende, plastische vormen van de Casa Milà – en voor de architecten van het *postmodernisme.

Belangrijke monumenten
Güell Park, Carrer d'Olot, Gràcia, Barcelona
Palau Güell, C. Nou de la Rambla, Barcelona
Casa Batlló, Passeo de Gràcia, Barcelona
Sagrada Familia, Plaça de la Sagrada
    Familia, Barcelona

Belangrijke boeken
D. Mower, *Gaudí* (1977)
J. Castellar-Gassol, *Gaudí: The Life of a Visionary* (Barcelona, 1984)
R. Zerbst, *Antonio Gaudí: A Life Devoted to Architecture* (1996)
L. Permanyer, *Gaudí of Barcelona* (1997)

Antoni Gaudí, Casa Milà, 1905–10
Dit was het laatste grote civiele werk dat Gaudí voltooide voordat hij zich wijdde aan de bouw van de Sagrada Familia. In 1984 riep de UNESCO de Casa Milà uit tot een "World Heritage Site".

Symbolisme

De vijand van didacticisme, declamatie, valse gevoeligheid en objectieve beschrijving.

JEAN MOREAS, SYMBOLISTISCH MANIFEST, 1886

De symbolisten waren de eerste kunstenaars die verklaarden dat de innerlijke wereld van stemming en emoties, eerder dan de objectieve wereld van externe verschijningen, het ware onderwerp van de kunst is. In hun werk worden persoonlijke symbolen gebruikt om deze stemmingen en emoties op te roepen, om beelden van het irrationele te creëren, die op hun beurt een persoonlijke reactie van een publiek vereisen. Hoewel symbolistisch werk zeer divers is, is er sprake van gemeenschappelijke thema's, zoals dromen en visioenen, mystieke ervaringen, het occulte, het erotische en het perverse, met als doel om een psychologische impact te bewerkstelligen. Vrouwen worden gewoonlijk geportretteerd als hetzij maagdelijk/engelachtig, hetzij sexueel/bedreigend, en motieven van dood, ziekte en zonde komen veelvuldig voor.

Het symbolisme kondigde zichzelf eerst aan als een zelfbewuste beweging in Frankrijk in 1886 met de publicatie van zijn manifest, geschreven door Jean Moréas (1856-1910), maar 'symbolistische' gedachtenstromen waren minstens tien jaar eerder al zichtbaar in het werk van de Franse symbolistische dichters, zoals Paul Verlaine (1844-96), Stéphane Mallarmé (1841-98) en Arthur Rimbaud (1854-91). Ze streefden naar een suggestieve, muzikale poëzie van subjectieve stemmingen, waarbij ze gebruik maakten van een taal van persoonlijke symbolen. Kunstenaars volgden hun voorbeeld en adopteerden hun theorieën. De kunstkritiek van de dichter Charles Baudelaire (1821-67) was een nog directere invloed. Zijn theorie van synesthesia (geformuleerd in 'Correspondence' uit 1857) postuleerde een kunst die zozeer gevoel uitdrukte, dat alle zintuigen tegelijk werden bevredigd – waarbij geluiden kleuren suggereerden, kleuren geluiden, en waarbij zelfs ideeën werden gesuggereerd door het geluid van kleuren.

In dit intellectuele klimaat reageerden beeldend kunstenaars tegen enerzijds het naturalisme dat was verbonden met het *impressionisme, en anderzijds het realisme van Gustave Courbet (1819-77), die predikte dat schilderkunst zich alleen diende bezig te houden met 'echte en bestaande zaken'. Hun eigen werk bleef echter hoogst persoonlijk. Evenzeer een ideologie als een beweging, omvatte het symbolisme een grote verscheidenheid aan kunstenaars. Veel tijdgenoten die elders in dit boek worden besproken, maakten er deel van uit, zoals Emile Bernard, Maurice Denis en Paul Sérusier (zie *Cloisonnisme en *Nabis), Georges Seurat (zie *Neo-impressionisme) en Paul Gauguin (zie *Synthetisme). Oudere kunstenaars, zoals Gustave Moreau, werden vaak door de symbolisten geclaimd als bij

hen behorend. En, aan de fanatieke kant, waren er diegenen die hun ideeën rechtstreeks ontleenden aan symbolistische poëzie en romans, zoals de kunstenaars die waren verbonden met de extreme groep de *Salon de la Rose+Croix. Dit grote bereik van het symbolisme werd gesuggereerd door Albert Aurier (1865-92), een symbolistische schrijver en kunstcriticus. In 1891 beschreef hij de esthetiek van de moderne schilderkunst in de volgende termen:

> Het kunstwerk zal: 1. Ideïstisch zijn, aangezien het unieke ideaal ervan de expressie van het Idee zal zijn. 2. Symbolistisch zijn, aangezien het dit Idee zal uitdrukken door middel van vormen. 3. Synthetistisch zijn, aangezien het deze vormen, deze symbolen zal weergeven volgens een algemeen begrijpelijke methode. 4. Subjectief zijn, aangezien het object nooit zal worden beschouwd als een object, maar als het symbool van een idee dat wordt waargenomen door het subject. 5. (Het zal daarom) Decoratief zijn.

Gustave Moreau, *The Apparition*, 1876
Herod has granted Salome's wish for the head of John the Baptist, and the evidence can still be seen on the impassive soldier's sword. But visible to Salome alone, a bloody apparition transfixes her as she recoils in horror to escape it.

Gustave Kahn (1859-1936), een andere symbolistische dichter, werkte dit concept nog verder uit, toen hij in 1886 het volgende schreef:

De essentiële doelstelling van onze kunst is om het subjectieve (de rationalisering van het Idee) te objectiveren, in plaats van het objectieve (de natuur bezien door de ogen van een temperament) te subjectiveren.

Hij keerde in feite de traditionele relatie tussen de kunstenaar en zijn werk om door te stellen dat de kunst temperament diende uit te drukken door middel van de natuur, waarbij het Ik wordt verheven boven de Natuur, wat in essentie zowel een uitbreiding van het romanticisme was als een weerlegging ervan.

Tot degenen die in retrospect werden beschouwd als symbolisten, behoorden de Franse schilders Pierre Puvis de Chavannes (1824-98) en Gustave Moreau (1826-98). De idealistische, geabstraheerde muurschilderingen van Puvis werden bewonderd om hun neutrale esthetiek. De gereserveerdheid van de gedempte kleuren en het gebrek aan beschrijving creëerden de indruk dat ze eerder een stemming illustreerden dan een moment uit het echte leven.

Moreau werd slechts langzaam bekender. In feite ontmoette hij felle kritiek vanuit officiële kunstkringen. In 1869 werden de werken die hij de Salon aanbood zo hevig aangevallen dat hij zich daarna meer en meer terugtrok uit tentoonstellingen. In 1880 trokken enkele van zijn werken echter de aandacht van de schrijver J.-K. Huysmans. In 1884 verscheen Huysmans' roman *A Rebours*, die extatische beschrijvingen bevatte van symbolistische schilderijen van Moreau, in het bijzonder van een versie in waterverf van *De Verschijning*. Een hele generatie van jonge schilders werd beïnvloed door Moreau's exotische, juweelachtige schilderijen waarin afbeeldingen van willoze, verdoemde mannen en mooie, onheilspellende vrouwen een imaginaire en mythologische wereld oproepen die tegengesteld is aan de werkelijkheid. Moreau had ook een directe invloed via zijn onderricht: Henri Matisse (zie *Fauvisme) en Georges Rouault (zie *Expressionisme) waren twee van zijn leerlingen.

Het werk van de Amerikaanse, in Londen woonachtige James Abbot McNeill Whistler (1834-1903), zoals *Rangschikking in grijs en zwart, nr. 1 (De moeder van de kunstenaar)* (1871), werd ook bewonderd om de wijze waarop het beschrijvende ondergeschikt was gemaakt aan het decoratieve (zie ook *Impressionisme en *Decadentenbeweging). Sir Edward Burne-Jones (1833-98, zie *Arts and Crafts) bood het Franse symbolisme een ander voorbeeld toen

Boven: **Odilon Redon, Orpheus, ca. 1913–16** Redon beeldde vaak klassieke mythen af (zoals hij ook thema's uit de moderne poëzie en het moderne proza afbeeldde), maar hij interpreteerde deze op zeer persoonlijke, vaak onverwachte manieren, waarbij hij geen bekende verhalen verbeeldde, maar intense en diepe emoties en raadselachtige, innerlijke visioenen.

Tegenoverliggende pagina: **Edvard Munch, Puberteit, 1894** Het thema van vrouwen – en de sexualiteit van vrouwen – is prominent aanwezig in het werk van Munch. Hier, in een verbazingwekkend direct schilderij, beeldt hij het moment van zelfontdekking af, waarop een meisje zich realiseert dat ze niet langer een kind is, maar een vrouw.

zijn werk werd tentoongesteld in Parijs in de late jaren tachtig en negentig van de negentiende eeuw. De etherische kwaliteit van zijn romantische, ahistorische, vaag mythologische taferelen spraken tot de verbeelding van symbolistische dichters en schilders.

De symbolistische beweging mag dan zijn ontstaan in Frankrijk, het werd al snel een internationale beweging, en de belangrijkste exponenten ervan kwamen uit heel Europa en uit de Verenigde Staten. De Franse schilder en grafisch kunstenaar Odilon Redon (1840-1916), de schilder van dromen, was een van de meest kenmerkende figuren van de symbolistische schilderkunst. Evenals anderen uit die tijd, was hij beïnvloed door Japanse prenten, maar hij was ook geïnteresseerd in excentrieke kunst, en in literatuur en plantkunde, en al deze interesses vonden hun weg in zijn werk. Gedurende het eerste gedeelte van zijn carrière maakte hij bijna uitsluitend tekeningen, etsen en lithografieën in zwart-wit, en creëerde hij een wereld van nachtmerries. Zijn doel was om de 'kwellingen van de verbeelding' te veranderen in kunst. Hij stond dicht bij de symbolistische dichters, en maakte visuele vertalingen van veel van hun werken, waaronder, in 1882, een portfolio met lithografieën die hij opdroeg aan Edgar Allan Poe (vertaald door Baudelaire en Mallarmé) en illustraties voor Gustave Flauberts *De verleiding van de heilige Anthonius* in 1886. Rond 1895, begon Redon in kleur te werken, en zijn kunst werd zowel in letterlijke als in metaforische zin helderder, naarmate de fantasieën opgewekter en minder morbide werden. Veel van de latere werken hebben mythologische taferelen als onderwerp, of bloemen in rijke, weelderige kleuren. Zijn werken lijken direct aan te sluiten op het onderbewuste, en zowel de Nabis als de *surrealisten beschouwden hem als een invloedrijke figuur.

Een andere schilder die werd geprezen door de symbolisten, en die later werd beschouwd als een voorloper van zowel het expressionisme als het surrealisme, was de belg James Ensor (1860-1949). Evenals Redon, bestudeerde hij de schrijvers van fantasy-verhalen, en zijn kenmerkende motieven van carnavalsmaskers, monsterlijke figuren en skeletten, gecombineerd met zijn wilde penseelwerk en zijn zwarte humor, tonen afbeeldingen van de donkere zijde van het leven. Het contrast tussen zijn onderwerpen en zijn heldere impressionistische kleuren draagt bij aan de dissonantie. Ensor was een van de oprichters van *Les Vingt in Brussel, maar werken als *De Intocht van Christus in Brussel in 1889* (1888) leidden ertoe dat zelfs die groep van progressieve schilders zich ongemakkelijk voelde, en ze weigerden het werk tentoon te stellen. Zijn werk werd getoond in Parijs in 1899 tijdens een tentoonstelling die werd georganiseerd door het tijdschrift La Plume. Later dat jaar werd er een speciaal nummer aan hem gewijd, waarin de criticus zijn sterkste kant identificeerde als de vaardigheid 'om het niet uit te drukken karakter weer te geven van vormen, gezien in een coma'.

Ensor's landgenoot, Félicien Rops (1833-98) is een andere belangrijke symbolist, die vaak wordt beschreven als een decadent. Hij werd enorm bewonderd door Joséphin Péladan (zie *Salon de la Rose+Croix) en Huysmans, en tegen de jaren zestig van de negentiende eeuw was hij berucht om de 'verdorvenheid' van zijn werk. Huysmans: "Tussen Zuiverheid, wiens essentie goddelijk is, en Lust, die de Demon zelf is, is M Félicien Rops, met de ziel van een geïnverteerde primitieve, het satanisme binnengedrongen."

Een andere buitenlandse schilder die door de Franse symbolisten werd geadopteerd, was de Noor Edvard Munch (1863-1944). De thema's van zijn werk zijn vaak even morbide als die van Ensor – emotionele crises, tragedies, sexuele verdorvenheid, ziekte en dood – maar hij heeft niet de zwarte humor en het gevoel voor het absurde van Ensor. Zijn meest beroemde werk, *De schreeuw* (1893), is een treffende visuele uitdrukking van wanhoop en horror, zowel intern als extern. Toen het schilderij in 1895 werd afgebeeld in het Parijse tijdschrift *Revue Blanche*, deed Munch het vergezeld gaan van de volgende tekst:

> Ik stopte en leunde tegen de balustrade, haast dodelijk vermoeid. Boven de blauw-zwarte fjord hingen de wolken, rood als bloed en tongen van vuur. Mijn vrienden hadden mij verlaten, en alleen, trillend van verdriet, werd ik mij bewust van de onmetelijke, oneindige schreeuw van de natuur.

Munch werkte veel van zijn schilderijen om tot etsen, lithografieën en houtsneden, en met name zijn houtsneden zouden de Duitse expressionisten beïnvloeden.

Tot de overige belangrijke Europese symbolisten behoorden de Belg Fernand Khnopff (1958-1912, zie *Les Vingt), de Zwitser Fernand Hodler (1853-1918), de Nederlander Jan Toorop (1858-1928), en de Italianen Gaetano Previati (1852-1920) en Giovanni Segantini (1858-99). Veel van hen exposeerden tijdens de Salons de la Rose+Croix. In Rusland werden Franse symbolistische ideeën geïntroduceerd door de *Mir Iskusstva-groep, van wie de schilder en ontwerper Mikhail Ivanovich Vrubel (1856-1910) daar de toonaangevende exponent van het symbolisme was. Tussen 1890 en 1891 maakte hij illustraties voor Mikhail Lermontovs gedicht *De demon*, dat hem zijn centrale thema verschafte. Evenals zijn westerse tijdgenoten, liet hij de realistische afbeelding van de externe wereld over aan anderen, en gaf hij er de voorkeur aan om zich te concentreren op de symbolische representatie van zijn innerlijke demonen. Twee belangrijke Amerikaanse schilders zijn verwant aan de Europese symbolisten, Albert Pinkham Ryder (1847-1917) en Arthur B. Davies (1862-1928). Ryder beschreef wat hij vastlegde in zijn visionaire landschappen en zeegezichten als iets dat 'beter dan de natuur [was], aangezien het doordrongen was van de opwinding van een nieuwe schepping.' Veel van zijn thema's zijn die van waanzin, dood en vervreemding, weergegeven in onderwerpen die zijn ontleend aan de literatuur van Shakespeare, Poe, de Bijbel en de mythologie. Eén van zijn meest bekende werken is *The Race Track (Death on a Pale Horse)*, 1890-1910. De voorkeur van de symbolisten voor het romantische, het sensuele, het droomachtige, en het decoratieve is duidelijk zichtbaar in de allegorische landschappen van Davies, zoals *Unicorns (Legend – Sea Calm)*, ca. 1906. Hoewel zijn werk zeer veel verschilde van dat van zijn vrienden in de *Ashcan School, was Davies een lid van The Eight, en was hij een van de belangrijkste organisatoren van de Armory Show, die de Europese impressionisten, symbolisten, Nabis, neo-impressionisten, postimpressionisten, fauves en *kubisten naar Amerika bracht.

Als 'bewegingen' die verschenen aan het eind van de eeuw, waren de grenzen en verschillen tussen het symbolisme, *art nouveau en decadentistische kunst veranderlijk. Een en hetzelfde werk kan worden geprezen om zijn symbolistische inhoud, zijn decadentistische onderwerp en zijn art nouveau-lijnen. Een voorbeeld hiervan, Munchs *Madonna* (1895), brengt ook de 'femme fatale' naar voren, een gangbaar thema in symbolistisch, art nouveau en decadentistisch werk, dat later bovendien terug zou keren in de *surrealistische literatuur en kunst.

Belangrijke collecties

Art Institute of Chicago, Chicago, Illinois
J. Paul Getty Museum, Los Angeles, California
Kimbell Art Museum, Fort Worth, Texas
Musée d'Orsay, Parijs
Munch Museum, Oslo
Victoria & Albert Museum, Londen

Belangrijke boeken

A. Lehman, *The Symbolist Aesthetic in France 1885–1895* (Oxford, 1968)
E. Lucie-Smith, *Symbolist Art* (1972)
J. Christian, *Symbolists and Decadents* (1977)
B. Dijkstra, *Idols of Perversity* (Oxford, 1989)

Postimpressionisme

De postimpressionisten beschouwen de impressionisten als te naturalistisch.

ROGER FRY, MANET EN DE POSTIMPRESSIONISTEN, TENTOONSTELLINGSCATALOGUS, 1910

De term postimpressionisme werd bedacht door de Engelse criticus en schilder Roger Fry (1866-1934), wiens tentoonstelling 'Manet en de postimpressionisten' van november 1910 tot januari 1911 te zien was in de Grafton Galleries in Londen. Deze expositie was de eerste poging om de werken van de generatie ná de *impressionisten te introduceren bij het Engelse publiek. Er werden ongeveer 150 werken getoond, waaronder stukken van Gauguin, Van Gogh, Cézanne, Denis, Derain, Manet, Matisse, Picasso, Redon, Rouault, Sérusier, Seurat, Signac, Vallotton en De Vlaminck, kunstenaars die ook bekend stonden onder namen als *neo-impressionisten, *synthetisten, *Nabis, *symbolisten en *fauves. Het postimpressionisme was in feite nooit een coherente beweging, maar een globale term die terugblikkend werd gebruikt om kunst aan te duiden die volgens Fry ofwel zijn oorsprong had in het impressionisme, ofwel een reactie erop was. Onder zijn leiding hebben critici de term vervolgens gebruikt om de verscheidenheid van stijlen te beschrijven tussen ca. 1880 (de laatste fase van het impressionisme) en ca. 1905 (de opkomst van de fauves), en om globaal die kunstenaars te

beschrijven die anders niet eenvoudig te categoriseren waren, zoals Paul Cézanne (1839-1906), Vincent van Gogh (1853-90) en Henri de Toulouse-Lautrec (1864-1901). Een aantal van de belangrijkste kenmerken van postimpressionistische kunst zijn het best zichtbaar in het werk van deze drie schilders. Twee andere belangrijke figuren, Paul Gauguin en Georges Seurat, die beide werden geclaimed voor het postimpressionisme tijdens Fry's tentoonstelling, die een mijlpaal zou vormen, worden in dit boek respectievelijk beschreven in de hoofdstukken over het synthetisme en het neo-impressionisme, bewegingen waarmee ze zich expliciet identificeerden.

Cézanne, de oudste van de drie, studeerde twee jaar met de impressionist Camille Pissarro, en nam deel aan de eerste en de derde impressionistische tentoonstellingen in 1874 en 1877. Door Pissarro zag hij het belang in van directe observatie en leerde hij de effecten van licht en kleur waarderen. In tegenstelling tot de impressionisten was Cézanne echter niet geïnteresseerd in de vluchtige kwaliteiten van licht en het vergankelijke moment, maar in de structuur van de natuur. Hij realiseerde zich dat het oog een tafereel als een reeks opeenvolgende én als een reeks gelijktijdige gebeurtenissen registreert, en in zijn werk maakt het enkelvoudige perspectief plaats voor een verschuivend gezichtspunt, aangezien Cézanne onderkent dat het perspectief verandert als de ogen en het hoofd bewegen, en dat

Boven: Henri de Toulouse-Lautrec, *Japanse divan*, 1893
Evenals art nouveau-ontwerpers, werkte Toulouse-Lautrec met plezier aan advertenties, theaterprogramma's, posters en prenten; zijn krachtige ontwerpen werden snel populair, en hij maakte een aantal van zijn beroemdste posters in een productieve periode tussen 1891 en 1893.

objecten die tesamen worden beschouwd, elkaar onderling beïnvloeden. In schilderijen van zijn favoriete onderwerpen – zijn vrouw en vrienden, het stilleven en het landschap van de Provence – vertaalt hij de vormen van de natuur in de 'beeldende equivalenten en kleuren' van de schilderkunst. In *Stilleven met een cupido van gips* (ca. 1895), bijvoorbeeld, wordt de cupido zowel van voren als van boven afgebeeld: de derde dimensie wordt niet weergegeven met behulp van traditionele middelen als perspectief en verkorting, maar door veranderingen in kleur, die het oppervlak een eenheid verschaffen, en tegelijkertijd diepte suggereren, een radicale verschuiving in picturale techniek.

Cézanne's volwassen werk was bij velen niet bekend tot zijn eerste solotentoonstelling in 1895 in de galerie van Ambroise Vollard in Parijs. De tentoonstelling omvatte 150 werken, die met vijftig schilderijen tegelijk beurtelings werden getoond, en werd enthousiast ontvangen door de jongere generatie van kunstenaars en critici, en door de impressionisten Monet, Renoir, Degas en Pissarro, die allemaal werk van de tentoonstelling kochten. Emile Bernard (zie

*Cloisonnisme), Denis en de Nabis werden bewonderaars, evenals de fauves en de *kubisten dat later zouden worden. Ook veel abstractionisten zouden Cézanne claimen als voorganger, op basis van de abstracte kwaliteit van veel van zijn werk en een beroemde uitspraak die hij in 1904 deed in een conversatie met Bernard: "Behandel de natuur in termen van zijn geometrische vormen van de bol, de cilinder, en de kegel." Cézanne zelf beschouwde geometrische vormen echter niet als doelen op zich, maar als manieren om de

Boven: Paul Cézanne, *Mont Sainte-Victoire*, 1902-4
Na 1877 verliet Cézanne zelden de Provence, maar verkoos hij om in afzondering te werken. Op nauwgezette wijze ontwikkelde hij een kunst die een klassieke structuur combineerde met een eigentijds naturalisme, een kunst die volgens hem zowel de geest als het oog zou aanspreken.

Tegenoverliggende pagina: Vincent van Gogh, *Zelfportret*, 1889
Aan Van Goghs zelfportretten, geschilderd tijdens heldere perioden, waarin hij zich echter volledig bewust was van zijn regelmatig terugkerende aanvallen van krankzinnigheid, kan men zien dat hij een angstaanjagend en pijnlijk inzicht in zijn eigen conditie had. Een dergelijk zelfbewustzijn zou een nieuwe generatie kunstenaars op een belangrijke manier beïnvloeden.

natuur om te bouwen tot een parallelle kunstwereld. Over zijn invloed schreef de Engelse kunstcriticus Clive Bell in 1914: 'Hij was de Christopher Columbus van een nieuw continent van vorm.'

Evenals Cézanne, werd Vincent van Gogh als jonge man beïnvloed door de impressionisten. Na zijn verhuizing naar Parijs in februari 1886 ontmoette hij Pissarro, Degas, Gauguin, Seurat en Toulouse-Lautrec, en begon hij Japanse houtsneden en recent cloisonnistisch werk te bestuderen. Sociaal-realistische thema's verdwenen uit zijn werk, en zijn palet werd helderder. Zijn volledig ontwikkelde stijl van schilderen werd gekenmerkt door levendige kleuren, waarvan hij de symbolische en expressieve mogelijkheden inzag. 'In plaats van dat ik exact reproduceer wat ik voor me zie,' zo schreef hij, 'gebruik ik kleur op een meer willekeurige manier, om mezelf krachtiger te kunnen uitdrukken.' Na een kortstondig experiment met werk in de stijl van Seurats divisionisme, ontwikkelde hij al gauw de stijl van brede, krachtige en kolkende penseelstreken waar hij om bekend is. 'En in een schilderij,' zo schreef hij aan zijn broer Theo, 'zou ik iets troostends willen zeggen, als muziek. Ik zou mannen of vrouwen willen schilderen met iets van dat eeuwige waarvan vroeger de nimbus het symbool was en dat wij zoeken in de uitstraling zelf, in de trilling van ons koloriet.'

Van Gogh bestudeerde de natuur intensief, zoals Cézanne voor hem had gedaan. In tegenstelling tot Cézanne, wiens werkmethode altijd traag was, produceerde Van Gogh echter enorme aantallen schilderijen in vlagen van activiteit tussen aanvallen van zenuwziekte. Nadat hij naar Arles was verhuisd in februari 1888 schilderde hij meer dan 200 doeken in vijftien maanden. Maar zijn geestelijke gezondheid verslechterde snel, en in 1889 leidde een ruzie met Gauguin tot een aanval van wanhoop waarbij hij zijn linkeroor afsneed. In mei van dat jaar werd hij opgenomen in de inrichting van St. Rémy. De expressieve kwaliteit van zijn volwassen werken maakt deze tot verslagen van zijn leven en emoties, en bijna tot zelfportretten. De impact van deze schilderijen zou echter nog even op zich laten wachten. Het schilderij *Rode wijngaarden in Arles*, aangekocht door de Belgische schilderes Anna Boch nadat het in 1890 te zien was geweest op de tentoonstelling van *Les Vingt in Brussel, was het enige schilderij dat tijdens zijn leven werd verkocht. Het zouden de latere tentoonstellingen zijn – in Parijs (1901), Amsterdam (1905), Londen (1910), Keulen (1912), New York (1913) en Berlijn (1914) – die hem tot zo'n enorm invloedrijke figuur zouden maken voor de fauves, de *expressionisten en de vroege abstractionisten. Tegenwoordig zijn er weinig kunstenaars die even populair zijn als Van Gogh.

Toulouse-Lautrec daarentegen, was in zijn tijd zeer befaamd. Hij maakte voor het eerst kennis met Van Gogh (en schilderde zijn portret) in 1886, toen ze studeerden in het Parijse atelier van Fernand Cormon, samen met de oprichters van het cloisonnisme, Louis Anquetin en Bernard. Hij was geïnteresseerd in de impressionisten, met name in Degas, en kwam in 1888 ook in contact met Gauguin. Hij werd sterk beïnvloed door Japanse prenten, en zijn stijl begon gaandeweg zijn kenmerkende effen, krachtige patronen en kalligrafische lijnen te vertonen. Pierre Bonnard, de Nabi-schilder wiens champagneposter net was verschenen, gaf hem adviezen op het gebied van lithografische technieken, waarvan hij al gauw zeer goed gebruik maakte. Rond 1888, begon Toulouse-Lautrec de thema's te verbeelden waardoor hij het meest bekend is geworden – theaters, muziekhallen (met name de Moulin Rouge), cafés, circussen en bordelen. Hoewel zijn onderwerpen en interesse in bewegende figuren vergelijkbaar zijn met die van Degas, zijn de figuren van Toulouse-Lautrec geen louter representatieve typen, maar identificeerbare mensen, meestal vrienden van hem, die hij schilderde of tekende op basis van directe observatie.

Hij maakte naam met zijn eerste poster voor de Moulin Rouge in 1891. Evenals *art nouveau-ontwerpers, werkte Toulouse-Lautrec met plezier aan advertenties, theaterprogramma's, posters en prenten. Zijn schilderijen en grafische werk werden regelmatig tentoongesteld in Parijs, Brussel en Londen gedurende de jaren negentig van de negentiende eeuw, toen hij op het hoogtepunt van zijn roem stond. Hoewel hij niet was aangesloten bij een specifieke groep of beweging, vertoont zijn stijl verwantschap met eigentijds art nouveau-werk, en de exotische, hedonistische sfeer van zijn werk verbindt hem met de *decadentenbeweging. In 1894 schilderde hij tijdens een reis naar Londen het portret van Oscar Wilde.

Een van de belangrijkste Amerikaanse schilders die kan worden beschouwd als een postimpressionist is Maurice Prendergast (1859-1924). Gedurende de jaren negentig van de negentiende eeuw woonde hij in Parijs, waar hij de lessen absorbeerde van het impressionisme, het neo-impressionisme en het symbolisme, terwijl hij tegelijkertijd zijn eigen stijl ontwikkelde. Een werk als *Op het strand, nr. 3* (ca. 1915) illustreert deze synthese. Prendergast was verantwoordelijk voor het introduceren van postimpressionistische ideeën in Amerika, niet alleen in zijn eigen werk, maar ook door zijn activiteiten als lid van de Acht (zie *Ashcan School). In 1913 hielp hij bij het organiseren van de Armory Show, tijdens welke talloze ontwikkelingen in het Europese modernisme voor de eerste keer werden gepresenteerd aan het Amerikaanse publiek.

In Rusland werd het postimpressionisme tegen het einde van de eeuw geïntroduceerd door de activiteiten van de *Mir Iskusstva-groep en tijdens twee belangrijke tentoonstellingen in 1908 en 1909 die werden gesponsord door zijn opvolger, het Gulden Vlies. In England liet Roger Fry zijn eerste tentoonstelling volgen door de 'Tweede Postimpressionistische Tentoonstelling' (oktober-december 1912), die zich concentreerde op de jongere avant-garde die op een abstractere manier werkte. De tentoonstelling omvatte nieuw Russisch werk van Mikhail Larionov en Natalia Goncharova (zie *Jack of Diamonds en *Rayonisme), en ook een Engelse afdeling, met werk van Vanessa Bell (1879-1961), Spencer Gore (1878-1914), Duncan Grant (1885-1978), Wyndham Lewis (1882-1957, zie *Vorticisme) en Fry zelf, die het meest wordt geassocieerd met de Bloomsbury Groep, die ook schrijvers omvatte, zoals Vanessa's zus, Virginia Woolf.

De postimpressionistische kunstenaars werkten binnen een uitgebreid terrein van stijlen, en hadden verschillende ideeën over de rol van kunst. Ze waren echter allen revolutionairen die een kunst probeerden te scheppen die afweek van een beschrijvend realisme, een kunst van ideeën en emoties. De buitengewone diversiteit die deze periode kenmerkt, zou de kunstenaars van de twintigste eeuw veel stof tot nadenken bieden.

Belangrijke collecties

Barnes Foundation, Merion, Pennsylvania
Courtauld Gallery, Londen
Detroit Institute of Arts, Detroit, Michigan
Metropolitan Museum of Art, New York
National Gallery, Londen
Van Gogh Museum, Amsterdam

Belangrijke boeken

J. Rewald (ed.), *The Letters of Cézanne* (1984)
G. Cogeval, *The Post-Impressionists* (1988)
B. Denvir, *Toulouse-Lautrec* (1991)
—, *Post-Impressionism* (1992)
G. S. Keyes, et al., *De wereld van Vincent van Gogh - Portretten en zelfportretten* (Zwolle, 2000)

Cloisonnisme

*We moeten vereenvoudigen om [de betekenis van de natuur] bloot te leggen...
haar lijnen reduceren tot sprekende contrasten, haar schaduwen tot de zeven
fundamentele kleuren van het prisma.*

EMILE BERNARD

Cloisonnisme (*cloisonner* – categoriseren, indelen) is een stijl van schilderen die werd ontwikkeld door de Franse schilders Emile Bernard (1868-1941) en Louis Anquetin (1861-1932) in de late jaren tachtig van de negentiende eeuw. In hun schilderijen worden vormen

Emile Bernard, *De Maria Boodschap*, 1889
Verzadigde kleuren en dikke omtrekken zijn kenmerkend voor cloisonnistische werken. De Marie Boodschap toont ook duidelijk de invloed van middeleeuws gebrandschilderd glas, met zijn in vakken verdeelde panelen van effen, krachtige kleuren en gestileerde lijnen.

vereenvoudigd, en worden gebieden met effen, onnatuurlijke kleuren van elkaar gescheiden door dikke omtrekken die doen denken aan gotisch gebrandschilderd glas of cloisonné emailgoed, en die hun decoratieve kwaliteiten benadrukken. Het doel is niet om de objectieve realiteit te illustreren, maar om een innerlijke wereld van emotie uit te drukken. Anquetin en Bernard ontwikkelden een gevoel voor gebrandschilderd glas, en voor Japanse houtsneden, een andere belangrijke invloed in het midden van de jaren tachtig van de negentiende eeuw, terwijl ze studeerden in het atelier van Fernand

Cormon. Daar werden ze vrienden van Vincent van Gogh en Henri de Toulouse-Lautrec, kunstenaars die, ieder op zijn eigen manier, deelnamen aan de experimenten van die tijd (zie *Postimpressionisme). De belangrijkste avant-gardekunstenaar die de ideeën van Anquetin en Bernard deelde, was Paul Gauguin (zie *Synthetisme). Het is mogelijk dat Gauguin eind 1887 hun werk heeft zien hangen in het Grand Restaurant-Bouillon. Het staat vast dat hij, tegen de zomer van 1888, samen met hen werkte in Pont-Aven in Bretagne, en hoewel hij nooit de cloisonnistische praktijk overnam van het scheiden van vormen door middel van dikke omtrekken, toont zijn belangrijkste schilderij uit die periode, *Visioen na de preek: Jacob die worstelt met de engel* (1888), duidelijk de cloisonnistische invloed in de dramatische combinaties van verzadigde kleuren.

De eerste schilderijen van Bernard en Anquetin uit 1886 en 1887 hadden stedelijke thema's als onderwerp, maar in Pont-Aven, waar ze ideeën uitwisselden met Gauguin, pasten ze hun nieuwe techniek toe op taferelen die het 'eenvoudige leven' van Bretonse boeren uitbeeldden, alsook op klassieke en bijbelse voorstellingen, en maakten ze hun volledig ontwikkelde cloisonnistische werken. Deze zouden een beslissende invloed hebben binnen de geschiedenis van de avant-gardeschilderkunst. Bovendien verzamelden de schilders al snel een groep volgelingen om zich heen, die bekend staan als de School van Pont-Aven. Bovendien kreeg hun stijl in hetzelfde jaar zijn formele naam toen deze door de criticus Edouard Dujardin werd gebruikt om Anquetins bijdrage aan een tentoonstelling te beschrijven die werd gehouden door de Belgische tentoonstellingsgroep *Les Vingt.

De internationale invloed van het cloisonnisme is duidelijk zichtbaar in dergelijke tentoonstellingen. Evenals de *art nouveau-kunstenaars, geloofde Bernard dat schilderkunst voornamelijk decoratief diende te zijn, in plaats van interpreterend, en evenals degenen die betrokken waren bij de *Arts and Crafts-beweging in Engeland maakte hij niet alleen schilderijen, maar ook houtsneden en ontwerpen voor gebrandschilderd glas en geborduurde wandtapijten. Zijn overtuiging dat vereenvoudigde vormen en kleuren een krachtigere expressie mogelijk zouden maken, werd door een aantal

kunstenaars, velen waarvan globaal worden geïdentificeerd als *symbolisten, gedeeld in hun eigen experimentele stijlen. Het is moeilijk voorstelbaar dat Gauguin het synthetisme zou hebben geformuleerd, of dat de *Nabis tot hun eigen expressionistische kunst zouden zijn gekomen, zonder het precedent van de cloisonnistische stijl. Bernards theoretische geschriften bleken eveneens invloedrijk te zijn, en ze zorgden ervoor dat de cloisonnistische stijl spoedig deel ging uitmaken van de visuele vocabulaire van degenen die een nieuwe theoretische en ideologische rol voor de schilderkunst ontwikkelden.

Gedurende de jaren negentig van de negentiende eeuw gingen Bernard en Anquetin zich in verschillende richtingen ontwikkelen. Anquetin begon te schilderen in een stijl die was beïnvloed door Toulouse-Lautrec, en begon vervolgens de oude meesters te bestuderen, en in het bijzonder de barokke, tamelijk weelderige stijl van Peter Paul Rubens. Na de eeuwwisseling wendde Bernard zich tot de schilderkunst van de Italiaanse Renaissance en begon zijn invloed op de avant-garde af te nemen. Tegen die tijd was zijn naam als beschermheer van het postimpressionisme echter al gevestigd.

Belangrijke collecties

Ackland Art Museum at the University of North Carolina, Chapel Hill, North Carolina
Fine Arts Museums of San Francisco, San Francisco, California
MacKenzie Art Gallery, Regina, Saskatchewan
National Gallery, Londen
Norton Museum of Art, West Palm Beach, Florida
Spencer Museum of Art at the University of Kansas, Lawrence, Kansas

Belangrijke boeken

Gauguin and the Pont-Aven Group (tent. cat. Tate Gallery, 1966)
W. Jaworska, *Gauguin and the Pont-Aven School* (Boston, MA, 1972)
Emile Bernard: A Pioneer of Modern Art (tent. cat. Van Gogh Museum, Amsterdam, 1990)

Nabis

Onthoud dat een schilderij, voordat het... een naakt is, of een of andere anekdote, in essentie een plat oppervlak is dat is bedekt met kleuren die op een bepaalde manier zijn geordend.

MAURICE DENIS, 1890

De geheime broederschap van de Nabis (Hebreeuws: profeten) werd in 1888 opgericht door de Franse kunstenaars en theoretici Maurice Denis (1870-1943) en Paul Sérusier (1864-1927) als protest tegen academisme. Samen met de andere oorspronkelijke leden – Pierre Bonnard (1867-1947), Paul Ranson (1862-1909) en Henri-Gabriel Ibels – waren ze de Académie Julian in Parijs ontvlucht, uit onvrede over het fotografische naturalisme dat daar werd onderwezen. Later

voegden Ker-Xavier Roussel (1867-1944) en Edouard Vuillard (1868-1940) van de Ecole des Beaux-Arts in Parijs zich bij hen, en, nog later, de Zwitser Félix Vallotton (1865-1925), Mogens Ballin uit Denemarken, de Hongaar József Rippl-Rónai en Jan Verkade.

De ideeën en de praktijk van de Nabis omvatten een spiritueel element, en de oprichting van een geheime broederschap verbond hen met eerdere groepen van rebellerende kunstenaars, zoals de

Nazareners in Duitsland en de prerafaëlieten in Engeland.

Paul Gauguin was de belangrijkste mentor van de Nabis, en het verslag van Sérusier van een ochtendlijke schilderbijeenkomst onder leiding van Gauguin in de Bois d'Amour in de zomer van 1888, beschrijft op een levendige manier de *synthetistische invloed op de ontwikkeling van de Nabi-praktijken: "[Gauguin zei:] Hoe zie je deze bomen? Ze zijn geel. Goed, gebruik dan geel. En die schaduw is tamelijk blauw. Geef die dan weer met zuiver ultramarijn. Die rode bladeren? Gebruik vermiljoen." Toen Sérusier de groep vervolgens het betreffende schilderij toonde, de *Talisman (Landschap van het Bois d'Amour)* (1888) geheten, leek dit zo gewaagd en origineel dat ze dachten dat het werk mystieke krachten afscheidde.

De Nabis begonnen regelmatig bij elkaar te komen om ideeën te bespreken, met name drie belangrijke kwesties: de wetenschappelijke en mystieke grondslagen van de kunst, de sociale implicaties, en de wenselijkheid van een synthese van de kunsten. Bij het formuleren van hun ideeën, maakten ze gebruik van het voorbeeld van toonaangevende kunstenaars van de vorige generatie, niet alleen van Gauguin, maar ook van Georges Seurat (zie *Neo-impressionisme), Odilon Redon en Puvis de Chavannes (zie *Symbolisme), Paul Cézanne (zie *Postimpressionisme) en Louis Anquetin (zie *Cloisonnisme).

In de zomer van 1890 publiceerde Denis zijn manifest voor een nieuwe kunst in het tijdschrift *Art et Critique*. Het uit twee gedeelten bestaande artikel, met de titel 'Definitie van neo-traditionalisme', riep op tot een volledige breuk met het illusionistische naturalisme dat werd onderwezen op kunstscholen. Volgens Denis lag de revolutionaire prestatie van de avant-gardekunstenaars in de erkenning en de hernieuwde verdediging van de decoratieve functie van de kunst. De Nabis keken naar de decoratieve tradities van de Egyptenaren en van de middeleeuwse frescoschilders, die naar hun mening sinds de Renaissance verloren waren geraakt voor het westen.

De eerste groepstentoonstelling van de Nabis, die werd georganiseerd door Denis, werd in 1891 gehouden in het château van St Germain-en-Laye. In december van hetzelfde jaar deed de meerderheid van de Nabis mee aan de eerste tentoonstelling die werd gehouden in Le Barc de Boutteville, Parijs, getiteld 'Peintres Impressionnistes et Symbolistes'. Zoals de titel suggereert, werden de Nabis verwelkomd als een nieuwe generatie symbolisten, en ze werden door symbolistische dichters beschouwd als collega's. Hoewel de visie van Denis over 'kleuren die in een bepaalde volgorde met elkaar worden gecombineerd' vervolgens werd gedeeld door abstracte kunstenaars, hadden de vernieuwingen van de Nabis voornamelijk

Boven: Maurice Denis, *Hommage aan Cézanne*, 1900
In een eerbetoon dat Cézanne zelf zeer aansprak, staat een groep schilders – waaronder Redon, Bonnard, Vuillard, Sérusier en Denis – voor Cézanne's *Stilleven met fruitschaal*, een schilderij dat in het bezit was van Gauguin.

Onder: Pierre Bonnard, *Frankrijk-Champagne-poster*, 1891
Bonnards winnende inzending tijdens een wedstrijd waarbij een poster ontworpen diende te worden voor het adverteren van een bepaald merk champagne, leverde de jonge kunstenaar 100 frank op. Zijn vader, die tot dan toe sceptisch was geweest over de professie die zijn zoon had gekozen, danste van plezier in zijn tuin.

betrekking op stijl en theoretisering. Hun onderwerpen bleven traditioneel – portretten, huiselijke interieurs, taferelen van het leven in Parijs en, met name in het geval van Denis, religieuze voorstellingen.

Evenals de *art nouveau-ontwerpers uit die periode, met wie hun werk een visuele verwantschap vertoont, maakten de Nabis gebruik van een groot scala van bronnen en experimenteerden ze met een groot aantal media. Naast schilderijen exposeerde de groep prenten, ontwerpen voor posters, wandtapijten en ontwerpen voor theaterprogramma's. Een criticus uit die tijd schreef over de

vaardigheid van de groep om een kruisbestuiving teweeg te brengen tussen verschillende bronnen en media, dat ze 'de kenmerken van oude scholen, hetzij continentale, hetzij exotische, anders rangschikten, en dat ze voor het werken op een schildersezel bepaalde werkwijzen aanpasten die eerder waren voorbehouden aan kunstvormen als gebrandschilderd glas, verluchte manuscripten, oude tarotkaarten of theaterdecors.' Een vriend van de Nabi-kunstenaars, de acteur-regisseur Aurélien-Marie Lugné-Poë, gaf opdracht tot het maken van programma's en decorontwerpen voor experimentele uitvoeringen. Daarnaast leverden ze bijdragen aan de Parijse producties van werken van Henrik Ibsen, August Strindberg en Oscar Wilde. In 1896 waren ze betrokken bij Alfred Jarry's *Ubu Roi*, dat een voorloper was van het 'Theatre of the Absurd', dat van grote invloed zou zijn op de ontwikkeling van *dada en het *surrealisme.

De Nabis exposeerden gezamenlijk tot 1899, waarna hun wegen zich scheidden. Denis, die een vroom katholiek was, richtte zijn aandacht op religieuze onderwerpen en muurschilderingen voor religieuze instellingen, en stichtte de Studio of Sacred Art (Atelier voor Gewijde Kunst). Sérusier wendde zich eveneens tot religieuze beeldspraak en religieus symbolisme. Bonnard en Vuillard, de bekendste van de Nabis, waren in veel opzichten het minst kenmerkend voor de groep. Bonnard verwierf bekendheid door een

Tegenoverliggende pagina: **Edouard Vuillard, *Misia en Vallotton*, 1894**
Evenals Bonnard, muntte Vuillard uit in psychologisch verfijnde huiselijke taferelen, waarin vaak vrienden figureerden, zoals, op dit schilderij, Misia Godebska, gastvrouw en muze van veel eigentijdse kunstenaars, en zijn mede-Nabi, de Zwitserse schilder Félix Vallotton.

poster die hij ontwierp voor een champagne-bedrijf in 1891 (dat tevens Henri de Toulouse-Lautrec inspireerde tot het ontwerpen van zijn eigen, zeer bekende posters). Bonnard verbeeldt in zijn werk een van zijn favoriete motieven, dat van de elegante Parisienne, en in zijn werk is een duidelijke Japanse invloed voelbaar, die hem de aanduiding *Nabi très japonard* opleverde. De gelijkmatige, sterk gemodelleerde stijl van Vuillards werk uit deze periode verraadt de tweevoudige invloed van Japanse prenten en Gauguin. Elk van deze kunstenaars ging verder met het definiëren van zijn eigen, individuele stijl en concentreerde zich op intieme, huiselijke interieurs, wat hen uiteindelijk de benaming 'Intimistes' opleverde.

Belangrijke collecties
Aberdeen Art Gallery, Aberdeen
Detroit Institute of Arts, Detroit, Michigan
Minneapolis Institute of Arts, Minneapolis, Minnesota
Montreal Museum of Fine Arts, Quebec
Musée des Beaux-Arts de Quimper, Quimper
Museum Hermitage, St. Petersburg

Belangrijke boeken
C. Chassé, *The Nabis and their Period* (1969)
G. Mauner, *The Nabis, their History and their Art 1888-96* (1978)
P. Eckert Boyer, *The Nabis and the Parisian Avant-Garde* (New Brunswick, 1988)
C. Frèches-Thory, *Bonnard, Vuillard and their Circle* (1991)

Synthetisme

Enig advies: schilder niet te veel naar de natuur.

PAUL GAUGUIN, BRIEF AAN EMILE SCHUFFENECKER, 1888

Paul Gauguin (1848-1903), Emile Schuffenecker (1851-1934), Emile Bernard (1868-1941) en hun kring in Frankrijk bedachten de term 'Synthetisme' (van *synthétiser*: bijeenvoegen) voor het beschrijven van hun werk van de late jaren tachtig en vroege jaren negentig van de negentiende eeuw. Hun schilderijen waren geschilderd in een radicale, expressieve stijl, waarin vormen en kleuren opzettelijk werden vervormd en extra aangezet, en combineerden een aantal verschillende elementen: de uiterlijke verschijningsvorm van de natuur, de 'droom' van de kunstenaar in het aangezicht van diezelfde natuur, en de formele kwaliteiten van vorm en kleur. Gauguin, de leider van de groep, was van mening dat de directe observatie van de natuur slechts een deel van het creatieve proces uitmaakte, en dat de invloed van het geheugen, de verbeelding en emoties die indrukken versterkten, wat leidde tot betekenisvollere vormen.

Gauguin had in de vroege jaren tachtig van de negentiende eeuw

samen met de *impressionisten geëxposeerd, maar tegen het jaar 1885 was hij teleurgesteld geraakt in de nadruk die zij legden op het beschrijven van uitsluitend datgene wat zij voor zich zagen. Hij ging op zoek naar nieuwe thema's en een nieuwe schildertechniek om 'de vertaling van gedachten in een ander medium dan de literatuur' te bewerkstelligen. Zijn doel was om niet zozeer te schilderen wat het oog zag, maar wat de kunstenaar voelde, en daarom vermeed hij zowel het naturalisme van het impressionisme, als de weten-schappelijke preoccupaties van de *neo-impressionisten, en schiep hij in plaats daarvan een kunst waarin kleur wordt gebruikt ten behoeve van dramatische, emotionele of expressieve effecten.

Gauguin ontleende zijn inspiratie aan veel verschillende bronnen. Evenals de prerafaëlieten in Engeland bestudeerde hij middeleeuwse wandtapijten vanwege hun krachtige uitstraling en dramatiek; evenals de impressionisten leerde hij veel over lijn en compositie van

Japanse houtsneden. Hij raakte enthousiast over volkskunst, de stenen sculpturen van Bretonse kerken en over prehistorische kunst.

Tijdens een cruciale periode voor Gauguin in de late jaren tachtig van de negentiende eeuw werkte hij in Bretagne, waar hij het werk leerde kennen van de schilders van Pont-Aven, Bernard en Louis Anquetin (1861-1932), die de *cloisonnistische stijl ontwikkelden. Deze stijl zou een belangrijke invloed hebben op Gauguins synthetistische werk. Gauguins belangrijkste vroege werk, *Visioen na de preek: Jacob die worstelt met de engel* (1888), dat hij schilderde tijdens zijn verblijf in Pont-Aven, lijkt een visueel manifest waarin hij zijn revolutionaire ideeën ontvouwt. Lijn en ruimtelijke organisatie van het schilderij zijn geïnspireerd op Japanse houtsneden (de worstelende figuren zijn zelfs ontleend aan een tekening van Hokusai), en de grote, effen kleurvlakken en de dikke omtrekken zijn nauw verwant aan de cloisonnistische stijl. Maar het resultaat is typisch Gauguin, en synthese is de sleutel tot het succes van het werk.

In 1889 organiseerden Gauguin en zijn nieuwe vrienden Bernard, Charles Laval (1862-94) en Schuffenecker een tentoonstelling van hun progressieve werk als tegenhanger van de officiële kunsttentoonstelling op de vierde Wereldtentoonstelling in Parijs, waarvan de grootste attractie de Eiffeltoren was. 'L'Exposition de peintures du groupe impressioniste et synthétiste' werd gehouden in het Café Volpini in Paris en omvatte zowel het werk van hen als dat van anderen met wie ze hadden samengewerkt in Bretagne, zoals Anquetin en Daniel de Monfried (1856-1929). In hun bespreking van de tentoonstelling prezen welwillende critici, zoals Albert Aurier en Félix Fénéon (zie *Neo-impressionisme) Gauguins vereenvoudiging van middelen en zijn voorbereiding. Gauguin werd geïntroduceerd als een toonaangevende figuur van de avant-gardekunst, en als een rivaal van Georges Seurat en de neo-impressionisten.

Gauguin werd ook als een leider omhelsd door de *symbolistische dichters en kunstenaars. In latere werken, zoals *Dag van de goden (Mahana No Atua)* (1894) of *Waar komen we vandaan? Wat zijn wij? Waar gaan wij naartoe?* (1898), beide geschilderd toen hij op Tahiti woonde en werkte, werd de symbolische inhoud steeds belangrijker, hoewel de symbolen persoonlijk bleven, en alleen vragen opriepen, maar geen antwoorden boden. Gauguin betreurde in feite literaire inhoud, en gaf de voorkeur aan het mysterieuze en ongrijpbare universum van sensaties. In 1899 schreef hij:

Denk ook aan de muzikale rol die kleur voortaan zal spelen in de moderne schilderkunst. Kleur, die vibratie is, net zoals muziek dat is, is in staat om te bewerkstelligen wat het meest universeel en tegelijkertijd meest ongrijpbaar is in de natuur: haar innerlijke kracht.

Gauguins kunst bleek van zeer grote invloed op de generaties kunstenaars na hem. Tijdens zijn leven waren de voorbeelden van synthetisch werk een grote bron van inspiratie voor de *Nabis, de symbolisten, de internationale *art nouveau en de *fauves. Vervolgens zouden ook de *expressionisten, samen met verschillende abstractionisten en de *surrealisten, de invloed van Gauguin op de ontwikkeling van hun werk erkennen. Doordat hij het idee verwierp dat de kunstenaar trouw diende te zijn aan de zichtbare werkelijkheid, hielp Gauguin om de weg te bereiden voor het volledig opgeven van representatie.

Boven: Paul Gauguin, *Dag van de goden (Mahana No Atua)*, 1894
Net teruggekeerd uit Tahiti, en geheel in overeenstemming met zijn reputatie als reiziger naar exotische landen, schilderde Gauguin een illusie van een oud Tahitiaans ritueel, waarbij hij zijn gebruik van decoratieve patronen nog abstracter maakte, en zijn kleuren nog intenser.

Tegenoverliggende pagina: Paul Gauguin, *Visioen na de preek: Jacob die worstelt met de engel*, 1888 Gauguin verklaarde dat kleur en lijn expressief van zichzelf kunnen zijn. De innerlijke wereld van het visioen en de uiterlijke wereld van de Bretonse boerinnen, gescheiden door de tak, worden op een krachtige – en mysterieuze – manier met elkaar verbonden door de rode grond.

Belangrijke collecties
Manchester City Art Gallery, Manchester
Metropolitan Museum of Art, New York
Minneapolis Institute of Arts, Minneapolis, Minnesota
Museum of Fine Arts, Boston, Massachusetts
National Gallery, Londen
National Gallery of Art, Washington, D.C.

Belangrijke boeken
W. Jaworska, *Gauguin and the Pont-Aven School* (Boston, 1972)
H. Rookmaaker, *Synthetist Art Theories: Gauguin and 19th Century Art Theory* (Amsterdam, 1972)
P. Gauguin, *Intimate Journals* (Minneola, NY, 1987)
B. Thomson, Gauguin (1987)
R. Kendall, *Gauguin by Himself* (Boston, MA, 2000)

Salon de la Rose+Croix

Het realisme vernietigen en de kunst dichter bij katholieke ideeën brengen, en bij mystiek, legendes, mythen, allegorieën en dromen.

CATALOGUS VAN DE SALON DE LA ROSE+CROIX, 1892

De sfeer van crisis en levensmoeheid die verbonden is met het *fin de siècle* leidde ertoe dat veel *symbolistische schilders en schrijvers de romantische trends van idealisme, mystiek en exotisme nieuw leven inbliezen. Dit, in combinatie met een opleving van het katholicisme in Frankrijk, voerde sommige schilders (zoals de *Nabis Maurice Denis en Paul Sérusier) terug naar de georganiseerde religie, sommige naar anti-religieuze overtuigingen (zie *Decadentenbeweging), en anderen naar religieuze culten. Eén zo'n cultus was de Mystieke Orde van de Rose+Croix, die werd opgericht door de symbolistische romanschrijver Sâr (Hogepriester) Joséphin Péladan (1859-1918) ter bevordering van de kunsten, met name de esoterische kunsten, en om het Europese materialisme te overwinnen.

Péladan was een fervent aanhanger van de occulte doctrines van de Rozenkruizers. Terwijl zijn doctrinaire benadering afstand schiep tussen hem en sommige progressieve kunstenaars, zoals Gustave Moreau en Odilon Redon (zie *Symbolisme), sloten veel jongere schilders en schrijvers zich aan bij Péladan. Ze wilden graag lid worden van zijn loge van de broederschap en deelnemen aan de rituelen en salons ervan.

Péladan verordonneerde dat alleen onderwerpen die waren geïnspireerd door religie, mystiek, legenden en mythen, dromen, allegorieën en grootse poëzie geschikt waren om te worden opgenomen in zijn salons. Onderwerpen die naar zijn idee niet de 'verhevenheid' van de kunstenaar-schepper benadrukten – taferelen uit het moderne leven, naturalistische landschappen, boeren, en taferelen van decadente aard – werden verboden. Zijn enthousiaste volgelingen, waaronder Edmon Aman-Jean (1860-1936), Jean Delville (1867-1953), Charles Filiger (1863-1928), Armand Point (1860-1932), Carlos Schwabe (1866-1926) en Alexandre Séon (1857-1917), gehoorzaamden graag, en leverden werk dat varieerde van Delville's satanische afbeeldingen tot Schwabe's sentimentele katholieke schilderijen. Voor inspiratie wendden ze zich tot het werk van Edgar Allan Poe en Charles Baudelaire, de Arthurlegenden en de opera's van Richard Wagner. Visueel waren de gotische fantasieën van de Zwitserse schilder Arnold Böcklin (1827-1901), zoals *Eiland van de doden* (1886), van grote invloed.

In 1891 kondigden Péladan en zijn metgezellen (waaronder Comte Antoine de La Rochefoucauld 1862-1960) salons aan waarin visuele en auditieve feesten van kunst, muziek en literatuur zouden worden gepresenteerd die voorbeelden van de principes van de Rozenkruizers zouden tonen. Tussen 1892 en 1897 werden er in Parijs zes salons gehouden. De eerste salon, in galerie van Paul Durand-Ruel, bood muziek van Erik Satie, Giovanni Pierluigi da Palestrina en Wagner, en opvoeringen van een van Péladans toneelstukken. Latere

Carlos Schwabe, *De maagd van de lelies*, 1899
Péladans steeds strictere regels met betrekking tot de onderwerpen van zijn schilders vervreemdden zelfs de ultra-katholieke Schwabe van hem.

tentoonstellingen toonden het werk van Fernand Khnopff (zie *Les Vingt), Ferdinand Hodler (1853-1918), Jan Toorop (1858-1928) en Gaetano Previati (1852-1920). Péladan was een begenadigd publicist en de pers en het publiek stroomden toe om het tentoongestelde te bekijken. Hoewel sommige nieuwe kunstenaars, zoals Georges Rouault (zie *Expressionisme) tot de beweging werden aangetrokken, verlieten veel avant-gardekunstenaars de orde. Uiteindelijk raakte Péladan in financiële problemen en moest hij het genootschap tenslotte ontbinden.

De invloed van de Salons de la Rose+Croix is lang overschaduwd geweest door het kleurrijke karakter van Péladan, die door één kunsthistoricus wordt beschreven als 'een van de meest dwaze figuren in de kunstgeschiedenis'. In totaal exposeerden ongeveer 230 kunstenaars hun werken in de salons, die van belang waren als podium voor zowel symbolistisch als niet-symbolistisch nieuw werk.

Jugendstil

We staan op de drempel van een geheel nieuwe kunst, een kunst met vormen die niets betekenen of vertegenwoordigen en die op niets teruggrijpen, maar die wel ons wezen kunnen stimuleren.

AUGUST ENDELL, CA. 1900

*Art nouveau werd in Duitsland Jugendstil genoemd, naar het populaire tijdschrift *Jugend* (1896-1914). Er waren twee verschillende trends te onderscheiden in de Jugendstil: een florale, representatieve stijl afgeleid van de Engelse *Arts and Crafts-ontwerpen, en een abstractere stijl die na 1900 opkwam onder invloed van de Belg Henry Van de Velde (zie *Art nouveau). De beweging won snel aan populariteit dankzij een aantal nieuwe uitgaven waarin zowel aan de schone als aan de toegepaste kunst aandacht werd besteed, zoals *Jugend, Pan* (1895-1905), *Simplicissimus* - opgericht in 1896, en *Dekorative Kunst* en *Deutsche Kunst und Dekoration* in 1897. Steun van rijke industriëlen en de aristocratie liet niet lang op zich wachten, waardoor de Jugendstil zich van de grafische kunst kon uitbreiden tot de architectuur en de toegepaste kunst.

De florale stijl was in het algemeen sentimenteel en naturalistisch, waarbij gebruik werd gemaakt van natuurlijke vormen en volkse thema's. Een van de vroegste voorbeelden is het geborduurde wandkleed van Hermann Obrist (1863-1927) uit München. Zijn wandkleed *Cyclamen* (1892-1894), waarop een bewegende, vloeiende, kronkelende bloem is afgebeeld, deed een criticus denken aan 'de plotse, heftige golfbeweging van een zweep'. Deze vorm werd vervolgens bekend als het zweepslagmotief. Een andere exponent van de florale stijl was Otto Eckmann (1865-1902), die zoals zoveel art-nouveaukunstenaars van oorsprong schilder was, maar daarna verderging in de grafische en toegepaste kunst. Eckmann maakte

in zijn kenmerkende kalligrafiestijl talloze illustraties voor toonaangevende tijdschriften als *Pan* en *Jugend*.

München was tot de eeuwwisseling het belangrijkste centrum van de Jugendstil dankzij mensen als Obrist, Eckmann, August Endell (1871-1925), Richard Riemerschmid (1868-1957), Bernhard Pankok (1872-1943) en Bruno Paul (1874-1968). De Jugendstil viel samen met een toenemende belangstelling voor industrieel ontwerpen en toegepaste kunst, en de wens om de concurrentiepositie van Duitse producten te verbeteren. De Britse Arts and Crafts-beweging diende vooral als voorbeeld vanwege het hoge niveau van de ontwerpen en vanwege het uitgangspunt dat een ontwerp praktisch moest zijn en eerlijk van constructie. Duitse ontwerpers hadden echter geen bezwaar tegen massaproductie, maar gingen op zoek naar ontwerpen die geschikt waren voor de nieuwe technologieën die werden ontwikkeld. Dat leidde tot vereenvoudigde, functionele ontwerpen met minder versieringen dan bij hun Britse tegenhangers, waardoor ze voor een grote groep betaalbaar werden. Vanuit die gedachte ontstond in maart 1897 in München de Vereinigte Werkstätten für Kunst und Handwerk. De ontwerpers, zoals medeoprichters Obrist, Endell, Riemerschmid, Pankok, Paul, en Peter Behrens (1869-1940) werkten wel nauw samen met de producenten van hun ontwerpen, maar ze maakten hun objecten niet zelf, wat in Groot-Brittannië wel gebruikelijk was.

In datzelfde jaar werd een aantal interieurs van Van de Velde

geëxposeerd op de kunststambachttentoonstelling in Dresden. Zijn originele, kromlijnige meubelontwerpen werden zeer bewonderd en gepropageerd door de Duitse kunstcriticus Julius Meier-Graefe, oprichter van *Pan*, die kantoormeubilair bij hem bestelde. Van de Velde werd steeds populairder in Duitsland en hij kreeg vele opdrachten. Nadat hij zich in Berlijn had gevestigd, gaf hij door het hele land colleges.

Rond deze tijd vond de overgang plaats van de vloeiende, asymmetrische stijl in een abstractere, meer geometrische stijl in werk van Endell, Obrist en Behrens. Vooral van invloed waren Endells ontwerpen voor het Atelier Elvira (1897-98), een fotostudio in München die later door de nazi's werd verwoest vanwege de 'gedegenereerde kunst'. De golvende zweepslaglijnen en de planten- en dierenmotieven die in veel art-nouveauwerken te zien waren, werden abstracter gemaakt en kregen een haast surrealistisch karakter. *De Kus*, het affiche van Behrens uit 1898, liet een soortgelijk effect zien; de vloeiende kromlijnige elementen werden vereenvoudigd en ingetoomd, waardoor een organische, ornamentele, modernistische stijl ontstond.

Rond de eeuwwisseling viel de Münchense groep uiteen en de leden trokken naar Berlijn, Weimar en Darmstadt. Door het hele land werden diverse ateliers opgericht, vooral in Dresden, waar Riemerschmid een lijn van machinaal geproduceerde meubels ontwikkelde, en in Darmstadt, waar in 1897 *Deutsche Kunst und Dekoration* werd gelanceerd met een oproep van oprichter Alexander Koch om het ambacht in ere te herstellen en de kunsten te verenigen. Koch had een voorkeur voor de meer ingetogen, elegante architectuur en ontwerpen van mensen als Charles Rennie Mackintosh (zie *Art nouveau), M. H. Baillie Scott en C. R. Ashbee (zie *Arts and Crafts). In 1898 publiceerde hij een artikel over de Glasgow School, in 1901 nodigde hij Mackintosh uit om mee te doen aan een

Boven: August Endell, *Gevel van Atelier Elvira*,1897-98
Endells ontwerp zorgde aanvankelijk voor opwinding bij traditionalisten, die kritiek hadden op het volledig ontbreken van een verband tussen de buitensporige ornamenten en de relatief onopvallende structuur van het gebouw zelf.

ontwerpwedstrijd voor het nieuw te bouwen huis van een kunstliefhebber, en in 1902 vestigde hij de aandacht op een door Margaret Macdonald Mackintosh ontworpen tijdschriftomslag.

De vorst van Darmstadt, groothertog Ernst Ludwig van Hessen, deelde Kochs voorliefde voor Britse vormgeving en was er met hem van overtuigd dat kunstenaars een belangrijke rol zouden kunnen spelen in de hervorming van de vormgeving. In 1898 stichtte hij in Darmstadt een kolonie van Duitse en Oostenrijkse architecten en ontwerpers, onder wie Behrens en Joseph Maria Olbrich (zie *Weense Sezession). Het project was gebaseerd op de Garden City-idealen die toen in Engeland in zwang waren, en combineerde de principes van Arts and Crafts en art-nouveau-vormgeving. Olbrich en Behrens ontwierpen Jugenstilhuizen voor de inwoners en de hertog liet meubilair voor de kolonie vervaardigen bij het Guild of Handicraft, naar ontwerpen van Ashbee en Baillie Scott. De leden maakten van alles, van interieurs tot sieraden, van meubilair tot bestek, en namen deel aan tentoonstellingen in Duitsland, Parijs, Italië en de Verenigde Staten. In 1901 werden de gebouwen van de kolonie voor het publiek opengesteld met een mystieke inwijdingsceremonie om het begrip 'totaalkunstwerk' duidelijk te maken en om te laten zien hoe men een ideaal leven te midden van kunst kon leiden. De producten van de groep waren duur en voor de meeste mensen niet weggelegd. In de praktijk leefden de kunstenaars van subsidies van de hertog.

Veel toonaangevende Jugendstilkunstenaars kwamen in 1907 weer bij elkaar als leden van de *Deutscher Werkbund, waar ze verdergingen met de discussie over de vereniging van kunst en nijverheid, en van versiering en functie. De belangrijkste nalatenschap van de Jugendstil in Duitsland was een sfeer die tot experimenteren uitnodigde, en het verlangen naar een synthese tussen de schone en de toegepaste kunst, wat uiteindelijk tot het ontstaan van het *Bauhaus zou leiden.

Belangrijke collecties
Aberdeen Art Gallery, Aberdeen
Glasgow University Art Collection, Glasgow
Hessiches Landesmuseum, Darmstadt
Victoria & Albert Museum, Londen

Belangrijke boeken
Jugendstil and Expressionism in German Posters (tent. cat. Pasadena Art Museum, 1966)
S. Wichmann, *Jugendstil Art Nouveau: Floral and Functional Forms* (Boston, 1984)
W. Quoika-Stanka, *Jugendstil in Austria and Germany* (Monticello, 1987)
A. Duncan, *Art Nouveau* (1994)

Weense Sezession

... het verlenen van een geschikte vorm aan moderne perceptie.

JOSEF HOFFMANN, 1900

Vele jonge kunstenaars keerden zich in de jaren negentig van de negentiende eeuw af van de officiële academies, met name in Duitstalige landen. In 1892 in München, in 1898 in Berlijn, en later in Dresden, Dusseldorf, Leipzig en ook Weimar, kwamen jonge kunstenaars in verzet tegen de verstikkende invloed van de oudere generatie op exposities en het kunstbeleid, en richtten onafhankelijke genootschappen op. In die tijd was Wenen een centrum van buitengewone en radicale intellectuele dynamiek: Sigmund Freud, componist Arnold Schönberg, schrijver Robert Musil en architect Adolf Loos (zie *Internationale stijl) waren in die tijd allen in Wenen gevestigd. De Weense kunstenaars toonden zich niet minder radicaal dan hun tijdgenoten in andere vakgebieden.

De Weense Sezession werd op 25 mei 1897 opgericht door negentien kunstenaars en architecten die hadden besloten om zich los te maken van de officiële Weense kunstenaarsbond. Schilder Gustav Klimt (1862-1918) en architecten en ontwerpers Josef Hoffmann (1870-1956), Joseph Maria Olbrich (1867-1908) en Koloman Moser (1868-1918) zijn de bekendste medeoprichters. Klimt werd de eerste voorzitter van de groep. Ze verzetten zich tegen de oriëntatie op historische stijlen die de conservatieve academies voorstonden en propageerden een kunst waarbij eigentijdsheid hoog in het vaandel

Links: **Josef Hoffmann, Het beeldmerk van de Wiener Werkstätte**
De Wiener Werkstätte was gewijd aan de productie van verfijnde, elegante objecten, opvallend eenvoudig maar luxueus, zoals meubilair, interieurs, kleding, metaalwerk, boekbindingen, keramiek, textiel en sieraden.

Onder: **Gustav Klimt,** *Beethovenfries* **(detail), 1902**
De veertiende expositie van de Sezessionisten was een hommage aan Beethoven, waaraan Klimt een fries bijdroeg. Zijn persoonlijke allegorie (hier het lijden van de zwakke mens, de goedbewapende sterke, Compassie en Ambitie) kreeg veel kritiek vanwege het ontbreken van elk verband met Beethoven.

stond. Net als William Morris en de *Arts and Crafts-beweging in Groot-Brittannië - waarnaar de leden in hun verklaringen verwezen - pleitten ze voor een bredere definitie van kunst, die ook de toegepaste kunst zou omvatten. Ze waren ook van mening dat kunst een bepalende rol kon spelen bij sociale verbetering. Een van de eerste verklaringen van de groep luidde: "We erkennen geen enkel onderscheid tussen grote en mindere kunst, tussen kunst van de rijken en die van de armen. Kunst is van iedereen."

Net als *Les Vingt in België hield de groep exposities om de nieuwste internationale ontwikkelingen in zowel de schone als de toegepaste kunst te belichten. Op de eerste tentoonstelling was werk van de Sezessionsleden te zien, maar ook recent werk van de Franse beeldhouwer Auguste Rodin en de Belgen Fernand Khnopff en Henry Van de Velde, allen voormalige leden van Les Vingt. De expositie was zo'n succes dat de Sezession aan Olbrich opdracht gaf om een permanente tentoonstellingsruimte te ontwerpen, het Haus der Wiener Sezession (1897-98). Het moderne, functionele gebouw, gebaseerd op geometrische vormen en spaarzaam gedecoreerd met ornamentele friezen van planten- en dierenmotieven, had een inscriptie boven de deur die luidde: "elke generatie zijn kunst, geef kunst haar vrijheid." Met dit krachtige statement gaf de nieuwe groep blijk van zijn idealen en visuele kenmerken.

Aanvankelijk was de Weense Sezession verbonden met *art nouveau en *Jugendstil; in Oostenrijk werd art nouveau Sezessionstil genoemd. De belangrijkste architect van Wenen, Otto Wagner (1841-1918), werd al beschouwd als een pleitbezorger van de art-nouveaustijl met zijn Karlsplatz-station (1894) en Majolikahaus (1898) en in 1899 liep hij over van de gevestigde orde naar de nieuwe groep. Van 1898 tot 1905 hield de Weense Sezession drieëntwintig exposities in het nieuwe gebouw. Daardoor kon het Oostenrijkse publiek kennismaken met *impressionisme, *symbolisme, *postimpressionisme, Japanse kunst, Arts and Crafts en de diverse stromingen van de internationale art nouveau. In 1900 werd op de achtste expositie van de Sezession Britse toegepaste kunst getoond. Vanaf die tijd had het werk van Charles Rennie Mackintosh (zie *Art nouveau) de meeste invloed op de Sezessionstil. De rechtlijnige ontwerpen en gedempte kleuren van Mackintosh vielen beter in de smaak bij Oostenrijkers dan de meer rococoachtige art nouveau van het Europese vasteland.

De Sezession gaf van 1898-1903 ook een tijdschrift uit, Ver Sacrum (Latijn: heilig voorjaar), waarin ze hun art-nouveau-ontwerpen publiceerden en uiting gaven aan hun verlangen naar eenheid in de kunsten. De naam is niet alleen een toespeling op het seizoen van oprichting van de groep (mei), maar ook op jeugdige

vernieuwing en herschepping van de kunsten. In 1905 ontstond er een scheuring in de Sezession zelf. De naturalisten binnen de groep wilden zich op schone kunst richten, terwijl de radicalere kunstenaars, waaronder Klimt, Hoffmann en Wagner, de toegepaste kunst wilden stimuleren en nauwere banden aangingen met de industrie. Uiteindelijk scheidden zij zich af en vormden een nieuwe groep, de Klimtgruppe. In 1903, na een verkenningstocht naar C. R. Ashbee's Guild of Handicraft in Engeland, richtten Hoffmann, mede-Sezessionslid Moser en bankier Fritz Wärndorfer de Wiener Werkstätte op, een atelier voor decoratieve kunst, art-nouveaukunst en kunstnijverheidsartikelen. Hoffmann legde hun doelen vast in het programma van het atelier:

> Ons doel is om in eigen land een oase van rust te scheppen, waar te midden van het vreugdevolle gedruis van kunst en nijverheid een ieder welkom is die z'n geloof uitspreekt in Ruskin en Morris.

Maar Hoffmann en Moser waren niet geïnteresseerd in sociale hervorming zoals de Engelse Arts and Crafts-ateliers, en evenmin in de pogingen van hun Duitse collega's om goedkope meubels te produceren (zie *Jugendstil). Zij staken hun energie in een vernieuwing van de vormgeving: mooie objecten voor een rijke cliëntèle. De kunstenaars van de Werkstätte genoten al gauw internationale bekendheid om hun progressieve ontwerpen, waarmee ze de basis legden voor de *art deco. Met name Hoffmann gebruikte graag kubussen en rechthoeken in zijn ontwerpen, waardoor hij de bijnaam 'rechthoek'-Hoffmann verwierf. Binnen twee jaar werkten er ruim tweehonderd kunstnijverheidslieden bij de Werkstätte, onder wie Oskar Kokoschka en de jonge Egon Schiele (zie *Expressionisme), die vrouwenkleding voor hen ontwierpen. Het atelier produceerde goederen voor de internationale luxe markt tot aan de sluiting in 1932. Een van de eerste opdrachten die de Werkstätte kreeg betrof een particuliere woning in Brussel, het Palais Stoclet (1905-11), uitgevoerd door Hoffmann. De invloed van Mackintosh is af te lezen aan het geometrische karakter van het gebouw, het volledig lineaire ontwerp en de beperkte versieringen. In de muurschilderingen voor de eetzaal, ontworpen door Klimt en in mozaïek uitgevoerd door andere leden van de Werkstätte, is z'n beroemdste werk vervat: *De Kus*. Door het abstracte, in blinkend goud uitgevoerde ontwerp is het net zo erotisch geladen als andere werken van de kunstenaars die wel als symbolisten of *decadenten werden omschreven. Klimt, Olbrich, Moser en Wagner waren in 1918 allen al dood, maar hun invloed

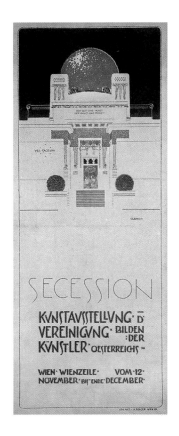

Boven: **Maria Olbrich, Affiche voor de tweede Sezessionsexpositie, 1898-99** Op Olbrichs affiche staat het kort tevoren gebouwde Haus der Wiener Sezession, dat gebruikt werd voor Sezessionsexposities. Hij had het huis zelf ontworpen op een plek die geschonken was door de stad Wenen, en deels gefinancierd door de industrieel Karl Wittgenstein.

Tegenoverliggende pagina: **Josef Hoffmann, Palais Stoclet, Brussel, 1905-11** Het werk werd uitgevoerd in samenwerking met de Wiener Werkstätte, waarbij Hoffmann zich met elk detail van zijn meesterwerk bemoeide, van het concept van het veertig vertrekken tellende gebouw tot het ontwerp van lampfittingen, deurkrukken en bestek.

werkte door. De functionalistische benadering, de geometrische composities en het tweedimensionale karakter van veel vroeg werk van de Weense Sezessionisten vormden een inspiratie voor veel modernistische bewegingen in kunst, architectuur en vormgeving, waaronder het *Bauhaus, de Internationale stijl en art deco. De strijd voor artistieke vrijheid waar de groep voor stond was ook een krachtig voorbeeld voor opkomende avant-gardisten. De Sezession zelf bleef tot 1939 bestaan, toen de groep onder de toenemende druk van het nazisme uiteenviel. Na de Tweede Wereldoorlog volgde een heroprichting en ging de groep door met het opzetten van exposities, zowel in het (herbouwde) Sezessionsgebouw als elders.

Belangrijke collecties
J. Paul Getty Museum, Los Angeles, California
Metropolitan Museum of Art, New York
National Gallery, Londen
National Gallery of Art, Washington, D.C.
Secession, Wenen
Tate Gallery, Londen

Belangrijke boeken
N. Powell, *The Sacred Spring: the Arts in Vienna 1898–1918* (1974)
P. Vergo, *Art in Vienna 1898–1918* (Oxford, 1975)
R. Waissenberger, *The Vienna Secession* (1977)
F. Whitford, *Klimt* (1990)
Wenen 1900 (Zwolle, 1997)

Mir Iskusstva

De kunst van dit moment ontbeert richting... ze is ongecoördineerd,
opgedeeld in afzonderlijke individuen.

ALEXANDRE BENOIS, 1902

Het kunstenaarsgenootschap Mir Iskusstva (World of Art) werd in 1898 in Sint-Petersburg opgericht door Alexandre Benois (1870-1960) en Sergei Diaghilev (1872-1929). De kunstenaars die zich aansloten hadden gemeen dat ze ontevreden waren met de leer van de academies. Door de heldere kleuren, vereenvoudigde composities en primitieve elementen in hun werk (onder invloed van hun interesse voor kindertekeningen) ontstonden er raakvlakken met de internationale *art nouveau en de eigentijdse avant-gardebewegingen in Europa, zoals het *synthetisme. Ze zochten toenadering tot West-Europa en hoopten in Rusland een cultuurcentrum zoals Londen of Parijs te stichten. Tegelijkertijd was hun werk door hun belangstelling voor middeleeuwse kunst en volkskunst en het regelmatig gebruik van boerenmotieven eenvoudig als Russisch te onderscheiden.

Hun meest opvallende verdienste was misschien wel het bevorderen van de integratie van de kunsten. Net als de kunstenaars die betrokken waren bij de Arts and Crafts-beweging in Engeland, waren de Mir-Iskusstva-leden bang dat dorpsambachten zouden verdwijnen onder invloed van de snelle industrialisatie, die in Rusland vanaf de jaren zestig van de negentiende eeuw plaatshad. Daarom probeerden ze de lokale tradities op het gebied van keramiek-, houtwerk- en theaterdecorproductie nieuw leven in te blazen. Het meest spectaculaire resultaat van deze inspanningen was wel de Ballets Russes van Diaghilev. Deze producties werden beroemd vanwege de vernieuwende decors en kostuumontwerpen, en zeker ook vanwege de uitvoeringen. De daaropvolgende tien jaar maakte het Europese decorontwerp een revolutie door dankzij Mir-Iskusstva-kunstenaars, met name Léon Bakst (1866-1924), die zich in 1900 bij de groep aansloot. Zijn felgekleurde kostuums en decors zorgden voor een

samensmelting van art nouveau en exotisch oriëntalisme.

Mir Iskusstva speelde ook een belangrijke rol bij het verspreiden van kennis over Westerse artistieke trends onder het Russische publiek. Het tijdschrift *Mir Iskusstva* werd in 1898 opgericht onder hoofdredacteurschap van Diaghilev, die ook exposities van Westerse avant-gardekunst organiseerde in Rusland. Hij tekende persoonlijk voor de eerste tentoonstelling van Mir Iskusstva, in januari 1899 in Sint-Petersburg. Daar waren werken te zien van buitenlandse kunstenaars als Böcklin, Degas, Monet, Moreau, Puvis de Chavannes en Whistler (zie *Impressionisme en *Symbolisme). Na 1899 lag het accent van de exposities op Russische kunst. Op de laatste Mir-Iskusstva-tentoonstelling in 1906 debuteerden Mikhail Larionov en Natalia Goncharova (zie *Jack of Diamonds, *Rayonisme) en Alexei von Jawlensky (zie *Der Blaue Reiter). Diaghilev nodigde in datzelfde jaar Larionov en Goncharova uit om mee te werken aan de tentoonstelling van Russische kunst die hij in Parijs doende was te organiseren. Als onderdeel van de Salon d'Automne van 1906 bood de expositie het meest complete overzicht van Russische kunst in het Westen, van middeleeuwse iconen tot eigentijdse avant-garde; de tentoonstelling in het Grand Palais besloeg twaalf vertrekken, die door Bakst waren gedecoreerd.

In 1906 hield Mir Iskusstva als kunstenaarsgenootschap op te bestaan. Inmiddels verbleven Benois, Bakst en Diaghilev hoofdzakelijk in Parijs. Avant-gardeactiviteiten werden in 1907 overgenomen door de Golubaya Roza (Blauwe Roos), een kunstenaarsgroep uit Moskou met Larionov en Goncharova als leden. De tentoonstellingsvereniging Zolotoe Runo (Gulden Vlies) werd in samenwerking met de groep opgericht en het tijdschrift *Zolotoe Runo* (1906-9) werd uitgegeven om het werk van de Mir-Iskusstva-groep voort te zetten. In 1910 werd Mir Iskusstva heropgericht als een tentoonstellingsvereniging. Deze bleef tot 1924 bestaan en organiseerde eenentwintig tentoonstellingen in diverse Russische steden. De nadruk kwam steeds meer op de opkomende avant-garde te liggen: Marc Chagall (zie *Ecole de Paris), Vasily Kandinsky (zie *Der Blaue Reiter) en El Lissitzky (zie *Bauhaus) behoorden tot de nieuwe leden. In werkelijkheid is Mir Iskusstva evenwel nooit echt avant-garde geweest. De heldere en afgewogen kritische commentaren van de leden misten het radicalisme van de latere commentatoren; veelzeggend is het feit dat ze nooit een manifest hebben uitgegeven. De kunst zelf wordt gekenmerkt door technische beheersing en verfijning, maar ontbeert het extremisme waar beoefenaars van het *suprematisme en *constructivisme berucht om zouden worden.

Boven: **Léon Bakst, *De rode sultane*, 1910**
De Parijse modeontwerper Paul Poiret werd rechtstreeks beïnvloed door de kostuumontwerpen van Bakst. Poiret vertaalde de pracht en praal van de producties in haute couture. Via Poiret speelde de Ballets Russes een cruciale rol in de ontwikkeling van de art deco.

Tegenoverliggende pagina: **Léon Bakst, decorontwerp voor *Schéhérazade*, 1910**
Door de combinatie van felle kleuren en sensuele ontwerpen, een samensmelting van art nouveau met de exotische oriënt, zorgden Diaghilevs producties *Cléopâtre* en *Prince Igor* in 1909, en *Schéhérazade* en *De Vuurvogel* in 1910, voor een sensatie toen ze in Parijs werden opgevoerd.

Belangrijke collecties
Fine Arts Museums of San Francisco, San Francisco, California
Museum of Fine Arts, Boston, Massachusetts
Museum Ludwig, Wenen
Norton Simon Museum, Pasadena, California
Museum Hermitage, St. Petersburg
Russisch Staatsmuseum, St. Petersburg

Belangrijke boeken
C. Spencer en P. Dyer, *The World of Serge Diaghilev* (1974)
J. Kennedy, *The 'Mir Iskusstva' Group and Russian Art 1898–1912* (1977)
J. Bowlt, *The Silver Age: Russian Art of the Early Twentieth Century and the 'World of Art' Group* (Newtonville, MA, 1980)

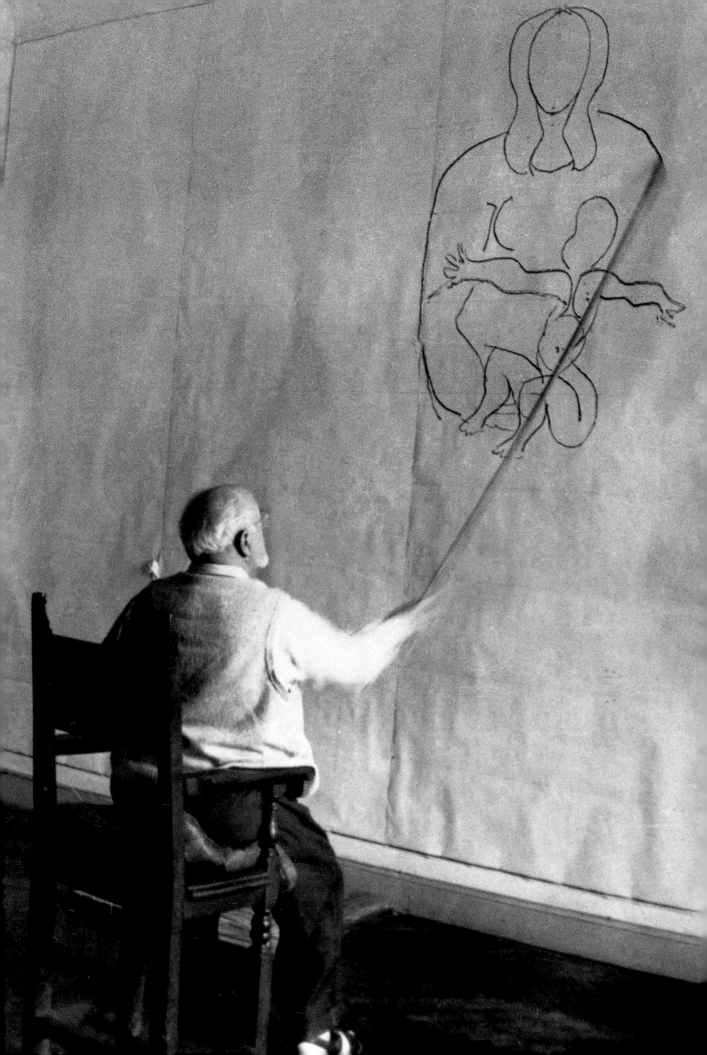

1900-1918

Modernismen voor een moderne wereld

Henri Matisse in zijn atelier in het Hôtel Regina, Nice, 1950

Fauvisme

Kleuren werden ladingen dynamiet. Ze werden verondersteld licht uit te stralen. Alles kon boven de werkelijkheid worden uitgetild.

ANDRÉ DERAIN

Op de Salon d'Automne van 1905 in Parijs, stelde een groep kunstenaars schilderijen tentoon die zo schokkend waren – met kleuren zo krachtig en opvallend, en met zo'n spontane en ruige toepassing – dat ze onmiddellijk *les fauves* (de wilde beesten) werden genoemd door de criticus Louis Vauxcelles. De naam was denigrerend bedoeld, maar de schilders accepteerden hem als een passende aanduiding van hun methoden en doelstellingen en het fauvisme is de standaard stijlnaam geworden voor het baanbrekende werk van deze groep Franse kunstenaars die onafhankelijk van elkaar werkzaam waren in de periode van ca. 1904-8. De meest prominente van deze kunstenaars waren Henri Matisse (1869-1954), André Derain (1880-1954) en Maurice de Vlaminck (1876-1958), hoewel ook anderen vaak tot deze groep worden gerekend (Vauxcelles noemde hen 'Fauvettes'): Albert Marquet (1875-1947), Charles Camoin (1879-1965), Henri-Charles Manguin (1874-1949), Othon Friesz (1879-1949), Jean Puy (1876-1961), Louis Valtat (1869-1952), Georges Rouault (1871-1958, zie *Expressionisme), Raoul Dufy (1877-1953), Georges Braque (1882-1963, zie *Kubisme) en de Nederlander Kees van Dongen (1877-1968).

Het fauvisme was de eerste van de avant-gardestromingen van de twintigste eeuw die de kunstwereld in beroering bracht. De fauves waren echter nooit een georganiseerde beweging met een duidelijke agenda, maar in plaats daarvan een tamelijk los samenwerkings-verband van kunstenaars, vrienden en medestudenten, die bepaalde ideeën over kunst deelden. Matisse, de oudste en meest gearriveerde van hen, werd al snel bekend als 'de koning van de wilde beesten'. In zijn schilderij *Luxe, Calme et Volupté* (Luxe, rust en plezier, 1904) werden veel fauve-kenmerken voor het eerst tot uitdrukking gebracht.

Het tafereel, één waarnaar Matisse tijdens zijn lange schilderscarrière steeds weer terug zou keren, zoals ook andere fauves zouden doen, zou zeer herkenbaar zijn geweest voor de *impressionisten – maar de behandeling ervan door Matisse is heel anders. Met zijn lichte palet en zijn persoonlijke, zelfstandige kleurgebruik, creëert hij eerder een atmosfeer en een decoratief oppervlak dan een beschrijvend tafereel, en in stilistische termen staat het werk dichter bij de *postimpressionisten en *neo-impressionisten. Het werk werd geschilderd in de zomer van 1904 toen Matisse samen met de neo-impressionisten Paul Signac en Henri-Edmond Crossin in St Tropez verbleef, in het zuiden van Frankrijk. Evenals Matisse, zouden veel van de fauves een neo-impressionistische fase doorlopen. De titel van het werk is ontleend aan een regel in 'Voyage à Cythère', een gedicht van Charles Baudelaire (1821-67), die ook een inspiratiebron was voor de *symbolisten en een invloedrijk criticus. De fauves deelden de opvatting van de symbolisten dat kunst emotionele sensaties diende op te roepen door middel van vorm en kleur, maar de melancholie en het moraliserende karakter van veel symbolistisch werk werd vervangen door een meer positieve houding ten opzichte van het leven. In 'Notities van een schilder', gepubliceerd in *La Grande Revue* in 1908, verduidelijkte Matisse zijn opvatting van de rol van kunst:

> Waar ik, boven alles, naar streef, is expressie…. Ik kan geen onderscheid maken tussen het gevoel dat het leven in mij oproept, en mijn manier om dit gevoel tot uitdrukking te brengen…. Het belangrijkste doel van kleur zou moeten zijn om de expressie zo goed mogelijk te dienen…. Waar ik van droom, is van een kunst die wordt gekenmerkt door balans, puurheid en sereniteit, en die vrij is van verontrustende of deprimerende onderwerpen, een kunst die voor elke mentale werker, of hij nu zakenman of schrijver is, een rustgevende invloed zou kunnen zijn, een soort geestelijk kalmeringsmiddel, een goede leunstoel om in uit te rusten van een fysieke vermoeidheid.

Luxe, Calme et Volupté werd in de lente van 1905 tentoongesteld in de Salon des Indépendants, en Signac kocht het schilderij onmiddellijk. Toen Raoul Dufy het werk zag, bekeerde hij zich tot het fauvisme en hij deed als volgt verslag van het effect dat het schilderij op hem had: "Voor dit schilderij staand, begreep ik alle nieuwe principes; het impressionisme verloor haar charme voor mij terwijl ik dit wonder van de verbeelding bekeek dat werd voortgebracht door lijn en kleur."

Veel toekomstige fauves – Matisse, Rouault, Camoin, Marquet en

Manguin – studeerden bij Gustave Moreau (zie *Symbolisme), wiens ruimdenkende opvattingen, originaliteit en geloof in de expressieve kracht van zuivere kleuren zeer inspirerend zou blijken te zijn. Matisse: "Hij leidde ons niet naar de juiste wegen toe, maar van de wegen af. Hij verstoorde onze zelfgenoegzaamheid." Zijn dood in 1898 beroofde de fauves van zijn welwillende aanmoediging. In de eerste paar jaren van de twintigste eeuw ontdekten de fauves echter andere schilders, die nog onbekend waren bij het grote publiek, en die hun eigen invloed zouden uitoefenen op het werk van de fauves. Paul Gauguin (zie *Synthetisme) was zeer belangrijk voor Matisse. In de zomer van 1906 zagen Matisse en Derain veel onbekende werken van Gauguin, die waren opgeslagen in het huis van Gauguins vriend Daniel de Monfried, en hadden ze de mogelijkheid om het fantasierijke kleurgebruik en de decoratieve ontwerpen van de oudere kunstenaar te bestuderen.

Vincent van Gogh (zie *Postimpressionisme) bleek een enorm grote invloed te hebben op De Vlaminck, zoals hijzelf verklaarde. Hij zag Van Goghs werk voor het eerst op een tentoonstelling in 1901, en verklaarde kort daarna dat hij meer van hem hield dan van zijn eigen vader. Hij nam diens gewoonte over om verf direct uit de tube op het doek te knijpen, waarbij de aandacht wordt gericht op de fysieke eigenschappen van het materiaal, zoals in *Picknick op het land* (1905). Hij zei later: "Ik was een gevoelige wilde, die vol geweldadigheid zat." Paul Cézanne (zie *Postimpressionisme) was ook belangrijk voor de fauves, en zijn schilderijen werden in bredere kring bekend na het grote retrospectief in 1907; zowel zijn *Baadsters* als zijn stillevens waren van blijvende invloed op Matisse. Terwijl ze de nieuwste generatie van de avant-garde ontdekten, keken de fauves tegelijkertijd ook terug naar de Franse kunst uit de tijd van voor de Renaissance, die nieuwe erkenning kreeg door een tentoonstelling getiteld 'Franse primitieven' in 1904. Derain, De Vlaminck en Matisse behoorden ook tot de eerste kunstenaars die Afrikaanse sculpturen verzamelden.

Een van de belangrijkste werken die werden tentoongesteld tijdens de Salon d'Automne in 1905 was Matisse's *Vrouw met een hoed* (1905), een portret van zijn vrouw. Met zijn heldere, onnatuurlijke kleuren en schijnbaar uitzinnige penseelwerk, veroorzaakte het een schandaal. Veel van het schokeffect werd teweeggebracht doordat het een portret betrof, een herkenbaar karakter, dat de aandacht richtte op de vervorming waaraan het werd onderworpen. Maar terwijl het publiek, en de critici het met onbegrip bekeken, reageerden de

Boven: **André Derain, *Drie figuren, zittend op het gras*, 1906**
Matisse, De Vlaminck en Derain waren geïnteresseerd in Afrikaanse primitieve kunst; ze bewonderden en verzamelden maskers en sculpturen van inheemse stammen. Derains gebruik van krachtige kleurvlakken doet denken aan Cézanne en Gauguin.

Tegenoverliggende pagina: **Henri Matisse, *Levensvreugde (Bonheur de vivre: Joie de vivre)*, 1905–6** De arabeske contouren van Matisse doen denken aan Ingres, terwijl zijn gebruik van kleur en lijn fris en zeer modern is.

handelaren en verzamelaars snel en enthousiast en werd fauvistisch werk plotseling het meest gewild op de markt. De Amerikaanse criticus Leo Stein begon het werk van Matisse te verzamelen (inclusief *Vrouw met een hoed*, dat hij later beschreef als "De meest ingrijpende verfvlek die ik ooit had gezien"), gevolgd door zijn zus , de schrijfster Gertrude Stein, en zijn broer Michael en diens vrouw. De handelaar Ambroise Vollard kocht de hele inhoud van Derains studio in 1905 en van De Vlamincks atelier in 1906. Al snel verspreidde de grote vraag naar fauvistisch werk zich tot buiten Frankrijk; De Russische verzamelaars Sergei Shchukin, die zevenendertig werken kocht, waaronder de muurdecoraties *Dans* en *Muziek* van Matisse uit 1910, en Ivan A. Morozov legden al vroeg een verzameling aan.

Tegen 1906, werden de fauves in feite beschouwd als de meest vooruitstrevende schilders in Parijs. *Levensvreugde* (1905-6) van Matisse, dat werd aangekocht door Gertrude en Leo Stein, domineerde de Salon des Indépendants, en de Salon d'Automne bevatte werk van alle leden van de groep, een oogverblindende reeks landschappen, portretten en figuren in heldere kleuren – traditionele onderwerpen die op een nieuwe wijze werden afgebeeld. Derain schilderde een reeks taferelen van de rivier de Thames in reactie op de taferelen van Londen van Claude Monet (zie *Impressionisme) die enthousiast waren ontvangen toen ze werden in 1904 werden tentoongesteld in Parijs. Terwijl Monets schilderijen observaties van licht en atmosfeer zijn, is het overheersende thema in Derains werk de vreugde die kleur biedt. Evenals in Monets werk, wordt de atmosfeer van Londen op een levendige manier tot uitdrukking gebracht, maar de presentatie ervan is totaal nieuw. Derain combineerde aspecten van de divisionistische techniek die werd toegepast door de neo-impressionisten met de platte kleurvlakken van Gauguin en het gekantelde perspectief van Cézanne en schiep zo een frisse, nieuwe visie die was gebaseerd op expressieve kleuren.

Het laat-fauvistische werk *Le Luxe II* (1907-8) van Matisse laat zien hoe ver hij zich had ontwikkeld, en geeft de richting aan waarin zijn kunst zich zou ontwikkelen. Evenals het eerdere *Luxe, Calme et Volupté*, geeft het nieuwe werk een arcadisch tafereel van naakten in een landschap weer met figuren die zijn gemodelleerd door middel van kleur en lijn. Het neo-impressionisme van het eerdere werk was vervangen door een stijl die was gebaseerd op een vereenvoudigd gebruik van kleur en lijn die samen licht, ruimte, diepte en beweging creëren, en die vooruit verwijzen naar het type picturale ruimte die de *kubisten zouden ontwikkelen. Het waren schilderijen als deze waardoor de dichter Apollinaire later zou opmerken dat het fauvisme 'een soort van inleiding tot het kubisme' was.

De invloed van de fauves in Parijs was enorm groot, maar van

korte duur, aangezien de kunstenaars ieder hun eigen richting insloegen en de aandacht van de kunstwereld zich uiteindelijk op de kubisten richtte. Het zou verkeerd zijn om het fauvisme te beschrijven als een coherente beweging, maar wel maakten de kunstenaars een zeer stimulerende periode van bevrijding door, die hen in staat stelde om hun eigen persoonlijke opvattingen van kunst tot uitdrukking te brengen. Derain, bijvoorbeeld, werd nauw verwant aan Pablo Picasso (zie *Kubisme) en verkoos vervolgens later een meer klassieke werkwijze. De Vlaminck nam afstand van de fauvistische kleuren en concentreerde zich op landschappen in een soort van expressionistisch realisme, dat zijn werk verwant maakte aan dat van de Duitse expressionisten. Andere fauves, zoals Van Dongen, die lid werd van de groep *Die Brücke in Duitsland, benadrukten de overeenkomsten tussen de twee bewegingen die een revolutionaire invloed hadden op de kunst van de twintigste eeuw. Matisse, de 'koning van de fauves', zou in zeker opzicht een fauve blijven, en werd een van de meest geliefde en meest invloedrijke kunstenaars van de twintigste eeuw.

Belangrijke collecties
Centre Georges Pompidou, Parijs
Minneapolis Institute of Arts, Minneapolis, Minnesota
Museum of Modern Art, New York
Museum Hermitage, St. Petersburg
Tate Gallery, Londen

Belangrijke boeken
S. Whitfield, *Fauvism* (1989)
J. Freeman, met bijdragen van R. Benjamin, et al.,
   The Fauve Landscape (1990)
R. T. Clement, *Les Fauves* (Westport, CT, 1994)
J. Freeman, *The Fauves* (1996)

Boven: **Maurice de Vlaminck, *Het witte huis*, 1905–6**
De Vlamincks expressieve kleurgebruik en zijn penseelstreken tonen de invloed van Van Gogh en de postimpressionisten, maar geven ook de dynamische intensiteit van de fauves weer.

Tegenoverliggende pagina: **Raoul Dufy, *Straat vol vlaggen (De veertiende juli in Le Havre)*, 1906** Dufy werd geboren in Le Havre, waar hij Friesz en Braque ontmoette. Hij werd beïnvloed door Matisse en hij ontwikkelde zijn vroege gebruik van heldere kleuren later nog verder in levendige decoraties en textielontwerpen.

Expressionisme

Want ik heb hen vertegenwoordigd, ik heb hun plaats ingenomen en hen enthousiast gemaakt door mijn visies. Het is de psyche die spreekt.

Oskar Kokoschka, 1912

Expressionisme is een term die in brede zin van toepassing is verklaard op toneel, beeldende kunsten en literatuur aan het begin van de twintigste eeuw, in verschillende betekenissen. In zijn kunsthistorische betekenis wordt de term expressionisme in algemene zin gebruikt als een alternatief voor *postimpressionisme, en verwijst de benaming naar de nieuwe anti-impressionistische tendensen in de beeldende kunsten die zich in verschillende landen ontwikkelden vanaf ongeveer 1905. Deze nieuwe kunstvormen, waarbij op een symbolische en gevoelsmatige manier gebruik werd gemaakt van kleur en lijn, waren op een bepaalde manier een omkering van het *impressionisme: in plaats van een impressie vast te leggen van de wereld rondom hem, drukte de kunstenaar zijn eigen stempel op zijn visie van de wereld. Dit concept van kunst was zo revolutionair dat de term 'expressionisme' synoniem werd voor 'moderne' kunst in het algemeen. In meer specifiek categorale zin is het expressionisme gaan verwijzen naar een bepaalde vorm van Duitse kunst die ca. 1909-23 werd gemaakt. Twee groepen in het bijzonder, *Die Brücke en *Der Blaue Reiter (afzonderlijk behandeld), waren belangrijke vertegenwoordigers van het Duitse expressionisme.

Hoewel het expressionisme zoals dit zich ontwikkelde in Duitsland minder het resultaat was van een gezamenlijk artistiek programma dan van een ideologische gezindheid, had het werk dat ontstond gemeenschappelijke uitgangspunten en een grote onderlinge stilistische affiniteit. In die tijd had Duitsland een aantal sterke, onafhankelijke centra buiten Berlijn, zoals München (thuisbasis van Der Blaue Reiter), Keulen, Dresden (thuisbasis van Die Brücke) en Hannover. Ondanks het conservatisme van de ambtenarij, was men in staat om aan nieuwe kunstenaars begunstigers, galeries en publicaties te bieden. Bovendien creëerden verschillen in opvatting tussen het centrum en de regio's een unieke atmosfeer van drama en conflicten, waarin de expressionistische kunst zeer goed gedijde.

Met zijn nadruk op subjectieve emoties lagen de roots van het expressionisme in het *symbolisme en in het werk van Vincent van Gogh (zie *Postimpressionisme), Paul Gauguin (zie *Synthetisme) en de *Nabis. In zijn experimenten met de kracht van zuivere kleur is het expressionisme ook verwant aan het *neo-impressionisme en het *fauvisme. Evenals het fauvisme, wordt het expressionisme gekenmerkt door het gebruik van symbolische kleuren en overdreven beeldspraak, hoewel de Duitse vertegenwoordigers over het algemeen een donkerder visie van het mensdom weergeven dan de Franse. Vooral James Ensor en Edvard Munch (zie *Symbolisme) waren van belang als spirituele voorlopers en visionairs die trouw bleven aan hun geloof dat kunst innerlijke onrust moet uitdrukken in reactie op een ongeïnteresseerde of onbegrijpende wereld.

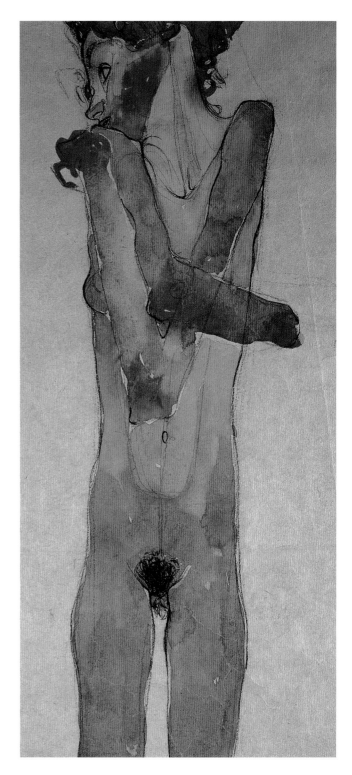

De meest belangrijke inheemse voorloper van het expressionisme in Duitsland was Paula Modersohn-Becker (1876-1907), die zich vestigde in de kunstenaarskolonie in Worpswede, een dorpje in de buurt van Bremen in Noord-Duitsland. Haar mede-kunstenaars, Duitse naturalisten, zetten zich af tegen de effecten van industrialisatie, maar Modersohn-Becker ontwikkelde zich in een andere richting. Ze werd beïnvloed door het werk van Nietzsche, door haar vriendschap met de dichter Rainer Maria Rilke en door het werk van de Franse postimpressionisten. Ze zette zich af tegen de sentimentele en geïdealiseerde visies van de kunstenaars van Worpswede en ging portretten, zelfportretten en taferelen van moeder-met-kind schilderen, waarbij kleur en patroon een symbolische betekenis kregen. In haar dagboek schreef ze in 1902: "...het allerbelangrijkste is mijn persoonlijke visie." Haar beheersing van het concept van kunst als drager van een subjectieve visie, maakte haar tot een belangrijke schakel tussen het negentiende-eeuwse naturalisme en symbolisme aan de ene kant, en het moderne expressionisme aan de andere kant. Mystiek is een ander belangrijk thema binnen het expressionisme, een terrein waarop Emil Nolde (1867-1956) de belangrijkste pionier was. Evenals veel symbolisten en postimpressionisten, was hij geïnteresseerd in primitieve kunst. In zijn schilderijen creëert hij een zeer verrassend effect door het combineren van eenvoudige, dynamische ritmes en dramatische kleuren, en zijn grafische kunst, waarin hij de contrasten van zwart en wit exploiteert, is even krachtig en origineel als zijn schilderijen. De werken waren ook geliefd bij het grote publiek; van een uitgave van ansichtkaarten van zijn vroege tekeningen waarop de Alpen waren weergegeven in de vorm van reusachtige oude mannen, werden binnen tien dagen 100.000 exemplaren verkocht toen de serie in 1896 werd uitgebracht. Zijn latere houtsnede, *Profeet* (1912), een radicaal vereenvoudigde compositie, is tot op de dag van vandaag een van zijn meest bekende werken.

Het werk van Nolde sprak de jongere kunstenaars van Die Brücke aan, die hem overhaalden om lid te worden in de kortstondige periode tussen 1906 en 1907. Nolde bleef zich echter op zijn eigen interesses richten, en zijn aandacht ging vooral uit naar religie. In zijn autobiografie beschrijft hij hoe hij werd gegrepen door een "onweerstaanbaar verlangen om echte spiritualiteit, religie en gevoel weer te geven", en dat hij om dat te doen moest "afdalen naar de mystieke diepte van de menselijke goddelijke existentie." Voor Nolde markeerden "*Het laatste avondmaal* en *De Pentecost* [...] de verandering van optische, externe stimuli naar waarden van innerlijke overtuiging. Ze werden mijlpalen – naar alle waarschijnlijkheid niet

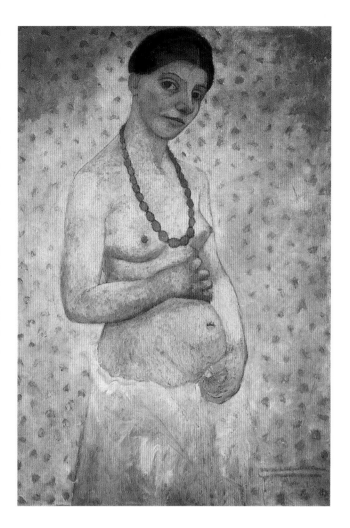

Boven: Paula Modersohn-Becker, **Zelfportret op de zesde verjaardag van haar trouwdag**, **1906** Modersohn-Becker gebruikte dikke verf en donkere kleuren, en van haar zelfportretten en moeder-met-kind-afbeeldingen gaan zowel tederheid als een enorme eenvoud uit. Ze stierf drie weken na de geboorte van haar kind.

Hiernaast: **Egon Schiele, Naakt meisje met armen over elkaar**, **1910** De tekenkunst van Schiele geeft krachtig uitdrukking aan wanhoop, passie, eenzaamheid en erotiek. De schokkende seksualiteit van zijn vrouwenfiguren maakte hem tot een controversieel kunstenaar en veel van zijn tekeningen werden in beslag genomen of verbrand; in 1912 zat hij korte tijd in de gevangenis.

alleen voor mijn eigen werk." Deze twee schilderijen, beide uit 1909, markeren een periode in zijn carrière waarin zijn behandeling losser en vrijer van aard werd, om, zoals hij zei "al deze complexiteit om te zetten tot iets geconcentreerds en eenvoudigs."

De nieuwe kunst werd in Berlijn gestimuleerd door de schrijver en componist Herwarth Walden (1878-1941), met kritieken en polemieken die verschenen in zijn anarchistische tijdschrift *Der Sturm* (De storm, 1910-32) en tentoonstellingen die werden gehouden in zijn Sturm-Galerie (1912-24). In 1912 werden daar werken tentoongesteld van Oskar Kokoschka, de Italiaanse *futuristen, de nieuwe Franse grafisch kunstenaars en James Ensor en in 1913 werken van Robert Delaunay en de Franse *kubisten. Met Waldens hulp werd Berlijn een belangrijk centrum van de internationale avant-garde in de jaren voorafgaand aan de Eerste Wereldoorlog.

De meest beroemde exponenten van het Oostenrijkse expressionisme blijven Oskar Kokoschka (1886-1980) en Egon Schiele (1890-1918). Beiden werden beïnvloed door de Duitse en Oostenrijkse versies van art nouveau (zie *Jugendstil en *Weense Sezession), met name door het werk van Gustav Klimt, die de toonaangevende artistieke figuur was in Wenen ten tijde van de eeuwwisseling. Het werk van Kokoschka ontwikkelde zich snel van een decoratieve lineariteit die doet denken aan *art nouveau in de richting van een intenser expressionisme. Een schandaal dat werd veroorzaakt door een tentoonstelling van zijn vroege werk in 1908, en de productie van twee van zijn expressionistische toneelstukken in 1909, leidden ertoe dat hij naar Zwitserland vluchtte. In dezelfde periode, van 1906 tot ongeveer 1910, schilderde hij de "psychologische portretten" waarom hij bekend is, zoals *Portret van Adolf Loos* (1909). Deze portretten zijn opmerkelijk door hun portrettering van de innerlijke gevoelswereld van het model – of, wat realistischer is, van Kokoschka zelf. In 1910 verhuisde hij naar Berlijn, en gedurende de daaropvolgende twee jaar publiceerde Walden veel van deze portretten in *Der Sturm*. Walden gaf hem ook opdracht tot het maken van artwork voor de titelpagina's van het blad. In een essay dat werd geschreven voor het tijdschrift in 1912 gaf Kokoschka uitleg over bepaalde aspecten van zijn zeer persoonlijke expressionisme, waarbij hij beschreef hoe er voor hem, als hij aan het werk is, sprake is van "een uitbarsting van gevoel dat in de afbeelding stroomt, die als het ware de plastische belichaming van de ziel wordt."

Schiele transformeerde de lineaire kwaliteit van Klimt in een aggressieve, nerveuze lijn. Erotiek is zelfs nog prominenter aanwezig in het werk van Schiele dan in het werk van Klimt. Zijn eenzame en gekwelde vrouwelijke naakten maken zowel een erotische als een afstotende indruk, en tonen een combinatie van schaamteloze sexualiteit en gebrek aan idealisering die de Weense publieke gevoelens kwetsten, en die in 1912 leidden tot zijn gevangenschap gedurende vierentwintig dagen vanwege het tentoonstellen van een 'pornografische' tekening op een locatie waar deze zichtbaar was voor kinderen. Meer dan honderd van zijn tekeningen werden in beslag genomen en vele werden verbrand. Tijdens zijn verblijf in de gevangenis, en gedurende zijn korte leven (hij stierf als gevolg van griep op de leeftijd van achtentwintig jaar), maakte hij een serie van twaalf zelfportretten, die Schieles narcisme en levensangst uitdrukken. Het lijdt geen twijfel dat hij genoot van de rol van de gekwelde kunstenaar. In een brief aan zijn moeder in 1913 schreef hij: "Ik zal de vrucht zijn die eeuwige vitaliteit zal achterlaten, zelfs nadat ze is vergaan. Hoe groot moet uw geluk daarom zijn dat u mij hebt gebaard."

Het expressionisme floreerde ook in België, met name in de kunstenaarskolonie van Laethem-Saint-Martin. Constant Permeke (1886-1952), Gustave de Smet (1877-1943) en Frits van den Berghe (1883-1939) maakten karakteristieke expressionistische kunst, meer

lyrisch dan neurotisch van aard. Een tijdgenoot van deze Vlaamse expressionisten, hoewel geen lid van hun groep, was Leon Spilliaert (1881-1946). De decoratieve compositie, gepassioneerde lijn en symbolische ondertonen van een schilderij als *Hoge bomen* (1921), tonen hoe art nouveau, symbolisme en expressionisme met elkaar zijn verstrengeld. De hallucinaire wereld die hij in zijn gekwelde afbeeldingen creëert, loopt vooruit op het *surrealisme.

Een andere belangrijke expressionist buiten Duitsland was de Fransman Georges Rouault (1871-1958, zie ook *Fauvisme), die zijn artistieke carrière begon als leerling bij een maker van modern glas-in-lood, die ook middeleeuwse glas-in-lood-vensters restaureerde. Tegelijkertijd volgde hij avondlessen aan de Ecole des Arts Décoratifs in Parijs, en later studeerde hij samen met Henri Matisse bij Gustave Moreau. Ook werd hij bevriend met twee belangrijke figuren van de katholieke revival in Frankrijk, de katholieke schrijver en propagandist Léon Bloy en de schrijver J. K. Huysmans, in die tijd een nieuwe bekeerling tot het katholicisme. Rouault zelf was een zeer religieus mens en al deze invloeden – zowel spiritueel als artistiek – zijn zichtbaar in zijn schilderijen. In zijn vroege werk concentreerde hij zich op de door armoede getroffenen, en maakte hij intense en meelevende afbeeldingen van de 'verschoppelingen der aarde'. Zijn latere werk is meer gericht op duidelijk religieuze afbeeldingen, waarin een morele verontwaardiging en droefheid gepaard gaan aan de hoop op redding. In al zijn werk is duidelijk het decoratieve element van het fauvisme, de expressionistische inhoud en de heldere kleuren van middeleeuwse glas-in-lood-ramen zichtbaar.

Expressionisme beperkte zich niet alleen tot de schilderkunst, maar werd ook overgenomen door andere media. De beeldhouwers Ernst Barlach (1870-1938) en Wilhelm Lehmbruck (1881-1919) worden gewoonlijk gezien als de belangrijkste beeldhouwers van het Duitse expressionisme. In hun figuren en portretten worden een psychologische intensiteit gecombineerd met het gevoel van vervreemding en lijden. Zowel in Duitsland als in Nederland (zie *Amsterdamse School) ontwikkelden vooraanstaande architecten in de jaren voor en na de Eerste Wereldoorlog een stijl die nu bekend staat als expressionistisch. De politieke crisis van die jaren leidde tot een politieke, utopische en experimentele houding. Net als bij kunstenaars van Die Brücke het geval was, zagen expressionistische architecten, zoals Hans Poelzig (1869-1936), Max Berg (1870-1948) en Erich Mendelsohn (1887-1953), zichzelf als scheppers van een betere toekomst en met dit doel verenigde een groot aantal expressionistische kunstenaars en architecten zich na de Eerste Wereldoorlog in de groep *Arbeitsrat für Kunst.

De stilistische wortels van de expressionistische architectuur

Emil Nolde

liggen in de Art Nouveau-architectuur, met name in de gebouwen van Henry Van de Velde, Joseph Maria Olbrich en Antoni Gaudí. Karakteristiek voor expressionistische gebouwen zijn de monumentachtige kwaliteit, een inventief gebruik van baksteen, een zeer individuele expressie, en niet in de laatste plaats, een bepaalde mate van excentriciteit. Bij het binnengaan van het Grosses Schauspielhaus van Poelzig in Berlijn (het Grote Theater, 1919, verwoest), een oud circusgebouw dat was verbouwd tot een rond theater met op bomen lijkende pilaren en van het dak naar beneden hangende stalactieten, zou men het gevoel hebben gekregen alsof men rondwandelde op de set van een film over de gotiek. Dat gevoel was vast niet toevallig, aangezien Poelzig architectuur studeerde onder Carl Schäfer, een aanhanger van de neogotiek. Bovendien ontwierp hij een expressionistische filmset voor de film *The Golem* van Paul Wegener (1920). Zijn werk werd enthousiast ontvangen, maar de economische recessie na 1929 en de politieke veranderingen in Duitsland hadden grote invloed op zijn loopbaan.

Ook het observatorium en astrofysisch laboratorium van Mendelsohn in Potsdam, dat bekend staat als de Einstein-toren (1919-21, verwoest) vertoont veel expressionistische kenmerken. Hoewel het een functioneel gebouw is, is aan de vloeiende lijnen en de ramen die rond hoeken zijn gevouwen, duidelijk te zien dat de verbeelding en de wens tot experimenteren vrij spel hadden. Het

Boven: Emil Nolde, *Profeet*, 1912
Nolde bereikte met het krachtige zwart-wit-contrast van de houtsnede een sterk effect. Bij de toepassing van dit medium werd hij deels geïnspireerd door zijn jongere collega's van de groep Die Brücke. Zijn kleurgebruik is net zo onstuimig.

Hiernaast: Oskar Kokoschka, *Bruid van de wind (De storm)*, 1914
In *De storm* geeft Kokoschka een indruk van de gepassioneerde intensiteit van de relatie die hij had met Alma Mahler, de weduwe van de componist; hun affaire liep op zijn eind tegen de tijd dat het schilderij klaar was.

Boven: Erich Mendelsohn, Einstein-toren, Potsdam, 1919–21
De toren werd gebouwd als symbool voor de grootsheid van de ideeën van Einstein. De oorsprong van het ontwerp kan worden teruggevolgd tot aan de brieven en schetsen die Mendelsohn in de Eerste Wereldoorlog van het front verstuurde.

ontwerp was in gietbeton, maar door de constructie en de technische beperkingen moest het worden uitgevoerd in baksteen, bedekt met cement. Het uiterlijk deed denken aan een organische sculptuur en het gebouw was een passend monument voor de beroemde wetenschapper.

Terwijl de utopische idealen die met het expressionisme samenhingen nagenoeg geheel verdwenen in de jaren twintig en dertig van de twintigste eeuw, zette de erfenis van het expressionisme een duidelijk stempel op alle kunsten. Op korte termijn vormden de idealen van de beweging de basis voor het *Bauhaus, terwijl de latere desillusie en maatschappijkritiek leidden tot de *nieuwe zakelijkheid. Breder gezien waren de bevrijding van de kunst van zijn beschrijvende rol, de verheerlijking van de verbeelding van de kunstenaar en de uitbreiding van de expressieve krachten van kleur, lijn en vorm in zekere mate van invloed op alle volgende kunststromingen.

Belangrijke collecties

Ackland Art Museum, University of North Carolina, Chapel Hill, North Carolina
Carnegie Museum of Art, Pittsburgh, Pennsylvania
Kunsthalle, Bremen
Kunstmuseum Bazel
Leicester City Museum and Art Gallery, Leicester
Solomon R. Guggenheim Museum, New York
Tate Gallery, Londen

Belangrijke boeken

W. Pehnt, *Expressionist Architecture* (1980)
J. Lloyd, *German Expressionism* (1991)
J. Kallir, *Egon Schiele* (1994)
P. Boyens, *Expressionisme in Nederland 1910-1930* (Zwolle, 1994)
D. Elger en H. Bever, *Expressionism* (1998)

Die Brücke

Iedereen die op een directe en authentieke manier weergeeft wat hem tot creatie inspireert, hoort bij ons.

ERNST LUDWIG KIRCHNER, MANIFEST UIT 1906

Op 7 juni 1905 richtten vier Duitse architectuurstudenten, Fritz Bleyl (1880-1966), Erich Heckel (1883-1970), Ernst Ludwig Kirchner (1880-1938) en Karl Schmidt-Rottluff (1884-1976) de 'Kunstenaarsgroep van de Brug', of Die Brücke (De brug) op. De groep zou een van de belangrijkste stuwende krachten van het Duitse *expressionisme worden.

De kunstenaars waren jong, idealistisch, en vervuld van het geloof dat ze door middel van de schilderkunst een betere wereld voor allen konden creëren. Hun eerste manifest, *Programm*, gepubliceerd als vlugschrift in 1906, bevatte Kirchners oproep:

"We roepen alle jonge mensen bij elkaar, en wij als jonge mensen, die de toekomst in ons dragen, willen vrijheid voor onze daden en onze levens ontworstelen aan de oudere, confortabel gevestigde machten." Net zoals anderen voor hen, zoals de kunstenaars van de Engelse *Arts and Crafts-beweging, ontwikkelden de kunstenaars een brede sociale ideologie, die niet alleen de kunst, maar het hele leven omvatte. Ze zagen voor zichzelf eerder een rol weggelegd als revolutionairen, of profeten, zoals de *Nabis, dan als hoeders van tradities. De naam werd bedacht door Schmidt-Rottluff en symboliseert de band, of brug, die ze zouden vormen naar de kunst van de toekomst. In een brief waarin hij de oudere Duitse expressionist Emil Nolde (1867-1956) uitnodigde om aan de groep deel te nemen, verklaarde Schmidt-Rottluff: "Alle revolutionaire en woelige elementen aantrekken: dat is het doel dat in de naam "Brücke" besloten ligt." Nolde werd voor korte tijd overtuigd en maakte tussen 1906 en 1907 enkele maanden deel uit van de groep. De filosofische fundamenten van de groep, hun naam en het veelvuldig toegepaste brugmotief zijn ook in verband gebracht met het boek van Friedrich Nietzsche *Also Sprach Zarathustra* (Zo sprak Zarathustra, 1883).

Ondanks hun utopische doelstellingen, werd de groep meer bijeengehouden door wat hen tegenstond in de kunst rondom hen (verhalend realisme en *impressionisme) dan dat zij zelf een duidelijk artistiek programma hadden. In de geest van de Arts and Crafts-beweging en de *Jugendstil (Duitse art nouveau) zetten zij een werkplaats op in Dresden waar zij, vaak in een gezamenlijk project, schilderden, beeldhouwden en houtsnijwerk maakten. Het bepleiten van een grotere band tussen kunst en het dagelijks leven was onderdeel van hun doel, en Kirchner en Heckel maakten meubels en beeldhouwwerken voor hun studio's en schilderden muurversieringen. Illustraties uit de Jugendstil hadden een duidelijke invloed op hun werk, evenals Duits houtsnijwerk uit de gotiek en later, houtsneden uit Afrika en Oceanië, die werden getoond in het Etnografisch Museum van Dresden. Vincent van Gogh (zie *Post-impressionisme), Paul Gauguin (zie *Synthetisme) en Edvard Munch (zie *Symbolisme) waren ook belangrijke voorgangers die door de kunstenaars van Die Brücke werden bewonderd vanwege hun authenticiteit en expressievermogen. Ook was de Russische en Scandinavische literatuur een bron van inspiratie, met name Dostojevski. De kunstenaars van Die Brücke waren zich bewust van de ontwikkelingen die zich tegelijkertijd in Frankrijk voordeden, en in 1908 werd door een tentoonstelling van het werk van Henri Matisse in Berlijn hun enthousiasme voor de *fauves bevestigd. Hun werk heeft bepaalde visuele kenmerken gemeen: eenvoudige lijnen, overdreven vormen en gedurfde, contrasterende kleuren. Ook benadrukten beide groepen de vrijheid van de kunstenaar om bronnen in de natuur op een eigen individuele wijze te interpreteren. In tegenstelling tot de fauvistische schilderkunst en de utopische idealen van Die Brücke, geven de meeste werken van de kunstenaars van Die Brücke, met name in hun houtsneden, een intense, vaak zeer bedroefde visie op de wereld van hun tijd.

De eerste belangrijke invloed op de stijl van Die Brücke, en op het Duitse expressionisme in het algemeen, was afkomstig van de *art nouveau. In 1903 en 1904 studeerde Kirchner in München bij een van de belangrijkste ontwerpers van de Jugendstil, Hermann Obrist. Een van zijn vroege straattaferelen, *Straat, Dresden* (1907-8), een droomwereld met figuren in kromme lijnen en felle kleuren, toont de invloed van zijn art nouveau-opleiding. Tegen 1913 toen Kirchner *Vijf vrouwen op straat* voltooide, laten de onregelmatige, geometrische vormen in zijn werk zien dat hij zich bewust was van de ontwikkelingen van het *kubisme, terwijl hij fauve-kleuren combineert met de vervorming van de Duitse gotische kunst. De lange figuren met puntige voeten en ledematen zijn karakteristiek voor de volwassen stijl van Kirchner, evenals de poging om de hardvochtige, psychologisch intense sfeer van het stadsleven over te brengen.

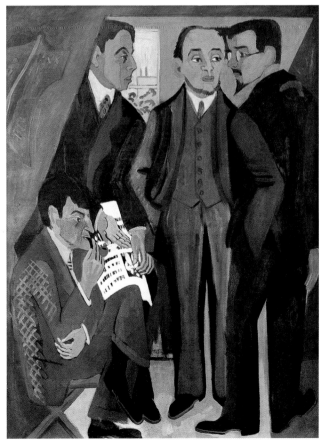

Boven: **Erich Heckel, *Twee mannen aan een tafel*, 1912** Het onderwerp van Heckels Twee mannen aan een tafel is gebaseerd op de roman De gebroeders Karamazov van Dostojevski, en het schilderij is opgedragen aan de schrijver.

Rechts: **Ernst Ludwig Kirchner, *De schilders van Die Brücke*, 1926** Dit groepsportret toont de grondleggers van Die Brücke: van links naar rechts: Otto Mueller, Kirchner, Heckel en Schmidt-Rottluff. De groep was al twaalf jaar ontbonden toen dit schilderij werd gemaakt.

Van de groep hanteerde Schmidt-Rottluff het meest gewaagde kleurgebruik. Hij maakte afbeeldingen in een krachtige stijl vol dissonanten. Een voorbeeld van zijn persoonlijke stijl vindt men in zijn werk *Middag op de hei* (1908) in de vereenvoudigde vormen en de evenwichtige compositie. In werken als *Opkomende maan* (1912) en *Zomer* (1913) weerspiegelen de tweedimensionale kwaliteit en abrupte effen vlakken met kleur zijn houtsnedestijl en ziet men veel van de kenmerken terug die aan de kunstenaars van Die Brücke worden toegeschreven.

Vanaf 1906 kregen de grondleggers van Die Brücke gezelschap van andere Duitse en Europese kunstenaars, waaronder Nolde en Max Pechstein (1881-1955). In 1906 kwam de Zwitser Cuno Amiet (1868-1961) bij de groep en in 1907 de Finse kunstenaar Akseli Gallén-Kallela (1865-1931). In 1908 werd de Nederlandse fauvist Kees van Dongen (1877-1968) lid, en in 1910 werd hij gevolgd door de Tsjech Bohumil Kubista (1884-1918) en de Duitser Otto Mueller (1874-1930). De groep organiseerde een reeks tentoonstellingen, waarvan de eerste twee in 1906 en 1907 werden gehouden in de showroom van een lampenkappenfabriek in een voorstad van Dresden, die door Heckel was ontworpen. Al snel werd hun werk elk jaar getoond in prominente galeries in Dresden en in reizende tentoonstellingen in Duitsland, Scandinavië en Zwitserland. Deze activiteiten werden financieel ondersteund door 'passieve leden' van de groep (vrienden en medestanders), die elk jaar een portfolio met houtsneden of litho's ontvingen voor hun bijdragen. Tegen 1911 waren alle leden van de groep verhuisd naar Berlijn en gingen ze elk hun eigen weg. In hun werk werden de verschillen tussen de kunstenaars duidelijker naarmate ieder afstand nam van de stilistische principes die hun werk in eerste instantie tot één stroming hadden gemaakt. In 1913 publiceerde Kirchner *Chronik der Künstlergemeinschaft Brücke* (Kroniek van de kunstenaarsgroep Die Brücke), een geschiedschrijving van de groep. Door de prominente rol die hij hierin aan zichzelf toewees, viel de groep in datzelfde jaar ook formeel uiteen. Ook al was de groep een kort leven beschoren, door hun visie op het leven die tot uiting kwam in hun harde, hoekige stijl ontstond het idee dat expressionisme primair een Duitse kunstvorm was. Hun interesse voor houtsneden en grafische kunsten zorgden ervoor dat prenten een opleving doormaakten als belangrijke kunstvorm. Net als de experimenten van de fauvisten in Frankrijk vormde Die Brücke inderdaad een brug van het impressionisme en het post-impressionisme naar de kunst van de toekomst die de onafhankelijkheid van middelen en expressie zou bevestigen door kleur, lijn, vorm en tweedimensionaliteit. Kirchner schreef over Die Brücke:

Schilderen is de kunst van het weergeven van het fenomeen gevoel op een plat oppervlak. Het medium dat bij schilderen wordt gebruikt, zowel voor achtergrond als voor lijnen, is kleur…. De moderne fotografie maakt een exacte reproductie van het object. De schilder, die bevrijd is van de dwang om hetzelfde te doen, krijgt daarmee grote vrijheid van handelen…. Het kunstwerk wordt geboren doordat persoonlijke ideeën compleet worden omgezet in uitvoering.

Boven: Ernst Ludwig Kirchner, *Vijf vrouwen op straat*, 1913
De vrouwen in het schilderij lijken dreigende wezens, aasgieren klaar voor hun prooi. Het schilderij brengt krachtig het dubbele gevoel van aantrekking en afstoting tot uiting dat veel kunstenaars van het expressionisme, symbolisme en de Decadentenbeweging koesterden voor vrouwen, en met name voor prostituees.

Hiernaast: Ernst Ludwig Kirchner, *Poster: Die Brücke*, 1910
Vereenvoudigde vormen en krachtige contouren zijn kenmerkend voor veel werken van Kirchner; de poster laat zowel de invloed van gotische houtsneden als van Afrikaans houtsnijwerk zien.

Belangrijke collecties
Brücke-Museum, Berlijn
Kunsthaus, Hamburg
Leicester City Museum and Art Gallery, Leicester
Museum of Modern Art, New York
Wallraf-Richartz Museum, Keulen

Belangrijke boeken
B. Herbert, *German Expressionism: Die Brücke and Der Blaue Reiter* (1983)
P. H. Selz, *German Expressionist Painting* (Berkeley, CA, 1983)
S. Barron and W. Dieter-Dube, *German Expressionism: Art and Society 1909–1923* (1997)
D. Elger and H. Bever, *Expressionism: A Revolution in German Art* (1998)

Ashcan School

Wat we wel nodig hebben, is kunst die uitdrukking geeft aan de geest van de mensen die nu leven.

ROBERT HENRI, 1910

Ashcan School is een benaming die (oorspronkelijk spottend) werd gebruikt voor Amerikaanse, realistische schilders in de eerste decennia van de twintigste eeuw, die bij voorkeur de hardere en minder mooie kanten van het stadsleven verbeelden. In het Amerika van het einde van de negentiende eeuw waren velen van mening dat de eigentijdse wereld volledig werd verwaarloosd in de academische traditie die door het establishment in ere werd gehouden. Deze stand van zaken zou binnen afzienbare tijd worden aangevochten door de uiterst invloedrijke en charismatische Robert Henri (1865-1929). Henri was een voormalig student van Thomas Eakins aan de Pennsylvania Academy of the Fine Arts en had niet alleen de stijl van het treffende realisme van Eakins overgenomen, maar ook zijn overtuiging dat

schilderkunst uitsluitend kan "bestaan uit de voorstelling van echte en bestaande dingen". Hij was helemaal niet onder de indruk van de late *impressionisten die hij halverwege de jaren negentig van de negentiende eeuw tijdens een bezoek aan Parijs had gezien; hij keerde terug naar Philadelphia met het doel om kunst te maken die voeling had met het leven. Het is veelbetekenend dat Henri's eerste bekeerlingen van oorsprong illustrators voor de *Philadelphia Press* waren. William Glackens (1870-1938), George Luks (1867-1933), Everett Shinn (1876-1953) en John Sloan (1871-1951) werkten nog in de tijd dat kranten met de hand getekende illustraties bevatten in plaats van foto's en zij maakten allen geïllustreerde reportages. Henri haalde hen over om hun carrière als illustrator op te geven en om van

de schilderkunst een serieus beroep te maken. De vaardigheden die voor hun werk nodig waren – aandacht voor detail, het vermogen om het vluchtige moment vast te leggen en een levendige belangstelling voor alledaagse onderwerpen – zouden kenmerken van hun schilderijen worden. In 1902 droeg Henri zijn boodschap verder uit door naar New York te verhuizen, waar hij zijn eigen school aan Upper Broadway oprichtte. Zijn studenten waren onder anderen George Bellows, Edward Hopper, Stuart Davis en Man Ray. Glackens, Luks, Shinn en Sloan volgden snel daarna. In de daaropvolgende twintig jaar greep de onvermoeibare Henri diverse middelen aan – zijn eigen werk en zijn lessen, exposities en geschriften (zijn boek, *The Art Spirit*, werd in 1923 gepubliceerd) – om telkens weer te verkondigen dat kunst de betrokkenheid van de kunstenaar bij het leven en zijn liefde voor het leven moest weerspiegelen. Sloan zei later over de populariteit van Henri: "Zijn leer was radicaal in de jaren negentig van het Victoriaanse tijdperk waarin 'kunst om de kunst' op een voetstuk stond (...) Henri overreedde ons door zijn hartstochtelijke liefde voor het leven."

In 1907 namen de gebeurtenissen een belangrijke wending. Henri, lid van de selectiecommissie voor de jaarlijkse tentoonstelling van de National Academy of Design, trad uit protest af toen de jury de inzendingen van zijn groep afwees. De National Academy, die was opgericht naar het voorbeeld van de Franse Academie voor Beeldende Kunsten, was uiterst invloedrijk en, gezien het gebrek aan privé-galerieën, werd opname in de jaarlijkse tentoonstelling als essentieel voor publieke erkenning beschouwd. Henri en zijn vrienden hielden niettemin hun eigen tentoonstelling. De uit vijf personen bestaande kern werd versterkt door een drietal anderen, namelijk de impressionistische schilder Ernest Lawson (1873-1929), de *symbolist Arthur B. Davies (1862-1939) en de *postimpressionist Maurice Prendergast (1859-1924), en samen vormden zij zo "The Eight" (De Acht). Hoewel zij in verschillende stijlen schilderden, werden The Eight verbonden door hun verzet tegen het strenge, verbiedende beleid van de Academy en door hun overtuiging dat een kunstenaar het recht had te schilderen wat hij wilde.

De tentoonstelling vond in februari 1908 in de New Yorkse Macbeth Gallery plaats en was een mijlpaal in de Amerikaanse kunstgeschiedenis. Hoewel er uiteenlopende onderwerpen te zien waren, waren er genoeg schilderijen waarin de favoriete onderwerpen

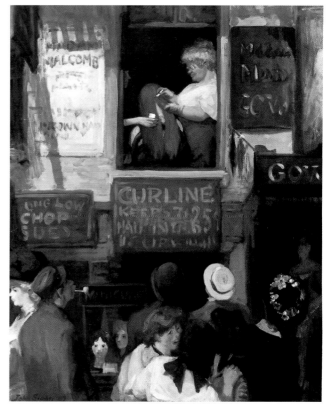

Boven: **George Bellows, *Stag at Sharkey's*, 1909** Bellows schilderij maakt deel uit van een beroemde serie van zes bokswedstrijden en wordt als significant werk van het twintigste-eeuwse realisme gezien. De schilderijen werden voltooid in 1909, hetzelfde jaar waarin hij tot lid van de National Academy werd gekozen als jongste lid dat de academie ooit had gehad.

Rechts: **John Sloan, *Hairdresser's Window*, 1907** Sloan groeide op en werkte, aanvankelijk als grafisch kunstenaar voor de pers, in Philadelphia voordat hij naar New York verhuisde. Hij werd geboeid door de taferelen op straat en in de achtertuinen in de stad. Zijn verbeeldingen daarvan hebben de directheid van een momentopname, maar drukken ook Sloans mededogen en menselijkheid uit.

Tegenoverliggende pagina: **Lewis W. Hine, Acht jaar oude kinderen die oesters uitsteken** De documentairefoto's van Hine vestigden de aandacht op kinderarbeid en het harde leven van de armen in de stad en toonden de noodzaak voor sociale hervorming.

van The Eight werden afgebeeld: prostituees, straatkinderen, worstelaars en boksers. Vanwege hun alledaagse onderwerpen werden The Eight door critici spottend "The Apostles of Ugliness" (De apostelen van de lelijkheid), "de revolutionaire zwarte bende" (wegens hun overwegend donkere paletten) en de "Ashcan School" (vuilnisbakschool) genoemd. Ondanks, of misschien juist dankzij, de kritieken in de pers werd de tentoonstelling echter een enorm publiek en financieel succes en was zij in negen grote steden te zien.

Hoewel Henri de actievoerder van de beweging was, was George Luks de kleurrijkste figuur van The Eight en was hij beroemd om zijn sterke verhalen en krasse opmerkingen. "Lef! Lef! Leven! Leven!", maande hij eens. "Ik kan schilderen met een schoenveter die in pek en reuzel is gedompeld." In schilderijen zoals *The Wrestlers* (1905) was het zijn combinatie van realistische portrettering en sociaal commentaar die bij veel critici verontwaardiging veroorzaakte. Het succes van de eerste tentoonstelling leidde tot een tweede, grotere tentoonstelling. In de "Exhibition of Independent Artists" in 1910 werden ruim 200 kunstenaars samengebracht om de vrijheid van expressie van de kunstenaar te vieren. George Bellows (1882-1925), een voormalig leerling van Henri, was een van de kunstenaars van wie op de tweede tentoonstelling werk te zien was. Zijn schilderij van een illegale bokswedstrijd, *Stag at Sharkey's* (1907), wordt als significant werk in de realistische schilderkunst gezien. De tentoonstelling uit 1910, met haar gewaagde karakter en het feit dat zij openstond voor nieuwe ontwikkelingen, werd een voorloper van andere onafhankelijke tentoonstellingen in Amerika, met name van de beroemde Armory Show in New York in 1913 (die leden van The Eight hielpen te organiseren). Een rechtstreeks gevolg van de Armory Show was dat de ontwikkelingen in het Europese modernisme, die toen voor het eerst voor het Amerikaanse publiek te zien waren, het realisme van de Ashcan School tijdelijk overschaduwden. Hun invloed zou echter korte tijd later waar te nemen zijn tijdens de heropleving van het realisme in de jaren dertig van de twintigste eeuw die zich dankzij het werk van de *American Scene-schilders en de *sociaal-realisten voordeed. De interesse van de Ashcan-schilders in sociale hervorming verbindt hen met documentair fotografen zoals Jacob Riis (1849-1914) en Lewis W. Hine (1874-1940), twee mannen die door middel van hun fotografie sociale veranderingen tot stand probeerden te brengen. De beelden van Riis van de erbarmelijke omstandigheden van bewoners van sloppenwijken leidden tot de afbraak van verschillende flatgebouwen, terwijl de krachtige beelden die Hine van kinderarbeid maakte, werden gebruikt in de campagne om wettelijke maatregelen tegen een dergelijke exploitatie te bewerkstelligen. De innovaties die door de Ashcan School werden geïntroduceerd, lagen niet op het gebied van techniek of stijl, maar op het gebied van onderwerp en houding. Zij wierpen een menslievende blik op de armen in de stad, die in de academische schilderkunst ofwel onzichtbaar waren, ofwel werden geromantiseerd. Hun taferelen van het dagelijkse leven deden een krachtig beroep op de 'gewone man' en gaven nieuwe kracht aan een traditie van artistiek protest.

Belangrijke collecties
Amarillo Museum of Art, Amarillo, Texas
Butler Institute of American Art, Youngstown, Ohio
National Gallery, Londen
Whitney Museum of American Art, New York

Belangrijke boeken
B. B. Perlman, *Painters of the Ashcan School* (1978)
B. Perriman, *Painters of the Ashcan School: The Immortal Eight* (1988)
V. A. Leeds, *The Independents: The Ashcan School & Their Circle from Florida Collections* (Winter Park, FL, 1996)
R. Zurier, et al., *Metropolitan Lives: The Ashcan Artists and Their New York* (1996)

Deutscher Werkbund

Strevend naar harmonie, naar sociaal fatsoen, naar een verenigd leiderschap met betrekking tot werk en leven.

DEUTSCHER WERKBUND, OPRICHTINGSMANIFEST, 1907

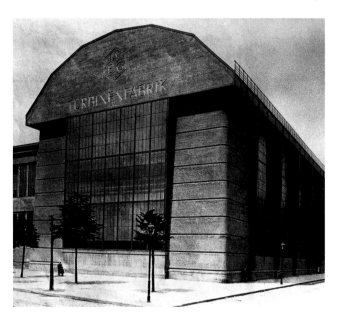

Tegen het einde van de negentiende eeuw in Duitsland was de invloed van de snelle industrialisatie op de nationale cultuur een belangrijk onderwerp van discussie. De talloze *Jugendstil kunstnijverheids-workshops die tegen het einde van de eeuw werden opgericht, waren gebaseerd op het geloof dat kwalitatief hoogwaardige toegepaste kunsten de kwaliteit van het leven van de natie, evenals de internationale economische status ervan, konden verbeteren. Dergelijke debatten kregen een grote impuls met de oprichting van de Deutscher Werkbund (Duitse Werkfederatie) in München op 9 oktober 1907 door de architect en staatsman Hermann Muthesius (1861-1927), de politicoloog Friedrich Naumann (1860-1919) en Karl Schmidt (1873-1954), oprichter van de Deutsche Werkstätte, een samenwerkingsverband van progressieve kunstnijverheids-workshops. De doelstelling van de Deutscher Werkbund was "de verbetering van professioneel werk door de samenwerking van kunst, industrie en de ambachten, en door onderwijs, propaganda en een gezamenlijke benadering van belangrijke vragen." Twaalf

kunstnijverheidsfirma's werden uitgenodigd zich aan te sluiten, waartoe veel toonaangevende figuren binnen Jugendstil en de *Weense sezession behoorden: Peter Behrens (1869-1940), Theodor Fischer (1862-1938), Josef Hoffmann (1870-1956), Wilhelm Kreis, Max Laeuger, Adelbert Niemeyer, J. M. Olbrich (1867-1908), Bruno Paul (1874-1968), Richard Riemerschmid (1868-1957), J. J. Scharvolgel, Paul Schultze-Naumburg en Fritz Schumacher.

Evenals veel *Art nouveau-workshops, was de Werkbund losjes gemodelleerd naar de Britse *Arts en Crafts-beweging, met name naar de functionele aspecten die Muthesius prees in zijn boek *Het Engelse huis* (1904-5). Hij geloofde dat vooruitgang voor Duits design was gelegen in kwalitatief hoogwaardige, machinaal vervaardigde producten die tegelijkertijd op een herkenbare manier Duits en modern waren. Zijn doel was "niet alleen het Duitse interieur te veranderen, maar direct het karakter van de hele generatie te beïnvloeden...om het leiderschap op zich te nemen binnen de toegepaste kunsten, en om het beste daarvan in vrijheid te ontwikkelen en dit tegelijkertijd op te leggen aan de wereld."

Dit geloof in zowel de morele en economische macht van kunst en

Boven: **Weissenhofsiedlung, Stuttgart, 1927** Mies van der Rohe deelde de bouwlocatie op in stukken grond waarop verschillende architecten – velen van de Werkbund – zogeheten 'display'-huizen bouwden. Daaronder waren gebouwen van Behrens, Poelzig, Bruno en Max Taut, Scharoun en Mies van der Rohe zelf.

Tegenoverliggende pagina: **Peter Behrens, AEG turbinefabriek, Berlijn, 1908–09**
De tempel voor industriële macht die Behrens oprichtte ondersteunt een dak met vlakken dat doet denken aan een schuur – en dat zijn aspiratie weerspiegelt dat moderne industrie, evenals traditionele landbouw, een idee van een gemeenschappelijk doel tot uitdrukking zou kunnen brengen.

design lag ook ten grondslag aan het denken van de nationalistische politicus Friedrich Naumann. Hij betoogde, in artikelen zoals 'Art in the Epoch of the Machine' (1904), dat de kunstnijverheid en de industrie zich moesten verenigen – om design aan te passen aan machinale productie, en om zowel producenten als consumenten te vormen in deze nieuwe esthetiek. Schmidt, de derde oprichter, vertegenwoordigde, samen met zijn zwager Riemerschmid, de aspiraties en ideeën van de groep op praktisch niveau. Riemerschmid ontwierp een lijn van eenvoudige meubels die was afgeleid van regionale stijlen die geschikt waren voor machinale productie. Dit Maschinenmöbel (machinemeubel), in massaproductie vervaardigd door de Deutsche Werkstätte, was een van de eerste voorbeelden van goed ontworpen, betaalbare meubels.

In hetzelfde jaar als de oprichting van de Deutscher Werkbund, reisde Behrens naar Berlijn waar hij werd benoemd tot artistiek directeur van de Allgemeine Elektrizitäts-Gesellschaft (AEG). Zijn rol bleek op een aantal niveaus opmerkelijk – de evolutie van een huisstijl voor de onderneming is een vroeg voorbeeld van een bedrijfs-identiteit, en de door Behrens ontworpen producten zijn de allereerste voorbeelden van industriële ontwerpen. Door zijn opdracht voor AEG kon hij de overgang maken van toegepaste kunsten naar industrieel ontwerpen, en van decoratie naar functionalisme. De ontwerpen die hij maakte voor grafische media en producten van AEG waren geïnspireerd door machinale vormen, en benadrukten dat de industriële macht de nieuwe heroïsche taak van Duitsland vormde. De monumentale turbinefabriek die werd gebouwd voor AEG (1908-9) was het eerste Duitse gebouw dat werd uitgevoerd in glas en staal. De vorm van de fabriek, die leek op een enorme schuur, en de tempelachtige voorzijde brachten op een krachtige manier tot uitdrukking dat kunst en industrie, meer dan landbouw of religie, de weg naar de toekomst toonden. Voor Behrens waren vorm en functie even belangrijk:

> Niemand, zelfs niet een technicus, haalt, wanneer hij een motor koopt, deze uit elkaar om hem te onderzoeken. Zelfs de technicus…koopt op basis van het uiterlijk. Een motor zou eruit behoren te zien als een verjaardagsgeschenk.

De Werkbund hield vanaf 1908 jaarlijkse conferenties en publiceerde de resultaten ervan, eerst als pamfletten, later in invloedrijke jaarboeken die waren gewijd aan specifieke onderwerpen zoals 'Art in Industry and Trade' (1913) en 'Transport' (1914). De jaarboeken bevatten essays en illustraties van een grote verscheidenheid aan projecten van de leden, waaronder fabrieken van Behrens, Hans Poelzig (1869-1936, zie *Expressionisme) en Walter Gropius (1883-1969, zie *Bauhaus), interieurs van stoomschepen van Bruno Paul (zie *Jugendstil), ontwerpen voor de Tuinstad van Hellerau van Heinrich Tessenow (1876-1950), Riemerschmid, Fischer, Schumacher en Muthesius, traminterieurs van Alfred Grenander en voorbeelden van toegepaste kunst van de Deutsche Werkstätte.

De eerste tentoonstelling van de Werkbund werd gehouden in juli 1914 in Keulen. Tijdens dit enorme festival dat was gewijd aan de Duitse kunst en industrie werd de diversiteit aan stijlen getoond van het groeiende aantal leden van de Werkbund. De Belg Henry Van de Velde (1863-1957, zie *Art nouveau) ontwierp het Werkbund Theatre in organische lijnen in een laat-Art nouveaustijl, en Muthesius, Hoffmann en Behrens ontwierpen gebouwen in een neoklassieke stijl. Een opvallend paviljoen van glas en staal voor de

Duitse glasindustrie van Bruno Taut (1880-1938, zie *Arbeitsrat für Kunst) kondigde de utopische expressionistische architectuur van de jaren twintig van de twintigste eeuw aan. Het kantoorgebouw van een modelfabriekscomplex van Gropius en Adolf Meyer (1881-1929) was uitgerust met open wenteltrappen in een glazen behuizing, een architecturaal motief dat een kenmerk zou worden van veel moderne gebouwen. De tentoonstelling omvatte ook een transporthal met een slaapwagon van Gropius en een restauratiewagon van August Endell (zie *Jugendstil), die ingebouwde vloer- en wandkasten bevatte, een ruimtebesparende voorziening die van invloed zou worden op het ontwerpen van naoorlogse appartementen.

De Deutscher Werkbund groeide enorm, van 491 leden in 1908 tot 1972 leden in 1915 en bijna 3000 in 1929, en werd een omvangrijk samenwerkingsverband van kunstenaars, ontwerpers, architecten, ambachtslieden, onderwijzers, publicisten en industrialisten. De leden van de bond vertegenwoordigden een grote verscheidenheid aan artistieke tendensen en commerciële belangen, variërend van kunstnijverheidsworkshops tot industriële reuzen als AEG, Krupp en Daimler. Er werd voortdurend gedebatteerd over de vraag of ontwerpen zouden moeten worden gedicteerd door de behoeften van de industrie of door individuele artistieke expressie. In zijn toespraak tot de verzamelde aanwezigen tijdens de tentoonstelling van 1914 stelde Muthesius dat de Werkbund 'kenmerkende' objecten en gestandaardiseerde ontwerpen voor de industrie zou dienen te propageren. Van de Velde en anderen van de 'kunstenaarsgroep' – Behrens, Endell, Hermann Obrist (1862-1927), Gropius en Taut – interpreteerden dit als een aanval op de artistieke vrijheid, en dwongen Muthesius om zijn voorstel in te trekken.

Alleen het uitbreken van de Eerste Wereldoorlog voorkwam mogelijk het onmiddellijk uiteenvallen van de Werkbund. De leden werkten gedurende de oorlog aan propagandatentoonstellingen en aan het ontwerpen van militaire graven, die werden afgebeeld in het jaarboek van 1916-17 van de Werkbund. Na de wapenstilstand kwam de Werkbund bij elkaar in Stuttgart in 1919 om te discussiëren over zijn eigen toekomst, en het debat over standaardisatie – of het ontwerpen moest worden geleid door machines of door kunstenaars – werd onmiddellijk weer actueel. Poelzig werd benoemd tot voorzitter na een toespraak waarin hij de industrie veroordeelde en pleitte voor vernieuwing door middel van ambachtelijk vakmanschap. De steun voor de 'expressionistische' houding van Poelzig was echter van korte duur, en hij werd in 1921 als voorzitter vervangen door de meer verzoeningsgezinde Riemerschmid.

Links: **Walter Gropius, Slaapcompartiment van Mitropa-wagon, ca. 1914** De Mitropa Sleeping Car Company, een Duitse firma, was uitgerust met couchettes voor alle klassen. De dienst bood een goedkope faciliteit, maar een die desondanks wedijverde met de 'Orient Express'. Het efficiënte gebruik van de beperkte ruimte dat Gropius maakte inspireerde tot voorzieningen die later zouden terugkeren in moderne ontwerpen van appartementen.

Tegenoverliggende pagina: **Peter Behrens, elektrische tafelventilator van AEG, 1908** Het sympathieke gebruik van materialen en de functionele vorm maakten dat het product een krachtige, moderne indruk maakte. Behrens ontwierp bijna elk item in de productreeks van AEG in de geest van de Werkbund.

Gedurende de jaren twintig van de twintigste eeuw verwijderde de Werkbund zich verder weg van ambachtswerk en expressionisme in de richting van industrie en functionalisme. De activiteiten van de leden richtten zich op de sociale aspecten van architectuur en stedelijke planning, en een groot aantal progressieve architecten die deel uitmaakten van *Der Ring, waaronder Ludwig Mies van der Rohe (1886-1969), sloot zich aan bij de groep. Een nieuw tijdschrift dat werd gepubliceerd door de Werkbund, *Die Form* (1922, 1925-34), hielp hun modernistische ideeën te verspreiden. Het meest spectaculaire succes van de groep was echter de tentoonstelling in 1927 van een geheel woningbouwproject in Stuttgart. Met als voorbeeld het model van de tentoonstelling van 1901 van de kolonie van Darmstadt (zie *Jugendstil), presenteerde de Weissenhofsiedlung een volledige toekomstige manier van wonen aan een half miljoen bezoekers. De plattegrond van het bouwterrein met zestig wooneenheden in eenentwintig gebouwen werd ontworpen door Mies van der Rohe, en zestien toonaangevende Europese architecten werkten aan het ontwerp van de gebouwen: Mies van der Rohe zelf, Gropius, Behrens, Poelzig, Bruno en Max (1884-1967) Taut, Hans Scharoun (1893-1972) en anderen uit Duitsland, J. J. P. Oud (1890-1963, zie *De Stijl) en Mart Stam (1899-1986) uit Nederland, Josef Frank (1885-1967) uit Oostenrijk, Le Corbusier (1887-1965, zie *Purisme) uit Frankrijk, en Victor Bourgeois (1897-1962) uit België. Samen presenteerden zij de eerste gecoördineerde demonstratie van de architecturale mode van beton, glas en staal die bekend zou worden als de *Internationale stijl.

De Werkbund werd in 1934 ontbonden als gevolg van enerzijds de economische druk van de Depressie, en anderzijds de opkomst van het nazisme. Na de Eerste Wereldoorlog werd de bond opnieuw samengesteld. De reikwijdte ervan werd verbreed en de bond hield zich bezig met meer politieke kwesties, waaronder plannen voor naoorlogse vernieuwing en milieuzaken. De meest invloedrijke jaren van de Werkbund als organisatie vielen echter in de eerste paar decennia. De bond leidde tot de oprichting van soortgelijke organisaties in Zwitserland en Oostenrijk (respectievelijk in 1910 en 1913), en inspireerde tot de oprichting van de Design and Industries Association in Engeland (1915) en van een vergelijkbare instelling in Zweden (1917). In 1919 richtte Gropius, een vooraanstaand vroeg lid van de Werkbund, Bauhaus op, een school voor ontwerp, kunst en architectuur die veel van de ideeën van de Werkbund omvatte. De Werkbund slaagde er vooral in om de aandacht te vestigen op de noodzaak van vernieuwing op het gebied van design en op de voordelen van een nauwere relatie tussen kunst en de industrie. Voor een groot deel vestigde de Werkbund de reputatie voor goed ontworpen, kwalitatief hoogwaardige producten die Duits design vandaag de dag nog steeds geniet.

Belangrijke monumenten
Ludwig Mies van der Rohe, Weissenhofsiedlung, Stuttgart
Peter Behrens, AEG Turbine fabriek, Berlin-Moabit
—, Behren's Haus, Alexandraweg, Darmstadt

Belangrijke boeken
L. Burckhardt, *The Werkbund* (1980)
J. Campbell, *The German Werkbund: The Politics of Reform in the Applied Arts* (Princeton, NJ, and Guildford, UK, 1980)
A. Stanford, *Peter Behrens and a New Architecture for the Twentieth Century* (Cambridge, MA, 2000)

Kubisme

De waarheid is boven elk realisme verheven, en het uiterlijk van dingen dient niet te worden verward met hun essentie.

JUAN GRIS

De oorsprong van het kubisme, misschien wel de meest beroemde van alle avant-gardebewegingen in de twintigste eeuw, is het onderwerp geweest van voortdurende strijd tussen kunsthistorici. Vroege historici gaven de Spanjaard Pablo Picasso (1881-1973) de eer de enige voorloper te zijn geweest, later werd deze eer gedeeld door Picasso en de Fransman Georges Braque (1882-1963, zie ook *Fauvisme), en tegenwoordig krijgt Braque in toenemende mate de credits. Picasso's claim de eerste te zijn geweest berust op zijn *Les Demoiselles d'Avignon* (1907), waarin gebruik wordt gemaakt van wijzigingen van gezichtspunt. Toch was Braque in datzelfde jaar al verdiept in een onafgebroken, intensieve analyse van werk van Paul Cézanne (zie *Postimpressionisme), een analyse die in 1908 zijn hoogtepunt bereikte in zijn L'Estaque-landschappen. Braque was vooral geïnteresseerd in Cézanne's methode van het weergeven van drie dimensies door middel van meerdere gezichtspunten, en in de manier waarop de oudere schilder vormen construeerde uit verschillende

vlakken die door elkaar heen lijken te schuiven of door elkaar heen lijken te komen. Deze techniek (in het Frans "*passage*") leidt het oog naar verschillende gebieden van het schilderij, en creëert tegelijkertijd een gevoel van diepte, doordat de aandacht wordt getrokken naar het oppervlak van het doek, terwijl het werk gelijkertijd vooruitsteekt tot in de ruimte van de toeschouwer, een van de belangrijke kenmerken van het kubisme.

Toen de L'Estaque-schilderijen werden aangeboden aan het selectiecomité van de Salon d'Automne van 1908, deed Henri Matisse (zie *Fauvisme) ze naar verluidt in een conversatie met de criticus Louis Vauxcelles af als slechts "petits cubes" (kleine kubussen). De schilderijen werden door de jury afgewezen en werden vervolgens geëxposeerd tijdens een grote solotentoonstelling in november in de Kahnweiler Gallery in Parijs. Tijdens zijn recensie van de tentoonstelling herhaalde Vauxcelles het commentaar van Matisse, en betoogde hij dat Braque "vorm veracht en alles, zowel landschappen als figuren en huizen, reduceert tot geometrische patronen, tot kubussen." Kubisme werd al snel de officiële, en blijvende, benaming voor de beweging.

Linksboven: **Georges Braque, *Viaduct bij L'Estaque*, 1908**
"[Braque] veracht vorm en reduceert alles, landschappen en figuren en huizen, tot geometrische patronen, tot kubussen," zo beweerde de criticus Louis Vauxcelles in 1908. Het 'kubisme' werd de algemeen gangbare naam voor de beweging.

Rechtsboven: **Pablo Picasso, *Stilleven met rieten stoelzitting*, 1911–12**
In dit werk worden gefragmenteerde objecten, vlakken en perspectieven gecombineerd met illusionistische spelletjes in twee en drie dimensies: het touw is echt, maar de rieten zitting is een patroon op bedrukt wasdoek dat op het canvas is geplakt.

Tegen het jaar 1909 waren Braque en Picasso goede vrienden geworden, en ze werkten samen van 1909 tot 1914, toen Braque aan de oorlog ging deelnemen. Tijdens deze periode was de ontwikkeling van het kubisme een hechte gezamenlijke onderneming en veel van hun werken uit die tijd zijn moeilijk van elkaar te onderscheiden. Picasso beschreef hun samenwerking als een "huwelijk", en Braque zei later, "We waren als twee bergbeklimmers die met touwen aan elkaar vastzaten."

Voor beide kunstenaars was het kubisme een soort van realisme, dat de 'werkelijkheid' overtuigender en intelligenter weergaf dan de andere soorten van illusionistische representatie die in het westen overheersten sinds de Renaissance. Niet alleen verwierpen zij het perspectief vanuit één enkel gezichtspunt, ook wezen zij de decoratieve kwaliteiten af van eerdere avant-gardekunstenaars, zoals de *Impressionisten, *Postimpressionisten, *Nabis en de *Fauves. In plaats daarvan putten zij uit twee alternatieve bronnen: Cézanne's latere schilderijen omwille van structuur en Afrikaanse sculpturen voor de geabstraheerde geometrische en symbolische kwaliteiten ervan. Voor Picasso was de uitdaging van het kubisme om drie dimensies weer te geven op het tweedimensionale oppervlak van het doek. Braque, aan de andere kant, wilde de afbeelding van volume en massa in ruimte exploreren. Deze interesses zijn beide duidelijk aanwezig in de nieuwe technieken die ze samen ontwikkelden.

De eerste fase van de productie van Braque en Picasso, die duurde tot ongeveer 1911, wordt vaak Analytisch kubisme genoemd. In deze periode vermeden de twee kunstenaars over het algemeen onderwerpen en kleuren met uitgesproken emotionele kwaliteiten, en kozen ze in plaats daarvan voor gematigde, vaak monochromatische paletten en neutrale onderwerpen, zoals stillevens. Deze werden gereduceerd en gefragmenteerd tot quasi-abstracte composities van vlakken die elkaar doorsnijden, en waarin vaste objecten met meerdere vlakken in elkaar overvloeien, waardoor figuren en achtergrond met elkaar worden verweven tot een tapijt of web. De ruimte lijkt in deze schilderijen naar achteren te bewegen, en naar boven en in de richting van de toeschouwer te kantelen, en dit alles tegelijk, waarbij traditionele verwachtingen van de weergave van diepte grondig op hun kop worden gezet. Dergelijke samengestelde weergaven van een object, gezien vanuit verschillende hoeken – bovenzijde, onderzijde, achterzijde, voorzijde – vertegenwoordigen eerder wat over een object bekend is, in plaats van wat zichtbaar is vanuit een vast punt en op een vast tijdstip. Objecten worden eerder gesuggereerd in plaats van afgebeeld, en toeschouwers moeten ze construeren in hun gedachten en met hun ogen. Het is duidelijk dat het kubistische object niet het vergankelijke moment van het impressionisme is, maar een onafgebroken moment.

Wat dit betreft staat het kubisme in verband met intellectuele theorieën uit die tijd, zoals populaire beschouwingen over de vierde dimensie, het occulte en alchemie. Nog belangrijker is het feit dat het kubisme een intrigerende overeenkomst vertoont met het denken van de Franse filosoof Henri Bergson (1859-1941), wiens ideeën van 'gelijktijdigheid' en 'tijdsduur' veronderstelden dat het verleden zich vermengt met het heden, dat op zijn beurt op een vloeiende manier overgaat in de toekomst, waarbij het heden en de toekomst elkaar overlappen, met als resultaat dat de perceptie van objecten zich in een voortdurende staat van beweging bevindt. In zijn nadruk op de rol van de verbeelding van de kunstenaar, lijkt het kubisme bepaalde aspecten van het *symbolistische denken verder uit te diepen, maar in de introductie door het kubisme van kwesties van tijd en kennis wordt duidelijk het eigentijdse intellectuele klimaat weerspiegeld.

Hoewel veel van hun werken uit deze periode moeilijk uit elkaar te houden zijn, was abstractie niet het doel, maar een middel tot een doel. Zoals Braque bevestigde, was fragmentatie "een techniek om het object dichter te benaderen". En Picasso benadrukte het verbeeldingsvolle en inventieve aspect van het kubisme, toen hij schreef: "…in onze onderwerpen behouden we het plezier van het ontdekken, de vreugde van het onverwachte." Deze doelstellingen waren overduidelijk aanwezig in de volgende fase van het kubisme, die vaak Synthetisch kubisme wordt genoemd, en die tussen 1911 en 1912 begon.

Na te hebben geflirt met non-objectiviteit, bewogen Braque en Picasso zich in de richting van een vorm van expressie waarbij het onderwerp herkenbaarder was, maar geladen met symbolisme. In zekere zin volgden zij een tegengestelde manier van werken; in plaats van dat ze objecten en ruimte abstracter maakten, bouwden ze afbeeldingen op uit gefragmenteerde abstracties die op arbitraire manieren werden samengevoegd. Het resultaat bestond uit afbeeldingen waarin het objectieve en subjectieve op een verfijnde en evenwichtige manier waren gecombineerd, en het 'abstracte' werd gebruik als een hulpmiddel om het 'echte' te creëren. Zoals de jonge Spanjaard Juan Gris (1887-1927), die zich in deze fase bij de oudere kunstenaars aansloot, verklaarde: "Ik kan een fles maken van een cilinder."

Twee belangrijke vernieuwingen, die beide worden beschouwd als mijlpalen van de moderne kunst, vonden plaats in 1912.

Rechts: **Juan Gris, *Viool en gitaar*, 1913** Gris was de zuiverste exponent van het Synthetisch kubisme. In zijn stillevens onderzoekt hij het object vanuit elke hoek, waarbij hij op een systematische manier horizontale en verticale vlakken weergeeft. Het licht en de kleuren van de schilderijen bieden echter een warm, naturalistisch effect.

Picasso verwerkte een stuk wasdoek in zijn schilderij *Stilleven met rieten stoelzitting* waarmee hij de eerste kubistische collage maakte (van het Franse *coller*, vastplakken) en alle drie kunstenaars maakten zogeheten *papiers collés* (composities van uitgeknipte en opgeplakte vellen papier). Over het algemeen bevatten de werken een duidelijker onderwerp, rijkere kleuren en texturen, readymade fragmenten uit de 'echte wereld' en tekst. Hoewel de composities over het algemeen eenvoudiger en monumentaler zijn, zijn de ruimtelijke verhoudingen vaak zeer complex. Het in lagen aanbrengen en laten overlappen van platte vormen creëert een idee van een zekere ruimte vóór het vlak van de afbeelding, en duwt tegelijkertijd andere ruimte verder naar achteren. Het onderscheid tussen afgebeelde diepte en letterlijke diepte valt weg, waardoor aan de werken een architecturaal idee wordt verleend, alsof men de dingen zowel op een plattegrond als op een opstandschets ziet. De betekenisassociaties zijn ook complexer. In Picasso's *Stilleven met rieten stoelzitting*, blijkt het 'echte object' dat op het doek is geplakt zelf een illusie te zijn, aangezien het niet echt een rieten stoelzitting is, maar een stuk wasdoek dat machinaal is bedrukt met een rietachtig patroon. De letters JOU staan voor JOURNAL (krant) dat op zijn beurt staat voor de krant die men zou kunnen aantreffen op een cafétafel. Het geheel is omringd door middel van

een stuk touw, dat het stilleven omkadert als een kunstwerk en tegelijkertijd de aandacht vestigt op het schilderij als object.

Uiteindelijk tarten zulke vraagstukken met betrekking tot werkelijkheid en fictie het geloof in een enkele definitie van de realiteit, en maken ze meerdere interpretaties van het werk mogelijk. Ze bevestigen de vooraanstaande plaats van de verbeelding van de kunstenaar, en claimen voor de kunst een alternatieve eigen werkelijkheid, die onafhankelijk is van de buitenwereld. Het vreemde karakter van het kubisme vormt tegelijkertijd echter de treffende manier waarop deze beweging een vreemde wereld becommentarieert. Zoals Picasso enige jaren later zei: "Dit vreemde karakter was waarover we de mensen wilden laten nadenken, omdat we ons er zeer goed van bewust waren dat onze wereld een zeer vreemde wereld aan het worden was, en niet bepaald een geruststellende wereld.'

Hoewel Picasso en Braque er de voorkeur aan gaven om hun experimenten in relatieve eenzaamheid uit te voeren, en ze tot de Eerste Wereldoorlog in het openbaar maar weinig van hun werk lieten zien, was hun werk goed bekend bij andere kunstenaars. Vanaf ongeveer 1910 evolueerde het kubisme van een stijl in een beweging, toen andere kunstenaars hun eigen reacties op de vernieuwingen van Picasso ontwikkelden. Gris, Fernand Léger (1881-1955), Roger de La Fresnaye (1885-1925), Francis Picabia (1879-1953, zie *Dada), Marcel Duchamp (1887-1968, zie *Dada) en zijn broer Jacques

Villon (1875-1963), André Derain (1880-1954, zie *Fauvisme), Henri Le Fauconnier (1881-1946), de in Polen geboren Henri Hayden (1883-1970), Auguste Herbin (1882-1960), de in Hongarije geboren Alfred Reth (1884-1966), Georges Valmier (1885-1937), de in Rusland geboren Léopold Survage (1879-1968), de Pool Louis Marcoussis (1883-1941), André Lhote (1885-1962), Albert Gleizes (1881-1953) en Jean Metzinger (1883-1956) behoren tot de meeste bekende van hen. Eén van de meest oorspronkelijke van deze kunstenaars was Léger, die het kubisme combineerde met de esthetica van de machine, in een verering van het moderne leven en machinale vormen, een levendige en menselijke kunst die zich gemakkelijk liet vertalen in andere kunstvormen, zoals het theater.

Al spoedig had het kubisme het fauvisme vervangen als toonaangevende artistieke beweging in Parijs. Tegen het jaar 1912 was

Boven: **Fernand Léger, Toneelmodel voor** *La Création du Monde (De scheppi ng van de wereld)*, **1923** Légers decor voor een ballet van één acte (muziek van Darius Milhaud, libretto van Blaise Cendrars) toont de ontwikkeling van zijn eigen kubistische beeldtaal, waarin hij voor zijn figuren en composities gebruikmaakt van heldere contrasten van kleur en vorm.

Tegenoverliggende pagina: **Emil Králícek en Matej Blecha, Lantaarnpaal, Praag 1912–13** De enige kubistische lantaarnpaal ter wereld heeft vier zitplaatsen in het onderste gedeelte. De kubistische architectuur van Praag is uniek in zijn soort.

het een wereldwijde beweging geworden, waarvan de geschiedenis reeds werd geschreven. Gleizes en Metzinger publiceerden het zeer populaire *Du Cubisme* in 1912 (vijftien drukken in minder dan een jaar, en een Engelse vertaling in 1913), gevolgd door het verslag van de Franse dichter en criticus Guillaume Apollinaire, *Les Peintres cubistes* (De kubistische schilders) in 1913 (zie *Orfisme). De revolutionaire methoden van het kubisme fungeerden al snel als een katalysator voor andere stijlen en bewegingen, waaronder het

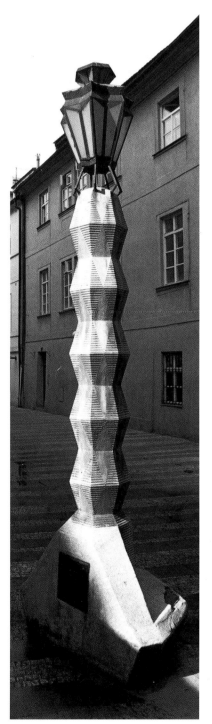

*expressionisme, *futurisme, *constructivisme, *dada, het *surrealisme en het *precisionisme. Terwijl Picasso, Braque en Gris zich niet verder bezighielden met de invalshoek naar abstractie, deden andere kunstenaars dat wel, zoals de orfisten, de *synchromisten, de *rayonisten en de *vorticisten.

Kubistische ideeën werden ook geabsorbeerd en vervolgens aangepast door degenen die in andere disciplines werkzaam waren, zoals beeldhouwkunst, architectuur en de toegepaste kunsten. Kubistische beeldhouwkunst ontwikkelde zich vanuit collage en *papier collé* in de richting van assemblage. De nieuwe technieken gaven beeldhouwers niet alleen de vrijheid om nieuwe (niet-menselijke) onderwerpen te kiezen, maar spoorden hen ook aan om beeldhouwwerken te zien als gebouwde objecten, niet alleen als geboetseerde objecten. Vooral de in het werk van Gris aangetroffen mathematische en architecturale kwaliteiten waren hierbij van invloed en zijn terug te vinden in het

werk van Alexander Archipenko (1887-1964) en Ossip Zadkine (1890-1966), Raymond Duchamp-Villon (1876-1918, broer van Duchamp en Villon) en Henri Laurens (1885-1954), beiden uit Frankrijk, de Litouwer Jacques Lipchitz (1891-1973), de in Hongarije geboren Franse beeldhouwer Joseph Csáky (1888-1971), en de Tsjechische beeldhouwers Emil Filla (1882-1953) en Otto Gutfreund (1889-1927).

In Tsjechoslovakije werden kubistische theorieën enthousiast omarmd door kunstenaars, beeldhouwers, ontwerpers en architecten, die de kenmerken van de kubistische schilderkunst (vereenvoudigde geometrische vormen, contrasten van licht en donker, prisma-achtige aspecten, hoekige lijnen) vertaalden in architectuur en de toegepaste kunsten, waaronder meubels, juwelen, tafelgerei, sanitair, keramiek en landschapsarchitectuur. Bekend waren de leden van de Groep van Beeldend Kunstenaars, die in 1911 werd opgericht door Filla met als doel om zich te richten op het kubisme. De groep was actief in Praag tot 1914 en omvatte de beeldhouwers Filla en Gutfreund, alsook de architecten en ontwerpers Pavel Janák, Josef Gocár (1880-1945), Josef Chochol (1880-1956), Josef Capek, Vlastislav Hofman (1884-1964) en Otokar Novotny. Gutfreund publiceerde invloedrijke artikelen in het maandelijkse tijdschrift van de groep.

Het Huis van de zwarte madonna (1911-12), een warenhuis dat werd ontworpen door Gocár, was het eerste voorbeeld van kubistische architectuur dat daadwerkelijk werd gebouwd. Het Grand Café Orient, dat zich op de eerste verdieping bevond, compleet met een kubistisch interieur en kubistisch lichtsanitair, werd al snel een ontmoetingsplaats voor de avant-garde tot het in het midden van de jaren twintig van de twintigste eeuw werd gesloten. Het gebouw maakt nu deel uit van het Tsjechische Museum van Schone Kunsten en huisvest het Tsjechische Kubistische Museum, dat werd geopend in 1994, en dat een permanente tentoonstelling van kubistische schilderijen, meubels, beeldhouwwerken en porselein bevat. Het Tsjechische Kubistische Museum bevat ook een tentoonstelling van collages van de Tsjechische kunstenaar en dichter Jiří Kolár, die ook actief was in Frankrijk. Door zijn ideeën werd de collage later in een bredere context geplaatst. Parijs mag dan de locatie zijn geweest waar het kubisme ontstond, het was in Praag dat de mogelijkheden ervan ten volle werden verkend, als zijnde een allesomvattende manier van leven.

Belangrijke collecties
Tsjechisch Kubisme Museum, Praag
Musée Picasso, Parijs
Museum of Modern Art, New York
Solomon R. Guggenheim Museum, New York
Tate Gallery, Londen

Belangrijke boeken
C. Green, *Cubism and its Enemies* (New Haven, CT, 1987)
J. Golding, *Cubism: A History and an Analysis 1907–1914* (1988)
A. von Vegesack, *Czech Cubism: Architecture, Furniture, Decorative Arts, 1910–1925* (1992)
L. Bolton, *Cubism* (2000)

Futurisme

Een brullende auto die lijkt te rijden op granaten is mooier dan de Overwinning van Samothrace.

FILIPPO MARINETTI, EERSTE FUTURISTISCHE MANIFEST, 1909

Het futurisme werd in duidelijke bewoordingen aangekondigd door de flamboyante Italiaanse dichter en propagandist Filippo Tommaso Marinetti (1876-1944):

> Vanuit Italië vestigen we nu het futurisme met dit manifest dat wordt gekenmerkt door een overweldigende en brandende heftigheid, omdat we dit land willen bevrijden van zijn kwalijk riekende koudvuur van professoren, archeologen, antiquairs en redenaars.

Marinetti publiceerde het manifest in het Frans op de voorpagina van de Parijse krant *Le Figaro* op 20 februari 1909, waarmee hij zijn intentie duidelijk maakte dat dit niet een provinciaalse Italiaanse ontwikkeling zou zijn, maar één van wereldbelang. Zijn manifest was niet alleen een aanval op de overheersing van Parijs als de locatie van avant-gardebewegingen, het wees ook elk idee van historische traditie in de kunst af. Het manifest omvatte een programma van elf punten. Punt negen stelde: "We zullen de oorlog verheerlijken – de enige ware hygiëne van de wereld – militarisme, patriotisme, het destructieve gebaar van de anarchist, de mooie Ideeën die doden en de minachting van de vrouw." En het tiende punt vervolgde in dezelfde geest: "We zullen museums en bibliotheken vernietigen, en strijden tegen moralisme, feminisme en alle utilitaire lafheid."

Hoewel Marinetti het initiatief nam tot het futurisme als een beweging voor literaire hervorming, breidde het futurisme zich al gauw uit en omvatte de beweging ook andere disciplines, toen jonge Italiaanse kunstenaars zijn oproep enthousiast beantwoordden. Het verbindende uitgangspunt was een passie voor snelheid, kracht, nieuwe machines en technologie en de wens om de 'dynamiek' van de moderne industriële stad uit te drukken. Gedurende het jaar 1909 werkte Marinetti samen met de schilders Umberto Boccioni (1882-1916), Gino Severini (1883-1966), Carlo Carrà (1881-1966, zie ook *Pittura Metafisica) en de schilder en componist Luigi Russolo (1885-1947) om futuristische theorieën voor de beeldende kunsten te formuleren. Dit resulteerde in het 'Manifest van Futuristische Schilders' van 11 februari 1910. Dit manifest werd gevolgd door een tweede manifest op 11 april 1910, 'Futuristische Schilderkunst: Technisch Manifest', waarin ze zichzelf uitriepen als 'de primitieven van een nieuw en volledig getransformeerd bewustzijn', en waarin meer concrete ideeën werden gepresenteerd over hoe dit nieuwe bewustzijn moest worden gerealiseerd:

> Het gebaar dat we willen reproduceren op doek zal niet langer een vast moment in de universele dynamiek zijn. Het zal eenvoudig de dynamische sensatie zelf zijn.

Hoewel ze er snel bij waren om hun bedoelingen uiteen te zetten, kostte het de futuristen meer tijd om uit te vinden hoe ze deze ideeën konden omzetten in schilderijen. De werken die deel uitmaakten van hun openingstentoonstelling in Milaan in 1911, en die futuristische onderwerpen hadden die grotendeels werden weergegeven op traditionele manieren, werden ronduit bekritiseerd om hun gematigde karakter in het Florentijnse tijdschrift *La Voce*. Marinetti, Carrà en Boccioni reageerden hierop met de typische strijdlustigheid van vechtersbazen door naar Florence af te reizen en de criticus Ardengo Soffici (1879-1964) in elkaar te slaan, terwijl deze op het terras van een café zat. Desondanks sloot Soffici, die kunstenaar en dichter was, zich in 1913 aan bij de futuristische beweging. De preoccupatie van de futuristen met het verbreken van de banden met het verleden vroeg om een nieuwe methode van representatie, en het duurde enige tijd voordat ze deze methode ontdekten. Het keerpunt was de trip van Severini naar Parijs in 1911, waar hij contact legde met de *kubisten Pablo Picasso, Georges Braque en anderen. Boccioni, Russolo en Carrà volgden hem om uit te vinden wat de Parijse avant-garde deed, en keerden vol nieuwe ideeën terug naar Milaan. Hoewel ze zich later

Boven: **Carlo Carrà**, *Paard en ruiter* of *Rode ruiter*, **1913**
In het futuristische manifest van 1911, onder de kop 'Het schilderen van geluiden, lawaai en geuren', riep Carrà kunstenaars op om gebruik te maken van 'alle kleuren van snelheid, vreugde, van feestgedruis en fantastische carnavals' in hun representaties van het stedelijke leven.

Tegenoverliggende pagina: **Giacomo Balla**, *Ritme van een violist*, **1912**
Balla experimenteerde met nieuwe manieren om beweging weer te geven, en was in hoge mate beïnvloed door fotografische studies, waarbij een opeenvolging van beelden over elkaar heen worden weergegeven. Zijn werk neigde meer en meer naar abstractie.

probeerden te distantiëren van de kubisten, stonden de futuristen bij hen in het krijt. In een tijd waarin het kubisme grotendeels onbekend was buiten Parijs, maakten zij gebruik van kubistische geometrische vormen en elkaar doorsnijdende vlakken, gecombineerd met complementaire kleuren. In zekere zin brachten zij het kubisme in beweging.

De futuristen werden ook door andere invloeden geïnspireerd. Giacomo Balla (1871-1958), een oudere en behoedzamere ondertekenaar van het eerste manifest uit 1910, volgde een divisionistische methode van schilderen, waarbij hij werd beïnvloed door Giovanni Segantini (zie *Neo-impressionisme). Hij experimenteerde ook met het weergeven van sequentiële beweging, onder invloed van de fotografische studies van de Amerikaan Eadweard Muybridge (1830-1904) van dierlijke en menselijke beweging en van de 'chrono-foto's' van de Franse fysioloog Etienne-Jules Marey (1830-1904). De futuristen deelden ook de krachtige eigentijdse interesse in 'gelijktijdigheid', zoals verondersteld door de enorm populaire en invloedrijke Franse filosoof Henri Bergson (1859-1941). Bergsons theorieën over de veranderlijkheid van het bewustzijn, de rol van intuïtie in het verwerken van ervaringen en de rol van het geheugen hadden een grote impact op een hele generatie van kunstenaars en intellectuelen (zie ook *Kubisme en *Orfisme). In zijn *Introduction to Metaphysics* (1903), schreef Bergson:

Denk eens na over de beweging van een object in de ruimte. Mijn perceptie van de beweging zal variëren al naar gelang het gezichtspunt, bewegend of stationair, van waaruit ik het object beschouw…wanneer ik spreek van een absolute beweging, ken ik aan het bewegende object een innerlijk leven toe, en, zogezegd, innerlijke gemoedstoestanden.

Na een belangrijke tentoonstelling in Parijs in 1912, die vervolgens op veel verschillende plaatsen te zien was, verspreidde de futuristische kunst en theorie zich snel door Europa, Rusland en de Verenigde Staten, en werd ze een belangrijke deelnemer aan de internationale avant-garde. In de tentoonstellingscatalogus introduceerden de futuristen een concept – 'lijnen van kracht' – dat een onderscheidend kenmerk van futuristisch werk zou worden. 'Objecten onthullen in hun lijnen rust of waanzin, verdriet of vrolijkheid', zo verklaarden zij.

Boccioni verfijnde de kleurtheorie en de divisionistische technieken van zijn leraar Balla om de abstracte effecten van licht te observeren. Hij maakte gebruik van kleur om een dramatische interactie tussen objecten en ruimte te creëren, die hij 'dynamische abstractie' noemde. Na het werk van beeldhouwers die verbonden waren met het kubisme te hebben bestudeerd, publiceerde Boccioni zijn invloedrijke 'Futuristische Manifest van de Beeldhouwkunst' in 1912 waarin hij opriep tot het gebruik van niet-traditionele materialen

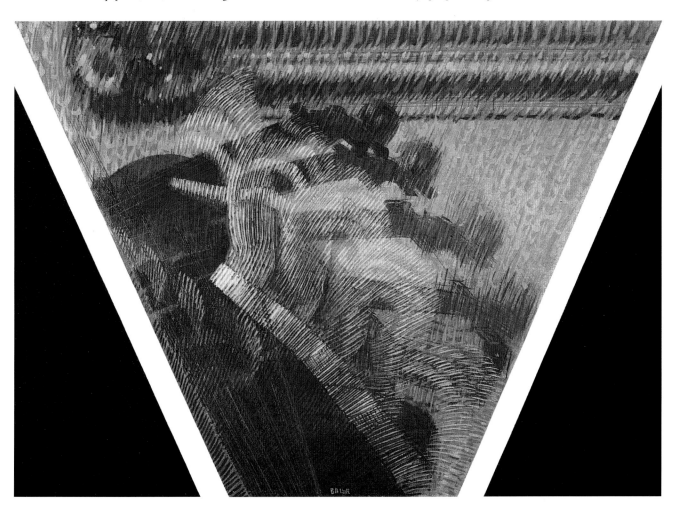

en waarin hij de beeldhouwer opriep om 'de figuur te openen als een venster en om in de figuur de omgeving op te nemen waarin hij leeft.'

De futuristen waren ook actief in andere disciplines, en zoals altijd ging hun werk vergezeld van hun manifesten. In 1912 publiceerde de fotograaf en filmmaker Antonio Giulio Bragaglia (1889-1963) zijn manifest over 'fotodynamiek', en later maakte hij een futuristische film, *Perfido Incanto* (ongeveer, Bedrieglijke betovering). Ook in 1912 publiceerde Marinetti zijn theorie van poëzie op basis van het 'vrije woord', waarin woorden worden bevrijd van conventionele grammatica en layout en nieuwe betekenissen krijgen door een experimentele typografie en een onorthodoxe layout. Ondertussen creëerde Russolo het Bruïtisme, een vorm van muziek waarbij gebruik wordt gemaakt van *intonarumori* (geluidsmachines), zoals uiteengezet in zijn manifest, 'De Kunst van Geluiden' (1913), en zoals later verkend door leden van de *dada-groep. Op 11 maart 1915 publiceerden Balla en Fortunato Depero (1892-1960) hun manifest 'Futuristische Reconstructie van het Universum', waarin ze voorstelden om een abstractere futuristische stijl te ontwikkelen die toepasbaar was op mode, meubilering, interieurs, in feite op een volledige manier van leven. Hoewel tamelijk onverwacht, gegeven de vrouwenhaat die kenmerkend was voor de beweging, was er zelfs een 'Manifest van Futuristische Vrouwen', geschreven door een Franse vrouw, Valentine de Saint-Point (1875-1953): "Stimuleer uw zonen, uw mannen, om zichzelf te overtreffen. U maakt ze. U kunt alles met ze doen!"

De architecten Antonio Sant'Elia (1888-1916) en Mario Chiattone (1891-1957) sloten zich in 1914 aan bij de beweging, en stelden tekeningen tentoon voor de steden van de toekomst (*Città Nuova*) die een grote belangstelling trokken. Sant'Elia's 'Manifest van Futuristische Architectuur' (1914) pleitte voor een nieuwe architectuur voor het nieuwe tijdperk – een architectuur die gebruik maakte van de nieuwste materialen en de modernste technologieën, en die rekening hield met de behoeften van het moderne leven. Hoewel Sant'Elia werd

gedood voordat zijn nieuwe stad kon worden gerealiseerd, zou Matté Trucco's Fiat-fabriek in Turijn (1915-21) met een oppervlakte van 40 hectare – waarbij op een vernieuwende manier gebruik werd gemaakt van het platte betonnen dak door er een testbaan op aan te leggen waarop auto's dag en nacht boven de productielijnen raasden – een goed eigentijds voorbeeld worden van zijn visionaire architectuur.

Politiek en futurisme waren nauw met elkaar verweven. Carra's collage uit 1914, *Woorden in vrijheid: interventionistische democratie*, dat zowel een collage als een gedicht in 'vrije verzen' is, roept de carnavaleske sfeer van een politieke demonstratie op. Veel van de futuristen namen deel aan demonstraties tussen 1914 en 1915 waarbij Italië werd opgeroepen om deel te nemen aan de oorlog. Marinetti cultiveerde een vriendschap met Mussolini, en ze werden beiden gearresteerd in 1915 samen met Carrà na het houden van interventionistische toespraken. De campagne was een succes, en Italië sloot zich aan bij de oorlog tegen Duitsland en Oostenrijk-Hongarije. In 1916 lieten twee van de meest inventieve exponenten van het futurisme het leven tijdens het vervullen van hun militaire dienstplicht

Boven: **Sant'Elia, *La Città Futurista* uit 'Manifest van Futuristische Architectuur', 1914** Sant'Elia projecteerde futuristische architecturale fantasieën in de populaire verbeelding; zijn tekeningen hadden een enorme invloed. Zijn gebouwen echter, bestaan alleen op papier; hij werd gedood in 1916, achtentwintig jaar oud.

Tegenoverliggende pagina, links: **Marinetti en Marchesi in Turijn met Marinetti's portret, gemaakt door Zatkova** Marinetti was de dandy-achtige oprichter-visionair van het futurisme. Hij noemde zichzelf la caffeina dell' Europa, de caffeïne van Europa, en stak zijn geweldige energie in de culturele en politieke transformatie van zijn tijd.

Tegenoverliggende pagina, rechts: **Umberto Boccioni, Unieke vormen van continuïteit in ruimte, 1913** Boccioni, wiens schilderijen hem al een aanzienlijk aanzien hadden verschaft, richtte zijn aandacht in 1912 op beeldhouwkunst, en verklaarde: "Laat ons de finale lijn en de beelden van gesloten vormen afdanken . Laat ons het lichaam openscheuren."

– Boccioni viel van zijn paard tijdens een oefening, en Sant'Elia werd gedood aan de frontlijn met het Lombardische Cyclist-bataljon van vrijwilligers. Hun dood markeerde het einde van de meest creatieve fase van de beweging, die was begonnen met de oproep om de oorlog te verheerlijken. Marinetti continueerde zijn band met Mussolini, maar voerde de futuristen aan toen zij zich in mei 1920 afkeerden van het fascisme. Hij zou later benadrukken dat het futurisme de 'dynamische geest' van het fascisme tot uitdrukking bracht.

De stuwkracht van de beweging was tegen het midden van de Eerste Wereldoorlog verloren gegaan. Terwijl gemechaniseerde slachtpartijen Europa overspoelden, werd het moeilijk om de cultus van de machine in stand te houden. Gedurende de jaren twintig en dertig van de twintigste eeuw probeerden tweede-generatiefuturisten om de futuristische ideologie en praktijk uit te breiden tot installaties, theaterontwerp, grafische kunsten en reclame, met enig succes. De futuristen claimden zelfs het vastleggen van de sensatie van vliegen, in het 'Manifesto of Aeropittura' in 1929, dat het begin aankondigde van de laatste fase van de beweging.

Hoewel het futurisme in de eerste plaats een Italiaanse beweging was, en van korte duur was, hadden de futuristische theorie en iconografie een blijvende invloed op de internationale avant-garde. Het *vorticisme in Engeland en het *rayonisme in Rusland waren expliciet schatplichtig aan de Italiaanse futuristen. Veel ideeën die werden ontwikkeld door de *Blaue Reiter-groep, dada en de Russische *constructivisten waren van oorsprong afkomstig van de futuristen. In de Verenigde Staten staat de introductie van futuristische ideeën op naam van Joseph Stella (1877-1946). Hij sloot vriendschap met Severini tijdens zijn verblijf in Frankrijk en Italië tussen 1909 en 1912, en toen hij naar huis terugkeerde bleek de futuristische vocabulaire voor hem zeer geschikt te zijn voor het uitdrukken van zijn idee van het stedelijke Amerika. Zijn schilderij *Battle of Lights, Coney Island, Mardi Gras* (1913-14) toont hoe andere landen op een eenvoudige manier hun futuristische technieken overnamen om hun doelstelling te bereiken, namelijk het weergeven van de 'gewelddadige, gevaarlijke geneugten' en de 'hectische sfeer' van het moderne stedelijke leven.

Belangrijke collecties
Depero Museum, Rovereto
Estorick Collection of Modern Italian Art, Londen
Museum of Modern Art, New York
Pinoteca di Brera, Milaan
Tate Gallery, Londen

Belangrijke boeken
C. Tisdall en A. Bozzolla, *Futurism* (1978)
Futurismo & Futurimi (tent. cat. Palazzo Grassi, 1986)
R. A. Etlin, *Modernism in Italian Architecture, 1890–1940* (Cambridge, MA, 1991)
R. Humphreys, *Futurism* (Cambridge, Engeland, 1999)

Jack of Diamonds

Zijn schilderijen niet als fantastische onbekende landen die zich voor je voeten uitstrekken, ben jij niet de hoogvlieger van de gelijktijdigheid?

DAVID BURLIUK, 1912

De Jack of Diamonds, was een kunstenaarsvereniging die in 1910 werd opgericht in Moskou met als doel om tentoonstellingen te houden van nieuwe Europese en Russische kunst. Lid van deze vereniging waren sommige van de belangrijkste avant-gardekunstenaars in het Rusland van voor de revolutie: Mikhail Larionov (1881-1964), Natalia Goncharova (1881-1962) die zolang als als hij leefde Larionovs levenspartner was, Piotr Konshalovsky (1876-1956), Aristarkh Lentulov (1878-1943), Robert Falk (1886-1958), Ilya Mashkov (1884-1944), Alexander Kuprin (1880-1960)

en de broers David (1882-1967) en Vladimir Burliuk (1886-1917). De naam van de groep was gekozen om hun interesse in populaire grafische kunsten te benadrukken en om de aandacht te vestigen op hun onverschilligheid tegenover tradities. Alle kunstenaars werden beïnvloed door avant-garde-ontwikkelingen in de westerse kunst, zoals het *postimpressionisme, het *fauvisme en het *kubisme, die in Rusland zeer bekend waren door de activititeiten van de *Mir Iskusstva en het Gulden Vlies.

De eerste tentoonstelling die in december 1910 door de groep

de broers Burliuk. Dit bestudeerde Russische 'primitivisme' was een synthese van Europese tradities en een interesse in de kunst van kinderen en inheemse Russische kunst – beschilderde iconen, door boeren gemaakt houtsnijwerk en volkskunst.

Na deze tentoonstelling, splitsten de Russische kunstenaars zich in twee kampen. Larionov en Goncharova, die hun vroegere collega's ervan beschuldigden dat ze werden gedomineerd door het 'goedkope oriëntalisme van de School van Parijs', en dat ze volgelingen waren van het 'decadente München', richtten in 1911 de groep Ezelsstaart op. De naam werd gekozen nadat Larionov een artikel had gelezen over een groep Franse studenten aan de kunstacademie die een schilderij hadden tentoongesteld dat was gemaakt door een penseel te bevestigen aan de staart van een ezel. De enige tentoonstelling van de groep Ezelsstaart vond plaats in 1912. Het was de eerste grote geheel Russische avant-garde-show in zijn soort, en vertegenwoordigde een bewuste breuk met de Europese tradities, ten gunste van werk dat was geïnspireerd door inheemse Russische bronnen. Werken van Kasimir Malevich (1878-1935) en Vladimir Tatlin (1885-1953), respectievelijk de oprichters van het *suprematisme en het *constructivisme, maakten ook deel uit van de tentoonstelling. De meeste van de tentoongestelde werken waren geschilderd in de neo-primitivistische stijl. Goncharova's religieuze schilderijen, die werden afgewezen als godslasterlijk in een dergelijke setting, leidden tot een openbaar protest. Kort daarna werd de groep ontbonden en richtten de onvermoeibare Larionov en Goncharova het *rayonisme op.

De Jack of Diamonds bestond als een tentoonstellingsvereniging tot 1918 en propageerde de Europese avant-garde. Tijdens de tweede en derde tentoonstellingen, gehouden in 1912 en 1913 en georganiseerd door de Burliuks, werden Duitse expressionistische schilderijen tentoongesteld, en werk van Robert Delaunay (zie *Orfisme), Henri Matisse (zie *Fauvisme), Pablo Picasso (zie *Kubisme) en Fernand Léger. Veel van de bij deze tentoonstellingen betrokken Russische kunstenaars ontwikkelden een kubistisch-futuristische stijl van schilderen, en tijdens tentoonstellingen in de periode 1914-16 werd baanbrekend werk van Liubov Popova (1889-1924) getoond. David Burliuks enthousiaste organisatie, die zich bezighield met het organiseren van lezingen en evenementen, verleende hem de titel van 'vader van het Russische futurisme'.

werd georganiseerd in Moskou bracht eigentijdse werken bij elkaar van zowel Europese als Russische avant-gardekunstenaars, onder wie de in Parijs gevestigde kubisten Henri Le Fauconnier (1881-1946), André Lhote (1885-1962), Albert Gleizes (1881-1953) en Jean Metzinger (1883-1956), Russische kunstenaars die werkzaam waren in München, zoals Vasily Kandinsky (1866-1944) en Alexei von Jawlensky (1864-1941, zie *Der Blaue Reiter), en Russen die werkzaam waren in Rusland, voor het merendeel leden van de Jack of Diamonds-groep. De Russische werken vielen uiteen in twee verschillende categorieën: de werken die worden gekenmerkt door heldere fauve-achtige kleuren en vereenvoudigde vormen, van Lentulov, Konchalovsky, Falk en Mashkov, die bekend stonden als 'de Cézannisten' en neo-primitieve werken van Larionov, Goncharova en

Boven: **Ilya Mashkov**, *Portret van een jongen in een geborduurd shirt*, **1909** Mashkov was één van een groep van jonge Russische kunstenaars die in 1909 in opstand kwamen tegen de kunstacademie van Moskou, en die schilderijen tentoonstelden die waren beïnvloed door Cézanne, de postimpressionisten en de fauves.

Tegenoverliggende pagina: **Mikhail Larionov**, *De soldaten* (**tweede versie**), **1909** Larionovs soldatenserie uit 1909–10, die hij schilderde tijdens zijn militaire dienst, veroorzaakte een schandaal, doordat de regels van de goede smaak in de traditionele schilderkunst, zowel de Russische, als de Franse, opzettelijk werden genegeerd.

Belangrijke collecties
Fine Arts Museums of San Francisco, San Francisco, California
Los Angeles County Museum of Art, Los Angeles, California
Russisch Staatsmuseum, St. Petersburg
Tate Gallery, Londen
Tretyakov Gallery, Moskou

Belangrijke boeken
The Avant-Garde in Russia, 1910–1930: New Perspectives (tent. cat. Los Angeles County Museum of Art, Los Angeles, 1980)
C. Gray, *The Russian Experiment in Art 1863–1922* (1986)
J. E. Bowlt, *Russian Art of the Avant Garde: Theory and Criticism* (1988)

Der Blaue Reiter

Ons doel is om, door middel van alle verschillende vormen die we afbeelden, te laten zien hoe het innerlijke verlangen van kunstenaars zichzelf op verschillende manieren verwezenlijkt.

<small>VASILY KANDINSKY, VOORWOORD, EERSTE TENTOONSTELLING VAN DE EDITORS VAN DE BLAUE REITER, 1911</small>

Der Blaue Reiter (De blauwe ruiter), een groep in München gevestigde kunstenaars die actief was vanaf 1911 tot 1914, was – samen met *Die Brücke – de belangrijkste beweging binnen het Duitse *expressionisme. Der Blaue Reiter was een omvangrijker en losser samenwerkingsverband dan Die Brücke, en de activiteiten ervan als groep, en de vernieuwingen van individuele leden, zoals de Rus Vasily Kandinsky (1866-1944) en de Zwitser Paul Klee (1879-1940), hadden een zelfs nog grotere invloed op de internationale avant-garde. Tot de overige leden behoorden de Duitsers Gabriele Münter (1877-1962, de partner van Kandinsky), Franz Marc (1880-1916) en August Macke (1887-1914), en de Oostenrijker Alfred Kubin (1877-1959). Kandinsky zette in 1930 uiteen hoe de naam van de groep tot stand was gekomen:

> Franz Marc en ik kozen deze naam toen we op een dag koffie dronken op het schaduwrijke terras van Sindelsdorf. We hielden allebei van blauw, Marc voor paarden, ik voor ruiters. De naam ontstond dus vanzelf.

De groep organiseerde twee belangrijke tentoonstellingen en maakte een almanak, *Der Blaue Reiter* (1912). De leden van de groep waren niet verenigd door een gemeenschappelijke stijl, maar door een ideologie – een onwankelbaar en gepassioneerd geloof in de ontketende creatieve vrijheid van de kunstenaar om zijn persoonlijke visie uit te drukken, in elke vorm die hij daartoe geschikt achtte.

Kandinsky's ideeën vormden in de begintijd van Der Blaue Reiter de belangrijkste stimulans. Tegen de tijd dat de groep werd opgericht, was zijn werk, dat in toenemende mate abstract werd, al zeer bekend in heel Europa. De almanak van 1912 was een belangrijke bevestiging van de artistieke bedoelingen van de groep, die op een verrassend nieuwe wijze werden gepresenteerd. Zo omvatte de publicatie essays over verschillende media (waaronder essays over muziek en tekst van de componist Arnold Schönberg en over Russische kunst van David Burliuk, zie *Jack of Diamonds), en afbeeldingen van kunstenaars van Der Blaue Reiter die naast afbeeldingen van kunstenaars uit andere culturen en perioden werden geplaatst om zo een nieuw beeld van de kunstgeschiedenis te scheppen. De almanak toonde ook hun belangstelling voor mystiek, waardoor ze als late *symbolisten kunnen worden beschouwd, en voor primitieve kunst, volkskunst, door kinderen gemaakte kunst en de kunst van geesteszieken. Al deze vormen van kunst werden door hen omhelsd als waardevolle bronnen van inspiratie. Het allerbelangrijkste van de almanak was dat de kunstenaars, in de essays van Kandinsky, Marc en Macke, hun geloof verklaarden in de symbolische en psychologische doeltreffendheid van abstracte vormen. In het essay in wording 'Over het probleem van de

vorm', stelde Kandinsky dat kunst sacramenteel zou moeten zijn, een naar buiten gericht en zichtbaar teken van een innerlijke, spirituele deugd, en hij verdedigde de vrijheid van de kunstenaar om zijn eigen expressievorm te kiezen, abstract, realistisch, of een van de 'vele combinaties van verschillende harmonieën van het abstracte en het echte'. In hetzelfde jaar verscheen Kandinsky's zeer invloedrijke boek *Over het spirituele in de kunst*, waarin het idee werd uitgewerkt van kunst als een soort spirituele autobiografie, door middel waarvan de kijkers in contact zouden kunnen komen met hun eigen spiritualiteit. Hij was op zoek naar een synthese van intellect en emotie, en wilde dat zijn schilderkunst even direct was als muziek. Zijn latere werk werd dan ook een soort van *abstract expressionisme, waarin spirituele conflicten worden gecommuniceerd en opgelost in wervelende vormen, lijnen en kleuren, bevrijd van elke objectief beschrijvende rol.

Boven: **August Macke,** *Vrouw in groen jasje,* **1913**
Macke's landschappen tonen een bonte schakering kleuren die doen denken aan de orfist Robert Delaunay, een mede-exposant tijdens de tentoonstellingen van de Blaue Reiter in München in 1911 en 1912.

Tegenoverliggende pagina: **Franz Marc,** *De grote blauwe paarden,* **1911**
In zijn rijpe werk maakt Marc gebruik van kubistische en futuristische vormen met oogverblindende kleuren en een oogverblindend licht en creëert hij afbeeldingen waarin de dieren één met de natuur zijn geworden. Hij beschouwde schilderen als een spirituele activiteit.

Als Kandinsky's geloofssysteem kan worden omschreven als een analytisch spiritueel mysticisme, dan was dat van Franz Marc een pantheïstische filosofie, waarin religie werd gecombineerd met een intens gevoel voor dieren en de natuur. Marc, die aanvankelijk theologie studeerde, begon met schilderen als een spirituele activiteit. In 'Aphorismen, 1914-1915' schreef hij: "De toekomstige kunst zal onze wetenschappelijke meningen vorm geven. Deze kunst is onze religie, ons centrum van de zwaartekracht, onze waarheid." Dieren waren zijn obsessie. In hen zag hij een zuiverheid en eenheid met de natuur die de mens was kwijtgeraakt. Door hen, of liever gezegd, door hun ogen, (hij schreef een essay met de titel 'Hoe ziet een paard de wereld?'), probeerde hij kunst te creëeren die hem zou leiden tot een meer zuivere, harmonieuzere relatie met de wereld. Beïnvloed door zijn jongere vriend August Macke, maakte hij gebruik van grote, kleurrijke vlakken om zowel conflict als harmonie uit te drukken. In een brief aan Macke van december 1910 schreef hij:

Blauw is het mannelijke principe, streng en spiritueel. Geel is het vrouwelijke principe, zachtaardig, vrolijk en spiritueel. Rood is materie, medogenloos en zwaar, en altijd de kleur die door de andere twee moet worden overwonnen.

Macke's eigen werk is op een contrasterende manier stedelijk. Zijn vrolijke stadstaferelen, geschilderd in expressieve harmonieuze kleuren, maken zijn werk meer verwant met zijn Franse tijdgenoten, de *fauves en *orfisten, en herinneren ons er aan dat het nooit de bedoeling van de kunstenaars van Der Blaue Reiter was om een homogene stijl te creëren. Klee experimenteerde ook met kleur, naar het voorbeeld van Macke, maar bleef sterk individueel. Vooral in zijn aquarellen brengt hij een lyrische, semi-abstracte kwaliteit tot stand, die tegelijkertijd verfijnd en expressief is. Evenal zijn vrienden Kandinsky en Marc, zette Klee in 1920 zijn gedachten over de spirituele aard van de kunst uiteen in zijn 'Creatieve credo', dat zijn beroemde statement bevat: "Kunst reproduceert niet het zichtbare; kunst maakt zichtbaar." Ook schreef hij: "Kunst is een afspiegeling van de schepping. Elk kunstwerk is er een voorbeeld van, zoals het aardse een voorbeeld is van het kosmische." Aan het andere eind van het spectrum lijkt Kubins werk gothischer in zijn expressionisme, door de weergave van fantasieën en nachtmerries die doen denken aan de symbolisten en de *decadenten.

De 'Eerste tentoonstelling van de editors van Der Blaue Reiter' (vanaf december 1911 tot januari 1912) werd gehouden in de Thannhauser Gallery in München. Vervolgens werd het de openingstentoonstelling van Herwarth Waldens Sturm-Galerie in Berlijn, waarna de tentoonstelling naar Keulen, Hagen en Frankfurt reisde. Werken van kunstenaars van Der Blaue Reiter werden aangevuld met die van verschillende anderen, waaronder Heinrich Campendonk (1889-1957), Elizabeth Epstein (1879-1956), J. B. Niestlé (1884-1942), de Tsjechische kunstenaar Eugen Kahler (1882-1911), de Amerikaan Albert Bloch (1882-1961), de Russen David en Vladimir Burliuk, de Fransman Robert Delaunay (1885-1941, zie *Orfisme) en Henri Rousseau (1844-1910) en met tekeningen van de Oostenrijks-Hongaarse Schönberg.

De 'Tweede tentoonstelling van de editors van Der Blaue Reiter' (vanaf februari tot april 1912), gehouden in de Goltz Gallery in München, was zelfs nog ambitieuzer. De tentoonstelling werd beperkt tot aquarellen, tekeningen en gedrukte grafiek, en omvatte 315 voorbeelden van nieuwe grafische kunst van de hand van eenendertig

Duitse, Franse en Russische kunstenaars, waaronder Nolde, Pechstein, Kirchner, Heckel, Klee, Kubin, Arp, Picasso, Braque, Delaunay, Malevich, Larionov en Goncharova. Deze tentoonstellingen brachten een sensatie teweeg onder kunstenaars, maar brachten de critici en het publiek bijna unaniem in verwarring. Kandinsky liet zijn teleurstelling hierover blijken in zijn voorwoord voor de tweede editie van de almanak, die in 1914 verscheen:

Een van onze doelstellingen – in mijn ogen een van de belangrijkste – is nauwelijks bereikt, namelijk om, door voorbeelden, door praktische combinaties en door theoretische demonstratie, te laten zien dat vorm in de kunst van secundair belang is, dat het in de kunst voornamelijk om de inhoud gaat... Misschien is de tijd nog niet rijp om op deze manier te 'horen' en te 'zien'.

Hieronder: **Vasily Kandinsky, *Improvisatie 'Klamm'*, 1914**
Preoccupaties met kleur en vorm bleken sterker dan de wens om objecten af te beelden, maar tussen 1912 en 1914 zijn Kandinsky's schilderijen volledig abstract – herkenbare vormen trekken de aandacht van de kijker.

Tegenoverliggende pagina: **Paul Klee, *De föhnwind in tuin van de Marcs*, 1915**
Na zijn bezoek aan Tunis met Macke in 1914, verkende Klee de doorschijnende kwaliteiten van waterverf.

1915 102

Het uitbreken van de Eerste Wereldoorlog betekende het einde van de groep. Kandinsky was gedwongen om naar Rusland terug te keren, Macke werd in de eerste paar weken van de oorlog gedood, en Marc in de loopgraven bij Verdun in 1916. Hoewel Marc en Kandinsky aan een tweede deel van de almanak hadden gewerkt, werd dit nooit voltooid. Kandinsky schreef: "De Blaue Reiter, dat waren wij tweeën: Marc en ikzelf. Mijn vriend is dood, en ik wil niet alleen doorgaan."

Hoewel de groep de Eerste Wereldoorlog niet overleefde, hadden

zijn activiteiten en prestaties verreikende gevolgen, die uiteindelijk leidden tot fantasy art, *dada, *surrealisme en *abstract expressionisme. Later, in 1924, richtten twee kunstenaars die verwant waren met Der Blaue Reiter (maar er geen lid van waren), de Russen Alexei von Jawlensky (1864-1941) en de Amerikaan Lyonel Feininger (1871-1956), samen met Kandinsky en Klee Die Blaue Vier (De blauwe vier) op. Opnieuw was het doel van hun genootschap om hun werk en ideeën onder de aandacht te brengen door samen te exposeren. Jawlensky was, evenals Kandinsky, overtuigd van de onderlinge relatie tussen kleuren en geluiden, en beschreef sommige van zijn schilderijen als 'liederen zonder woorden'. Zijn warme gepassioneerde schilderijen, die werden gekenmerkt door vereenvoudiging, krachtige kleuren en een gevoel van een intense innerlijke kracht, wijzen ook in de richting van het religieuze mysticisme dat hij deelde met Marc en Kandinsky. Kunst, zo verklaarde hij, was 'nostalgie voor God'. Feiningers schilderijen, die vooral de stad en zijn architectuur als onderwerp hadden, bewegen zich tussen abstractie en afbeelding, en combineren sterke rechte lijnen met romantische kleuren. In hun toekomstige carrières zouden Kandinsky, Feininger en Klee ook belangrijke rollen vervullen als leraren in een andere avant-gardebeweging, het *Bauhaus.

Belangrijke collecties

Norton Simon Museum, Pasadena, California
Solomon R. Guggenheim Museum, New York
Stedelijk Museum, Amsterdam
Tate Gallery, Londen

Belangrijke boeken

A. Meseure, *Macke* (Bonn, 1993)
S. Barron en W. Dieter-Dube, *German Expressionism: Art and Society 1909–1923* (1997)
D. Elger en H. Bever, *Expressionism: A Revolution in German Art* (1998)
Paul Klee Foundation, *Paul Klee Catalogue Raisonné* Vol. 1 (1998)

Synchromisme

Aan ons ideaal met betrekking tot kleur ligt een nobelere opdracht ten grondslag. Door middel van kleur willen we het kenmerkende van de vorm zelf uitdrukken.

Morgan Russell en Stanton Macdonald-Wright, 1913

Het synchromisme (dat is afgeleid van de Griekse betekenis 'met kleur') werd opgericht door twee Amerikaanse schilders, Morgan Russell (1886–1953) en Stanton MacDonald-Wright (1890–1973). Beide mannen begonnen als figuratieve schilders, maar werden tijdens

hun verblijf in Parijs aangetrokken tot de abstractie. Beïnvloed door avant-gardekunstenaars als Henri Matisse (zie *Fauvisme), Frantisek Kupka en Robert Delaunay (zie *Orfisme) en Vasily Kandinsky (zie *Der Blaue Reiter), begonnen ze de eigenschappen en effecten van

mentale zintuiglijke impressie wordt geproduceerd die betrekking heeft op één zintuig door stimulatie van een ander zintuig – was iets waarmee zowel de Franse *symbolisten in de late negentiende eeuw, alsook Kupka en Kandinsky zich hadden beziggehouden. De muzikale analogie, en andere synchromistische kenmerken, zijn zichtbaar in Russells monumentale schilderij Synchromie in oranje: naar vorm (1913–14). In dit werk worden chromatische combinaties en kubistische structuren tot leven gewekt door middel van vloeiende ritmes en bogen die een gevoel van beweging en dynamiek creëren.

De synchromisten exposeerden in München, in de Bernheim-Jeune galerie in Parijs – waar ze de aandacht trokken van de critici Guillaume Apollinaire en Louis Vauxcelles – en in 1913 en 1914 in New York, waar ze veel tumult en controverse veroorzaakten. Maar hoewel ze het publiek shockeerden, hadden ze een enorme invloed op Amerikaanse kunstenaars, vooral na hun deelname aan de belangrijke Armory Show in New York in 1913, het moment waarop het Europese modernisme zijn intrede deed in de Verenigde Staten. Thomas Hart Benton (1889–1975, zie *American Scene), Patrick Henry Bruce (1880–1937) en de symbolist Arthur B. Davies (1862–1928) behoren tot degenen die op enig moment in hun carrière synchromisten werden genoemd. Veel van de synchromisten namen deel aan 'De forumtentoonstelling van moderne Amerikaanse schilders' in New York in 1916, een tentoonstelling die werd georganiseerd door Stantons broer, Willard Huntington Wright.

Tegen het einde van de Eerste Wereldoorlog was het synchromisme bijna geheel uitgedoofd, en waren veel van de beoefenaars ervan teruggekeerd tot de figuratie. Teleurstelling over Europa als gevolg van de oorlog, leidde tot een afwijzing van het Europese modernisme en een hernieuwde interesse in werk dat meer 'Amerikaans' leek (zie *American Scene en *Sociaal realisme). MacDonald-Wright keerde uiteindelijk echter terug naar synchromistische schilderijen na Russells dood in 1953.

kleur te verkennen. Ze studeerden beiden onder Ernest Percyval Tudor-Hart, een Canadese schilder wiens kleurentheorie nauw verbonden was met muzikale harmonieën.

Russell en MacDonald-Wright probeerden de structurele principes van het *kubisme en de kleurentheorieën van de *neo-impressionisten verder te ontwikkelen, en hun experimenten in kleurabstractie waren nauw verwant met die van de orfisten. Ze waren in feite zo vergelijkbaar, dat de synchromisten in 1913 een manifest uitgaven – ze waren een van de weinige groepen Amerikaanse kunstenaars die dat deden – waarin ze hun oorspronkelijkheid verklaarden, en stelden dat hen als orfisten te zien hetzelfde was 'een tijger voor een zebra houden, met als argument dat beiden een gestreepte huid hebben'. Onafhankelijk van wie de eerste was, wat opvalt is de overeenkomst in interesse van verschillende groepen kunstenaars bij hun pogingen om een taal en vocabulaire te identificeren en definiëren voor de abstracte schilderkunst zelf. Beide bewegingen streefden ernaar om een systeem te formuleren waarin betekenis of significantie niet afhing van de gelijkenis met betrekking tot objecten in de buitenwereld, maar werd afgeleid van de resultaten van kleur en vorm op doek.

Russell was ook muzikant en wilde een kleurentheorie formuleren waarin de relaties tussen kleuren en vormen ritmes en muzikale relaties zouden creëren. Dit verlangen om 'geluid' te creëren met behulp van kleur en vorm – een soort van 'synaesthesia', waarbij een

Boven: **Morgan Russell,** *Synchromie in oranje: naar vorm,* **1913–14**
Russell gebruikte het woord 'synchromie' voor het eerst in 1913 om een bepaald werk te beschrijven, waarbij hij benadrukte dat het concept belangrijker was dan het onderwerp. Hij bleef ook na 1916, toen het synchromisme als beweging begon te verbleken, doorgaan met zijn eigen kleurenstudies..

Belangrijke collecties
Montclair Art Museum, Montclair, New Jersey
Frederick Weismant Art Museum, University of Minnesota,
   Minneapolis, Minnesota
Whitney Museum of American Art, New York

Belangrijke boeken
W. C. Agee, *Synchromism and Color Principles in
   American Painting* (1965)
The Art of Stanton MacDonald-Wright (tent. cat.
   Washington, D.C., 1967)
G. Levin, *Synchromism and American Color Abstraction* (1978)
M. S. Kushner, *Morgan Russell* (1990)

Orfisme

Orfisch kubisme...is de kunst om nieuwe structuren te schilderen op basis van elementen... geheel gecreëerd door de kunstenaar zelf, en... begiftigd met de volledigheid van de realiteit.

GUILLAUME APOLLINAIRE, LES PEINTRES CUBISTES: MEDITATIONS ESTHETIQUES, 1913

Orfisme – of orfisch kubisme – werd bedacht door de criticus-dichter Guillaume Apollinaire (1880-1918) in 1913 om te beschrijven wat hij beschouwde als een 'beweging binnen het *kubisme'. In tegenstelling tot kubistische werken van Pablo Picasso of Georges Braque, waren deze nieuwe abstracte schilderijen heldere vlakken en wervelingen van verzadigde kleuren die in elkaar oplosten. Apollinaire noemde de kunstenaars Marcel Duchamp (1887-1968, zie *Dada), Francis Picabia (1879-1953, zie *Dada), Fernand Léger (1881-1955, zie *Kubisme), Frantisek Kupka (1871-1957), en Robert (1885-1941) en Sonia Delaunay (1885-1979) herhaaldelijk orfisten, en identificeerde in hun werk een tendens naar een verdere fragmentatie van het kubisme door middel van kleur.

'Orfisch' was een favoriet bijvoeglijk naamwoord van de *symbolistische dichters (waaronder Apollinaire), dat verwees naar de mythe van Orpheus, de legendarische Griekse dichter en lierspeler, wiens muziek wilde dieren kon temmen. Voor die dichters was Orpheus de archetypische kunstenaar, die stond voor de irrationele kracht van de kunst, een kracht die tegelijkertijd romantisch, muzikaal en hypnotiserend was, en die voor wat betreft zijn alchemie putte uit mystiek en zelfs uit occultisme. Apollinaire was vooral geïnteresseerd in de mogelijke samensmelting van muziek en de andere kunsten, die wordt gesymboliseerd door Orpheus. Aangemoedigd door zijn vriendschap met Picabia en diens vrouw Gabrielle Buffet-Picabia, een muzikante, en door Vasily Kandinsky's (zie *Der Blaue Reiter) vlak daarvoor gepubliceerde *Over het spirituele in de kunst* (1912), ontwikkelde hij de analogie tussen muziek en schilderkunst, en paste dit toe op de nieuwe schilders. Hij dacht dat hun zuivere kleurabstracties, lyrisch en sensueel, op een directe manier inwerkten op het bewustzijn van de kijkers, evenals muziek dat deed. "Zij stuwen zichzelf op die manier", zo schreef hij, 'in de richting van een geheel nieuwe kunst, die voor de schilderkunst, zoals we deze tot heden kennen, zal zijn wat de muziek voor de poëzie is.'

De Tsjechische schilder Kupka twijfelde niet aan de 'muzikale' krachten van zijn kunst, en signeerde zijn brieven vaak met 'kleursymfonist'. Het belangrijkste aspect van Kupka's werk is echter aantoonbaar het mysticisme ervan. Kupka was al vanaf jonge leeftijd gericht op het spirituele. Als jongeman in Bohemen was hij in de leer bij een zadelmaker die ook het lokale medium was. Later, toen hij kunst studeerde in Praag en Wenen, kwam hij onder de invloed van de groep religieuze schilders die de Nazareners wordt genoemd, en vol enthousiasme adopteerde hij hun doctrine van spiritueel symbolisme in de kunst. Hij zou deze doctrine gedurende zijn hele carrière blijven aanhangen, waarbij hij ernaar streefde om sp, irituele betekenis bloot te leggen door middel van abstracte kleuren en vormen. In 1896 vestigde hij zich in Parijs, waar hij de kost verdiende als illustrator en

spiritualist. Hij ontwikkelde zijn interesse in de fysieke eigenschappen van kleur en in de weergave van beweging door het contact met de kubisten en met de chronofotografische theorieën van de Franse fysioloog Etienne-Jules Marey (1830-1904), wat resulteerde in baanbrekend abstract werk, zoals *Schijven van Newton (Studie voor Fuga in twee kleuren)* van 1912. Hij schreef:

> Het is noodzakelijk voor een kunstenaar om een middel te vinden waardoor hij de materiële tegenhanger van alle bewegingen en gemoedstoestanden van zijn innerlijke leven kan uitdrukken en waardoor hij alle abstracties kan vastleggen.

De twee schilders die het vaakst met het orfisme worden geassocieerd, zijn de Franse schilder Robert Delaunay en zijn Russische vrouw Sonia. Beiden waren pioniers van op het gebied van kleurenabstractie. Voordat ze in 1910 met Robert trouwde, had Sonia zeer kleurrijke, *Fauve-achtige schilderijen gemaakt, maar tussen 1912 en 1914 maakte ze haar eerste abstracte schilderijen in de orfistische stijl. Een van haar belangrijkste projecten in die tijd was haar samenwerking met de dichter Blaise Cendrars aan het boek met zijn gedicht Proza over de Trans-Siberische spoorlijn en over Kleine Jehanne van Frankrijk.

Robert bestudeerde het *neo-impressionisme, de optica en de relaties tussen kleur, licht en beweging. Hij kwam tot de conclusie dat 'het uit elkaar vallen van vorm door licht gekleurde vlakken creëert' en dit leidde direct tot werken als *Simultane contrasten: zon en maan* (1913), waarin het belangrijkste expressiemiddel is gelegen in de

Boven: **Model met jas en hoed van Sonia Delaunay, staand naast een bijpassende auto, 1925.** Delaunay paste de principes van kleurabstractie toe in verschillende werken van toegepaste kunst; ze ontwierp kleding, zowel voor de Ballets Russes als voor haar eigen succesvolle workshops en de Boutique Simultanée (1925).

compositie van kleurritmes. Apollinaire noemde Delaunay's schilderijen 'gekleurd kubisme', maar voor Delaunay zelf was zijn werk een logische verdere uitwerking van het *impressionisme en het neo-impressionisme, en hij bedacht zelfs zijn eigen term 'simultanisme' om zijn werk te beschrijven.

> Ik had een soort schilderkunst in gedachten die technisch alleen afhankelijk was van kleur, en van kleurcontrasten, maar die zich in de tijd zou ontwikkelen en zichzelf zou opofferen aan simultane perceptie…. Ik maakte gebruik van Chevreuls wetenschappelijke term van gelijktijdige contrasten om dit te beschrijven.

Het geloof van de orfisten in de muzikale eigenschappen en de spirituele kracht van hun werk maakte hen tot natuurlijke bondgenoten van de Duitse *expressionisten, in het bijzonder van de Blaue Reiter-groep. In 1911 nodigde Kandinsky Robert uit om deel te nemen aan de eerste tentoonstelling van de Blaue Reiter, waar zijn schilderijen een aanzienlijke invloed uitoefenden op Franz Marc, August Macke en Paul Klee, die Robert vervolgens bezocht in Parijs in 1912.

Het orfisme maakte haar Parijse debuut in maart 1913 op de Salon des Indépendants. Wederom was Apollinaire de voorvechter van de beweging. Hij verklaarde in het orfistische blad *Montjoie!* triomfantelijk: "Als het kubisme dood is, lang leve het kubisme. Het koninkrijk van Orpheus is dichtbij!" Tegen deze tijd waren de Delaunays populair geworden en vormden ze het centrum van een uitgebreide kring van avant-gardekunstenaars en schrijvers die hun werk ondersteunden. Wekelijks bezochten ze een danszaal, Bal Bullier genaamd, die Sonia beschreef als zijnde 'wat de Moulin de la Galette was geweest voor Degas, Renoir en Lautrec.' Het was voor deze uitstapjes dat ze haar eerste kleren maakte die waren geïnspireerd op hun schilderijen.

Het was Robert Delaunay's term 'gelijktijdigheid', die de uiteindelijke onenigheid binnen de groep zou veroorzaken. Het concept van gelijktijdigheid werd gedurende korte tijd een van de meest frequente onderwerpen van debat in de jaren die naar de Eerste Wereldoorlog leidden, niet alleen in de beeldende kunsten, maar ook in de muziek en de literatuur. Apollinaire adopteerde de term om zijn eigen 'Calligramme'-gedichten te beschrijven, en in zijn boek *Les Peintres cubistes* (De kubistische schilders) van 1913 verklaarde hij de betekenis ervan door te zeggen dat de 'werken van de orfistische kunstenaar tegelijkertijd een puur esthetisch plezier moeten bieden, een structuur die vanzelfsprekend is, en een verheven betekenis, dat wil zeggen, het onderwerp.' Dit weerspiegelde de populaire interesse in de filosofische en psychologische noties van het 'onafgebroken heden' en de rol van intuïtie in artistieke ervaring zoals gepresenteerd in werken als Henri Bergsons invloedrijke boek *Introduction to Metaphysics* dat in 1903 verscheen.

Maar Robert Delaunay en Apollinaire konden het niet eens worden over de exacte betekenis van 'gelijktijdigheid' voor de kunst. In 1914 kregen de twee mannen ruzie met elkaar. Robert stoorde zich zeer aan Apollinaire en noemde hem een 'Franse futurist'. Apollinaire gebruikte de term 'gelijktijdigheid' niet langer in zijn kunstkritiek, en richtte zijn aandacht op de Italiaanse *futuristen. De overige schilders die hij orfisten had genoemd, verwierpen deze classificatie, en de term raakte in onbruik.

Terwijl Robert zijn zoektocht naar het 'zuivere schilderen' voortzette, concentreerde Sonia zich op de toegepaste kunsten waar ze het meest bekend om is geworden, om haar gezin gedurende en na de Eerste Wereldoorlog te ondersteunen. Haar sterke gevoel voor kleur en ontwerp en de kleding die ze maakte voor beroemde vrouwen, zoals de Hollywood actrice Gloria Swanson en lid van de beau-monde en schrijfster Nancy Cunard, maakten haar tot een invloedrijke figuur in de wereld van het internationale textielontwerp en de mode. Tijdens de oorlog ontmoetten de Delaunays de impresario Sergei

Diaghilev (zie *Mir Iskusstva) in Madrid, en hij gaf hun de opdracht om de kostuums en de sets te ontwerpen voor de revival van *Cleopatra* in de Ballets Russes. Later, gedurende de jaren twintig van de twintigste eeuw, maakten zowel Sonia als Robert schilderijen en ontwerpen in de *Art deco-stijl. In 1930 keerde Sonia terug naar de schilderkunst, en werd ze lid van het genootschap Abstraction-Création, waar ze een jaar later gezelschap kreeg van Kupka.

Boven: **Sonia Delaunay, omslagontwerp (1912) van stoffen voor een boek**
In haar meervoudige activiteiten – schilderen, illustratie, collage, kledingontwerpen en decoratief boekbinden – stelde Delaunay de 'wetenschappelijke' houding van haar echtgenoot tegenover haar eigen intuïtieve benadering.

Tegenoverliggende pagina: **Robert Delaunay, *Formes circulaires, Soleil Lune (soleil et lune, simultané n. 2)*, 1913 (gedateerd 1912 op schilderij)**
Robert Delaunay maakte gebruik van kleur om ritmische relaties te creëren met bijna-abstracte composities. Hij beschreef zijn schilderijen als 'gelijktijdige contrasten', met een bewuste verwijzing naar termen die werden gebruikt door de Franse chemicus en kleurtheoreticus M. E. Chevreul.

Belangrijke collecties
Gallery of Modern Art, Praag
Centre Georges Pompidou, Parijs
Museum of Modern Art, New York
Tate Gallery, Londen

Belangrijke boeken
R. Shattuck, *The Banquet Years: The Origins of the Avant Garde in France, 1885 to World War I* (1968)
V. Spate, *Orphism* (1979)
S. A. Buckberrough, *Robert Delaunaў* (Ann Arbor, MI, 1982)
S. Baron and J. Damase, *Sonia Delaunay: the Life of an Artist* (1995)

Rayonisme

Wij verklaren dat de geest van onze tijd wordt gevormd door: broeken, colbertjes, shows, trams, bussen, vliegtuigen, spoorwegen, fantastische schepen – wat een betovering...

RAYONISTISCH MANIFEST, 1913

Rayonisme, of rayisme (van het Russische *luch*: straal), werd in maart 1913 gelanceerd door de schilder-ontwerpers Mikhail Larionov (1881-1964) en Natalia Goncharova (1881-1962) in Moskou met een tentoonstelling getiteld 'Het doel'. Tijdens de expositie werden rayonistische werken tentoongesteld die ze sinds 1911 hadden ontwikkeld, naast hun neo-primitieve werk en kubo-futuristische doeken van Kasimir Malevich (1878-1935). Het rayonistisch manifest verscheen in april 1913.

Evenals veel van hun tijdgenoten (zie *Der Blaue Reiter, *Kubisme, *Futurisme, *Synchromisme, *Orfisme , *Vorticisme), hielden de rayonisten zich bezig met het creëren van een abstracte kunst met volledig eigen verwijzingen. Zoals Larionov verklaarde, kan hun kunst worden beschouwd als een 'synthese van kubisme, futurisme en orfisme'. "Als we letterlijk willen schilderen wat we zien," zo verklaarde hij, "dan moeten we de som van de stralen schilderen die worden gereflecteerd vanuit het object." Volgens Larionov, beelden rayonistische schilderijen geen objecten af, maar de kruising van stralen die vanuit de objecten worden weerspiegeld. Terwijl stralen worden weergegeven door middel van verf, wordt het rayonisme logischerwijze een 'stijl van schilderen die onafhankelijk is van de werkelijke vorm', en creëert het wat hij een 'vierde dimensie' noemde. Door het gebruik van een dynamische lijn om beweging weer te geven, en de retorische formulering van hun manifest, stonden de rayonisten in verband met de Italiaanse futuristen, en ze spreidden dezelfde passie voor de esthetica van de machine tentoon.

Larionov en Goncharova hadden al een belangrijke rol gespeeld in de Russische avant-garde met de *Jack of Diamonds-groep, die een unieke samensmelting propageerde van westerse avant-garde-ontwikkelingen en inheemse Russische volkskunst. Een synthese van

Hieronder: **Natalia Goncharova, *Vliegtuig boven een trein*, 1913**
Goncharova deelde de futuristische passie voor machines en gemechaniseerde beweging. Zij en Larionov publiceerden een rayonistisch manifest dat van grote invloed zou zijn op de volgende generatie van de Russische avant-garde.

verschillende invloeden lag ook ten grondslag aan het rayonisme: aan de ene kant waren er de 'gebroken', juweelachtige oppervlakken in het werk van de Russische *symbolist Mikhail Vrubel (1856-1910); aan de andere kant was er Larionov's interesse in wetenschap, optica en fotografie (hij ontdekte de eigentijdse ontwikkeling van een techniek van een fotograaf uit Moskou, A. Trapani, die 'straalgom' werd genoemd).

Om hun nieuwe kunst te propageren, beschilderden de Russische rayonisten en futuristen hun gezichten vaak met rayonistische ontwerpen voor openbare optredens, zoals tijdens parades of lezingen. Larionov:

> We hebben de kunst verbonden met het leven. Na de langdurige isolatie van kunstenaars hebben we het leven luidruchtig ontboden en het leven is de kunst binnengedrongen. Het is tijd dat de kunst het leven binnendringt. Het beschilderen van onze gezichten vormt het begin van die invasie. Daarom kloppen onze harten zo snel.

Het neo-primitieve en rayonistische werk van Larionov en Goncharova verscheen op tentoonstellingen, werd besproken in tijdschriften, en werd al snel zeer bekend in heel Rusland en Europa. Tussen 1912 en 1914 werd hun werk tentoongesteld in Londen, Berlijn, Rome, München en Parijs, en een grote solotentoonstelling van meer dan 700 werken van Goncharova in Moskou in 1913 trok brede internationale aandacht. De Franse dichter en criticus Guillaume Apollinaire was een voorvechter van hun werk en de Russische dichteres Marina Tsvetayeva identificeerde Goncharova's

werk als 'het ontmoetingspunt van de westerse en de oosterse wereld, van het verleden en de toekomst, van mensen en een individu, en van arbeid en talent.'

Toen de revolutie van 1917 aanbrak in Rusland, hadden Larionov en Goncharova zich al in Parijs gevestigd en hadden ze het rayonisme verruild voor hun meer 'primitieve' stijl. Ze verlegden hun aandacht naar het ontwerpen van kostuums en sets voor dansproducties, met name voor Sergei Diaghilevs Ballets Russes. Hoewel het tijdperk van het rayonisme maar van korte duur was, waren werk en theorie van de rayonisten van grote invloed op de volgende generatie van Russische avant-gardekunstenaars, met name op Malevich en de *suprematisten, en zeer belangrijk in de ontwikkeling van de abstracte kunst in het algemeen.

Belangrijke collecties

Centre Georges Pompidou, Parijs
Fine Arts Museums of San Francisco, San Francisco, California
Guggenheim Museum, New York
Tate Gallery, Londen

Belangrijke boeken

C. Gray, *The Russian Experiment in Art 1863–1922* (1986)
J. E. Bowlt, *Russian Art of the Avant Garde: Theory and Criticism* (1988)
A. Parton, *Mikhail Larionov and the Russian Avant-garde* (Princeton, NJ, 1993)
Y. Kovtun, *Mikhail Larionov* (1997)

Suprematisme

Voor de suprematist zijn de visuele verschijnselen van de objectieve wereld op zichzelf zonder betekenis. Waar het om gaat, is gevoel.

KASIMIR MALEVICH, 1927

Suprematisme was een kunst van zuivere geometrische abstractie, die tussen 1913 en 1915 werd bedacht door de Russische schilder Kasimir Malevich (1878-1935). Malevich had eerder gewerkt in neo-primitieve en kubo-futuristische stijlen, en had deel uitgemaakt van de kring rond Mikhail Larionov en Natalia Goncharova (zie *Jack of Diamonds en *Rayonisme). Maar tegen het jaar 1913 had hij een nieuwe radicale positie ingenomen. Zoals hij later verklaarde: "In 1913 probeerde ik wanhopig om de kunst te bevrijden van de ballast van de representatieve wereld, en zocht ik mijn heil in de vorm van het vierkant." Geometrische vormen, met name het vierkant, die noch in de natuur werden aangetroffen, noch in de traditionele schilderkunst, symboliseerden voor Malevich de suprematie van een wereld die groter was dan de wereld van de uiterlijke verschijnselen. Malevich was een christelijke mysticus, en geloofde evenals zijn

landgenoot Vasily Kandinsky (zie *Der Blaue Reiter) dat het maken en de ontvangst van kunst een onafhankelijke spirituele activiteit was, gescheiden van alle noties van politieke, utilitaire of sociale doelstellingen. Hij was van mening dat dit mystieke 'gevoel', of deze mystieke 'sensatie' (in tegenstelling tot menselijke emoties) het best tot uitdrukking kon worden gebracht door middel van de essentiële componenten van de schilderkunst – zuivere vorm en kleur.

Het suprematisme ontwikkelde zich al snel tot een van twee radicale kunstbewegingen die waren gebaseerd op geometrische abstractie in het Rusland van voor de revolutie. De andere beweging was het *Constructivisme, geleid door Vladimir Tatlin, die, in tegenstelling tot Malevich, van mening was dat kunst een sociaal doel moest dienen. De ideologische splitsing tussen de twee groepen leidde tot een gespannen rivaliteit tussen de twee vastberaden leiders ervan, die uiteindelijk culmineerde in een ruzie voor een gezamenlijke tentoonstelling in december in St. Petersburg in 1915, de 'Laatste futuristische tentoonstelling van schilderijen: 0-10'. Als gevolg hiervan werd het werk van de twee groepen in aparte kamers tentoongesteld.

De tentoonstelling zelf was een groot succes, en er waren 150 werken te zien van veertien verschillende kunstenaars. Het was het publieke debuut van de suprematistische schilderkunst, dat vergezeld ging van manifesten en pamfletten, waaronder het vlugschrift van Malevich: 'Van kubisme en futurisme tot suprematisme: het nieuwe realisme in de schilderkunst', waarin hij het suprematisme verklaarde en er het auteurschap van claimde. Het beroemde *Zwarte vierkant* (ca. 1915) is het onderwerp geweest van veel kritische discussies. In zijn eigen manifest beschreef Malevich het zwarte vierkant als het 'nulpunt van de vorm' en de witte achtergrond als 'de lege ruimte achter dit gevoel', en plaatste hij het in de context van zijn credo:

Alleen wanneer de gewoonte van de mens om in schilderijen stukjes natuur, madonna's en schaamteloze naakten te zien is verdwenen, zullen we een compositie van zuivere schilderkunst zien…. Kunst beweegt zich in de richting van het door haarzelf bepaalde einde van de creatie, naar de uiteindelijke overheersing van de vormen van de natuur.

Evenals anderen van zijn generatie (zie *Futurisme, *Orfisme en *Synchromisme), geloofde Malevich in de kracht van kunst om de gevoelens van geluiden uit te drukken, de geest van wetenschappelijke prestaties, en wat hij de 'sensatie van oneindigheid' noemde. Na zijn eerste werken die bestonden uit eenvoudige geometrische vormen die waren geschilderd in zwart, wit, rood, groen en blauw, begon hij gecompliceerdere vormen weer te geven, en een uitgebreidere reeks van kleuren en schaduwen, waarbij hij een illusie van ruimte en beweging creëerde, doordat de elementen vóór het doek lijken te zweven. Dit wordt weerspiegeld in de titels van veel van de schilderijen uit deze periode, zoals *Suprematistische compositie: Vliegtuig in de lucht* (1914-15), *Suprematistische compositie die het gevoel van draadloze telegrafie uitdrukt* (1915), en *Suprematistische compositie die het gevoel uitdrukt van een mystieke 'golf' uit de ruimte* (1917). Zijn zoektocht naar een schilderkunstige taal die direct kon communiceren met het onderbewuste, bereikte zijn hoogtepunt in de *Wit-op-Wit*-reeks uit 1917-18. Hij presenteerde deze door een grote mate van reductie gekenmerkte reeks van witte vierkanten die vaag op een witte achtergrond waren geëtst, vergezeld van de volgende verklaring: "Ik heb de grens doorbroken van de blauwe schaduw van kleur en ben in het wit terechtgekomen. Achter mij zwemmen medepiloten in de witte ruimte. Ik heb de seinpaal van het suprematisme opgericht. Zwem!" De *Wit-op-Wit*-schilderijen kunnen

ook worden bezien in de context van de vijandschap tussen de suprematisten en de constructivisten (bijna onmiddellijk reageerde Alexander Rodchenko met zijn *Zwart op Zwart*, waarbij hij het werk van Malevich in metaforische zin uitwiste).

Het suprematisme trok veel volgelingen aan, waaronder Liubov Popova (1889-1924), Olga Rozanova (1886-1918), Nadezhda Udaltsova (1886-1961), Ivan Puni (1894-1956) en Kseniya Boguslavaskaya (1882-1972). Na de oktoberrevolutie van 1917, floreerde het suprematisme, ondanks het verzet van Malevich tegen het idee dat kunst een utilitair doel zou moeten dienen. Tegen het jaar 1918 had een krant gerapporteerd: het "suprematisme is in heel Moskou opgebloeid. Uithangborden, tentoonstellingen, café's, alles is suprematistisch. Men kan met zekerheid stellen dat het suprematisme is gearriveerd."

De revolutie was door de meeste kunstenaars van harte gesteund. Voor een tijdje omhelsde het nieuwe regime experimentele kunst. In 1919 werd de *Wit-op-Wit*-reeks van Malevich tentoongesteld tijdens de 'Tiende staatstentoonstelling. Abstracte creatie en het suprematisme', een belangrijke expositie van 220 abstracte werken van verschillende aard, die de niet-representatieve kunst aankondigde als Sovjetkunst. Het was het hoogtepunt van het suprematisme.

Malevich verhuisde naar Vitebsk, en wijdde zich aan onderwijs, schrijven en architectuur (hij maakte modellen voor futuristische huizen en steden). Hij verving Marc Chagall als directeur van de kunstacademie van Vitebsk en richtte de groep Unovis (Voorvechters van de Nieuwe Kunst) op, waartoe onder andere Ilya Chashnik (1902-29), Vera Eermolaeva (1893-1938), El Lissitzky (1890-1947), Nikolai Suetin (1897-1954) en Lev Yudin (1903-41) behoorden. Ze pasten suprematistische ontwerpen toe op porselein, sieraden, textiel en, voor de derde gedenkdag van de revolutie in 1920, op muren in de hele stad.

Malevich' tekeningen en modellen van gebouwen en steden waren niet ontworpen met een bepaalde functie of praktische toepassing in gedachten, maar als abstracties om de essentie, of 'idee', van het project vast te leggen. De nadruk die hij legde op 'zuivere kunst' werd al gauw impopulair, naarmate kunstenaars zich richtten op utilitaire kunst en industrieel ontwerpen. Het suprematisme werd eerst vervangen door het constructivisme, en vervolgens, toen de periode van staatssteun voor experimentele abstracte kunst werd stopgezet in de late jaren twintig van de twintigste eeuw, door het *Socialistisch realisme. Hoewel hij tot zijn dood in 1935 in de Sovjetunie bleef, nam de persoonlijke reputatie van Malevich af. Tegen deze tijd hadden de

ideeën en ontwerpen van Malevich echter Centraal-Europa en West-Europa bereikt. Een grote retrospectieve tentoonstelling van zijn werk in Polen en Duitsland in 1927, en de publicatie van een verzameling essays van hem, *De wereld van de niet-objectiviteit*, door het *Bauhaus in hetzelfde jaar, zorgden ervoor dat zijn ideeën in grote kring bekend werden. Het suprematisme werd een beginpunt voor anderen, en beïnvloedde niet alleen de ontwikkeling van het Europese Constructivisme, maar ook het onderwijs in ontwerpen van het Bauhaus, de *Internationale stijl van de architectuur en de *minimalistische kunst van de jaren zestig van de twintigste eeuw.

Boven: **Kasimir Malevich, *Suprematistisch schilderij*, 1917–18**
De schilderijen van Malevich kregen een enorme aanhang. Ondanks hun radicale idioom, zijn ze door hun verf-op-doek methode van representatie geworteld in een traditionele vorm, in tegenstelling tot de 'cultuur van materialen' van het constructivisme.

Tegenoverliggende pagina: **De schilderijen van Kasimir Malevich, tentoongesteld op de 0-10 expositie, St. Petersburg, 1915** Het *Zwarte Vierkant* van Malevich hangt als een icoon in de hoek van de galerie. In hun 'Suprematistisch manifest' verklaarden Puni en Boguslavaskaya: "Een schilderij is een nieuwe conceptie van geabstraheerde, echte elementen, ontdaan van hun betekenis."

Belangrijke collecties
Fine Arts Museums of San Francisco, San Francisco, California
Museum of Modern Art, New York
Stedelijk Museum, Amsterdam
Tretyakov Gallery, Moskou

Belangrijke boeken
Annely Juda Fine Art Gallery, *The Suprematist Straight Line* (1977)
C. Gray, *The Russian Experiment in Art 1863–1922* (1986)
J. E. Bowlt, *Russian Art of the Avant Garde: Theory and Criticism* (1988)
Kazimir Malevich 1878-1935 (tent. cat. Stedelijk Museum Amsterdam,1988)

Constructivisme

Kunst in het leven!

Vladimir Tatlin

Rond 1914, toen Kasimir Malevich het *Suprematisme formuleerde, maakte Vladimir Tatlin (1885-1953) zijn eerste constructies, en gaf hij de aanzet tot de constructivistische beweging (hoewel de kunstenaars zich in eerste instantie productivisten noemden) die zes jaar later het suprematisme zou vervangen als de toonaangevende stijl in Rusland.

Op de tentoonstelling tijdens welke het suprematisme werd gelanceerd, de 'Laatste futuristische tentoonstelling van schilderijen: 0-10' (St. Petersburg, december 1915), exposeerde Tatlin zijn radicale abstract-geometrische schilderij-reliëfs en hoekreliëfs. Deze buitengewone assemblages waren gemaakt van industriële materialen – zoals metaal, glas, hout en gips – en omvatten de 'werkelijke' driedimensionale ruimte als plastisch materiaal. Deze introductie van 'echte' materialen en 'echte' ruimte in de beeldhouwkunst had een even revolutionair effect op de toekomstige kunstpraktijk als de schilderijen van Malevich.

Zowel het suprematisme als het constructivisme maakten gebruik van de ideeën van het *Kubisme en het *Futurisme. Evenals het futurisme, verheerlijkten zij een gemechaniseerde cultuur. Maar hoewel hun werk bepaalde visuele kenmerken gemeen heeft – beiden richten zich op abstractie en geometrie – hadden Malevich en Tatlin tegengestelde ideeën over de rol van de kunst. Malevich geloofde dat kunst een afzonderlijke activiteit was zonder sociale of politieke verplichtingen. Tatlin, aan de andere kant, geloofde dat kunst de maatschappij zou kunnen, en moeten, beïnvloeden. Niet alleen verhinderde dit ideologische conflict een enkele, verenigde beweging van niet-objectieve kunst in Rusland, ook raakten de constructivisten er uiteindelijk zelf door verdeeld.

Tegen het jaar 1917 hadden een aantal andere kunstenaars, waaronder de broers Naum Gabo (1890-1977, Naum Neemia Pevsner) en Anton Pevsner (1884-1962) en het team bestaande uit

Alexander Rodchenko (1891-1956) en zijn echtgenote Varvara Stepanova (1895-1958) zich bij Tatlin gevoegd. Zichzelf productivisten noemend, stelden ze zich ten doel om de intrinsieke artistieke kwaliteiten van verschillende materialen te verkennen, zoals vorm en kleur, en om de geest vast te leggen van het technologische moderne tijdperk.

De revolutie van de bolsjewieken in 1917 bood hen een fantastische mogelijkheid. De socialistische productivisten wilden graag betrokken zijn bij de schepping van de nieuwe maatschappij die werd gepredikt door de politici van het nieuwe regime, en zij verlangden naar de kans om werkzaam te zijn naast arbeiders, wetenschappers en ingenieurs. Het regime was op zijn beurt tevreden dat er kunstenaars waren die de revolutie wilden ondersteunen. Vooral Tatlin reageerde met een evangelische energie op de situatie, en zijn Monument voor de Derde Internationale belichaamt de visie van zowel politici als kunstenaars. Het monument, waartoe in 1919 opdracht werd gegeven door de Revolutionaire Afdeling van de Schone Kunsten, is eigenlijk een model van een gebouw voor het Derde Internationale Communistische Congres dat in 1921 gehouden zou worden in Moskou. Het was een gewaagd en visionair ontwerp, maar het werd nooit gebouwd – het zou niet gebouwd hebben kunnen worden in de technologisch achtergebleven Sovjetunie. Het houdt echter nog steeds stand als een krachtig, hoewel schrijnend monument voor de utopische Sovjet-droom en het hartstochtelijke geloof dat de moderne kunstenaar-ingenieur een wezenlijke rol zou kunnen spelen bij het vormen van een dergelijke maatschappij.

Gedurende de periode onmiddellijk volgend op de revolutie was er sprake van eindeloze debatten over de rol van kunst en de kunstenaar in de nieuwe communistische maatschappij. Tatlins toren, die hij beschreef als de 'vereniging van zuiver artistieke vormen (schilderkunst, beeldhouwkunst en architectuur), voor een utilitair doel', gaf de verschuiving aan in de richting van een actieve sociale betrokkenheid. Niet alle productivisten waren hier gelukkig mee. In augustus 1920 verlieten Gabo en Pevsner de gelederen. In hun 'Realistisch manifest' bij een tentoonstelling van hun werk in

Links: **Konstantin Melnikov, De Rusakov Club, Moskou, 1927**
Melnikovs architectuur toonde 'geometrisch progressieve' structuren, die contrasteerden met de logaritmische spiraal van Tatlins beroemde toren (rechts). Hij maakte gebruik van moderne materialen omwille van het monumentale effect.

Tegenoverliggende pagina: **Vladimir Tatlin, Monument voor de Derde Internationale, 1919** Een enorme ijzeren spiraalvormige toren, met een high-tech informatiecentrum, openluchtschermen voor het weergeven van nieuws en propaganda, en een faciliteit voor het projecteren van beelden op wolken. Tatlin is op de voorgrond afgebeeld, met een pijp in zijn hand.

In Rusland kwam het productivisme, of sovjet-constructivisme, steeds meer in zwang, en wierven ze steeds meer nieuwe leden. In 1921 droegen Rodchenko, Stepanova, Liubov Popova (1889-1924), Alexander Vesnin (1883-1959) en Alexandra Exter (1884-1949) elke vijf werken bij aan de tentoonstelling '5 x 5 = 25'en verklaringen in de catalogus waarin ze de dood aankondigden van het schilderen op een schildersezel, alsmede hun toekomstige toewijding aan productiekunst. In hetzelfde jaar vormden Rodchenko, Stepanova, Konstantin Medunetsky (1899-1935), de broers Vladimir (1899-1982) en Georgii (1900-33) Stenberg, Karl Ioganson (ca. 1890-1929) en Alexei Gan (1893-1940) de Eerste werkgroep van constructivisten. Gan, een grafisch kunstenaar, was de belangrijkste theoreticus van de groep. Hij schreef:

De groep benadert haar taak op een wetenschappelijke en hypothetische manier, en benadrukt de noodzaak om de ideologische component te combineren met de formele component om een echte overgang te bereiken van laboratoriumexperimenten naar praktische activiteiten.

Moskou, definieerden ze vijf principes van een nieuwe constructieve abstracte kunst. Veel van hun statements (zoals de verwerping van het beschrijvende gebruik van kleur, lijn, massa en volume, en de oproep om 'echte' industriële materialen) te gebruiken waren onbetwist, maar ze konden Tatlins opvatting dat kunst een directe sociale en politieke dimensie moest hebben, niet accepteren. Het resultaat was een ideologische botsing tussen twee groepen productivisten, die zich nu allebei constructivisten noemden, wat veel verwarring schiep. Gabo wees Tatlins model van het Monument voor de Derde Internationale af ("Geen zuiver constructieve kunst, maar slechts een imitatie van de machine"), en Tatlin, Rodchenko en Stepanova publiceerden het 'Programma van de Productivistische Groep', waarin ze hun toewijding aan de 'productiekunst' van de kunstenaar-ingenieur opnieuw bevestigden. Deze benadering sloot beter aan bij het communistische regime, en veel van degenen die de benadering van de 'zuivere' kunst ondersteunden, zoals Gabo en Pevsner, verlieten Rusland. Gabo emigreerde in 1922, en Pevsner in 1923, en ze verspreidden hun versie van het constructivisme in het westen, waar het bekend werd als Europees of Internationaal constructivisme.

Een groot deel van de constructivistische theorie werd geuit in de vorm van slogans, zoals 'Weg met kunst! Lang leve de technologie!' en Tatlins favouriete slogan, 'Kunst in het leven!'. Constructivistische manifesten werden gepubliceerd in de avant-gardetijdschriften *Lef* (Linkerfront van de kunsten) en zijn opvolger *Novyi Lef* (Nieuw LEF), en Gan propageerde de constructivistische ideologie in zijn boek, *Constructivisme* (1922).

De vroege jaren twintig van de twintigste eeuw en de paar jaar daarna waren de beste jaren van het constructivisme. In dienst van de nieuwe maatschappij wijdden de constructivistische kunstenaars in Rusland zich aan het ontwerpen van allerhande zaken, variërend van meubels tot typografie en van keramiek tot kostuums. Olga Rozanova (1886-1918), Gustav Klutsis (1895-1944), Georgii Yakulov (1884-1928) en El Lissitzky (1890-1947) spanden zich allen in om de taal van de abstracte kunst toe te passen op praktische objecten. Met name werden vernieuwende bijdragen geleverd door Popova en Stepanova op het gebied van textielontwerp, door Vesnin, Popova, Yakulov en Exter op het gebied van toneelontwerp, door Lissitzky op het gebied van typografie en het vormgeven van tentoonstellingen en boeken, en door Rodchenko op het gebied van fotografie en het ontwerpen van posters. Lissitzky bedacht 'proun' – een afkorting van 'Pro-Unovis' (de school voor nieuwe kunst). De term diende als de titel van veel van

Boven: **El Lissitzky, *Versla de witten met de rode wig*, 1919–20**
Lissitzky's beroemde propagandaposter voor de burgeroorlog toont zijn volledig leesbare boodschap door middel van eenvoudige maar krachtige grafische symbolen, in plaats van door op een conventionele manier gerangschikte woorden en beelden.

Links: **Pagina's uit *Lef*, no. 2, 1923**
Varvara Stepanova, ontwerpen voor sportkleren (links); Alexander Rodchenko, logo-ontwerpen (rechts). Evenals Popova was Stepanova een uitstekende textielontwerpster. De constructivistische ontwerpster was niet slechts kunstenares. Ze was een creatieve specialist, die trouw was aan een sociaal doel.

zijn abstracte schilderijen die waren gericht op het definiëren van een nieuw terrein van twee- en drie-dimensionale kunst. In 1923 stelde Lissitzky de Proun Room tentoon, een kleine cel met een onafgebroken reliëf over al zijn oppervlakken, tijdens de Grosse Berliner Kunstausstellung.

Constructivistische architectuur – vaak ontworpen, maar niet gebouwd – floreerde. Ivan Leonidov (1902-59), Konstantin Melnikov (1890-1974) en de broers Alexander, Leonid (1880-1933) en Victor Vesnin (1882-1950) behoorden tot de vroegste beoefenaars van een stijl die werd gekenmerkt door krachtige ontwerpen, waarbij gebruik werd gemaakt van moderne materialen en die het transparante karakter benadrukte van de functie en constructie van de verschillende delen van een gebouw. Deze werden de belangrijkste kenmerken van constructivistische architectuur in de Sovjetunie en maakten uiteindelijk deel uit van de architecturale vocabulaire van de *Internationale stijl. In 1929 beschreef Lissitzky deze kwaliteiten, toen hij schreef over A. Vesnins ontwerp voor het Pravda-gebouw in Moskou (1923):

Alle accessoires…zoals uithangborden, reclamemateriaal, klokken, luidsprekers en zelfs de liften aan de binnenkant, zijn opgenomen als integrale elementen van het ontwerp en gecombineerd tot één geheel. Dit is de esthetiek van het constructivisme.

De heerschappij van het Sovjetconstructivisme als de onofficiële stijl van de communistische staat, was tegen de late jaren twintig van de twintigste eeuw beëindigd met de introductie van Stalins vijfjarenplannen en het daaropvolgende voorschrift van het *Socialistisch realisme als de officiële stijl van het communisme. Tegen deze tijd had de invloed van de Russische abstracte bewegingen zich echter reeds uitgebreid, dankzij ballingen zoals de broers Pevsner en Lissitzky. Tussen 1921 en 1928 bracht Lissitzky zijn tijd door in

Duitsland, Nederland en Zwitserland, en legde hij contact met een groot aantal groepen avant-gardekunstenaars (waaronder de *dadaïsten George Grosz in Berlijn en Kurt Schwitters in Hannover) en werkte hij met hen samen aan constructivistische publicaties en tentoonstellingen. Hij organiseerde en ontwierp een grote tentoonstelling van abstracte Russische kunst in Berlijn en Amsterdam in 1922 die suprematistisch en constructivistisch werk omvatte van Lissitzky, Malevich, Rodchenko en Tatlin. De Russische moderne kunst was van grote invloed op de kunstenaars en architecten van *De Stijl en op het *Bauhaus.

Ondanks hun verschillende ideologische agenda's had de visuele vocabulaire van abstracte, geometrische vormen waartoe de suprematisten en constructivisten het initiatief hadden genomen, over de hele wereld een grote impact op schilderkunst, beeldhouwkunst, ontwerp en architectuur. Evenzo duurt de discussie over 'kunst omwille van de kunst' en 'kunst omwille van het leven', die woedde tussen deze twee groepen, en binnen de groep van de constructivisten zelf, gedurende de hele kunstgeschiedenis voort.

Belangrijke collecties
Museum of Modern Art, New York
Russisch Staatsmuseum, St. Petersburg
Tate Gallery, Londen
Tretyakov Gallery, Moskou
Stedelijk Van Abbemuseum, Eindhoven

Belangrijke boeken
S. Lemoine, *Alexandre Rodchenko* (1987)
C. Mount, *Stenberg Brothers* (1997)
John E. Bowlt and Matthew Drutt (eds), *Amazons of the Avant-Garde* (tent. cat. Solomon R. Guggenheim Museum, New York, 1999)

Pittura Metafisica

Om waarlijk onsterfelijk te worden, moet een kunstwerk ontsnappen aan alle menselijke beperkingen: logica en gezond verstand zullen slechts in de weg staan.

GIORGIO DE CHIRICO, 1913

Pittura Metafisica (Metafysische schilderkunst) is de naam die werd gegeven aan de stijl van schilderen die vanaf ongeveer 1913 werd ontwikkeld door Giorgio de Chirico (1888-1978) en later door de voormalige *futurist, Carlo Carrà (1881-1966). In tegenstelling tot het lawaai en de beweging van futuristische werken, worden metafysische schilderijen gekenmerkt door rust en stilte. Ze zijn herkenbaar aan een aantal kenmerken, met name de architecturale taferelen met klassieke afsnijdingen, verstoorde perspectieven en

vreemde droombeelden, het naast elkaar plaatsen van ongelijksoortige objecten, zoals handschoenen, portretbustes, bananen en treinen, en vooral door hun verontrustende mysterieuze sfeer. De menselijke aanwezigheid – en afwezigheid – die wordt gesuggereerd door klassieke beelden of etalagepoppen zonder gelaatstrekken, schept niet minder verwarring.

De metafysische schilders geloofden in de profetische waarde van kunst en in de kunstenaar als zijnde de dichter-ziener, die, in

'helderziende' momenten, het masker van de uiterlijke schijn kon verwijderen, en de 'ware realiteit' kon blootleggen die erachter verborgen lag. Hun strategie bestond eruit om de fysieke verschijningsvorm van de realiteit te overstijgen, om de kijker van zijn stuk te brengen of te verrassen met onontwarbare of raadselachtige beelden. Hoewel ze niet geïnteressseerd waren in naturalistische weergave, noch in het herscheppen van een specifieke tijd of plaats, werden ze gefascineerd door de angstaanjagendheid van het alledaagse leven, en – evenals de *surrealisten, door wie De Chirico later werd gecanoniseerd – streefden ze ernaar om een atmosfeer te creëren die het buitengewone van het gewone vastlegde. Zoals De Chirico in 1919 schreef: "Hoewel de droom een erg vreemd fenomeen is en een onverklaarbaar raadsel, veel onverklaarbaarder is het mysterie… dat onze geest verleent aan bepaalde objecten en aspecten van het leven."

Veel van zijn schilderijen tonen een verlaten stadsplein of claustrofobisch interieur, geschilderd in sombere kleuren met een theatrale verlichting en onheilspellende schaduwen. Sommige zijn mogelijk gebaseerd op taferelen in Turijn en Ferrara, waar De Chirico

woonde. Terwijl hij zijn eigen werk beschreef, sprak hij over de eenzaamheid die wordt gecreëerd wanneer 'stillevens tot leven komen of figuren verstild raken'. Aan de andere kant vertonen Carrà's schilderijen over het algemeen een lyrische benadering van dezelfde soort iconografische beelden, met meer licht, helderder kleuren en met af en toe humor. Hoewel zijn schilderijen verontrustend zijn, zijn ze zelden sinister; ze ademen meer de geest van het 'theater van het absurde' dan van het 'theater van de wreedheid'.

Carrà en De Chirico ontmoetten elkaar in 1917 in het militaire ziekenhuis in Ferrara, waar beiden herstellende waren van een zenuwinzinking. Al gauw begonnen ze nauw samen te werken. Carrà voegde zich bij De Chirico, zijn broer, Alberto Savinio (1891-1952), een schrijver en componist, en bij Filippo de Pisis (1896-1956), een dichter en later schilder, en vormde samen met hen de Scuola

Boven: **Giorgio de Chirico, Place d'Italie, 1912**
Kenmerkend voor De Chirico's schilderijen zijn het peinzende klassieke beeld, de verlengende schaduwen, de passerende trein en het verlaten plein, die alle bijdragen aan het gevoel van eenzaamheid en mysterie.

Metafisica (Metafysische school). Veel van hun denken werd geïnspireerd door de interesse van de broers in de Duitse filosofen Arthur Schopenhauer (1788-1860) Friedrich Nietzsche (1844-1900) en Otto Weininger (1880-1903). Ze hadden hun werk gelezen tijdens hun verblijf in München van 1906 tot 1908. Schopenhauers idee van intuïtieve kennis, Nietzsches theorie van het raadsel, en Weiningers concept van geometrische metafysica ondersteunden alle de eigen ideeën van de kunstenaars en werden erin opgenomen.

Een andere belangrijke invloed en bron van steun was Guillaume Apollinaire (1880-1918), de Franse dichter en kunstcriticus, die De Chirico's schilderkunst in 1913 als eerste 'metafysisch' noemde. Ze ontmoetten elkaar regelmatig tussen 1911 en 1913 terwijl De Chirico in Parijs woonde. Dit was de periode waarin Apollinaire betrokken was bij het *orfisme, en bepaalde orfische thema's (de verlossende kwaliteiten van de kunst, het idee van kunst als een mystieke of esoterische activiteit) kunnen worden bespeurd in het werk van de Metafysische School.

De School bestond slechts tot ongeveer 1920, toen een felle ruzie tussen De Chirico en Carrà over wie het initiatief tot de beweging had genomen, leidde tot een scheuring binnen de groep. Tegen die tijd had de stijl van de Pittura Metafisica zich verbreid door de publicatie *Valori plastici* (Plastische waarden, 1918-20), die ook reizende tentoonstellingen sponsorde. In 1921 werd de tentoonstelling getiteld 'Jong Italië' gedomineerd door de metafysische schilderijen van Carrà, De Chirico en Giorgio Morandi (1890-1964) die aspecten van de stijl hadden geadopteerd.

Hoewel de Scuola Metafisica van korte duur bleek te zijn, was de Pittura Metafisica-stijl zeer invloedrijk gedurende de jaren twintig van de twintigste eeuw. Tot de kunstenaars die er door werden geïnspireerd, behoorden in Italië leden van de *Novecento Italiano, zoals Felice Casorati en Mario Sironi. In Duitsland had de beweging een grote invloed op kunstenaars zoals George Grosz (zie *Nieuwe zakelijkheid), Oskar Schlemmer (zie *Bauhaus) en Max Ernst (zie *Surrealisme). In Parijs werd De Chirico verwelkomd als een opmerkelijke voorloper van het surrealisme.

Belangrijke collecties

Fine Arts Museums of San Francisco, San Francisco, California
Museum of Modern Art, New York
Pinacoteca di Brera, Milaan
Staatsgalerie, Stuttgart

Belangrijke boeken

G. de Chirico, *Giorgio de Chirico* (1979)
P. Gimferrer, *Giorgio de Chirico* (1989)
G. de Chirico, *Giorgio de Chirico and America* (1996)
K. Wilkin and G. Morandi, *Giorgio Morandi* (1999)

Vorticisme

In het centrum van een draaikolk bevindt zich een grote, stille plek waarin alle energie is geconcentreerd. En daar, op dat punt van concentratie, bevindt zich de Vorticist.

WYNDHAM LEWIS

Het Vorticisme werd in 1914 opgericht door de schrijver en schilder Wyndham Lewis (1884-1957) om de Britse kunst hernieuwde kracht te geven door middel van een inheemse beweging die was bedoeld om te wedijveren met het continentale Europese *Kubisme, *Futurisme en *Expressionisme. Bijna onmiddellijk overspoeld door het begin van de Eerste Wereldoorlog, slaagden Lewis en zijn collega's er niettemin in om een indrukwekkend oeuvre te produceren dat schilderijen omvatte die werden gekenmerkt door striemende gekleurde blokken, mechanische en vreemde sculpturen, en geschriften waarin een grenzeloze minachting gepaard ging met een hartstochtelijk enthousiasme.

Lewis was eerder lid geweest van de Omega Workshops van Roger Fry, maar hij vertrok na een ruzie met Fry en richtte in 1914 het Rebel Art Centre op als een concurrerende groep. Een aantal andere kunstenaars die ook ontevreden waren met Fry's *postimpressionistische esthetiek en Arts and Crafts-principes sloot

zich bij hem aan: Frederick Etchells (1886-1973), Edward Wadsworth (1889-1949) en Cuthbert Hamilton (1884-1959). Ze kregen al gauw gezelschap van Jessica Dismorr (1885-1939), Helen Saunders (1885-1963), Lawrence Atkinson (1873-1931), William Roberts (1895-1980) en van de Franse beeldhouwer en schilder Henri Gaudier-Brzeska (1891-1915). Een aantal andere kunstenaars die ook verwant waren aan het Vorticisme waren David Bomberg (1890-1957), Jacob Kramer (1892-1962), de Britse futurist Christopher (C. R. W.) Nevinson (1889-1946), de fotograaf Alvin Langdon Coburn (1882-1966) en de Amerikaans-Britse beeldhouwer Jacob Epstein (1880-1959).

De Amerikaanse dichters T. S. Eliot (woonachtig in Engeland) en Ezra Pound waren belangrijke literaire bondgenoten, evenals de filosoof T. E. Hulme (1883-1917). Begin 1914 verrichtte Hulme voorbereidend werk voor de groep door middel van artikelen en lezingen, waarin hij tot uitdrukking bracht wat moderne kunst naar

zijn overtuiging moest zijn: "hoekig…hard en geometrisch [waarbij] de weergave van het menselijk lichaam…vaak totaal niet van essentieel belang [was], en vervormd [was] om in krachtige lijnen en kubusachtige vormen te passen", een geschikte beschrijving van veel Vorticistische werken.

Lewis en de kunstenaars van het Rebel Art Centre wilden de Britse kunst uit het verleden slepen en een eigentijdse, scherpe abstractie scheppen die in relatie stond tot de wereld om hen heen. Pound en Lewis richtten in 1914 het tijdschrift *Blast: Review of the Great English Vortex* op om hun ideeën over de nieuwe beweging uiteen te zetten, die door Pound 'Vorticisme' werd genoemd. Pound zag de vortex (maalstroom) als 'het punt van maximale energie' en definieerde het als 'een stralend knooppunt of cluster…vanwaaruit, waardoorheen, en waarin, voortdurend ideeën stromen.' Lewis schreef dat de 'kunstenaar van de moderne beweging een wilde is…deze enorme, rumoerige, journalistieke, onwerkelijke woestijn van het moderne leven fungeert voor hem op dezelfde manier als de natuur deed voor de in technisch opzicht primitievere mens.'

Betrokkenheid bij het tijdperk van de machine was een belangrijk kenmerk van de retoriek en de beeldspraak van de Vorticisten. De Vorticisten wilden dat hun kunst 'de vormen van machines, fabrieken, nieuwe en grotere gebouwen, bruggen en werkplaatsen' verwelkomde.

Boven: **Wyndham Lewis, *Timon van Athene*, 1913**
Hoewel machines en fabrieken vaker het onderwerp van Vorticistische werken waren, spraken ook klassieke en literaire thema's Lewis aan, vooral die thema's die zich leenden voor zijn kenmerkende, harde mechanistische stijl.

Ze maakten gebruik van een hoekige stijl en van machine-achtige vormen, maar in tegenstelling tot de Amerikaanse *precisionisten, kozen ze niet voor een openlijk op machines gebaseerde beeldspraak.

De enige Vorticistische tentoonstelling werd gehouden in juni 1915 in de Doré Gallery, Londen. Lewis zette zijn scherpe kritiek voort in de begeleidende catalogus, waarin hij het Vorticisme definieerde als:

(a) Activiteit, in tegenstelling tot de smaakvolle Passiviteit van Picasso; (b) Betekenis, in tegenstelling tot het saaie en anecdotische karakter waartoe de naturalist is veroordeeld; c) Essentiële Beweging en Activiteit (zoals de energie van de menselijke geest), in tegenstelling tot de imiterende cinematografie, de ophef en de hysterie van de futuristen.

Zoals veel van de Europese bewegingen die vooraf gingen aan het jaar 1914, was het Vorticisme een slachtoffer van de oorlog. Gaudier-Brzeska en Hulme sneuvelden in de strijd, en de meeste andere leden waren buiten Engeland in actieve dienst. Lewis, Wadsworth, Roberts en Nevinson fungeerden als officiële oorlogskunstenaars en pasten de geometrische stijl toe op krachtige portretteringen van de tragedies van de oorlog.

Gedurende de oorlog deed Pound een heldhaftige poging om de beweging levend te houden. Hij publiceerde een gedenkschrift over Gaudier-Brzeska, schreef artikelen over de beweging, en steunde Coburn in zijn pogingen om een soort abstracte fotografie te creëren, die ze Vortografie noemden. Ook haalde Pound de New Yorkse verzamelaar John Quinn over om Vorticistisch werk te verzamelen en er een tentoonstelling van te houden in New York in 1917.

Hoewel van korte duur, liet het Vorticisme zijn sporen na en effende de beweging het terrein voor toekomstige ontwikkelingen in de Britse abstracte kunst. In de jaren twintig en dertig van de twintigste eeuw werd iets van de Vorticistische stijl opgenomen in de mainstream – en in het populaire bewustzijn – met de posters die Edward McKnight Kauffer (1890-1954) maakte voor London Transport.

Belangrijke collecties
Imperial War Museum, Londen
London's Transport Museum, Londen
Museum of Modern Art, New York
Tate Gallery, Londen

Belangrijke boeken
W. Wees, *Vorticism and the English Avantgarde* (Manchester, 1972)
R. Cork, *Vorticism and Abstract Art in the First Machine Age* (1975)
D. Peters-Corbett, *Wyndham Lewis and the Art of Modern War* (Cambridge, UK, 1998)
P. Edwards, *Wyndham Lewis* (2000)

Hongaars activisme

Het tijdschrift MA *wil geen nieuwe kunstschool vestigen, maar een hele nieuwe kunst en een nieuwe opvatting van de wereld.*

IVÁN HEVESY, KUNSTCRITICUS VOOR MA

Het Hongaars activisme was een avant-gardistische, artistieke, literaire en politieke beweging waartoe rond 1914 in Budapest het initiatief werd genomen door de dichter, romanschrijver, auteur en theoreticus Lajos Kassák (1887-1967). Kassák bracht een aantal progressieve kunstenaars, schrijvers, critici en filosofen bijeen die samen met hem probeerden om de kunst te hervormen en een socialistische maatschappij te creëren. Tot de kunstenaars behoorden Sándor Bortnyik (1893-1976), József Nemes Lampérth (1891-1924), László Moholy-Nagy (1895-1946), László Perí (1899-1967), János Máttis Teutsch (1884-1960) en Lajos Tihanyi (1885-1938). De groep werd niet gekenmerkt door één enkele stijl, maar de kunstenaars voelden zich met elkaar verbonden door hun afwijzing van het enigszins bezadigde *postimpressionisme dat in die tijd in Hongarije de scepter zwaaide. In hun pogingen om een radicale, moderne kunst te creëren, wendden ze zich tot nieuwere internationale ontwikkelingen, zoals het *kubisme, *futurisme,*expressionisme, en later, *dada en het *constructivisme.

De sociale en artistieke boodschap van het Activisme werd verspreid via het tijdschrift *A Tett* (Actie), dat onder redactie van Kassák stond, en waarvan zeventien nummers werden gepubliceerd in de periode van november 1915 tot september 1916. *A Tett* werd vervolgens verboden wegens het drukken van 'propaganda die de natie vijandig gezind was', maar Kassák reageerde onmiddellijk met een nieuw tijdschrift, *MA* (Vandaag), dat vanaf november 1916 werd gepubliceerd in Budapest, totdat ook dit tijdschrift werd verboden in juli 1919. Kassák en zijn zwager Béla Uitz (1887-1972), een schilder en grafisch kunstenaar, voerden de redactie van *MA*.

De groep organiseerde tentoonstellingen van hun werk in Budapest van 1917 tot 1919, toen ze de kortstondige Hongaarse Sovjetrepubliek van 1919 steunden. Na de ineenstorting van de 133-daagse republiek werden veel van de activisten, waaronder Kassák, Lampérth en Uitz, gearresteerd en een groot aantal van hen werd gedwongen te emigreren, waarna ze zich vestigden in Oostenrijk, Duitsland, Frankrijk en de Sovjetunie.

Vanuit Wenen startte Kassák *MA* in 1920 opnieuw op als een internationaal kunsttijdschrift, en het werd al snel een podium voor Hongaarse ballingen. Totdat het blad ophield te bestaan in 1926 was het een forum voor onafgebroken activistische discussies over de rol van de kunst in de maatschappij. Zowel het tijdschrift als de groep raakten nauw verbonden met de kunst en de debatten over architectuur van hun tijdgenoten die zich hadden aangesloten bij het *constructivisme, dada, *Bauhaus en *De Stijl, en die alle uit waren op een soortgelijke radicale hervorming. In 1921 voegde Kassák beeldende kunst toe aan zijn persoonlijke repertoire van activiteiten. Hij begon een nieuw soort zuiver geometrische kunst te maken, dat verwant was aan het *Suprematisme en het *Constructivisme, en dat gebaseerd was op de principes van de moderne architectuur. Hij noemde deze kunst *Bildarchitektur* (Beeldarchitectuur).

Het daaropvolgende jaar publiceerden Kassák en Moholy-Nagy *Buch neuer Künstler* (Boek van nieuwe kunstenaars), een geïllustreerd overzicht van constructivistische, futuristische en puristische kunst (zie *Purisme) en architectuur, waarin ook afbeeldingen stonden van auto's, vliegtuigen en machines, die hun bewondering voor machinale vormen benadrukten, en hun geloof in de kracht van functionele architectuur om de maatschappij te transformeren. Kassáks activistisch-constructivistische theorieën beïnvloedden veel van zijn tijdgenoten, waaronder Bortnyik, Moholy-Nagy en Perí. Via Moholy-Nagy werden zijn ideeën bekend bij het Bauhaus. In 1926 beëindigde Kassák zijn ballingschap, en keerde hij terug naar Hongarije, waar hij een belangrijke rol bleef spelen in avant-gardebewegingen.

Belangrijke collecties
Nationaal Museum, Budapest
Janus Pannonius Museum, Pécs, Hongarije
J. Paul Getty Museum, Los Angeles, California
National Museum of American Art, Washington, D.C.

Belangrijke boeken
L. Neméth, *Modern Art in Hungary* (Budapest, 1969)
The Hungarian Avant Garde, The Eight and the Activists
  (tent. cat. Hayward Gallery, Londen, 1980)
Lajos Kassák (tent. cat. Matignon Gallery, New York, 1984)
László Moholy-Nagy, 1895–1946 (tent. cat. J. Paul Getty
  Museum, Los Angeles, 1995)

Boven: **Lajos Kassák,** *Bildarchitektur* **(Beeldarchitectuur), 1922**
Kassák kondigde zijn schilderijen aan in het activistische manifest van 1921, waarin hij verklaarde: "Architectuur is de synthese van de nieuwe orde.... Het absolute schilderij is Bildarchitektur. Kunst transformeert ons, waarna wij in staat zijn om onze omgevingen te transformeren."

Amsterdamse school

Ik sta achter mijn verzoenende programma... Functie plus dynamiek vormt de uitdaging.

ERICH MENDELSOHN

Vanaf ongeveer 1915 tot ongeveer 1930 ontwikkelde een groep Nederlandse architecten, die voornamelijk werkzaam waren in Amsterdam, zijn eigen type expressionistische architectuur (zie *Expressionisme) die werd gekenmerkt door opvallend vernieuwende gebouwen van baksteen die stevig waren geworteld in plaatselijke Nederlandse tradities. Evenals de Duitse expressionistische architecten, met wie ze een grote affiniteit hadden, geloofden ze in de kracht van architectuur om de kwaliteit van het leven te vergroten. In tegenstelling tot de architecten van *De Stijl uit die tijd, verwierpen ze het glas en staal van het modernisme.

De toonaangevende architecten van de Amsterdamse school waren Michel de Klerk (1884-1923), Pieter Lodewijk Kramer (1881-1961) en Johann Melchior van der Mey (1878-1949). Het gezamenlijke vertrekpunt voor hun ideeën en hun werkwijze was de 'rationalistische' architectuur van de vader van de moderne Nederlandse architectuur, Hendrik Petrus Berlage (1856-1934), die tot uitdrukking komt in zijn gebouw van de Beurs in Amsterdam (1897-1903). Terwijl de Amsterdamse school de soberheid van het werk van Berlage afwees, omhelsde zij zijn geloof in de expressieve mogelijkheden van inheemse baksteen (rood uit Leiden, grijs uit Gouda en geel uit Utrecht) in gebouwen die een inventief gebruik laten zien van tentoongesteld baksteen en beton. Ze werden ook geïnspireerd door het voorbeeld van *Art nouveau-architecten, zoals de Belg Henry Van de Velde en de Catalaan Antoni Gaudí (zie *Modernisme) en waren evenals hen ontvankelijk voor 'exotische', niet-Europese invloeden en natuurlijke vormen. Hun bijzonder grillige, speelse gebouwen integreren architectuur met een bijna plastisch metselwerk.

Het Scheepvaarthuis (1911-16), een kantoorgebouw dat werd geconstrueerd om zes scheepvaartmaatschappijen te huisvesten, weerspiegelt zowel de architecturale ideeën van de Amsterdamse school, als de functie van het gebouw zelf. De rijkelijk gedecoreerde buitenkant van baksteen en beton, ontworpen door Van der Mey, in samenwerking met De Klerk en Kramer, bedekt een geraamte van gewapend beton. De aard van de maatschappijen die gebruikmaken van het gebouw wordt uitgedrukt in de maritieme iconografie van de decoratie, en het dramatische karakter van het gebouw wordt nog meer benadrukt door een diagonale ingang. Het excentrieke resultaat

roept de gebouwen van Gaudí in herinnering, en staat in sterk contrast tot de rationele architectuur van de periode die men elders aantreft.

De socialistische gemeenteraad van Amsterdam, die werd geconfronteerd met de dringende noodzaak om meer woonruimte te creëren voor de snelgroeiende populatie van de stad, omarmde de stijl van de Amsterdamse school omdat men vond dat deze waardigheid en menselijkheid verleende aan hun projecten. Woningbouwcorporaties begonnen belangrijke opdrachten te verstrekken, en door hun werk zouden Van der Mey, Kramer en de Klerk een blijvende invloed hebben op de stedelijke ontwikkeling in Amsterdam.

De volgroeide stijl van de Amsterdamse school is merkbaar ingetogener dan die van het oudere Scheepvaarthuis. Veel van deze projecten waren samenwerkingsverbanden, zoals het ontwerp voor het woningbouwproject Eigen Haard (1913-20), dat onder leiding stond van De Klerk en waarvoor ook andere architecten ideeën aandroegen. De woonwijken die werden ontworpen door de architecten van de Amsterdamse school tonen ook affiniteit met de organische, door rieten daken gekenmerkte architectuur van Hendricus Theodorus Wijdeveld, hoewel ze een meer diepgaande structurele benadering tentoonspreidden. Wijdeveld verspreidde de ideeën van de Amsterdamse school via het blad waarvan hij de redactie voerde, *Wendingen* (1918-36), het meest invloedrijke blad over Nederlandse architectuur van die tijd. De neiging van de architecten van de Amsterdamse school om golvende oppervlakken van baksteen te creëren, leverde hun stijl de bijnaam op van *schortjesarchitectuur*.

Ondanks de dood van De Klerk in 1923, bleef de Amsterdamse school gedurende de jaren twintig van de twintigste eeuw de aandacht trekken en architectuurprojecten in andere steden beïnvloeden, zowel in Nederland als in het buitenland. Erich Mendelsohn (zie *Expressionisme) bezocht Amsterdam in de vroege jaren twintig op

Boven: Michel de Klerk, Woningbouwproject Eigen Haard, Amsterdam, 1913-20

Huisvesting werd door de Amsterdamse school op een holistische en avontuurlijke manier benaderd. Gedurende een korte periode, toen de budgetten toereikend bleven, en klanten hen de vrije teugel lieten, creëerden de architecten een visueel spektakel dat een groot deel van de aantrekkingskracht van de stad blijft vormen.

uitnodiging van Wijdeveld, en bezocht de huisvestingsprojecten Eigen Haard en Dageraad die toen in ontwikkeling waren. De invloed van zijn bezoek was meteen merkbaar in zijn volgende project, de hoedenfabriek die werd ontworpen in Luckenwalde tussen 1921 en 1923 in een stijl die was gebaseerd op het voorbeeld van het woningbouwproject Eigen Haard van De Klerk.

Charles Holden (1875-1960), hoofdarchitect voor London Transport, reisde in 1930 naar Amsterdam, op zoek naar inspiratie voor een nieuw type station voor zijn uitbreiding van de Londense metro. Hij bewonderde de gebouwen van baksteen van de Amsterdamse school en importeerde aspecten van de stijl daarvan, die hij combineerde met inheemse elementen, om zo de klassieke architectuur te creëren van de Londense metro van de jaren dertig. In stations zoals Sudbury Town en Arnos Grove is de Nederlandse invloed te zien in het gebruik van baksteen, in de eenvoudige vormen en in de ingetogen ornamentatie. Naar de mening van Nikolaus Pevsner, kunst- en ontwerphistoricus, waren Holdens metrostations 'effectiever dan alle andere Engelse gebouwen die werden ontworpen tussen 1930 en 1935.'

Belangrijke monumenten

Michel de Klerk, Complex Dageraad, Vrijheidslaan, Amsterdam

–, Complex Eigen Haard, Spaarndammerplantsoen, Amsterdam

Eric Mendelsohn, Steinberg, Hermann & Co. Hoedenfabriek, Luckenwalde, Berliner Tageblatt, Berlijn

Johann Melchior van der Mey, Scheepvaarthuis, Pr. Hendrikkade, Amsterdam

Belangrijke boeken

W. Pehnt, *Expressionist Architecture* (1980)

W. de Wit, *The Amsterdam School: Dutch Expressionist Architecture* (1983)

S. S. Frank, *Michel de Klerk 1884–1923* (Ann Arbor, MI, 1984)

M. Bock, et al., *Michel de Klerk (1884–1923)* (Rotterdam, 1997)

Dada

Het mooie is dat men dada niet kan, en misschien niet moet, begrijpen.

RICHARD HUELSENBECK, MEMOIRES VAN EEN DADA-DRUMMER, 1974

Dada was een internationaal, multi-disciplinair fenomeen, en evenzeer een gemoedstoestand of levenswijze als een beweging. De ideeën en activiteiten van dada werden ontwikkeld in New York, Zürich, Parijs, Berlijn, Hannover, Keulen en Barcelona gedurende en na de Eerste Wereldoorlog, toen jonge kunstenaars zich verenigden om hun kwaadheid over de oorlog tot uitdrukking te brengen. Voor hen waren de escalerende verschrikkingen van de oorlog het bewijs van het falen en de hypocrisie van alle gevestigde waarden. Ze richtten hun pijlen niet alleen op de politieke en sociale gevestigde orde, maar ook op de gevestigde kunstwereld, die zich had aangesloten bij de burgermaatschappij door middel van een verwerpelijke sociaal-politieke status quo. Ze waren van mening dat de enige hoop voor de maatschappij bestond uit het vernietigen van de systemen die waren gebaseerd op rede en logica en het vervangen ervan door systemen die waren gebaseerd op anarchie, het primitieve en het irrationele.

Opzettelijk gebruik makend van buitensporige tactieken, vielen ze op een heftige manier de gevestigde kunsttradities, de filosofie en de literatuur aan tijdens hun demonstraties, poëzielezingen, lawaaiconcerten, tentoonstellingen en manifesten. Hun bijeenkomsten waren gewoonlijk kleinschalig en intiem; in de Cabaret Voltaire in Zürich, de Photo-Secession Gallery van Alfred Stieglitz, het appartement van de verzamelaars Walter en Louise Arensberg, de Modern Gallery van Marius de Zayas in New York en in de Club Dada in Berlijn, kwamen ze bijeen om uiting te geven aan hun razernij en om actie te voeren voor de vernietiging van het oude om zo plaats te maken voor het nieuwe.

De term dada werd in 1916 in Zürich bedacht. Geheel in dada-stijl bestaan er tegenstrijdige verklaringen met betrekking tot de 'ontdekking' van het woord. De dichter Richard Huelsenbeck (1892-1974) gaf als aannemelijke verklaring dat hij het woord samen met de schilder en musicus Hugo Ball (1886-1927) willekeurig selecteerde uit een Duits-Frans woordenboek. Jean (Hans) Arp (1887-1966) maakte van de mogelijkheid gebruik om iets onderhoudender te zijn:

Hierbij verklaar ik dat Tristan Tzara het woord ontdekte op 6 februari 1916, om zes uur in de middag; ik was aanwezig met mijn twaalf kinderen toen Tzara voor de eerste keer dit woord uitsprak, dat ons met gepast enthousiasme vervulde. Dit

Boven: Marcel Duchamp, *Fontein*, 1917, replica 1963
Met zijn beroemde porseleinen urinoir, dat hij signeerde met 'R. Mutt' bekritiseerde Duchamp de kunstwereld vanwege haar zogenaamde ruimdenkendheid, terwijl hij tegelijkertijd een scherp commentaar gaf op het gewicht van een handtekening bij de waardering van een kunstwerk.

gebeurde in het Café de la Terrasse in Zürich, en ik droeg een brioche in mijn linker neusvleugel.

De dadaïsten waren tevreden over de flexibiliteit van het woord. Ball schreef in zijn dagboek: "Dada betekent in het Roemeens "Ja, ja", in het Frans een hobbelpaard. In het Duits is het een teken van absurde naïviteit." Andere belangrijke dadaïsten die in Zürich waren gevestigd, waren Balls vrouw, de zangeres Emmy Hennings (1919-53), de Roemeense dichter Tristan Tzara (1896-1963), de Roemeense schilder en beeldhouwer Marcel Janco (1895-1984), de Duitse schilder en filmmaker Hans Richter (1888-1976), Arp en zijn

toekomstige vrouw, en de Zwitserse schilder, danseres en ontwerpster Sophie Taeuber (1889-1943). Ze vestigden hun hoofdkwartier, het Cabaret Voltaire, in een vervallen gedeelte van Zürich, in de buurt van de rivier. Daar organiseerden de dadaïsten nachtelijke uitvoeringen op het gebied van zang, muziek, dans, poppenspel en voordrachten (waaronder de beruchte gelegenheid waarbij gelijktijdig in drie talen poëzie werd voorgedragen, onder begeleiding van lawaai-muziek). Ball las zijn geluidgedichten voor (liederen bestaande uit onzinwoorden 'zimzim urallala zimzim zanzibar'), en Tzara en Arp maakten hun 'toeval'-werken (gedichten of collages) door papier in stukken te scheuren en ze op een willekeurige plaats te laten neervallen. Tzara's verslag van een avond in 1916 laat geen twijfel bestaan over de chaos en verwarring die dada-gebeurtenissen veroorzaakten:

> Het boksen werd voortgezet: kubistische dans, kostuums van Janco, elke man zijn eigen grote drum op zijn hoofd, lawaai…gymnastisch gedicht, concert van klinkers, bruïtistisch gedicht, statisch gedicht chemische rangschikking van ideeën… Meer kreten, de grote drum, piano en het impotente kanon, kartonnen kostuums die kapot worden gescheurd het publiek stort zichzelf in een kraamvrouwenkoorts-interruptie.

Toch lag er een methode ten grondslag aan hun gekte. Zoals Ball uiteenzette: "Aangezien geen enkele uiting van kunst, politiek of religie adequaat genoeg lijkt om deze stortvloed in te dammen, blijven alleen de *blague* en bloedende pose over." Absurdistische provocaties zoals deze, of deze nu aggressief of oneerbiedig waren (en waarin de bewuste schaamteloosheid en het theatrale karakter van Marinetti en de *futuristen weerklonk), tartten de status quo door middel van satire, ironie en (woord)spelletjes. Het was een tactiek die zou worden verfijnd door de dadaïsten in New York.

Tijdens de oorlog vestigde een groep dadaïsten zich in New York, waaronder de in Frankrijk geboren Marcel Duchamp (1887-1968), de in Frankrijk geboren Cubaan Francis Picabia (1879-1953), de Amerikaanse *precisionist en dadaïst Morton Schamberg (1881-1918) en de Amerikaan Man Ray (1890-1977). Picabia's *Portret van Cézanne* (1920), een opgezette aap als groepsportret van Cézanne, Renoir en Rembrandt, en Duchamps *L.H.O.O.Q.* (1919) – de Mona Lisa met baard en snor – zijn brutale iconoclastische aanvallen op de onbetwiste helden van de kunstwereld. Duchamp maakt in zijn Mona Lisa gebruik van het soort visuele en verbale grap waarvan hij en zijn vrienden zoveel hielden: het vandalisme van het gebaar wordt versterkt door de obscene woordgrap van de titel: letter voor letter

Links: **Jean (Hans) Arp**, *Collage gemaakt volgens de wetten van het toeval*, **1916** Arp maakte gebruik van toeval om het verleden uit te wissen. "We zochten naar een elementaire kunst die de mensheid zou beschermen tegen de uitbundige dwaasheid van deze tijd."

Tegenoverliggende pagina: **Hannah Höch**, *Snee met het keukenmes*, **ca. 1919** Höchs montages bevatten vaak afbeeldingen van haar vrienden of van beroemde mensen. Hier is Baader te zien (samen met Lenin), net boven de inscriptie 'Die grosse dada', terwijl Höchs partner, Raoul Hausmann, daaronder hangt met het lichaam van een robot.

uitgesproken in het Frans, kan de titel worden gelezen als *Elle a chaud au cul* (Ze heeft een lekkere kont). Het plezier in de paradox en de interactie van het visuele en het verbale vormen ook wezenlijke kenmerken van Schambergs blasfemische *God* (ca. 1917), een sifon op een doos, en Man Ray's beroemde strijkijzer met spijkers, *Cadeau* (1921), werken die de agressie, humor en oneerbiedigheid uitdrukken die zo kenmerkend is voor dada. Man Ray fotografeerde Duchamp die een ster op zijn hoofd had geschoren, *Marcel Duchamp (Kapsel voor de Zayas),* 1921 – wellicht een vroeg voorbeeld van *body-art, dat aantoonde hoezeer de dadaïsten in deze periode samenwerkten.

Duchamp noemde de vervaardigde objecten die hij als kunst presenteerde 'readymades'. Hij beweerde dat zijn selectie nooit werd gedicteerd door smaak, maar dat deze was 'gebaseerd op een reactie van visuele onverschilligheid'. Deze dadaïstische praktijk om objecten te onttrekken aan hun vertrouwde context en te presenteren als kunst, veranderde de conventies van de visuele kunst op een radicale manier.

De activiteiten van dada namen na de Eerste Wereldoorlog toe, toen de leden zich verspreidden over locaties in Duitsland en Parijs. Huelsenbeck richtte in Berlijn de Club Dada op. De belangrijkste leden waren John Heartfield (Helmut Herzfelde, 1891-1968) en zijn broer Wieland Herzfelde (1896-1988), Johannes Baader (1876-1955), Raoul Hausmann (1886-1971), George Grosz (1893-1959, zie *Nieuwe zakelijkheid) en Hannah Höch (1889-1979). Hun werken worden gekenmerkt door een fascinatie voor machines en technologie, en een bereidheid om gebruik te maken van kant-en-klare ('readymade') materialen. Het politieke karakter van hun werken was veel meer uitgesproken dat dat van de dadaïsten uit Zürich of New York. Het gebruik maken van grafische fragmenten uit de alledaagse omgeving doet denken aan de technieken die werden gebruikt door de *kubisten. Montage was hun favoriete techniek, zowel in de fotomontages van Heartfield en Höch, als bijvoorbeeld in

een assemblage als Hausmanns *Mechanisch hoofd: onze tijdgeest* (1919-20).

Hun werk was opvallend politiek van aard. Heartfield, die later een uitgesproken criticus van het nazisme werd, veranderde zijn Duitse naam 'Herzfelde' in 1916 in Heartfield, als daad van protest tegen de anti-Engelse oorlogspropaganda. Zijn gebruik van fotomontage boog de 'realiteit' van foto's om tot een krachtig polemisch hulpmiddel. Höchs fotomontages, zoals *Snee met het keukenmes door het laatste Weimar-bierbuik-tijdperk van Duitsland* (1919-20) en *Dada-Ernst* (1920-21), drukken ook iets van de turbulentie en gewelddadigheid van die tijd uit – de ervaringen op het gebied van snelheid, technologie, urbanisatie en industrialisatie, maar vooral drukten zij de ervaringen uit van de moderne vrouw. Het tumultueuze klimaat van het Berlijn van na de oorlog, de spanningen tussen de revolutionaire wereld van dada en de anti-dada-wereld van de regeringsleiders van Weimar bieden de context, maar haar echte onderwerp is de Nieuwe Vrouw en haar strijd om een legitieme eigen vrouwelijke sfeer te creëren. Höch probeerde haar eigen identiteit te scheppen in een relatie met Haussman, die ondanks zijn 'feministische' theorieën en oproepen tot een sexuele revolutie, in psychologisch en fysiek opzicht gewelddadig was. Ze nam afbeeldingen uit de media van mooie, exotische en onderdanige vrouwen, en sneed deze in stukken, waarna ze de stukken weer samenvoegde om hun ware, gefragmenteerde, machteloze situatie uit te beelden. Höchs werk loopt vooruit op het werk van kunstenaars aan het eind van de twintigste eeuw, zoals Barbara Kruger en Cindy Sherman (zie *Postmodernisme).

De Keulse tak van dada werd in 1919 opgericht door Arp en Max Ernst (1891-1976, zie *Surrealisme). Ernst organiseerde de eerste dada-tentoonstelling in Keulen. Aan een van zijn eigen sculpturen was een bijl bevestigd, die daar hing voor het gemak van de bezoeker die zijn werk zou willen aanvallen. In Hannover werd dada vertegenwoordigd door Kurt Schwitters (1887-1948). Om deze uit één man bestaande splintergroep te beschrijven, gebruikte Schwitters het woord *Merz*, dat naar verluidt was afgeleid van het woord *Kommerz* (commercie) in een van zijn collages uit 1919. Het woord werd ook gebruikt als aanduiding van poëzie (*Merzgedichten*), schilderijen, en een tijdschrift (*Merz*, 1923-32), waaraan Arp, El Lissitzky en Theo Van Doesburg (zie *Constructivisme en *De Stijl) bijdragen leverden. In zijn collages, reliëfs en constructies voor gebouwen (*Merzbau*), transformeerde hij op een liefdevolle manier het bezinksel van de civilisatie in kunst, een proces dat van invloed zou zijn op Junk-art, *Assemblage en *Arte Povera. Zijn eerste *Merzbau*, waaraan hij begon te werken in 1920, werd gebouwd in zijn huis in Hannover. Sommige gedeelten van de buitengewone sculptuurophoping van gips en oude rommel waren opgedragen aan zijn vrienden Mondriaan, Gabo, Arp, Lissitzky, Malevich, Richter, Mies van der Rohe en Van Doesburg. Tegen de tijd dat hij Duitsland verliet in 1935 was het bouwsel uitgegroeid tot op de tweede verdieping. In 1943 werd het verwoest door bombardementen van de kant van de geallieerden.

Tegen het jaar 1921 kwamen veel van de grondleggers van dada, waaronder Tzara, Arp, Ernst, Man Ray, Duchamp en Picabia, samen rond Parijs, waar een aantal dichters zich bij hen voegden, zoals Louis Aragon, Philippe Soupault, Georges Ribemont-Dessaignes, de Franse dichter André Breton (zie *Surrealisme), en de kunstenaars Suzanne Duchamp (1889-1963, Marcels zus), haar echtgenoot Jean Crotti (1878-1958) en de Rus Serge Charchoune (1888-1975). In Parijs werd dada literairder en theatraler van aard, en organiseerde men vaak cabaretten en festivals. Door de populariteit van deze gebeurtenissen bij het publiek werden deze revolutionaire 'anti-kunstenaars' al gauw beroemdheden. Meningsverschillen tussen de verschillende leden zorgden echter al voor moeilijkheden, en in 1922 leidden interne ruzies tussen Tzara, Picabia en Breton tot het uiteenvallen van dada.

Dada mocht dan zijn uiteengevallen, de activiteiten stopten niet. Veel dadaïsten wendden zich tot het surrealisme, en brachten surrealistisch werk voort dat voortkwam uit dadaïstische ideeën. Er bleven ook activiteiten plaatsvinden die alleen dada genoemd konden worden, waarvan de anarchistische film *Entr'Acte* (Pauze) en het ballet *Relâche* (Gesloten, of Vanavond geen voorstelling), uit 1924 twee van de meest bijzondere voorbeelden zijn, die ironisch genoeg dateren van na het uiteenvallen van de beweging. De film werd geschreven door Picabia, geregisseerd door René Clair (1889-1981), de muziek was van de componist Erik Satie (1866-1925) en de hoofdrollen werden gespeeld door Man Ray, Duchamp, Satie en Picabia. De korte, stomme film (die dertien minuten duurde) werd oorspronkelijk vertoond tijdens de pauze van het ballet en verstoorde de 'burgerlijke conventies' van het filmverhaal en van de geaccepteerde ideeën over causaliteit, tijd en ruimte even grondig als de dadaïstische kunstobjecten de conventies op het gebied van kunst hadden verstoord. In *Relâche*, dat werd uitgevoerd door Rolf de Maré's Ballets Suédois in een spectaculair decor dat was ontworpen door Picabia, had Man Ray een belangrijke rol als danser tegen een achtergrond van felle lampen die bedoeld waren om het publiek bijna te verblinden. Fernand Léger (zie *Kubisme) stond achter de intenties van het ballet. "Weg met het scenario," zei hij, "*Relâche* is een hele hoop schoppen onder een hele hoop achterwerken, gewijde of ongewijde."

De invloed van dada is vruchtbaar en van lange duur gebleken. Met de publicatie in 1951 van een anthologie waarvan de Amerikaanse schilder en schrijver Robert Motherwell de redactie voerde, *The Dada Painters and Poets*, kreeg dada nieuwe aandacht gedurende de jaren vijftig van de twintigste eeuw. De bevrijde artistieke benadering en absurdistische ironie sprak tot de verbeelding van een nieuwe generatie kunstenaars en schrijvers (zie *Neodada, *Nouveau réalisme en *Performancekunst). De meest verspreide en meest duurzame erfenis van dada bestond echter uit haar houding ten opzichte van vrijheid, oneerbiedigheid en experimenten. De presentatie van kunst als idee, de bewering van dada dat kunst uit alles kon worden vervaardigd, en het onderzoeken van de maatschappelijke en artistieke mores, veranderden de ontwikkeling van de kunst voorgoed. Zoals Richter zo treffend opmerkte in zijn eigen beschrijving van de beweging, *Dada. Art and Anti-Art* (1964):

Het was geen artistieke beweging in de algemeen geaccepteerde betekenis. Het was een storm die losbarstte over de kunstwereld zoals de oorlog losbarstte over de naties. Dada kwam zonder waarschuwing uit een loodzware, zwangere lucht vallen, en liet een nieuwe dag achter waarop de opgeslagen energie die dada losmaakte zichtbaar werd in nieuwe vormen, nieuwe materialen, nieuwe ideeën, nieuwe richtingen, nieuwe mensen – en waarop men zich richtte op nieuwe mensen.

Belangrijke collecties
Centre Georges Pompidou, Parijs
Museum of Modern Art, New York
Philadelphia Museum of Art, Philadelphia, Pennsylvania
Tate Gallery, Londen

Belangrijke boeken
K. Schippers, *Holland Dada* (1974)
M. Lavin, *Cut with the Kitchen Knife: the Weimar Photomontages of Hannah Höch* (1993)
H. Richter, *Dada: Art and Anti Art* (1997)
A. Schwartz, *The Complete Works of Marcel Duchamp* (1997)
D. Ades, N. Cox and D. Hopkins, *Marcel Duchamp* (1999)

Purisme

De afbeelding is een machine voor het overdragen van gevoelens.

AMEDEE OZENFANT EN LE CORBUSIER

Het purisme was een post-kubistische beweging die werd gelanceerd met de publicatie van een boek, *Après le Kubisme* (Na het kubisme, 1918), van de Franse schilder Amédée Ozenfant (1886-1966) en de in Zwitserland geboren schilder, beeldhouwer en architect Charles- Edouard Jeanneret (1887-1965), beter bekend onder zijn pseudonym, Le Corbusier (zie *Internationale stijl). De twee waren teleurgesteld over wat zij zagen als het verval van het *kubisme tot een soort van uitgebreide decoratie. Ze riepen op tot 'het herstel van een

gezonde kunst', gebaseerd op een duidelijke, nauwkeurige representatie, en met gebruikmaking van efficiënte middelen en proportionele harmonieën. Ze werden geïnspireerd door de zuiverheid en de schoonheid die ze aantroffen in machines, en geleid door hun overtuiging dat klassieke, numerieke formules een gevoel van harmonie, en uiteindelijk, van vreugde konden voortbrengen.

De eerste tentoonstelling van puristische schilderijen vond plaats in 1918 in de Galerie Thomas in Parijs. De onderwerpen – alledaagse objecten, muziekinstrumenten, etc. – waren kubistisch, maar werden herkenbaarder in hun nieuwe, puristische incarnaties. De nadruk lag niet op het uit elkaar halen van een object, maar op het verheerlijken van de geometrie en eenvoud ervan. Krachtig samengestelde afbeeldingen van qua vorm verwante objecten met duidelijk omlijnde contouren werden getoond vanuit twee verschillende invalshoeken – diepte en silhouet – en werden geschilderd in zachte kleuren op een gelijkmatige manier.

De onwankelbare overtuiging van de twee kunstenaars dat orde een basisbehoefte van de mens is, leidde ertoe dat ze een allesomvattende puristische esthetica ontwikkelden die zowel architectuur en productontwerp omvatte, als schilderkunst. Deze esthetica werd verder ontwikkeld in een campagne voor orde, die werd gevoerd via de pagina's van hun eigen avant-gardetijdschrift op het gebied van kunst en literatuur, *L'Esprit Nouveau* (De nieuwe geest, 1920-25), en in boeken als *Towards a New Architecture* (1923) en *Modern Painting* (1925). In hun essay 'Le Purisme', dat verscheen in *L'Esprit Nouveau* (januari 1921), schreven de twee kunstenaars: "Wij beschouwen het schilderij niet als een oppervlak, maar als een ruimte…een verbintenis van zuivere, onderling verbonden en architecturale elementen."

Le Corbusier verklaarde in 1924: "Dankzij de machine, dankzij de identificatie van wat kenmerkend is, dankzij het proces van selectie, dankzij de vestiging van een standaard, zal een nieuwe stijl zich doen gelden." Hierbij stond hem een functionele stijl voor ogen die zou worden gezuiverd van decoratie. Deze nieuwe stijl werd uitgeroepen in de Pavillon de L'Esprit Nouveau (Paviljoen van de nieuwe geest) voor de Exposition des Arts Décoratifs in Parijs in 1925. Le Corbusiers puristische huis met twee verdiepingen bevatte sculpturen van Henri Laurens en Jacques Lipchitz, en industrieel vervaardigde *objets types* (type-objecten) die een humanistisch functionalisme uitdrukten, zoals Thonet bentwood-meubels.

In 1922 opende hij een studio, samen met zijn neef, Pierre Jeanneret (1896-1967), met wie hij werkte aan talrijke bouwkundige projecten op het gebied van stedelijke planning, en stedelijk ontwerp. Hij ontwikkelde zelfs een prototype voor een auto, in 1928. Vanaf 1927 begonnen Le Corbusier en Jeanneret meubels te ontwerpen, in samenwerking met Charlotte Perriand (1903-99), een aantal waarvan, zoals de leunstoel van buisvormig staal en zwart leer en de chaise-longue, nu worden beschouwd als klassiekers op het gebied van meubelontwerpen.

Hoewel het purisme zich niet ontwikkelde tot een echte schilderschool, deelden velen de door machines geïnspireerde esthetica van Ozenfant en Le Corbusier, met name Fernand Léger (zie *Kubisme), de leden van het *Bauhaus en de *precisionisten. Tegen de tijd dat Ozenfant en Le Corbusier hun eigen weg begonnen te gaan, vanaf ongeveer 1926, waren hun puristische ideeën – die enkele van de belangrijkste vormende invloeden waren voor de moderne architectuur en het moderne productontwerp – al verder verspreid.

Belangrijke collecties
Fine Arts Museums of San Francisco, San Francisco, California
Museum of Modern Art, New York
Öffentliche Kunstsammlung, Bazel
Solomon R. Guggenheim Museum, New York

Belangrijke boeken
C. Green, *Cubism and its Enemies* (New Haven, CT, 1987)
K. E. Silver, *Esprit de Corps: The Art of the Parisian Avant-Garde and the First World War, 1914–1925* (Princeton, NJ, 1989)
W. Curtis, *Le Corbusier* (1992)
Jean Jenger, et al, *Le Corbusier: Architect, Painter, Poet* (1996)

De Stijl

Kunst is slechts een substituut zolang de schoonheid van het leven nog onvoldoende is. Ze zal geleidelijk aan verdwijnen, naarmate het leven evenwichtiger wordt.

PIET MONDRIAAN, 1937

De Stijl was een alliantie van kunstenaars, architecten en ontwerpers die in 1917 bij elkaar waren gebracht door de Nederlandse schilder en architect Theo van Doesburg (1884-1931). Ondanks haar neutrale houding had Nederland veel geleden tijdens de Eerste Wereldoorlog, en de taak die de De Stijl zichzelf stelde was om een nieuwe, internationale kunst te creëren, die was gericht op vrede en harmonie. De oorspronkelijke leden waren Van Doesburg, de Nederlandse schilders Bart van der Leck (1876-1958) en Piet Mondriaan (1872-1944), de Belgische schilder en beeldhouwer Georges Vantongerloo (1886-1965), de Hongaarse architect en ontwerper Vilmos Huszár (1884-1960), de Nederlandse architecten J. J. P. Oud (1890-1963), Robert van 't Hoff (1887-1979) en Jan Wils (1891-1972), en de dichter Antony Kok.

Van Doesburg, Mondriaan, Vantongerloo en Van der Leck hadden al eerder samengewerkt in een poging om een abstracte, visuele vocabulaire te scheppen die voor praktische doeleinden kon worden ingezet, en door middel waarvan ze hun verlangen naar een betere maatschappij konden uitdrukken. Het gebruik van horizontale en verticale lijnen, rechte hoeken, en rechthoekige effen kleurvlakken is kenmerkend voor hun werk uit deze periode. Uiteindelijk zou hun palet worden gereduceerd tot het gebruik van de primaire kleuren

rood, geel en blauw, en de neutrale kleuren wit, zwart en grijs. Om deze reducerende stijl te beschrijven, bedacht Mondriaan de term 'neoplasticisme.' In 1917 schreef hij dat deze universele plastische middelen in de moderne schilderkunst werden ontdekt door het proces van consequente abstractie van vorm en kleur, en dat er, zodra ze werden ontdekt, bijna als vanzelf een exacte plastiek van zuivere relatie ontstond, de essentie van alle emoties van plastische schoonheid.

Dat Mondriaan en Van Doesburg van mening waren dat ze de definitieve formule voor de nieuwe kunst hadden bereikt, blijkt uit de

Rechts: Gerrit Rietveld, Schröder-huis, Utrecht, 1924
Rietvelds meesterwerk lijkt een abstracte compositie van met elkaar verbonden vlakken. De woonruimte boven bevat meubilair en muren die onder een rechte hoek kunnen worden verplaatst, zodat de ruimte kan worden aangepast van een enkele ruimte tot een aantal kleinere ruimten.

naam van de groep – *De* Stijl – en in de kreet die ze vaak bezigden, dat het doel van de natuur de mens is, en dat het doel van de mens stijl is.

Van Doesburg en Mondriaan waren de belangrijkste theoretici van de groep, en Van Doesburg lanceerde het tijdschrift *De Stijl* in 1917 om hun ideeën in te publiceren. Ze vonden dat het *kubisme niet ver genoeg was gegaan bij het ontwikkelen van abstractie en dat het *expressionisme te subjectief was. Hoewel ze het *futurisme

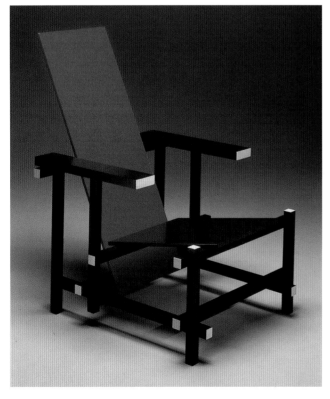

bewonderden, distantieerden ze zich van deze beweging na de deelname van Italië aan de oorlog. Evenals de leden van het *Bauhaus en de *constructivisten wilden ze de maatschappij veranderen door middel van de kunst. Naar hun mening had de oorlog de persoonlijkheidscultus in diskrediet gebracht, en ze probeerden deze te vervangen door een meer universele en ethische cultuur. Ze stelden zich volgens Van Doesburg in dienst van de absolute depreciatie van de traditie en van het blootleggen van de zwendel van lyriek en sentiment. Het middel om dit te doen, was de reductie – de purificatie – van kunst tot zijn basiselementen (vorm, kleur en lijn). Van Doesburg schreef dat kunst krachten ontwikkelt die sterk genoeg zijn om de hele cultuur te beïnvloeden. Een vereenvoudigde en geordende kunst zou op haar beurt tot een vernieuwing van de maatschappij leiden, en wanneer de kunst volledig zou zijn geïntegreerd in het leven zou ze niet langer meer nodig zijn.

Aan veel opvattingen van De Stijl lag een spirituele, zelfs mystieke, houding ten grondslag. Het was geen toeval dat veel van haar leden een calvinistische achtergrond hadden, en de kunstenaars van De Stijl waren geïnteresseerd in de spirituele kanten van andere denkers, zoals de neoplatonische filosoof M. J. H. Schoenmaekers, een goede vriend van Mondriaan, en Vasily Kandinsky, wiens invloedrijke boek *Over het spirituele in de kunst* (zie *Der Blaue Reiter) erg belangrijk voor hen was. Schoenmaekers' geschriften postuleerden een fundamentele geometrische ordening van het universum en metafysische betekenissen voor de drie primaire kleuren, een theorie die doet denken aan de ideeën van de *neo-impressionisten.

De esthetische principes van de groep werden uiteengezet in een uit acht punten bestaand manifest dat verscheen in *De Stijl* in november 1918, en dat was ondertekend door Van Doesburg, Mondriaan, Huszár, Vantongerloo, van 't Hoff, Wils en Kok. Het manifest werd uitgegeven in het Nederlands, Frans, Duits en Engels, waardoor ze hun internationale aspiraties al vroeg kenbaar maakten. In het daaropvolgende jaar voegde de architect-ontwerper Gerrit Rietveld (1888-1964) zich bij de groep. Rietveld zou een grote invloed hebben op zowel hun ideeën als hun werk. Rietvelds rood-blauwe stoel, met zijn zwarte frame en zijn primaire kleuren die de verschillende elementen benadrukten waaruit de stoel bestond, was de eerste toepassing van neoplastisch ontwerp in de toegepaste kunsten.

De architectuur van De Stijl toont net zo'n helderheid, soberheid en geordendheid als de schilderijen van de beweging, en de

Boven: **Piet Mondriaan, *Compositie A, Compositie met Zwart, Rood, Grijs, Geel en Blauw*, 1920** In 1917 schreef Mondriaan: "The new plastic cannot be cloaked in what is characteristic of de particular, natural form en colour, but must be expressed by means of de straight line en determinate primary colours."

Links: **Gerrit Rietveld, Rood-blauwe stoel, reconstructie, ca. 1923** Rietvelds beroemde stoel gaf niet alleen de schilderkunst van De Stijl weer in drie dimensies, maar inspireerde Van Doesburg en Mondriaan tot het zetten van de laatste stap bij het zich beperken tot primaire kleuren.

Tegenoverliggende pagina, boven: **foto's en schetsen uit Theo van Doesburgs *Principes van neoplastische kunst*, 1925** Van Doesburg nam een van de grote thema's van de Nederlandse schilderkunst en illustreerde op een knappe manier het abstractieproces.

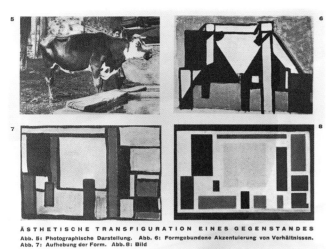

ÄSTHETISCHE TRANSFIGURATION EINES GEGENSTANDES
Abb. 5: Photographische Darstellung. Abb. 6: Formgebundene Akzentuierung von Verhältnissen.
Abb. 7: Aufhebung der Form. Abb. 8: Bild

geometrische abstracte taal van neoplastische schilderkunst – rechte lijnen en hoeken, en regelmatige oppervlakken – werd in drie dimensies weergegeven. Evenals hun opponenten, de expressionistische architecten van de *Amsterdamse school, putten de architecten van De Stijl uit twee andere bronnen: Hendrik Petrus Berlage (1856-1934), wiens gebouwen hen voorbeelden boden van een gelijkgestemd rationalisme, en Frank Lloyd Wright (zie *Arts and Crafts), wiens concept van het huis als het product van 'totaalontwerp' overeenstemde met hun eigen ideeën. Daarnaast was er hun bewondering voor de visie van Antonio Sant'Elia (zie *Futurisme). Het resultaat was een architecturaal idioom van platte daken, vlakke muren en flexibele binnenruimten die synoniem zouden worden met de *Internationale stijl.

Het opvallende Schröder-huis van Rietveld in Utrecht (1924) is in veel opzichten hét meesterwerk van De Stijl. Hier werd op een ongeëvenaarde manier voldaan aan de doelstelling van De Stijl om een totale leefomgeving te creëren. Rietveld ontwierp het gebouw samen met zijn cliënt, de binnenhuisarchitecte Truus Schröder-Schräder, die vervolgens zelf lid van de groep werd. Het totaaleffect van het spel tussen de lijnen, hoeken en kleuren in het huis is dat van wonen in een schilderij van De Stijl. Rietveld verklaarde dat ze oudere stijlen niet vermeden omdat deze lelijk waren, of omdat ze deze niet konden reproduceren, maar omdat hun eigen tijd haar eigen vorm vereiste, haar eigen manifestatie.

Gedurende de jaren twintig van de twintigste eeuw ontwikkelden de groep en het tijdschrift De Stijl zich verder en kregen ze een zelfbewust en internationaal karakter. Van Doesburg reisde veel en organiseerde tentoonstellingen en lezingen. Toen hij in 1920 en 1921 in Duitsland verbleef, was hij van grote invloed op het Bauhaus. Zijn reizen brachten hem ook in contact met *dada, waarbij hij zich korte tijd aansloot, en met het Russische suprematisme en constructivisme via El Lissitzky (zie *Constructivisme).

Van Doesburgs nieuwe internationale oriëntatie was zowel van invloed op zijn artistieke als op zijn theoretische ontwikkeling, en, als gevolg daarvan, op De Stijl als geheel. Tegen het jaar 1921 hadden bepaalde leden zoals Van der Leck, Vantongerloo, Van 't Hoff, Oud, Wils en Kok de groep verlaten, terwijl andere figuren van de

internationale avant-garde, waaronder Lissitzky, de Italiaanse futurist Gino Severini, de Oostenrijkse architect Frederick Kiesler en de Duitse dadaïsten Jean (Hans) Arp en Hans Richter zich bij de beweging aansloten. Rond 1924 begon Van Doesburg de diagonaal in zijn werk te introduceren, een modificatie van het neoplasticisme die hij *elementarisme noemde, en die ertoe leidde dat Mondriaan zich uit De Stijl terugtrok. Mondriaan schreef zijn oude vriend dat elke vorm van samenwerking voor hem onmogelijk was geworden na Van Doesburgs eigenmachtige 'verbetering' van het neoplasticisme. Beiden zouden zich in nieuwe richtingen ontwikkelen. Mondriaan bleef zijn opvatting van zuivere kleur en vorm verfijnen in zijn werk en geschriften, en werd een van de belangrijkste kunstenaars van de eerste helft van de twintigste eeuw en een belangrijke maatstaf voor allerlei soorten abstracte kunstenaars. Van Doesburg verdiepte zich verder in de mogelijkheden van de diagonaal door middel van het elementarisme, en werd vervolgens met zijn manifest van 1930, 'De basis van concrete kunst', de oprichter van *Concrete kunst, dat na zijn dood in 1931 vollediger zou worden ontwikkeld.

Het laatste nummer van De Stijl (nummer 90) dat verscheen in 1932 was een gedenkschrift voor Van Doesburg. Hoewel De Stijl in feite samen met hem werd beëindigd, was de invloed ervan zeer groot, en de beweging blijft een bron van inspiratie voor kunstenaars, ontwerpers en architecten. Veel kunstenaars en architecten van De Stijl werden vervolgens lid van andere internationale avant-gardegroeperingen zoals Abstract-Création en CIAM (zie *Internationale stijl).

Belangrijke collecties
Carnegie Museum of Art, Pittsburgh, Pennsylvania
Museum of Modern Art, New York
Kimbell Art Museum, Fort Worth, Texas
Kröller-Müller Museum, Otterlo
Stedelijk Museum, Amsterdam
Haags Gemeentemuseum, Den Haag
Centraal Museum, Utrecht
Tate Gallery, Londen

Belangrijke boeken
Carel Blotkamp e.a., De beginjaren van De Stijl (1982)
H.L.C. Jaffe, De Stijl, 1917–1931 (Cambridge, MA, 1987)
S. Lemoine, Mondrian and De Stijl (1987)
H. Holtzman en M. S. James (eds), The New Art – The New Life. The Collected Writings of Piet Mondrian (1987)
P. Overy, De Stijl (1991)

1918-1945

Op zoek naar een nieuwe orde

Le Corbusier met een model van het Paleis van de Sovjets, 1931

Arbeitsrat für Kunst

Kunst en de mensen moeten een eenheid vormen. Kunst dient niet langer een luxe te zijn voor een minderheid, maar dient te worden genoten en ervaren door de grote massa.

MANIFEST VAN DE ARBEITSRAT FÜR KUNST, 1919

De Arbeitsrat für Kunst (Arbeidsraad voor de kunst) werd opgericht in Berlijn in december 1918 door de architect Bruno Taut (1880-1938) en de architectuurcriticus Adolf Behne (1885-1948). Hun directe doelstelling was om een groep van kunstenaars op te richten die in staat was om politieke druk uit te oefenen op de nieuwe regering in Duitsland, naar het voorbeeld van de machtige raden voor arbeiders en soldaten. Hun doelstelling op de lange termijn was om een utopische architectuur te scheppen voor de nieuwe maatschappij die ontstond na de vernietiging van de Eerste Wereldoorlog. Het werk dat ze maakten wordt gekenmerkt door het gebruik van glas en staal,

I C O N A N D R E V O L U T I O N
POLITICAL AND SOCIAL THEMES IN GERMAN ART 1918–1933

bijna science-fiction-achtige vormen, en een gevoel van religieuze intensiteit, zelfs in niet-kerkelijke gebouwen.

De groep telde al gauw zo'n vijftig leden: radicale kunstenaars, architecten, critici, en begunstigers die in de omgeving van Berlijn woonden. Velen van hen waren al lid van de *Deutscher Werkbund en *Die Brücke, terwijl de meeste van hen een band hadden met het *expressionisme.

Hoewel de Arbeitsrat alle kunsten vertegenwoordigde, was architectuur het terrein waarop de meeste activiteit plaatsvond. Tot de prominente leden behoorden de architecten Otto Bartning (1883-1959), Walter Gropius (zie *Bauhaus), Ludwig Hilbersheimer (1885-1967) en Erich Mendelsohn (zie *Expressionisme), de schilders Lyonel Feininger (zie *Bauhaus en *Der Blaue Reiter), Hermann Finsterlin (1887-1973), Erich Heckel (zie *Die Brücke), Käthe Kollwitz (zie *Nieuwe zakelijkheid), Emil Nolde (zie *Expressionisme), Max Pechstein (zie *Die Brücke), Karl Schmidt-Rottluff (zie *Die Brücke), en de beeldhouwers Rudolph Belling (1886-1972), Georg Kolbe (1877-1947) en Gerhard Marcks (1889-1981). Velen van hen waren leden van de *Novembergruppe, die zich inzetten voor het bevorderen van het modernisme. De aspiraties van de Arbeitsrat für Kunst waren echter meer politiek, en de leden ervan wilden veranderingen teweeg brengen in de managementsystemen op het gebied van kunst en architectuur.

Taut was de toonaangevende figuur, die als oprichter zijn invloed liet gelden in de groep. Via hem adopteerde de groep de utopische tendens van die tijd. Hun voorkeur voor glas en staal verraadt de invloed van zowel Taut als diens mentor, de dichter Paul Scheerbart, die het gebruik van glas stimuleerde. In Scheerbarts tekst uit 1914, *Glasarchitektur* (Glasarchitectuur), die was opgedragen aan Taut, wordt het utopische, futuristische geloof tot uitdrukking gebracht dat

Linksboven: **Illustratie voor een pamflet, uitgegeven door de Arbeitsrat für Kunst, april 1919** Deze houtsnede werd mogelijk gemaakt door de Duitse schilder en prentenmaker Max Pechstein die een prominent lid was van de groep die een paar maanden daarvoor was opgericht.

Links: **Bruno Taut, Glashaus, tentoonstelling van de Deutscher Werkbund, Keulen, 1914** Tauts glaspaviljoen was een van de belangrijkste attracties van de tentoonstelling, en was slechts een paar weken te bezichtigen in de zomer van 1914 voordat het aan het eind van de expositie werd ontmanteld.

Tegenoverliggende pagina: **Bruno Taut, Glashaus, trappen, tentoonstelling van de Deutscher Werkbund, Keulen, 1914** Citaten – zoals 'Glas brengt ons een nieuw tijdperk', 'Gekleurd glas vernietigt haat' – uit Paul Scheerbarts boek Glasarchitektur (Glasarchitectuur) waren op de constructie van het gebouw geschreven en werden verlicht door de vlakken van de muren van glas en steen en van de cupola in gotische stijl.

een nieuwe architectuur is vereist om de cultuur te transformeren:

> Dit kunnen we echter alleen doen door een glasarchitectuur te introduceren die het licht van de zon, de maan en de sterren toelaat in de kamers, niet alleen via een paar ramen, maar via zo veel muren als mogelijk is, die geheel van glas dienen te zijn, van gekleurd glas.

Scheerbarts claims werden letterlijk verwezenlijkt in Tauts Glashaus (Glaspaviljoen) voor de tentoonstelling van de Deutscher Werkbund in 1914 in Keulen.

Maar de politieke gebeurtenissen waren niet gunstig. In januari 1919, na veertien dagen van gewapende conflicten in Berlijn, werden twee leden van de Spartacus-liga, De Duitse communisten Karl Liebknecht en Rosa Luxemburg, geëxecuteerd. De Arbeitsrat für Kunst kon niet langer hopen dat ze politieke macht kon verkrijgen, en een teleurgestelde Taut trad af als leider van de groep, en werd vervangen door Gropius. Vanaf dat moment beperkten de activiteiten van de Arbeitsrat zich uitsluitend tot discussies en tentoonstellingen. In april 1919 omvatte de 'Tentoonstelling van onbekende architecten' bewust visionaire werken van verschillende leden van de Arbeitsrat, en een catalogus met een introductie van Gropius waarin de utopische doelstellingen van de groep werden beschreven:

> Schilders, beeldhouwers, slechten de grenzen rond de architectuur en worden co-bouwers en strijdmakkers die zich inzetten voor het ultieme doel van de schilderkunst: het creatieve idee van de Kathedraal van de toekomst, die nogmaals alles zal omvatten, in één vorm – architectuur, beeldhouwkunst en schilderkunst.

In dezelfde periode begon Taut een 'utopische correspondentie'-kring, Die Gläserne Kette (De glazen keten), samen met veertien toonaangevende figuren uit de kunstwereld, voornamelijk architecten, waaronder Gropius, Finsterlin, Hans (1890-1954) en Wassili Luckhardt (1889-1972) en Hans Scharoun (1893-1972). Hun doelstelling was om een nieuw type architectuur te verkennen – en

uiteindelijk te bewerkstelligen. 'Ieder van ons zal met korte tijdsintervallen, op een informele manier en al naar gelang zijn geest hem leidt… de ideeën schetsen of opschrijven die hij zou willen delen met onze kring.' De correspondentie bleek een belangrijk forum voor het uitwisselen van nieuwe ideeën en werd voortgezet tot december 1920. Veel ervan werd gepubliceerd in Tauts tijdschrift *Frühlicht* (Vroeg licht). Het tijdschrift spoorde architecten aan om fundamentele, organische vormen te ontdekken als bronnen voor architectuur, en om een expressionistisch geloof in het belang van het scheppende onderbewustzijn in de praktijk te brengen.

Andere tentoonstellingen die werden georganiseerd door de Arbeitsrat für Kunst vonden plaats in 1920 – waarbij kunst van arbeiders en kinderen werd getoond (in januari), avant-garde-architectuur (in mei) en Duitse eigentijdse kunst in Amsterdam en Antwerpen. Deze tentoonstellingen waren financieel echter niet levensvatbaar. Op 30 mei 1921 werd de groep formeel ontbonden. Veel van de architecten ontwikkelden vervolgens meer functionele en rationele stijlen gedurende de jaren twintig van de twintigste eeuw (zie *Der Ring en *Internationale stijl), en zetten hun pogingen voort om precies datgene te bewerkstelligen waartoe de Arbeitsrat had aangespoord: een nieuwe architecturale visie van de toekomst.

Belangrijke monumenten
Hans Häring, Gut Garkau, Lübeck
Eric Mendelsohn, Steinberg-Herrmann hoedenfabriek, Luckenwalde
Hans Poelzig, Grosse Schauspielhaus, Berlijn

Belangrijke boeken
P. Scheerbart and B. Taut, *Glass Architecture and Alpine Architecture* (1972)
I. Whyte, *Bruno Taut and the Architecture of Activism* (Cambridge, UK, 1982)
—, *The Crystal Chain Letters: Architectural Fantasies by Bruno Taut and his Circle* (Cambridge, UK, 1985)

Novembergruppe

Radicaal in de verwerping van vorige expressievormen – radicaal in het gebruik van nieuwe, expressieve technieken.

Tentoonstellingscatalogus Novembergruppe, 1919

De Novembergruppe (Novembergroep), genoemd naar de Duitse revolutie van november 1918, werd opgericht in Berlijn op 3 december 1918, en bestond totdat ze werd verboden door de nationaal-socialistische regering in september 1933. De groep werd aanvankelijk geleid door de *expressionistische schilders Max

Pechstein (1881-1955, zie *Die Brücke) en César Klein (1876-1954), die alle 'revolutionairen van geest' uitnodigde samen met hen de kunsten de reorganiseren.

Ze trokken al gauw meer dan honderd leden vanuit verschillende avant-gardebewegingen aan, die zichzelf formeerden tot

Novembergruppe-'hoofdstukken' die over het hele land verspreid waren. Tot de leden ervan behoorden de schilders en beeldhouwers Heinrich Campendonck (1889-1957), Lyonel Feininger (zie *Bauhaus, *Der Blaue Reiter), Otto Freundlich (1878-1943), Vasily Kandinsky (zie *Der Blaue Reiter), Paul Klee (zie *Der Blaue Reiter), Käthe Kollwitz (zie *Nieuwe zakelijkheid); de architecten Walter Gropius (zie * Bauhaus, *Internationale stijl), Hugo Häring (zie *Der Ring), Erich Mendelsohn (zie *Expressionisme) en Ludwig Mies van der Rohe (zie *Deutscher Werkbund, Internationale stijl); de componisten Alban Berg en Kurt Weill, en de toneelschrijver Bertolt Brecht.

Veel leden van de Novembergruppe behoorden ook tot de meer politiek georiënteerde *Arbeitsrat für Kunst; ze probeerden een radicale verandering van de kunsten te bewerkstelligen via de eerste beweging, en uitten hun politieke sympathieën via de laatste. Beide bewegingen werden geïnspireerd door dezelfde expressionistische ideologie dat kunst en architectuur een betere wereld konden scheppen, en beide propageerden het modernisme. Gedurende de jaren twintig van de twintigste eeuw organiseerde de groep tentoonstellingen van progressieve kunst en architectuur, waaronder negentien exposities alleen al in Berlijn. Daarnaast organiseerde de groep reizende tentoonstellingen naar Rome, Moskou en Japan, en sponsorde ze concerten van nieuwe muziek, lezingen en poëzievoordrachten. Ook ondersteunde ze makers van experimentele films, zoals de Zweed Viking Eggeling (1880-1925) en de Duitser Hans Richter (zie *Dada), en publiceerde ze pamfletten – An alle Künstler, Der Kunsttopf, NG – en portfolio's met grafisch werk. Tegen het einde van zijn bestaan nam het radicalisme van de groep af, maar gedurende een groot deel van de jaren twintig van de twintigste eeuw bleef ze een actieve rol spelen bij het vestigen van Berlijn als een van de belangrijkste centra in Europa voor artistieke en intellectuele experimenten.

Hans Richter, *Vormittagsspuk* **(Geesten voor het ontbijt), 1928**
Hans Richter was een van de filmmakers die werd ondersteund door de Novembergruppe. In deze stomme film, Richters vijfde, ondergaan objecten en mensen surrealistische gebeurtenissen, en het motief van de vliegende hoeden keert in de hele film terug.

Belangrijke monumenten
Walter Gropius, Dammerstock Complex, Karlsruhe
Ludwig Mies van der Rohe, Wolf Haus, Guben
—, Hermann Lange Haus, Krefeld
—, Weissenhofsiedlung, Stuttgart

Belangrijke boeken
A. Drexler, *Ludwig Mies van der Rohe* (1960)
J. Fitch, *Walter Gropius* (1960)
Die Novembergruppe (tent. cat. Berlijn, 1977)
K. Frampton, *Modern Architecture* (1992)

Bauhaus

Laat ons een nieuw gilde van ambachtslieden creëren, zonder de klasseverschillen die een aanmatigende barrière opwerpen tussen ambachtsman en kunstenaar!

WALTER GROPIUS, BAUHAUS-MANIFEST, 1919

Het Bauhaus ('huis voor bouwen, kweken, verzorgen') was een school die werd gesticht in Weimar, Duitsland, in april 1919, onder leiding van de architect Walter Gropius (1883-1969). De school werd gevormd door de bestaande Academie voor Schone Kunst in Weimar te samen te voegen met de School voor Arts en Crafts, om studenten te onderwijzen in zowel de theorie als de praktijk van de kunsten, en ze zo in staat te stellen om producten te maken die zowel artistiek als commercieel waren. Gropius had een gemeenschap voor ogen waarin leraren en studenten zouden samenleven en samenwerken; dit concept wordt weerspiegeld in de naam van de groep, die de verwijzing bevat naar middeleeuwse metselaarsloges (*Bauhütten*). Op één niveau was het Bauhaus bedoeld om kunstenaars, ontwerpers en architecten sociaal verantwoordelijker te maken. Op een ander niveau streefde de beweging naar niets minder dan de vooruitgang van het culturele leven van de natie en van de maatschappij als geheel. Het Bauhaus met haar utopische doelstelling kan het best worden beschouwd in de context van de debatten die sinds het eind van de negentiende eeuw werden gehouden in Duitsland en elders (zie bijvoorbeeld *Jugendstil en *Deutscher Werkbund). In het manifest bij het programma van de nieuwe school schreef Gropius:

Laat ons samen het nieuwe gebouw van de toekomst wensen, ontwerpen en creëren, dat alles zal combineren – architectuur en beeldhouwkunst en schilderkunst – in een enkele vorm die op een dag naar de hemel zal reiken vanaf de handen van een miljoen arbeiders, als het kristalheldere symbool van een nieuw geloof dat eraan komt.

Het geloof dat Gropius had in de transformerende kracht van kunst en literatuur verbindt hem met eigentijdse groepen die die overtuiging deelden, de *Arbeitsrat für Kunst, waarvan hij voorzitter was, de Deutscher Werkbund, de *Novembergruppe en Bruno Tauts Glazen keten (zie *Arbeitsrat für Kunst), waarvan hij lid was. Hij was ook nauw verwant aan de *expressionistische schilders, en het was

geen toeval dat hij voor de omslag van het Bauhaus-manifest een houtsnede koos van Lyonel Feininger (1871-1956), een schilder die was verbonden met *Der Blaue Reiter. In zijn essay 'Concept and Development of the State Bauhaus' uit 1924 erkende hij ook de invloeden op zijn eigen denken: John Ruskin en William Morris van de *Arts and Crafts-beweging, Henry Van de Velde (zie *Art nouveau) en Peter Behrens (zie *Jugendstil), en hij beschreef hen als mensen die 'bewust de eerste wegen zochten naar de hereniging van de wereld van de arbeid met die van de scheppende kunstenaars en deze wegen ook vonden.' Gropius bracht een uitzonderlijke groep kunstenaar-leraren bij elkaar voor de nieuwe school. 'We moeten niet van start gaan met middelmatigheid', zo verklaarde hij. 'Het is onze plicht om, waar dat maar mogelijk is, krachtige, beroemde persoonlijkheden in te zetten, zelfs als we hen nog niet helemaal begrijpen." Tussen 1919 en 1922 huurde Gropius Feininger in, de Zwitserse schilders Johannes Itten (1888-1967) en Paul Klee (1879-1940, zie *Der Blaue Reiter), de Duitsers Gerhard Marcks (1889-1981), Georg Muche (1895-1987), Oskar Schlemmer (1888-1943) en Lothar Schreyer (1886-1966), en de Russische schilder Vasily Kandinsky (zie *Der Blaue Reiter).

Itten ontwikkelde het bekende Voorbereidende Curriculum dat voor alle studenten verplicht was. Dit curriculum was ontwikkeld om studenten te bevrijden van vooropgezette klassieke ideeën over een kunstopleiding, en om hun creatieve potentieel te ontsluiten. Het curriculum omvatte studies van materialen, hulpmiddelen en kleurentheorieën, analyse van de piturale structuur van oude

meesters, meditatie en ademhalingsoefeningen. De meest belangrijke theoretische curricula waren de curricula over kleur en vorm die werden onderwezen door Kandinsky en Klee. De nadruk die Itten legde op praktische ervaring, en die was afgeleid van de progressieve onderwijskundige theorie van 'leren door te doen' van de Amerikaanse filosoof John Dewey, werd een model dat werd gevolgd door kunst- en design-opleidingen over de hele wereld.

Wanneer studenten het Voorbereidende Curriculum met succes hadden voltooid, werd de opleiding voortgezet in workshops waarin ze werden onderwezen door een kunstenaar en een getrainde ambachtsman. Tegen het jaar 1922, waren er, ondanks de beperkte

Tegenoverliggende pagina: **Walter Gropius, Bauhaus-gebouw tussen het hoofdgebouw en het blok voor technisch onderwijs, Dessau, 1925-26** Het functionele gebouw van staal, glas en gewapend beton dat werd ontworpen door Gropius en Meyer werd gefotografeerd op de openingsdag van de nieuwe school in december 1926.

Linksonder: **Joost Schmidt, Poster voor de Bauhaus-tentoonstelling, juli–september 1923** Na wijzigingen in het management en het beleid zag de poster (ontworpen door Schmidt toen hij een Bauhaus-student was) er volledig anders uit dan de expressionistische houtsnede op het oorspronkelijke manifest. De tentoonstelling was een succes en trok meer dan 15.000 bezoekers.

Onder: **Oskar Schlemmer als Turk in zijn *Triadisch ballet*, 1922** De Bauhaus-tentoonstelling van 1923 opende met een speciale 'Bauhaus-week' waarin Schlemmers *Triadisch Ballet* en *Mechanisch Ballet* werden opgevoerd, en er lezingen, films en concerten waren.

middelen waarover men beschikte, workshops kabinetten maken (Gropius), hout bewerken en beeldhouwen (Schlemmer), muurschilderingen maken (Kandinsky), glas beschilderen en boekbinden (Klee), metaalbewerken (Itten), keramiek maken (Marcks), weven (Muche), drukken (Feininger) en theater (Schreyer). In dit stadium had het Bauhaus nog steeds geen architectuurafdeling, hoewel Gropius college gaf over 'Ruimte', terwijl de partner van Gropius in diens architectenpraktijk, Adolf Meyer (1881-1929), tot 1922 op parttime basis les gaf in technisch tekenen.

Ondanks deze inspanningen was er weinig vooruitgang geboekt in de richting van een nauwere samenwerking met de externe industrie: alleen de workshops keramiek en weven waren succesvol in het verwerven van externe opdrachten. Het was een opvallende tekortkoming. In 1922 werd het Bauhaus zwaar bekritiseerd door het Nederlandse tijdschrift *De Stijl*, dat opriep tot een ander management. De oorzaak van het probleem was dat sommige van de oorspronkelijke leraren (met name Itten) het idee predikten van kunst als een spirituele activiteit die was gescheiden van de buitenwereld. Er was een fusie tot stand gebracht tussen kunst en kunstnijverheid, maar

niet niet tussen kunst en de industrie. Als het Bauhaus wilde floreren, dan zou de kunstenaar zichzelf moeten transformeren van een expressionistische mystieke visionair in een *constructivistische ingenieur-technicus. Kunstenaars van *De Stijl, zoals El Lissitzky (die de school in 1921 bezocht) en Theo Van Doesburg, (die in Weimar tussen 1921 en 1923 onafhankelijke curricula gaf over de uitgangspunten van De Stijl wendden hun grote invloed aan voor deze transformatie. Na een korte strijd nam Itten in 1923 ontslag. Hij werd vervangen door de Hongaar László Moholy-Nagy (1895-1946), een op technologie gerichte kunstenaar wiens werk en ideeën zijn banden met het *Hongaars activisme, De Stijl en het constructivisme weerspiegelden. Moholy-Nagy, en de vroegere Bauhaus-student Josef Albers (1888-1976) verschoven de nadruk die het Voorbereidende Curriculum had, en moedigden de studenten aan tot een meer praktische benadering van hun werk, en tot het experimenteren met nieuwe technieken en nieuwe media. Moholy-Nagy wijzigde ook de produktie van de workshop metaal van unieke, handgemaakte kunstnijverheidsobjecten (die door een student 'spirituele samovars en intellectuele deurknoppen') werden genoemd, in praktische ontwerpen van prototypen voor de industrie. Vergelijkbare wijzigingen volgden in de workshop theater, waar Schlemmer in 1923 Schreyer opvolgde.

Deze nieuwe fase werd onder de aandacht van het publiek gebracht door middel van een belangrijke Bauhaus-tentoonstelling die in 1923 werd georganiseerd door Gropius. De verandering van beleid werd duidelijk gemaakt door middel van de titel van Gropius' openbare toespraak 'Art and Technology – A New Unity'. Een hoogtepunt van de tentoonstelling zelf was het Experimentele Huis dat was ontworpen door Muche en Meyer, een prototype van functionele, goedkope, in massa geproduceerde huizen waarvoor de nieuwste materialen werden gebruikt (staal en beton) en die waren ingericht met op bestelling ontworpen tapijten, radiators, tegels, lampen, keukens en meubels die werden gemaakt in de Bauhaus workshops.

Juist toen de door de staat gesubsidieerde school begon te floreren, schoof het politieke klimaat in Weimar echter op naar rechts, en het Bauhaus, dat een socialistisch beleid steunde, leed daar onmiddellijk onder. In 1925 trok de nationalistische meerderheid in de Weimar-regering de subsidie aan de school in. In hetzelfde jaar verhuisde de school naar het socialistische Dessau, waar ze de middelen kreeg om speciaal ontworpen gebouwen te realiseren voor de school, de studenten en de staf.

Na de verplaatsing van de school naar Dessau hoopte Gropius dat het Bauhaus zich eindelijk zou kunnen richten op architectuur. Een

Boven: **Peter Keler, Wieg, 1922**
Bauhaus-student Peter Kelers wieg toont de impact van de vormtheorieën van Itten, Kandinsky en Klee. De eenvoud en het gebruik van geometrische vormen werden karakteristieke kenmerken van Bauhaus-ontwerp.

Links: **Marianne Brandt en Hein Briedendiek, Bedlamp, ontworpen voor Körting en Mathiesen, 1928**
Het werk dat werd gemaakt in de Dessau-workshops gaf het Bauhaus geleidelijk aan een duidelijke visuele identiteit en een reputatie op het gebied van gestroomlijnd, functioneel industrieel ontwerp.

statement uit die tijd vat de grondbeginselen samen die later zouden worden omhelsd door de *Internationale stijl:

> We willen een duidelijke, organische architectuur scheppen, waarvan de innerlijke logica stralend en naakt is, niet belemmerd door leugenachtige fa(ades en bedriegerij; we willen een architectuur die is aangepast aan onze wereld van machines, radio's en snelle auto's, een architectuur waarvan de functie duidelijk herkenbaar is in relatie tot de vorm ervan.

Een andere belangrijke ontwikkeling in Dessau was het inhuren van zes vroegere studenten als full-time leraren – Marcel Breuer (1902-81), Herbert Bayer (1900-85), Gunta Stölzl (1897-1983), Hinnerk Scheper (1897-1957), Joost Schmidt (1893-1948) en Albers. Als de eerste aan het Bauhaus opgeleide staf waren ze flexibel, competent in zowel de theorie als de praktijk, alsook in een aantal disciplines en materialen. Het werk dat werd geproduceerd in hun workshops en in de nieuwe architectuurafdeling, die in 1927 werd opgericht onder leiding van de Zwitserse architect Hannes Meyer (1889-1954), schiep een nieuw Bauhaus-ontwerp, dat wordt gekenmerkt door eenvoud, verfijning van lijn en vorm, geometrische abstractie, primaire kleuren en het gebruik van nieuwe materialen en technologieën. Voorbeelden zijn Bayers lettertype sans-serif in kleine letters, dat werd gebruikt als de huisstijl, Breuers meubels met een constructie van stalen buizen, en het sociale-woningbouwproject dat werd uitgevoerd door de architectuurafdeling in Dessau-Törten (1927-28).

Nadat hij negen jaar van zijn leven had gewijd aan het beheer en de verdediging van de school, verlangde Gropius ernaar om terug te keren naar zijn privépraktijk. Hij nam in 1928 ontslag en benoemde Meyer als zijn opvolger. Maar Meyers compromisloze progressieve agenda maakte hem niet geliefd bij zijn collega's. Moholy-Nagy, Breuer en Bayer namen allen ontslag, klagend dat de gemeenschapszin was vervangen door individuele competitie. Daarna ontwikkelde de school zich tot een beroepsinstelling voor de opleiding van architecten en industrieel ontwerpers. Nieuwe curricula werden aan de opleiding toegevoegd, waaronder stadsplanning door Ludwig Hilbersheimer (1885-1967) en fotografie onder leiding van Walter Peterhans (1897-1960). Gastdocenten gaven voordrachten over sociologie, Marxistische politieke theorieën, natuurkunde, techniek, psychologie en economie. Onder Meyers leiding werd de school voor de eerste keer in zijn geschiedenis een commercieel succes. Körting en Mathiesen begonnen lampen te fabriceren die waren ontworpen in de workshop metaal die werd geleid door Marianne Brandt (1893-1983), een voormalig student aan de school. Behang dat werd ontworpen in de workshop muurschilderingen werd ook in produktie genomen, en de workshops weven, meubels en reclame waren succesvol bij het verwerven van externe opdrachten. Meyers Marxistische politiek vervreemdde hem echter al snel van het plaatselijk bestuur en in 1930 werd hij gedwongen om ontslag te nemen, waarna hij werd vervangen door de architect Ludwig Mies van der Rohe (1886-1969, zie ook *Deutscher Werkbund en *Der Ring). Mies van der Rohe introduceerde een strengere discipline en spande zich in om een grotere afstand te scheppen tussen de school en de politiek. Maar het was te laat. Na de overwinning van de nationaal-socialisten tijdens de lokale verkiezingen van 1931, werd de school ervan beschuldigd te kosmopolitisch te zijn en niet 'Duits' genoeg, en in 1932 werd de subsidie voor de school stopgezet. Er werd een laatste wanhopige poging ondernomen om de school te redden door deze te verplaatsen naar Berlijn als een particuliere instelling. Dit duurde slechts tot april 1933 toen de nazi's de school uiteindelijk sloten, verklarend dat de instelling 'een van de duidelijkste toevluchtsoorden was van de joods-marxistische opvatting van 'kunst'.'

De nazi's vergrootten onbewust de roem van de school. Terwijl het Bauhaus als instelling ophield te bestaan in 1933, kreeg het Bauhaus als idee een grotere invloed. De ideologie en reputatie van de school hadden al een groot publiek bereikt door middel van het tijdschrift *Bauhaus* (1926-31) en door middel van de reeks van veertien Bauhaus Books over kunst en ontwerptheorie, waarover Gropius en Moholy-Nagy tussen 1925 en 1930 samen de redactie voerden. De gedwongen emigratie van veel studenten en medewerkers van de staf van het Bauhaus verspreidde de ideeën ervan over de hele wereld.

De meeste van de belangrijkste stafmedewerkers van het Bauhaus emigreerden via Londen naar de Verenigde Staten van Amerika, waar ze werden verwelkomd als helden. Gropius en Breuer gingen werken aan de faculteit van de Harvard University, Moholy-Nagy opende het Nieuwe Bauhaus in Chicago in 1937, dat zich ontwikkelde tot het Chicago Institute of Design, Mies van der Rohe werd Dean of Architecture aan het Armour Institute in Chicago (later het Illinois Institute of Technology), Albers gaf les aan het experimentele Black Mountain College in North Carolina en Bayer organiseerde en ontwierp een grote tentoonstelling van Bauhaus-werk in het Museum of Modern Art in New York in 1938-39. Dergelijke ontwikkelingen zorgden ervoor dat, hoewel minder Bauhaus-werk in massaproductie werd genomen dan de leiders zouden hebben gewild, het Bauhaus-ethos van goed functioneel ontwerp een van de belangrijkste invloeden van de twintigste eeuw werd.

Belangrijke collecties
Bauhaus-Archiv, Museum für Gestaltung, Berlijn
Fine Arts Museums of San Francisco, San Francisco, California
Minneapolis Institute of Arts, Minneapolis, Minnesota

Belangrijke boeken
J. Itten, *Design and Form. The Basic Course at the Bauhaus* (1964)
G. Naylor, *The Bauhaus* (1968)
E. Neumann, *Bauhaus and Bauhaus People* (1970)
F. Whitford, *Bauhaus* (1984)
Karl Heinz Hüter, *Das Bauhaus in Weimar* (1976)
Wulf Herzogenrath, *Bauhaus Utopien, Arbeiten auf Papier* (tent. cat. Boedapest, Madrid, Keulen, 1988)

Precisionisme

Onze fabrieken zijn ons substituut voor religieuze expressie.

CHARLES SHEELER

Precisionisme, ook wel kubistisch-realisme genoemd, was een soort van Amerikaans modernisme van de jaren twintig van de twintigste eeuw. De karakteristieke kenmerken van deze beweging zijn het gebruik van *kubistische compositie en het toepassen van de machine-esthetica van de *futuristen op specifiek Amerikaanse iconografie – de boerderijen, fabrieken en machines die een integraal deel uitmaakten van het Amerikaanse landschap. De naam werd bedacht door Charles Sheeler (1883-1965), een schilder en fotograaf, en beschrijft op een passende manier zijn 'sharp-focus'-fotografie, en zijn quasi-fotografische stijl van schilderen.

Op de Armory Show van 1913 stelde Sheeler schilderijen tentoon die waren geïnspireerd op het werk van Paul Cézanne (zie *Postimpressionisme) en Henri Matisse (see *Fauvisme), wiens werk hij had gezien tijdens eerdere bezoeken aan Europa. Hij was ook geïnteresseerd in het werk van Pablo Picasso en Georges Braque (zie *Kubisme). Vanaf ongeveer 1910 huurde hij samen met een andere precisionist, Morton Schamberg (1881-1918), een boerderij in Bucks County, waar hij een fascinatie ontwikkelde voor landbouwmachines, die hij ook regelmatig afbeeldde in zijn werk. Sheeler richtte zich ook op het ontwikkelen van zijn fotografie, en wilde schilderkunst en fotografie met elkaar laten versmelten om 'ervoor te zorgen dat de methode van schilderen geen belemmering zou vormen voor de waarneming.'

In de ogen van veel Amerikanen in de jaren twintig van de twintigste eeuw was de machine een object vol glamour, en de mogelijkheden van massaproduktie (gesymboliseerd door Henry Fords lopende band, waarvan hij in een beroemde uitspraak zei dat deze iedereen in staat zou stellen om zijn eigen auto te bezitten) leken de bevrijding van de mensheid aan te kondigen. Sheeler zelf, die in 1927 werd ingehuurd door de Ford Motor Company om de River Rouge fabriek in Detroit te fotograferen, werd verleid door de Amerikaanse industriële droom, en zijn schilderijen van fabrieken en machines verlenen deze de waardigheid, monumentaliteit en de verhevenheid van kathedralen en oude monumenten.

Wellicht het beroemdste precisionistische schilderij is een werk van Charles Demuth (1883-1935), *Het cijfer 5 in goud* (1928). Het is zowel een poster-portret van zijn vriend, de dichter William Carlos William, als een interpretatie van Williams gedicht, 'Het grote cijfer', dat een brandweerwagen beschrijft die zich naar de plek van de brand haast. Demuth verwerkte de naam en initialen van zijn vriend en die

Charles Demuth, **Moderne gemakken**, 1921
Demuth combineert krachtige, gestroomlijnde horizontalen, verticalen en diagonalen in de structuur van zijn schilderijen. Zijn gebruik van 'lichtstraallijnen' om de interactie van licht en oppervlakken uit te drukken, doet denken aan de technieken van de futuristen. Het effect is hier echter beheerst en monumentaal.

van hemzelf in het schilderij. Precisionisme in het algemeen, en dit schilderij in het bijzonder, met zijn nadruk op Amerikaanse beeldspraak en alledaagse onderwerpen, loopt vooruit op *pop-art, en Demuth zelf was het onderwerp van een eerbetoon van pop-kunstenaar Robert Indiana in *De Demuth-vijf* uit 1963.

Evenals de precisionisten, waren ook de *dadaïsten gefascineerd door machines. Marcel Duchamps *Chocolademolen*-schilderijen uit 1913 en 1914 en Francis Picabia's machineportretten waren belangrijke voorbeelden voor de precisionisten. Na de oprichting van New York Dada in 1915, waarvan ook de medeprecisionist Morton Schamberg lid was, kwamen avant-gardekunstenaars van beide groepen regelmatig bij elkaar om te discussiëren in het appartement van de verzamelaars Walter en Louise Arensberg. Andere precisionisten waren onder andere Preston Dickinson (1891-1930), Louis Lozowick (1892-1973) en Ralston Crawford (1906-78).

Hoewel ze vooral bekend is om haar biomorfe abstracties van bloemen, planten en landschappen, verbindt het kubistisch-realisme van Georgia O'Keeffe's (1887-1986) schilderijen van wolkenkrabbers in New York, zoals *Radiator Building – Night, New York* uit 1927, haar werk met dat van de precisionisten. Ze was een vriendin van Demuth, leerde eerst schilderen in een tweedimensionale stijl die was beïnvloed door Japanse kunst, en raakte later geïnteresseerd in fotografie. De fotograaf Alfred Stieglitz (1864-1946), met wie ze trouwde, propageerde haar werk in zijn galerie, en in haar latere werk maakte zij gebruik van fotografische technieken die ze leerde van hem, zoals afsnijding en close-up.

Precisionisme was de belangrijkste ontwikkeling binnen het Amerikaanse modernisme van de jaren twintig van de twintigste eeuw. De invloed ervan is voelbaar in zowel het realistische als het abstracte werk van kunstenaars van vele latere generaties. Een voorbeeld hiervan is Fernand Légers machine-kubisme van de jaren veertig van de twintigste eeuw. De vereenvoudigde, geabstraheerde vormen, duidelijke lijnen en oppervlakken, en het industriële en commerciële onderwerp, lopen zowel vooruit op pop-art als op het *minimalisme. De gelijkmatige beteugeling van de penseelstreken en het respect voor zorgvuldig vakmanschap vormen een voorloper van het *superrealisme van de jaren zeventig van de twintigste eeuw.

Belangrijke collecties
Butler Institute of American Art, Youngstown, Ohio
Carnegie Museum of Art, Pittsburgh, Pennsylvania
Metropolitan Museum of Art, New York
Museum of Modern Art, New York
Whitney Museum of American Art, New York

Belangrijke boeken
A. Ritchie, *Charles Demuth, with a tribute to the artist by Marcel Duchamp* (1950)
A. Davidson, *Early American Modernist Painting, 1910-1935* (1981)
K. Lucic, *Charles Sheeler and the Cult of the Machine* (1991)

Art deco

Eenvoud van vorm contrasteert tegenwoordig met de rijkdom van materialen... Moderne eenvoud is rijk en weelderig.

ALDOUS HUXLEY, 1930

Het 'Jazz-tijdperk' van F. Scott Fitzgeralds *The Great Gatsby* (1925) roept een tijdperk op van de charleston en de tango: een tijd waarin mensen de trauma's van de Eerste Wereldoorlog wilden vergeten, plezier wilden maken en vooruit wilden kijken. Snelheid, reizen, luxe, vrije tijd en moderniteit waren de zaken waarnaar deze modebewuste cultuur verlangde, en art deco bood hen de beelden en objecten die hun verlangens weerspiegelden.

De term art deco werd niet gebruikt in de jaren twintig en dertig van de twintigste eeuw. In Frankrijk werd de beweging aangeduid als *Style moderne* of *Paris 1925*, naar het voorbeeld van de 'Exposition Internationale des Arts Décoratifs et Industriels Modernes' die in hetzelfde jaar werd gehouden. Deze tentoonstelling toonde voor het eerst de nieuwe stijl van ontwerpen in de toegepaste kunsten en de architectuur die vervolgens overal ter wereld tot de verbeelding zou gaan spreken. Uiteindelijk, in het midden van de jaren zestig van de twintigste eeuw, kwam de huidige naam in zwang.

Gedurende lange tijd werd art deco beschouwd als de antithese van zowel *art nouveau als het modernisme in het algemeen, maar de beweging heeft met beide overeenkomsten. In ideologisch opzicht probeerden de art deco-ontwerpers, evenals hun voorgangers in de *Arts and Crafts- en art nouveau-bewegingen, om het onderscheid uit te wissen tussen schone en decoratieve kunsten, en om het belang van de rol van de kunstenaar-ambachtsman in ontwerp en produktie opnieuw te bevestigen. Hoewel de overvloedige ornamentatie van art deco werd bekritiseerd door volgelingen van het strengere

modernisme van Le Corbusier en het *Bauhaus, deelden ze een waardering voor de machine, voor geometrische vormen, en voor nieuwe materialen en technologieën.

In het algemeen gesproken vond art deco zijn oorsprong in Frankrijk als een luxueuze, zeer decoratieve stijl, die zich snel over de wereld verspreidde – vooral in de Verenigde Staten – en die gedurende de jaren dertig van de twintigste eeuw gestroomlijnder en modernistischer werd. De tentoonstelling in het Parijs van 1925 was een door de regering gesponsord initiatief, dat in 1907 tot stand kwam met de bedoeling om de samenwerking te bevorderen tussen kunstenaars, ambachtslieden en fabrikanten, en om exportmarkten te promoten voor de Franse toegepaste kunsten. Gedurende de lange voorbereiding op de tentoonstelling stonden de ontwerpers ervan open voor indrukwekkende ontwikkelingen zowel binnen als buiten de kunstwereld. De invloed van het *fauvisme, *kubisme, *futurisme, *expressionisme en van abstractie worden weerspiegeld in de lijnen, vormen en kleuren van art deco. De geometrische motieven en rechtlijnige ontwerpen van beoefenaars van art nouveau, zoals Charles Rennie Mackintosh en Josef Hoffmann, hadden een grote invloed op de art deco-ontwerpers.

Gebeurtenissen buiten de kunstwereld bleken nog stimulerender. De exotische decors en kostuums van Sergei Diaghilevs Ballets Russes, en met name die van Léon Bakst (zie *Mir Iskusstva), introduceerden de interesse in oosterse en Arabische kledij. De ontdekking van de graftombe van Toetanchamon in 1922 markeerde het begin van een

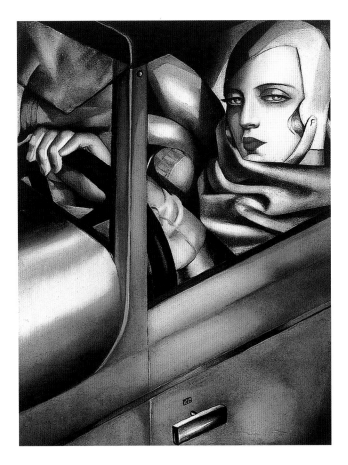

George Barbier (1882-1932), Umberto Brunelleschi (1879-1949), Erté (1892-1990) en Charles Martin (1884-1934) waren allen actief in deze periode. De schilder Raoul Dufy (zie *Fauvisme) werkte voor het Atelier Martine als textielontwerper en droeg veertien wandtapijten bij aan Poirets show op de tentoonstelling van 1925. Poirets tentoongestelde werken waren ondergebracht in drie spectaculaire met bloemmotieven beschilderde boten die lagen afgemeerd onder de Alexander III-brug.

Franse meubels uit die periode waren even populair. In 1919 richtten Süe en de binnenhuisarchitect André Mare (1887-1932) La Compagnie des Arts Français op, en ze werden al snel beroemd om hun op tradities geïnspireerde meubels, gemaakt van rijke, weelderige materialen. Hun paviljoen voor de tentoonstelling van 1925, 'Un Musée d'Art Contemporain', waar hun gilt-wood meubels werden tentoongesteld in een grote muziekkamer, kreeg veel aandacht, evenals het Hôtel du Collectionneur, een uitgebreide tentoonstelling van de meubels van Jacques-Emile Ruhlmann (1879-1933). Zijn prachtig ontworpen en elegante meubelstukken, die waren afgewerkt met zeldzame, exotische fineerlagen, belichamen het meer extravagante element van art deco. Andere bekende art deco meubelmakers in Frankrijk waren onder andere de in Ierland geboren Eileen Gray (1879-1976), de illustrator Iribe, André Groult (1884-1967), Jean Dunand (1877-1942), Paul Follet (1877-1941) en Pierre Chareau (1883-1950). Sommige van hen hielden zich ook bezig met het ontwerpen van interieurs, textiel, sieraden, bekledingsstoffen, lampen, glas en keramiek, of met metaalbewerken of beeld-houwkunst. Al deze kunstvormen waren bijeengebracht in verschillende paviljoens tijdens de tentoonstelling van 1925.

Ontwerpers en architecten mogen dan behoren tot de belangrijkste beoefenaars van de art deco-stijl, ook schilders droegen bij tot art deco, zoals, onder andere, de in Parijs gevestigde Poolse kunstenaar Tamara de Lempicka (1902-80), René Buthaud (1886-1986), Raphaël Delorme (1885-1962), Jean Gabriel Domergue (1889-1962), André Lhote (1885-1962) en Jean Dupas (1882-1964), wiens schilderij *De papegaaien* was opgenomen in het Hôtel du Collectionneur in 1925. Avant-gardekunstenaars Robert Delaunay (zie *Orfisme) en Fernand Léger (zie *Kubisme) schilderden panelen en maakten muurschilderingen voor de tentoonstelling van 1925, en Roberts vrouw, de kunstenares Sonia Delaunay (1885-1980, zie *Orfisme), maakte art deco-kleding, meubilering en textiel-ontwerpen. Als bijdrage aan de tentoonstelling leverde ze samen met de bontwerker Jacques Heim de Boutique Simultanée. De

voorliefde voor Egyptische motieven en glanzende metallic kleuren. De Amerikaanse jazz-cultuur, en danseressen als Josephine Baker, spraken tot de verbeelding, evenals Afrikaanse 'primitieve' beeldhouwkunst.

Mode-ontwerpers en architecten traden op de voorgrond. De ontwerper Paul Poiret (1879-1944) en de architect en ontwerper Louis Süe (1875-1968) bezochten de Wiener Werkstätte (zie *Weense Sezession), en waren onder de indruk van de elegante, lineaire ontwerpen van art nouveau en het algemene concept van totaalontwerpen dat werd toegepast door de leden van art nouveau. Na hun terugkeer in Parijs openden ze prototype art deco-studio's, waarin hun vroege ontwerpen al de kenmerkende geometrische weergave vertoonden van de natuurlijke vormen die gangbaar waren in art nouveau. In 1911 stichtte Poiret zijn Ecole d'Art Décoratif Martine en Atelier Martine waarin op het kubisme geïnspireerde meubels, gebloemde bekleding voor meubels en textielontwerpen werden geproduceerd. Heldere kleuren, natuurlijke vormen en een mengeling van exotische invloeden kenmerkten al spoedig de Martine-stijl. Poiret was zelfs nog revolutionairder op het gebied van de mode. Hij creëerde een nieuwe look voor vrouwen, waarbij hij het corset geheel opzij schoof. Illustraties van zijn ontwerpen, gemaakt door Paul Iribe (1883-1935) en Georges Lepape (1887-1971), die verschenen in Franse tijdschriften als *Gazette du Bon Ton* en *Modes et Manières d'Aujourd'hui*, zorgden ervoor dat zijn onderneming zeer populair werd. In feite leverde het illustreren van mode-ontwerpen een aantal van de meest treffende kunstwerken uit die periode op.

Linksboven: **Tamara de Lempicka, *Zelfportret (Tamara in een groene Bugatti)*, ca. 1925** Lempicka's society-portretten worden gekenmerkt door krachtige, hoekige vormen en metallic-kleuren, die de latere, meer gestroomlijnde art deco-look vastleggen, een wereld van verzorgde jonge mannen en vrouwen die zich op hun gemak voelen in hun ultra-gestileerde omgevingen.

Tegenoverliggende pagina: **A. M. Cassandre, *Normandië*, 1935** Cassandre's elegante posters voor verschillende transportondernemingen tonen op een briljante manier de romance van het tijdperk met snelheid, reizen en luxe. Vergelijkbare thema's komen terug in de stijlvolle portretten van de Engelse fotografe Madame Yevonde (1893–1975), zoals *Ariel*, 1935.

vereenvoudigde vormen en krachtige kleuren van art deco waren met name geschikt voor de grafische kunsten. De in de Oekraïne geboren Franse kunstenaar Adolphe Jean-Marie Mouron (1901-68), bekend onder de naam Cassandre, was de meest prominente posterkunstenaar van het tijdperk, en won de 'Grand Prix' voor posterontwerp op de Paris Expo van 1925.

De tentoonstelling van 1925 bleek internationaal populair en invloedrijk te zijn, vooral in de Verenigde Staten. Terwijl de art deco-stijl in Frankrijk kort na de tentoonstelling in verval begon te raken, begon ze in Amerika aan een nieuw leven. Het Metropolitan Museum of Art van New York deed op de tentoonstelling zelf een aantal aankopen, die, samen met andere stukken die waren geleend van de Parijse expositie, in 1926 een toernee maakten langs een aantal belangrijke Amerikaanse steden. Gedurende de jaren twintig en dertig van de twintigste eeuw volgden tentoonstellingen die werden georganiseerd door het Metropolitan Museum of Art en door warenhuizen. In 1933 bracht de tentoonstelling 'American Sources of Modern Art (Aztec, Mayan, Incan) in New York, die werd georganiseerd door het Museum of Modern Art, andere 'exotische'

bronnen onder de aandacht van het publiek. De art deco-stijl die tot ontwikkeling kwam in de Verenigde Staten nam zowel deze invloeden in zich op, als de Franse stijl. Het meest opvallend was echter de nieuwe nadruk die werd gelegd op de esthetica van de machine. De Amerikaanse art deco is met name geometrischer en heeft een meer gestroomlijnde stijl dan eerdere Franse uitingen.

De Amerikaanse architect William Van Alen (1883-1954) en de ontwerper Donald Deskey (1894-1989) waren twee belangrijke bezoekers van de Parijse tentoonstelling van 1925. Na hun terugkeer naar New York combineerden zij de exotische art deco-decoratie en het bijbehorende concept van het totaalontwerp met de typisch Amerikaanse vorm, de wolkenkrabber. De eenvoudige, rijke motieven van art deco-ontwerp werden moeiteloos aangepast voor architecturaal gebruik. Deskey merkte op dat in art deco-ontwerpen 'ornamentale syntax bijna geheel bestond uit een paar motieven, zoals het zig-zagmotief, de driehoek, en bruinachtige curven en ontwerpen.' Toegepast op nieuwe gebouwen transformeerden deze paar details in de jaren dertig van de twintigste eeuw de skyline van

Linksboven: **William Van Alen, Chrysler-gebouw, New York, 1928–30** Met een gevoel voor propagandistisch talent dat kenmerkend is voor het gebouw, werd de 27 ton wegende spits in het geheim in elkaar gezet binnen in het gebouw, en vervolgens in zijn geheel uit de bovenkant van de koepel omhoog getild, als 'een vlinder uit zijn cocon', tot grote verbazing van de verzamelde menigte beneden.

Rechtsboven: **De skyline van New York op het Bal des Beaux Arts, 1932** Minder dan een jaar na de voltooiing van het Chrysler-gebouw werd het overtroffen door het nog hogere Empire State, maar in termen van stijl bleef het onovertrefbaar.

Tegenoverliggende pagina, links: **Sloan & Robertson, Toilet, Chanin-gebouw, New York, 1928–29** Het 56 verdiepingen hoge Chanin-gebouw, dat is opgedragen aan Irwin Chanin, een prominente ontwikkelaar uit New York, werd opgetrokken in slechts 205 dagen. Dit bekroonde toilet bevindt zich op 52^{e} verdieping van het gebouw.

Tegenoverliggende pagina, rechts: **Oliver Bernard, Ingang foyer van het Strand Palace Hotel, Londen, 1930** Verschillende Londense hotels, waaronder het Savoy en Claridge's, hebben art deco-interieurs uit de jaren dertig van de twintigste eeuw, maar wat betreft zijn elegante ruimtelijke ordening overtreft de Strand alle andere hotels. Dit interieur werd in 1968 ontmanteld.

New York. Een prachtig voorbeeld is Van Alens Chrysler Building (1928-30). Met de kenmerkende halfronde met metaal beklede siertorentjes, die verwijzen naar de functie van de onderneming en tegelijkertijd de wolkenkrabber verheerlijken, is het een icoon van art deco-architectuur geworden. Het ontwerp en de materialen, die op een consistente manier in het hele gebouw worden gebruikt, huldigen het thema van de wolkenkrabber zelf. De verleidelijke en typisch Amerikaanse kruising – art deco, gecombineerd met een esthetica van de wolkenkrabber – vond tevens zijn weg naar andere kunstvormen dan de architectuur. De sculpturen van John Storr (1885-1956), het cocktail-servies en dienblad van industrieel ontwerper Norman Bel Geddes (1893-1958) en Paul T. Frankls (1879-1962) wolken-krabbermeubilair zijn drie voorbeelden.

Art deco-interieurs hebben eveneens bekende voorbeelden van de stijl opgeleverd. Het interieur van de Radio City Music Hall in New Yorks Rockefeller Center (1930-32), thuisbasis van de Rockettes, was ontworpen door Deskey met als doel om 'in feite volledig en compromisloos eigentijds [te zijn], even modern in zijn ontwerp van meubilair, behang en muurschilderingen als het zal zijn in zijn podiumpresentaties.' Kamers werden ingericht rond bepaalde thema's, versierd met muurschilderingen van eigentijdse kunstenaars, en elk detail was afgestemd op de andere, van het meubilair en het behang tot de lampen. In zijn art deco-meesterwerk gebruikte hij nieuwe materialen, zoals bakeliet, formica, gespiegeld glas, aluminium en chroom. Vanuit New York verspreidde de art deco-ornamentatie van façades, entrees en interieurs zich snel door de Verenigde Staten met weinig variatie in elke regio, behalve in Miami Beach, Florida, waar architectuur het art deco- en modernistische idioom combineerde met heldere tropische kleuren. Het was een populaire, democratische architectuur, gebouwd als een vakantieoord voor diegenen die niet het geld of de status hadden om te worden toegelaten op het exclusieve Palm Beach. Ook elders had de moderne stijl een breed publiek bereikt, zowel in de Verenigde Staten als in Europa, waar art deco werd aangepast voor de talrijke bioscopen die werden gebouwd gedurende de jaren twintig en dertig van de twintigste eeuw, waardoor het de bijnaam Odeon-stijl kreeg.

De art deco-stilering was algemeen verspreid en populair, en vond zijn weg in het ontwerp van allerlei zaken, variërend van sieraden en sigarettenaanstekers tot filmdecors, van de interieurs van gewone huizen tot bioscopen, luxe stoomschepen en hotels. Het enthousiasme en de fantasie legden de geest van de 'roerige jaren twintig' vast en boden een mogelijkheid om te ontsnappen aan de realiteit van de depressie gedurende de jaren dertig van de twintigste eeuw.

Belangrijke collecties
Cooper-Hewitt Museum, New York
Metropolitan Museum of Art, New York
Musée de la Publicité, Parijs
Victoria & Albert Museum, Londen
Virginia Museum of Fine Arts, Richmond, Virginia
Whitney Museum of American Art, New York

Belangrijke boeken
B. Hillier, *Art Deco of the 20s and 30s* (1968)
A. Duncan, *Art Deco Furniture: the French Designers* (1984)
—, *American Art Deco* (1986)
P. Frantz Kery, *Art Deco Graphics* (1986)
A. Duncan, *Art Deco* (1988)

Ecole de Paris

Buitenlanders die vanwege hun leeftijd of achtergrond met elkaar omgingen, werden verliefd op Parijs en vestigden zich hier.

PIERRE CABANNE EN PIERRE RESTANY, 1969

Ecole de Paris is een term die werd gebruikt voor de internationale kunstenaarsgemeenschap die in de eerste helft van de twintigste eeuw in Parijs actief was; het is niet zozeer een aanduiding voor een bepaalde stijl, school of beweging. Hieruit blijkt in zekere zin de status van Parijs als het centrum van de kunstwereld (tot aan de Eerste Wereldoorlog) en als symbool van culturele internationalisering. Met enige regelmaat wordt het etiket 'Ecole de Paris' geplakt op elke kunstenaar die gerekend wordt tot stromingen die in Parijs zijn ontstaan, van het *postimpressionisme tot het *surrealisme; in engere zin ging het evenwel om de internationale gemeenschap van

modernistische kunstenaars die in de periode tussen de twee wereldoorlogen in Parijs woonde en werkte.

Parijs was om een aantal redenen aantrekkelijk voor buitenlandse kunstenaars: het ontbreken van een politiek repressief systeem, de relatief stabiele economie, de aanwezigheid van grote meesters van de moderne kunst - Picasso, Braque, Rouault, Matisse en Léger (zie *Fauvisme, *Kubisme en *Expressionisme) - en een bloeiende kunstwereld met galerieën, critici en verzamelaars die de kunstenaars steunden. De kruisbestuiving tussen de kunstenaars en het pluralisme van stijlen waren ook belangrijke kenmerken van de Ecole de Paris.

waaruit blijkt hoezeer Brancusi de essentie zoekt, of het nu om schepping, vluchten, leven of dood gaat. "Eenvoud", zo zei hij, "is in de grond der zaak complexiteit, en men moet met de essentie ervan zijn grootgebracht om het belang te kunnen begrijpen."

De Italiaanse schilder Amedeo Modigliani (1884-1920), die ook sculpturen maakte (nadat hij Brancusi in 1909 had ontmoet), de Rus Chaim Soutine (1894-1943), de Bulgaari Jules Pascin (1885-1930) en de Fransman Maurice Utrillo (1885-1955) vormden een subgroep van de Ecole de Paris, 'les maudits' (de vervoekten). Zij dankten hun naam aan hun ellendige bestaan, gekenmerkt door armoede, ziekte, wanhoop en zelfdestructief gedrag. Als Modigliani de archetypische bohémien was, dan was Soutine de gekwelde excentriekeling. Zijn dwangmatige manier van schilderen en zijn buitengewone gebrek aan hygiëne waren berucht. Uit Soutines intense kleuren en woeste, expressieve penseelvoering blijkt zijn verwantschap met de vroege expressionisten zoals Emil Nolde of Oskar Kokoschka. Terwijl Soutines schilderijen innerlijke onrust en ellende uitdrukken, kan het contrast met de werken van een andere Ecole de Paris-schilder, Marc Chagall (1887-1985), nauwelijks groter zijn. Zijn synthese van fauvistische kleuren, kubistische ruimte, afbeeldingen uit de Russische folklore en zijn eigen verbeelding leverde fantastische beelden op die op lyrische wijze uitdrukking geven aan zijn liefde voor het leven en voor de mensheid.

Aan de magische kosmopolitische wereld van de Ecole de Paris kwam na de inval van de nazi's een abrupt einde. De Amerikaanse kunstcriticus Harold Rosenberg wist de essentie van de informele groep te vatten in zijn essay 'The Fall of Paris' (1940), dat in wezen een necrologie voor een verdwenen periode was.

In de Ecole de Paris, die niet specifiek bij één enkel land hoorde, maar zich overal en altijd manifesteerde, verplaatste de geest van de twintigste eeuw zichzelf in mogelijkheden die de mensheid in menige cyclus van het toekomstig maatschappelijk avontuur zal bezighouden.

Kunstenaars die niet eenvoudig in een ander hokje te plaatsen waren, werden er ook vaak toe gerekend, zoals de Hongaarse fotografen Brassaï (1899-1984) en André Kertész (1894-1985), beeldhouwers als de Catalaan Julio Gonzalez (1876-1942), de Oekraïener Alexander Archipenko (1887-1964), en vooral de Roemeen Constantin Brancusi (1876-1957).

Brancusci, een van de invloedrijkste beeldhouwers van de twintigste eeuw, staat bekend om zijn uitzonderlijk verfijnde sculpturen, die bijna tot in de abstractie zijn vereenvoudigd. Ze herinneren echter nog wel aan hun oorsprong uit natuurlijke vormen,

Tegenoverliggende pagina: **Marc Chagall, *L'Anniversaire (De Verjaardag),* 1915** Chagalls huwelijk met Bella Rosenfeld in 1915 gaf hem inspiratie voor een serie schilderijen met verliefde paren als onderwerp. In dit schilderij dat als een droom aandoet, wordt het stel door hun liefde voor elkaar in de lucht getild.

Boven: **Amedeo Modigliani, *Zittend Naakt,* 1912** Modigliani's leven is legendarisch. Zijn armoede en zijn slechte gezondheid, verder verergerd door drugs en alcohol, zijn exhibitionisme en de ruzies met zijn vriendinnen zijn bijna net zo bekend als zijn elegante, hypnotiserende portretten en naakten.

Belangrijke collecties
Albright-Knox Art Gallery, Buffalo, New York
Art Institute of Chicago, Chicago, Illinois
Centre Georges Pompidou, Parijs
J. Paul Getty Museum, Los Angeles, California
Metropolitan Museum of Art, New York
National Gallery of Art, Washington, D.C.

Belangrijke boeken
B. Dorival, *The School of Paris in the Musée d'Art Moderne* (1962)
J. Cassou, *Chagall* (1965)
The Circle of Montparnasse: Jewish Artists in Paris (tent cat. Jewish Museum, New York, 1986)

Internationale stijl

Het voornaamste architectonische symbool is niet langer de ondoordringbare baksteen, maar de open doos.

HENRY-RUSSELL HITCHCOCK EN PHILIP JOHNSON, DE INTERNATIONALE STIJL, 1932

De internationale stijl – ook wel het "internationale modernisme" genoemd – was de stijl die halverwege de twintigste eeuw in de Westerse architectuur overheerste. De stijl had in de jaren twintig erkenning gekregen en voerde tot en met de jaren vijftig de boventoon. De internationale stijl wordt gekenmerkt door heldere, rechtlijnige vormen, platte daken, open binnenruimten, het ontbreken van versiering en de toepassing van nieuwe materialen en technologieën. Twee bekende ontwerpen typeren de stijl: de blinkende, witte betonnen huizen die Le Corbusier in de jaren twintig ontwierp (zie *Purisme), en de glazen wolkenkrabbers van Mies van der Rohe (zie *Bauhaus) uit de jaren veertig en vijftig.

De internationale stijl vertegenwoordigt een opmerkelijk samenvallen van afzonderlijke interesses in Europa en de Verenigde Staten. Geïnspireerd door invloeden zoals die van Louis Sullivan en de *Chicago School, Frank Lloyd Wright en de Prairie School, en de *Arts and Crafts-beweging, begon een aantal Europese avant-gardearchitecten een vergelijkbare stijl te ontwikkelen die volgens hen bij het moderne leven paste. Hun streven naar nieuwe bouwkundige vormen was gekoppeld aan hun belangstelling voor nieuwe sociale vormen. Over het algemeen waren hun meningen socialistisch van aard en waren hun doelstellingen utopisch. Velen waren aangesloten bij progressieve bewegingen in hun eigen land, zoals de *Deutscher Werkbund, *De Stijl, *Der Ring, het *Bauhaus, *purisme, *Arbeitsrat für Kunst, *Gruppo 7 en *M.I.A.R. Een drietal architecten – soms aangeduid als "de drie-eenheid" – vormde het hart van de internationale stijl: Walter Gropius (1883-1969), Le Corbusier (1887-1965) en Ludwig Mies van der Rohe (1886-1969).

Rond 1910 waren alledrie toevallig werkzaam op het Berlijnse kantoor van Peter Behrens (1868-1940, zie ook *Deutscher Werkbund). Behrens was met name geïnteresseerd in de relatie tussen de industrie en de kunsten. Zijn turbinehal voor AEG (Allgemeine Elektrizitäts-Gesellschaft, het Duitse Algemene Elektriciteitsbedrijf, 1908-10), waarin glas en staal worden gecombineerd, werd een belangrijk voorbeeld dat latere architecten zouden volgen. Rond hetzelfde tijdstip sloeg de in Tsjechië geboren architect Adolf Loos (1870-1933) bij de ontwikkeling van woonhuizen een nieuwe en opzienbarende koers in. Loos had drie jaar in Chicago doorgebracht met Louis Sullivan en hij had in die tijd voor een deel Sullivans afkeer van versiering overgenomen, wat hij verwoordde in zijn historische essay uit 1908, "Ornament and Crime". Zijn Haus Steiner in Wenen (1910), een van de eerste woonhuizen waarin gewapend beton werd toegepast, werd gebouwd in een sobere, heldere stijl die al snel door anderen werd overgenomen.

In de jaren twintig speelde Gropius een belangrijke rol. De Fagus-schoenenfabriek (1911) en het Bauhaus-gebouw in Dessau (1926),

beide ontworpen in samenwerking met Adolf Meyer (1881-1929), zijn karakteristieke gebouwen en de kenmerken ervan (staalskeletten, glazen gevels, lange, horizontale ramen) zijn veel door latere architecten geïmiteerd. Net zo invloedrijk, zij het op een andere manier, waren zijn publicaties en zijn colleges die hij eerst bij het Bauhaus en later aan de universiteit van Harvard in de Verenigde Staten gaf.

Boven: **Adolf Loos, Kärntner Bar, Wenen, 1907**
In de Kärntner Bar, ook wel de "American Bar" genoemd, gebruikte Loos een groot deel van zijn favoriete materialen, waaronder marmer en spiegels. Door deze tegen het plafond te plaatsen, creëerde hij de illusie van een grotere ruimte.

Tegenoverliggende pagina: **Le Corbusier, Villa Savoye, Poissy, Frankrijk, 1929-31**
In dit huis worden Le Corbusiers "vijf bouwkundige punten" volledig verwezenlijkt. Het huis werd echter kort na de oplevering verlaten, waarna het in verval raakte. Na op 16 december 1965 tot "monument historique" te zijn verklaard, werd het over een periode van twintig jaar gerestaureerd.

Tegelijkertijd breidde in Parijs Le Corbusier zijn machine-esthetiek, die hij voor het eerst in zijn puristische schilderijen had ontwikkeld, uit naar de architectuur en de toegepaste kunst. De invloed die Le Corbusier, die niet alleen theoreticus maar ook uitvoerende was, op de moderne beweging had, werd versterkt door twee publicaties, namelijk zijn manifest "Vijf punten voor een nieuwe architectuur" (1926) en "Naar een nieuwe architectuur" (1923) waarin hij de beroemde woorden "Het huis is een machine om in te wonen" schreef. In beide werken benadrukte hij de wenselijkheid van ruimte, meer licht en lucht, en een rationeel, flexibel ontwerp.

Twee bekende voorbeelden van het werk van Le Corbusier zijn de Villa Savoye in Poissy (1929-31) en het Pavillon de L'Esprit Nouveau, dat in 1925 in Parijs werd geëxposeerd op de "Exposition Internationale des Arts Décoratifs et Industriels Modernes" (de tentoonstelling waaraan *art deco zijn naam ontleende). Het was echter op het gebied van stadsplanning dat Le Corbusier zijn radicaalste ideeën toepaste. In zijn roemruchte Plan Voisin (1924-25) stelde hij voor om een groot deel van Parijs tussen Montmartre en de Seine af te breken en te vervangen door achttien reusachtige wolkenkrabbers.

Le Corbusier was ook betrokken bij de oprichting van het CIAM (Congrès Internationaux d'Architecture Moderne) in juni 1928 in La Sarraz, Zwitserland, een forum voor discussie en beleidsvorming, waaraan modernistische architecten vanuit de gehele wereld deelnamen. Het forum, dat geregeld bijeenkwam, droeg in hoge mate bij aan de opkomst en verspreiding van de internationale stijl: toen in 1959 de laatste bijeenkomst werd gehouden, waren er groepen uit meer dan dertig landen aangesloten en waren er rond 3000 leden. In de eerste fase (1928-*ca.* 1933) werden de discussies gedomineerd door Duitse architecten en lag de nadruk op goedkope, sociale woningbouw, efficiënt grond- en materiaalgebruik en minimum-levensstandaarden. Na het Charter van Athene in 1933 verschoof het accent naar stadsplanning, waaruit de toenemende invloed van Le Corbusier binnen de organisatie bleek. Dit leidde uiteindelijk tot het ontwerp van Brasília, de nieuwe bestuurlijke hoofdstad van Brazilië (1956). Voor het ontwerp van de stad was Lúcio Costa (1902-98) verantwoordelijk, terwijl de belangrijkste gebouwen door Oscar Niemeyer (1907) werden ontworpen.

Het type gebouw dat veelvuldig te zien was op de in 1927 in Stuttgart gehouden tentoonstelling van de Deutscher Werkbund en dat na 1928 door het CIAM werd gepropageerd, verspreidde zich aan het eind van de jaren twintig en in de jaren dertig snel door heel Europa en Amerika. De gemeentebibliotheek van Viipuri (1930-35) van de Finse architect Alvar Aalto (1898-1976) gaf aan dat de stijl zich naar het noorden had uitgebreid, terwijl het Casa del Fascio (1932-36, zie M.I.A.R.) van de Italiaanse Giuseppe Terragni bewees dat de internationale stijl zich niet tot het socialisme beperkte. In Groot-Brittannië werden modernistische gebouwen door immigranten ontworpen. De invloedrijkste daarvan was de Russische architect Berthold Lubetkin (1901-90), wiens bureau Tecton (1932-48) verantwoordelijk was voor Highpoint I, Highgate in Londen (1935). De voornaamste export vond echter naar de Verenigde Staten plaats.

De tentoonstelling "Modern Architecture: International Exhibition" die in 1932 in het Museum of Modern Art (MoMA) in

New York werd gehouden, was een belangrijk moment in de geschiedenis van de stijl. De stijl kreeg uiteindelijk zijn naam van Philip Johnson (1906) en Henry-Russell Hitchcock (1903-87), de auteurs van het boekwerk "*The International Style: Architecture since 1922*", dat bij de tentoonstelling werd uitgegeven. Johnson en Hitchcock concentreerden zich op de introductie van het uiterlijk en de taal van het Europese modernisme in plaats van op de utopische, socialistische, ideologische achtergrond ervan. Zij richtten zich op de verwerping van het historistische eclecticisme, op het gebruik van in massa geproduceerd staal en beton voor de hoofdconstructies in plaats van baksteen en steen, op glas als bekleding, een vrije plattegrond en het "idee van architectuur als volume in plaats van als massa". Zuiverheid en discipline waren de eigenschappen die zij bewonderden en de uitspraak waartoe zij kwamen, was (met een knipoog naar Louis Sullivan) "less is more" (minder is meer).

De Verenigde Staten konden reeds bogen op een paar modernistische gebouwen. De uit Wenen afkomstige immigranten Rudolph M. Schindler (1887-1953) en Richard Neutra (1892-1970) werden beïnvloed door zowel Adolf Loos als Frank Lloyd Wright, zoals te zien is in Schindlers Lovell Beach House in Newport Beach (1925-26) en in Neutra's Lovell Health House in Griffith Park, Los Angeles (1927-29). Het was echter pas in het decennium na de tentoonstelling in het MoMA dat de internationale stijl echt aansloeg in de Verenigde Staten. Dit was deels het gevolg van de uittocht van avant-gardearchitecten uit Europa, met name uit Duitsland en Italië, die onder druk stonden van een vijandig gezinde, nationalistische

regering. Gropius, Marcel Breuer (1902-81, zie *Bauhaus) en Martin Wagner (1885-1957, zie *Der Ring) gingen doceren aan Harvard (waar Philip Johnson studeerde, die aan het begin van de jaren veertig architect werd), terwijl Mies van der Rohe in Chicago ging doceren.

Mies van der Rohe, wiens naam al snel synoniem werd aan het internationale modernisme, paste de internationale stijl aan, regulariseerde en verzwakte hem en maakte hem zo kenmerkend, verfijnd en geometrisch. Door de met elkaar verbonden ruimten en asymmetrie van het vroege Europese modernisme te vervangen door duidelijke, monumentale symmetrie, kwam hij tot de "Miesiaanse formule", een open, op een raster gebaseerde, glazen doos met een metalen skelet. Vroege voorbeelden van zijn lage, horizontale gebouwen zijn de campus en gebouwen voor het Illinois Institute of Technology (1940-56) en het Farnsworth House in Plano, Illinois (1946-50). Voor zijn beroemde Lake Shore Drive Apartments in Chicago (1948) paste hij het uit staal en glas opgetrokken kantoorgebouw aan woongebruik aan en in de daaropvolgende tien jaar bouwde hij samen met Johnson zijn misschien wel invloedrijkste werk: het Seagram Building in New York (1955-58). Inmiddels was Mies van der Rohe de belangrijkste architect van Amerika geworden en werd hij alom gezien als de rechtmatige opvolger van Sullivan en de Chicago School.

Het kan lijken of de Miesiaanse glazen doos de laatste ontwikkeling binnen de internationale stijl was, maar diverse architecten bedachten persoonlijke variaties op het algemene ontwerp. Bekende voorbeelden zijn onder andere Johnsons doorzichtige Glass

Boven: **Philip Johnson, Glass House, New Canaan, Connecticut, 1949**
Johnsons doorzichtige Glass House is een persoonlijke variatie op het
algemene glazen-doosontwerp van Mies van der Rohe en een eigen
interpretatie van Mies' Farnsworth House. In de massief bakstenen zuil
bevindt zich de badkamer.

Links: **Ludwig Mies van der Rohe, Lake Shore Drive Apartments,
Chicago, 1948-51** Voor deze "glazen huizen" paste Mies van der Rohe het
uit staal en glas opgetrokken kantoorgebouw aan woongebruik aan. In 1996
werden deze woningen zijn eerste bouwwerken die de status "Chicago
Landmark" kregen.

Tegenoverliggende pagina: **Oscar Niemeyer, gebouw van het Nationaal
Congres, Brazilië, 1960** In de periode waarin Niemeyer met Le Corbusier
aan een project werkte, ontmoette Niemeyer Juscelino Kubitschek, die later
president van Brazilië zou worden. Toen Kubitschek eenmaal president was,
benoemde hij Niemeyer tot hoofdarchitect van Brasilia.

House (1949) en het General Motors Technical Center in Warren,
Michigan (1948-56), dat werd ontworpen door de Finse architecten
Eliel Saarinen (1873-1950) en zijn zoon Eero (1910-61). Het Pirelli-
gebouw in Milaan (1956) van Gio Ponti (1891-1979, zie *Novecento
Italiano), Pier Luigi Nervi (1891-1979) en anderen is een ander
opmerkelijk voorbeeld van een variatie op de 'glazen doos' als
bedrijfsgebouw.

Aan het eind van de jaren vijftig kwam de internationale stijl
echter onder kritiek te staan. Deze kritiek kwam deels van binnenuit
en op het in 1956 gehouden, tiende congres van het CIAM kwam het
tot een crisis. Een groep jonge, radicale architecten die zich Team X
noemden en waarvan velen met *nieuw-brutalisme werden
geassocieerd, veroordeelde het modernisme zoals dat door het CIAM
werd onderschreven, omdat het geen rekening hield met bijvoorbeeld
de plaats en de emotionele behoeften van de mens, en verklaarde in
opstand te komen tegen "mechanische begrippen van orde". Het
CIAM werd drie jaar later formeel opgeheven.

Verschillende oudere architecten waren zelf al niet meer tevreden
over de minimalistische stijl. Zo had Le Corbusier zich aan het eind
van de jaren veertig afgekeerd van zijn eerdere precisionistische stijl en
had hij zich vervolgens toegelegd op een anti-rationele architectuur
die zowel expressief als fantasievol was, zoals te zien is in zijn
bedevaartskapel in Ronchamp (1950-54), met zijn silo-achtige witte
toren en het geronde, in een punt uitlopende, zwevende, bruine,
betonnen dak. Zoals Philip Johnson later in een interview in 1996
opmerkte: "Onze zogeheten moderne architectuur was te oud en ijzig

en plat. Frank Lloyd Wright noemde het plat: geen borsten." Johnson
en anderen reageerden door de zuiverheid en strakheid van de glazen
doos af te zwakken met humor en historische verwijzingen. Het door
Johnson ontworpen hoofdkantoor van AT&T in New York (1978-
84), een glazen wolkenkrabber met een fronton dat lijkt op een
chippendaleboekenkast, wordt nu als een van de eerste 'meesterwerken' van het *postmodernisme beschouwd.

Belangrijke monumenten
Le Corbusier, Villa Savoye, Poissy, Frankrijk
Ludwig Mies van der Rohe, Lake Shore Drive Apartments,
   Chicago, Illinois
—, Seagram Building, New York

Belangrijke boeken
H.-R. Russell and P. Johnson, *The International Style* (1932)
R. Banham, *The Age of the Masters* (1975)
K. Frampton, *Modern Architecture* (1985)
D. Sharp, *Twentieth-Century Architecture:
   A Visual History* (1991)

Novecento Italiano

Het woord "novecento" zal over de gehele wereld weer net zo prachtig Italiaans weerklinken als het quattrocento.

MARGHARITA SARFATTI

Het Novecento (negenhonderd) was een Italiaanse kunstbeweging die in 1922 was opgericht om het werk te propageren van een groep jonge kunstenaars die bij de Pesaro-galerie in Milaan waren aangesloten: Anselmo Bucci (1887-1955), Leonardo Dudreville (1885-1975), Achille Funi (1890-1972), Gian Emilio Malerba (1880-1926), Piero Marussig (1879-1937), Ubaldo Oppi (1889-1946) en Mario Sironi (1885-1961). De naam, die verwijst naar twintigste-eeuwse kunst, was specifiek gekozen wegens de associatie met andere belangrijke perioden in de Italiaanse kunst, zoals het quattrocento en het cinquecento. Zo kondigden de leden van de groep hun eigen tijdperk aan als het laatste grote tijdperk in de Italiaanse kunst. De verwijzing naar het verleden benadrukte ook hun bewondering voor het Italiaanse classicisme, dat zij wilden moderniseren in een poging om de Italiaanse kunst nieuw leven in te blazen, of, zoals Sironi zei, om kunst te maken die "de wereld die door God was gemaakt, niet zou imiteren, maar daardoor zou worden geïnspireerd".

De groep stond onder leiding van de schrijfster en kunstcritica Margharita Sarfatti (1880-1961), de geliefde van Benito Mussolini.

Op de eerste tentoonstelling van de groep, die in 1923 in de Pesaro-galerie werd gehouden, hield Mussolini een inaugurele rede, terwijl Sarfatti ervoor zorgde dat de groep werd opgenomen in een aantal in het oog lopende tentoonstellingen, zoals de Biënnale van Venetië in 1924, waarop hun werk werd uitgeroepen tot "een zuivere, Italiaanse kunst, die haar inspiratie ontleent aan de zuiverste bronnen, vastbesloten om alle geïmporteerde "ismen" en invloeden af te schudden die zo vaak een verkeerde voorstelling hebben gegeven van de duidelijke, essentiële eigenschappen van ons volk".

Aan het begin van 1925 ontbond Sarfatti het Novecento, waarna zij het opnieuw oprichtte als het Novecento Italiano, compleet met een bestuurscollege dat de taak had hun werk in binnen- en

Mario Sironi, **Stadslandschap**, 1921

Op klassieke wijze gegroepeerde, maar beangstigend verlaten taferelen van fabrieken en flatgebouwen zijn veelvoorkomende onderwerpen in de vroege carrière van Sironi. Sironi was openlijk aanhanger van het fascisme en gebruikte zijn schilderijen om de liberale regering te bekritiseren die kort daarop door Mussolini zou worden verdreven.

buitenland te propageren. Sarfatti presenteerde de nieuwe stijl als wezenlijk 'Italiaans' en de stijl die het beste het nieuwe Italië van het fascistische regime vertegenwoordigde. Door haar relatie met Mussolini en haar reputatie als "dictator van de beeldende kunsten" kon zij andere belangrijke kunstenaars (van uiteenlopende gezindten) binnen de beweging halen, zoals Carlo Carrà (1881-1966), voorheen een vooraanstaande figuur van het *futurisme en *Pittura Metafisica, Massimo Campigli (1895-1971), Felice Casorati (1883-1963), Marino Marini (1901-80), Arturo Martini (1889-1947) en Arturo Tosi (1871-1956).

De eerste grote tentoonstelling van de nieuwe groep, waaraan ruim honderd kunstenaars deelnamen, vond in 1926 in Milaan plaats en werd geopend door Mussolini. De tentoonstelling luidde een korte periode in waarin de Italiaanse kunst werd gedomineerd door het Novecento. De samenhang van de beweging als artistieke beweging werd echter juist door de omvang van de nieuwe groep ondermijnd. Het teveel aan publiciteit had een averechtse uitwerking. Sironi merkte op dat "er te veel tentoonstellingen waren; zelfs de Gioconda [Mona Lisa] zou al haar waarde verliezen als men haar elke dag zag". Ondanks aanzienlijke inspanningen van Sarfatti weigerde Mussolini de stijl goed te keuren als de officiële kunst van het fascisme. Deze factoren, in combinatie met de kritiek van politieke en culturele vijanden, en de verslechtering van Sarfatti's persoonlijke relatie met Mussolini leidden ertoe dat de beweging tussen 1932 en 1933 werd opgeheven. De beweging had echter wel invloed op verwante bewegingen op het gebied van architectuur en vormgeving in die periode, en de naam waarmee deze bewegingen werden aangeduid, "novecentismo", was aan haar naam ontleend. De kern van deze bewegingen werd gevormd door de activiteiten van een groep Milanese architecten die in 1926 begonnen samen te werken: Giovanni Muzio (1893-1982), Mino Fiocchi (1893-1983), Emilio Lancia (1890-1973), Gio Ponti (1891-1979), Aldo Andreani (1887-1971), Piero Portaluppi (1888-1976) en anderen. Hun ideeën en ontwerpen werden verspreid via het invloedrijke architectuur- en designtijdschrift *Domus*, dat in 1928 door Ponti was opgericht.

Geïnspireerd door het neoclassicisme van de Novecento-kunstenaars en de droomwereld van de Pittura Metafisica-schilders, zoals Giorgio de Chirico, probeerden de architecten, tegen de machinecultus van het vooroorlogse futurisme in, een nieuwe interpretatie aan Italiaanse klassieke vormen te geven. Deze waren, zoals Muzio toegaf, anti-futuristisch en hij voerde aan dat klassieke vormen altijd passend zouden zijn: "Lopen we misschien niet vooruit op een beweging waarvan de op handen zijnde geboorte in heel Europa wordt aangekondigd door aarzelende maar wijdverspreide symptomen?" Deze belangrijke opmerking vestigt de aandacht op het feit dat, hoewel de Novecento Italiano-beweging vaak als fascistisch wordt omschreven, het misschien het beste is om de beweging te zien als onderdeel van de pan-Europese trend waarvan na de Eerste Wereldoorlog sprake was, een fenomeen dat Jean Cocteau *rappel à l'ordre* (terugkeer naar orde) noemde. Deze zoektocht naar stabiliteit en orde, de verwerping van moderne ontwikkelingen, de terugkeer naar inheemse, meer representatieve bronnen, is een wijdverspreid kenmerk dat in de kunst van die periode te vinden is: zie bijvoorbeeld *American Scene, *Purisme, *Socialistisch realisme en *Nieuwe zakelijkheid.

Belangrijke collecties
Marini Museum, Milaan
Museo di Arte Moderna e Contemporanea, Trento
Museum of Fine Arts, Houston, Texas
Palazzo Montecitorio, Rome
Pinoteca di Brera, Milaan

Belangrijke boeken
R. A. Etlin, *Modernism in Italian Architecture, 1890–1940* (1991)
Italian Art in the 20th Century: Painting and Sculpture 1900–1988 (tent. cat. Royal Academy of Arts, London, 1989)

Der Ring

De strijd om de nieuwe woning is slechts een onderdeel van de grotere strijd om een nieuwe maatschappij.

LUDWIG MIES VAN DER ROHE, 1927

Der Ring (De Ring) was een architecturale vereniging die in 1923 of 1924 in Berlijn werd opgericht met het doel om het modernisme in Duitsland te propageren. De vereniging begon als groep van tien architecten die zich de Zehnerring (de Ring van Tien) noemden. Otto Bartning (1883-1959), Peter Behrens (1869-1940), Hugo Häring (1882-1958), Erich Mendelsohn (1887-1953), Ludwig Mies van der Rohe (1886-1969, zie *Internationale stijl), Bruno Taut (1880-1938) en Max Taut (1884-1967) bevonden zich onder de oorspronkelijke leden. Zoals de naam suggereert, zagen zij zichzelf niet als een hiërarchische organisatie, maar als groep gelijken. Veel van hen waren tegelijkertijd betrokken bij andere collectieve ondernemingen, zoals de *Deutscher Werkbund, *Arbeitsrat für Kunst en de *Novembergruppe.

Omdat zij van mening waren dat de geringe omvang van de

vereniging hun succes in de weg stond, werd het ledenaantal in 1926 uitgebreid tot zevenentwintig en gingen zij zich Der Ring noemen, met Häring als algemeen secretaris. Degenen die zich voor het betalende lidmaatschap opgaven, waren onder anderen Walter Gropius (1883-1969, zie *Bauhaus), Otto Haesler (1880-1962), Ludwig Hilbersheimer (1885-1967), de broers Hans Luckhardt (1890-1954) en Wassili Luckhardt (1889-1972), Ernst May (1886-1970), Adolf Meyer (1881-1929), Hans Scharoun (1893-1972), Martin Wagner (1885-1957) en de criticus Walter Curt Behrendt (*ca.* 1885-1945). Teneinde "de weg voor te bereiden voor de nieuwe architectuur van het nieuwe, wetenschappelijke en sociale tijdperk", hielden zij zich met alle aspecten van architectuur bezig. Zo publiceerden zij hun standpunten omtrent huisvesting en planning (met name via *Die Form*, het tijdschrift van de Deutscher Werkbund waarvan Behrendt redacteur was), leverden zij bijdragen aan tentoonstellingen en verrichten zij onderzoek naar nieuwe materialen en bouwtechnieken.

In projecten zoals de Siemensstadt (1929-30), die door Scharoun, Bartning, Gropius, Häring en anderen voor Siemens, de fabrikant van elektrische apparatuur, werd ontworpen, en de Hufeisensiedlung (Hoefijzerwijk, 1925-30) van Bruno Taut en Wagner, creëerden architecten van Der Ring een model voor sociale woningbouw: flatgebouwen met vijf of zes verdiepingen en grote ramen voor natuurlijk licht, die werden geïntegreerd in groene, open ruimten. In 1927 waren zij ook betrokken bij de permanente tentoonstelling van gebouwen in de Weissenhofsiedlung in Stuttgart (zie *Deutscher Werkbund), waar een aantal van de vroegste voorbeelden van de internationale stijl te zien waren.

De overheersing van de modernistische visie van Der Ring op de tentoonstelling in Stuttgart was niet onomstreden. Toen een

Bruno Taut, De Hufeisensiedlung (Hoefijzerwijk), Berlijn, 1925-30
Martin Wagner nam het initiatief voor de bouw van de wijk, die zijn naam ontleende aan de vorm. Het was een van de eerste grootschalige woningbouwprojecten die in deze periode in Berlijn werden gebouwd waarvoor huursubsidie werd verstrekt.

bouwplan met traditionele woningen met een schuin dak was afgewezen, trokken de twee architecten, Paul Bonatz (1877-1956) en Paul Schmitthenner (1884-1973), zich uit protest terug en vormden zij Der Block (Het Blok), een tegenvereniging van meer traditioneel gerichte architecten. Leden van Der Block, waaronder de Duitse Bestelmeyer en Paul Schultze-Naumburg, pleitten in een manifest waarin de "Duitsheid" werd benadrukt, voor een architectuur die traditioneel en plattelands was en die was gebaseerd op lokale vormen (anti-stedelijk, anti-modern en, bij uitbreiding, anti-internationaal).

Hoewel Der Block zelf slechts tot 1929 als groep bestond, vormden de uitgangspunten van de groep en de vormen die de groep vertegenwoordigde de kern van de kritiek die later door de nazi's op de modernistische (internationale) architectuur en architecten werd geuit. Het conflict tussen verschillende 'scholen' architecten (symbolisch gesproken de modernisten met hun platte dak versus de traditionalisten met hun schuine dak) kreeg in de jaren dertig een grotere betekenis, toen in het Derde Rijk de door de staat gepropageerde, moderne binnenlandse architectonische vormen van de Weimarrepubliek werden vervangen door de zogenaamd meer 'Duitse' vormen met schuine daken.

Economische beperkingen als gevolg van de depressie en de politieke verschuiving naar rechts in Duitsland verzwakten de invoed van Der Ring en de groep werd in 1933 ontbonden. De ideologie van de groep verspreidde zich echter toen veel van de groepsleden, waaronder Gropius, Hilbersheimer, Wagner, Mies van der Rohe, Mendelsohn, May en Meyer, aan het eind van de jaren dertig emigreerden, waardoor hun versie van het modernisme internationaal werd.

Belangrijke monumenten
Scharoun, et al., Siemensstadt, Berlijn
Bruno Taut en Martin Wagner, Hufeisensiedlung,
    Berlijn-Neukölln
Ludwig Mies van der Rohe, Weissenhofsiedlung, Stuttgart

Belangrijke boeken
B. M. Lane, *Architecture and Politics in Germany,
    1918–1945* (Cambridge, MA, 1968)
K. Frampton, *Modern Architecture: A Critical History* (1992)
K. James, *Erich Mendelsohn and the Architecture of
    German Modernism* (Cambridge, UK, 1997)

Nieuwe zakelijkheid

Mijn schilderijen en prenten zijn een verwijt aan God voor alles wat hij fout doet.

MAX BECKMANN, 1919

Nieuwe zakelijkheid (Neue Sachlichkeit) was de term die in 1924 door Gustav F. Hartlaub, de directeur van de Kunsthalle in Mannheim, werd bedacht voor de realistische trend die in de schilderkunst van de jaren twintig van de twintigste eeuw in Duitsland opkwam. In 1925 werd in het museum de tentoonstelling "Neue Sachlichkeit" gehouden van "kunstenaars die trouw waren gebleven aan of waren teruggekeerd naar de positieve, tastbare realiteit". Het idealisme en utopisme van het Duitse *expressionisme (zie bijvoorbeeld *Die Brücke, *Der Blaue Reiter en *Arbeitsrat für Kunst) waarvan onmiddellijk na de Eerste Wereldoorlog sprake was, sloegen al snel om in ontgoocheling en cynisme toen de Duitse politiek naar rechts verschoof. Het leek veel kunstenaars dat de omstandigheden een anti-idealistische, maatschappelijk betrokken, realistische schilderstijl verlangden. Dit was onderdeel van een bredere beweging, de zogeheten *rappel à l'ordre*, of terugkeer naar orde, die ook te zien is in het werk van de *American Scene-schilders en de *sociaal realisten in de Verenigde Staten.

Net als het expressionisme vond de nieuwe zakelijkheid een natuurlijke basis in Duitse steden: Berlijn, Dresden, Karlsruhe, Keulen, Düsseldorf, Hannover en München. In tegenstelling tot de expressionistische kunstenaars verenigden de kunstenaars van de nieuwe zakelijkheid zich echter niet in groepen; zij werkten als individuen. De bekendsten van hen, Käthe Kollwitz (1867-1945), Max Beckmann (1884-1950), Otto Dix (1891-1969), George Grosz (1893-1959), Christian Schad (1894-1982), Conrad Felixmüller (1897-1977) en Rudolf Schlichter (1890-1955), werkten in verschillende stijlen, maar hadden veel thema's met elkaar gemeen: de gruwelen van de oorlog, de sociale hypocrisie en het morele verval, de benarde situatie van de armen en de opkomst van het nationaal-socialisme.

Kollwitz, die ouder was dan de expressionistische kunstenaars en de kunstenaars van de nieuwe zakelijkheid, vervaardigde vanaf de jaren negentig van de negentiende eeuw indrukwekkende beelden van de onderdrukten (eerst in etsen, later in litho's en beeldhouwwerken). Series prenten van oorlogsslachtoffers, zoals *De Boerenoorlog* (1902-08) en *Oorlog* (1923), gaven haar veel aanzien. Beckmann was eerst lid van de Berlijnse Sezession (zie *Weense Sezession) en later een soort expressionist (tot een breed uitgemeten onenigheid met Franz Marc die in 1912 in het tijdschrift *Pan* werd uitgevochten), maar hij was altijd een enigszins geïsoleerde figuur. Na afloop van de Eerste Wereldoorlog (tijdens welke hij een zenuwinzinking kreeg terwijl hij bij de Geneeskundige Dienst diende), keerde hij niet terug naar Berlijn, of naar zijn vrouw, maar begon hij een nieuw leven in Frankfurt. Zijn wrange, symbolische, gothisch-expressionistische portretteringen van gekwelde figuren in monumentale scenario's, vaak weergegeven in middeleeuwse drieluiken, drukken met religieuze intensiteit het verlangen uit om spirituele waarden over te brengen in een tijd waarin een spiritueel en moreel dieptepunt was bereikt.

De expressionistische angst in het werk van Kollwitz en Beckmann verandert in het werk van Dix en Grosz in bitter cynisme. Hun vervormde realisme is meedogenloos satirisch. Net als Beckmann diende Dix in de oorlog en zijn schilderijen uit de jaren twintig (*Loopgravenoorlog*, 1922-23, vernietigd tussen 1943 en 1945 en het etsenboek *De Oorlog*, 1924) werden door kunsthistoricus G.H. Hamilton beschreven als "wellicht de indrukwekkendste en tegelijk de onplezierigste anti-oorlogverklaringen uit de moderne kunst." In Dix' psychologische portretten uit die periode werden personen en de

Rechts: **George Grosz, *Daum trouwt met haar pedante robot George in mei 1920; John Heartfield is er erg blij mee*, 1920**
Met een knipoog naar Heartfields sarcastische en jolige fotomontages voor dada, brengt Grosz de mechanistische kapitalist, zijn hoofd vol cijfers, samen met de prostituee die haar wellust verkoopt.

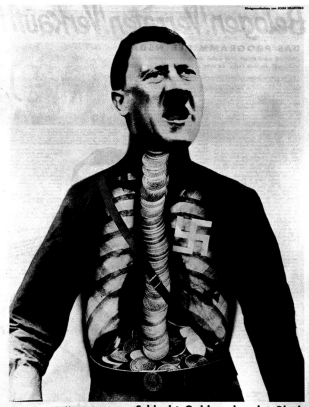

ADOLF, DER ÜBERMENSCH: **Schluckt Gold und redet Blech**

maatschappij aan dezelfde onbevreesde, kritische blik onderworpen.

Steenrijke politici en zakenlieden werden evenmin mild behandeld door Grosz, die van zichzelf zei dat hij werd "geleid door absolute mensenhaat". Zijn meedogenloze karikaturen legden de realiteit van een in verval geraakte en decadente maatschappij bloot. Bij zijn zoektocht naar de meest directe uitdrukking van gevoel ging hij zelfs zo ver dat hij de tekeningen op de muren van openbare urinoirs kopieerde. Vóór de oorlog was Grosz lid van de Berlijnse *dada geweest en zijn satire doet denken aan de fotomontages van andere Berlijnse dadaïsten, zoals John Heartfield, alsook aan de beelden van de Amerikaanse sociaal realisten, zoals Ben Shahn. Zoals hij in 1925 schreef: "Ik heb getekend en geschilderd uit een gevoel van tegenspraak, waarbij ik in mijn werk heb geprobeerd de wereld ervan te overtuigen dat zij lelijk, ziek en leugenachtig was." Hij was altijd provocerend (hij werd lid van de communistische partij, bracht in

1922 een langdurig bezoek aan Rusland en later dat decennium was zijn werk het onderwerp van een rechtszaak wegens godslastering), maar halverwege de jaren twintig verwierf hij faam en werd zijn werk in diverse Duitse steden op solotentoonstellingen geëxposeerd.

De opkomst van het nationaal-socialisme veranderde dat allemaal, en niet alleen voor Grosz, maar voor alle andere kunstenaars van de nieuwe zakelijkheid. In de vroege jaren van de jaren dertig werden zij allen ontheven uit de officiële functies die zij bekleedden; hun werk werd in beslag genomen en bespot op de beruchte tentoonstelling "Entartete Kunst" (Ontaarde kunst) die in 1937 werd gehouden. Aan het begin van de Tweede Wereldoorlog was de Weimarrepubliek verdwenen en daarmee ook de kunstenaars van de nieuwe zakelijkheid.

Boven: **Otto Dix, *Kaartspelende oorlogsinvaliden*, 1920**
Dix was een fel satiricus van de Weimarrepubliek. De oorlogsinvalide was na de Eerste Wereldoorlog een bekende figuur in Duitsland, maar hier is hij op brute wijze omgevormd tot een symbool van een verminkte, ontmenselijkte en corrupte maatschappij.

Boven rechts: **John Heartfield, *Adolf de supermens slikt goud en spuwt rotzooi*, 1932** Heartfield (die uit protest tegen het nazisme zijn naam Herzfelde had verengelst) was een van de meest politiek geëngageerde kunstenaars. Deze montage werd vergroot in heel Berlijn opgehangen, kort nadat de nationaal-socialisten net geen meerderheid in het Duitse Parlement hadden behaald.

Belangrijke collecties
Fine Arts Museums of San Francisco, San Francisco,
   California
Kunsthaus, Zürich
Minneapolis Institute of Arts, Minnesota
Museum Kunst Palast, Düsseldorf
Palazzo Grassi, Venetië

Belangrijke boeken
P. Gay, *Weimar Culture: The Outsider as Insider* (1969)
J. Willett, *The New Sobriety, Art and Politics in
   the Weimar Period, 1917–1933* (1984)
M. Eberle, *World War I and the Weimar Artists.
   Dix, Grosz, Beckmann, Schlemmer* (1985)

Surrealisme

Alleen het wonderbaarlijke is mooi.

ANDRÉ BRETON, 'WAT IS SURREALISME', 1934

Het surrealisme werd in 1924 gelanceerd door de Franse dichter André Breton (1896-1966). Hoewel de term al in gebruik was sinds de criticus Guillaume Apollinaire hem bedacht in 1917 om iets te beschrijven dat de realiteit oversteeg, nam Breton deze term over om zijn eigen visie van de toekomst te beschrijven. In het 'Eerste surrealistische manifest' (1924) definieerde Breton het surrealisme als 'Gedachte uitgedrukt zonder enige controle door de rede, en onafhankelijk van alle morele en esthetische overwegingen.'

Met het surrealisme wilde Breton een revolutie teweegbrengen die zo diepzinnig was als de revoluties van degenen die hij uitriep als ideologische voorlopers: Sigmund Freud (1856-1939), Leon Trotsky (1879-1940) en de dichters Comte de Lautréamont (Isidore Ducasse, 1846-80) en Arthur Rimbaud (1854-91). Het Marxisme, psychoanalyse en occulte filosofieën waren allemaal van grote invloed op Breton, en zijn model van de kunstenaar als een ziener in opstand tegen de maatschappij was ontleend aan Lautréamont en Rimbaud. Een frase van Lautréamont verschafte de surrealisten hun motto, en

bracht hun overtuiging tot uitdrukking dat schoonheid, of het wonderbaarlijke, te vinden was in onverwachte toevallige ontmoetingen op straat: "Zo mooi als de toevallige ontmoeting op een ontleedtafel van een naaimachine en een paraplu." In tegenstelling tot de chaos en spontaniteit van *dada waaruit het voortkwam, was het surrealisme onder Breton – die de bijnaam de 'Paus van het surrealisme' kreeg – een zeer georganiseerde beweging met doctrinaire theorieën. In feite bracht Breton een revolutionaire verandering teweeg in de kunstkritiek: van nu af aan zou de criticus als charismatische leider van een avant-gardegroep een bekende figuur worden. Tegen de tijd dat Breton stierf in 1966 was het surrealisme een van de meest populaire bewegingen van de twintigste eeuw geworden. Het optimisme van de surrealisten vormde nog een ander

Max Ernst, *Bij de bijeenkomst van vrienden*, 1922 Terwijl André Breton (13) zijn zegen geeft aan de verzamelde surrealistische dichters en kunstenaars, zit Max Ernst op de knie van Dostojevsky, een andere leidende figuur van de surrealistische beweging, en trekt aan zijn baard.

contrast met dada, dat stond voor de ontkenning van de kunst. De surrealisten mikten op niets minder dan de totale transformatie van de manier waarop mensen denken. Door de grenzen te slechten tussen hun innerlijke en hun uiterlijke werelden, en de manier te veranderen waarop ze de realiteit waarnamen, zou het surrealisme het onderbewustzijn bevrijden, en het verenigen met het bewustzijn, en de mensheid bevrijden van de ketenen van de logica en de rede, die tot dan toe slechts hadden geleid tot oorlog en overheersing.

Het surrealisme oefende een enorme aantrekkingskracht uit op kunstenaars. Veel van de oorspronkelijke surrealisten, zoals Max Ernst (1891-1976), Man Ray (1890-1977) en Jean (Hans) Arp (1887-1966) werden gerecruteerd uit de gelederen van dada. Tot de nieuwe leden behoorden Antonin Artaud (1896-1948), André Masson (1896-1987), Joan Miró (1893-1983), Yves Tanguy (1900-55) en Pierre Roy (1880-1950, zie *Magisch realisme). Later, in de jaren twintig en dertig van de twintigste eeuw behoorden Tristan Tzara (zie *Dada), Salvador Dalí (1904-89), Luis Buñuel (1900-83), Alberto Giacometti (1901-66), Matta (Roberto Matta Echaurren, b. 1911) en Hans Bellmer (1902-75) tot de nieuwe leden. Andere kunstenaars bleven in de periferie van het surrealisme werken, zoals de Belg René Magritte (1898-1967, zie *Magisch realisme). Weer anderen werden geclaimed voor het surrealisme, of dit hen nu beviel of niet, zoals Pablo Picasso (zie *Kubisme), Marc Chagall (zie *Ecole de Paris) en Paul Klee (zie *Der Blaue Reiter).

Dada bleef, in zijn technieken en zijn vastbeslotenheid om grenzen te slechten, het grote voorbeeld voor de surrealisten. Belangrijk waren ook de onwezenlijke schilderijen van Giorgio de Chirico (zie *Pittura Metafisica). Maar misschien wel de belangrijkste intellectuele invloed op de surrealisten had Freud. Het onderbewustzijn, dromen en een aantal belangrijke Freudiaanse theorieën werden door de surrealisten benut als repertoire van onderdrukte beelden die ze naar believen konden exploiteren. Ze waren met name geïnteresseerd in Freuds ideeën over castratieangst, fetisjen en het geheimzinnige. De surrealisten maakten op verschillende manieren gebruik van deze ideeën: in hun pogingen om het ongewone gewoon te maken, in hun experimenten op het gebied van automatisch schrijven en tekenen, in hun gebruik van toeval en vreemde combinaties, in hun concept van de verslindende vrouw en in het slechten van grenzen, tussen mens en dier, en tussen fantasie en werkelijkheid. In surrealistisch werk veranderde de liefde van dada voor machines in angst voor de dehumaniserende automatisering, een verschrikking van de doden die tot leven worden gewekt. Maskers, en (etalage)poppen zijn vaak terugkerende beelden. Bellmers foto's van

poppen zonder ledematen zijn bijvoorbeeld zo enorm verontrustend omdat ze de grens tussen levende en levenloze dingen lijken uit te wissen. De meeste surrealistische werken (zoals het zogeheten 'organische' surrealisme van Miró, Masson, Matta en Arp, of het 'droomsurrealisme' van Dalí, Magritte, Tanguy en Roy) behandelen zulke verontrustende drijfveren als angst, begeerte en erotisme.

Max Ernst, die zich in verschillende media met een groot scala van ideeën bezighield, is een belangrijke figuur. Schilderijen zoals *De blinde zwemmer* (1934) of *Twee kinderen, bedreigd door een nachtegaal* (1924) hebben droomachtige kwaliteiten die doen denken aan het 'geheimzinnige' van Rimbaud en Freud. Het is moeilijk om te zeggen waarover de werken precies 'gaan: ze zijn incongruent en zaaien verwarring. Het beeld in *De blinde zwemmer* zou zowel kunnen bestaan uit mannelijke als uit vrouwelijke geslachtsorganen, en brengt gedachten teweeg over zowel voortplanting als castratie. De ambigue effecten van een onverwachte combinatie en van toeval waren van belang voor Ernst en alle surrealisten. In 1925, toe hij in een Frans hotel aan de kust verbleef, ontdekte Ernst *frottage* doordat hij met zwart krijt een afbeelding van de houten vloer maakte door eroverheen te wrijven. In de tekeningen die hij had geproduceerd zag hij tot zijn opwinding 'tegengestelde beelden die, de ene boven op de andere, ontstonden, met de vasthoudendheid en snelheid van erotische dromen.' Later, rond 1930, begon hij aan een reeks van 'collageromans', waarvan de bekendste *Une Semaine de Bonté* (Een week van overvloed) is. Hij sneed Victoriaanse staalgravures in stukken en rangschikte de onderdelen opnieuw, waarbij hij het verleden letterlijk ontheiligde, en produceerde bizarre fantasieën uit de veilige burgermaatschappij waarin hijzelf was opgegroeid.

Giacometti maakte meesterlijke surrealistische sculpturen, zoals *Vrouw met doorgesneden keel* (1932), een bronzen constructie van een uiteengereten vrouwelijk lichaam, en *Het onzichtbare object (handen die de leegte omvatten)* (1934-35). Beide portretteren het lichaam van de vrouw als onmenselijk en gevaarlijk. Het werk brengt twee ideeën bij elkaar die van belang zijn voor veel surrealisten: het idee van het dehumaniserende masker (Afrikaanse maskers, gasmaskers, industriële maskers), en het idee van de vrouwelijke bidsprinkhaan die het mannetje doodt en onthooft tijdens de copulatie. De vreemde, droevige figuur in *Het onzichtbare object* zou in deze context de 'vrouwelijke killer' kunnen zijn, die de angst voor vrouwen en de dood

---

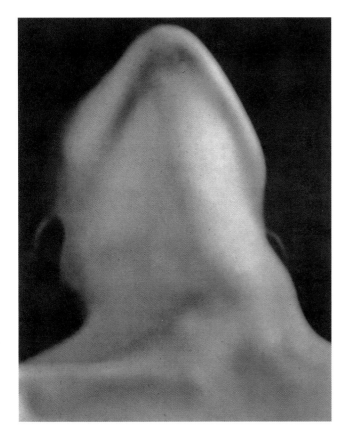

vertegenwoordigt en de opwinding van gevaarlijke sex. Voor Breton was dit werk 'het gevolg van de wens om lief te hebben en te worden bemind'.

Man Ray was de eerste surrealistische fotograaf. Andere vertegenwoordigers waren Bellmer, Brassaï (1899-1984), Jacques-André Boiffard (1902-61) en Raoul Ubac (1909-85). Door de gebruikmaking van manipulatie in de donkere kamer, close-ups en onverwachte combinaties, bleek fotografie een zeer geschikt medium voor het isoleren van het surreële beeld dat in de wereld aanwezig is. De tweeledige status van fotografie als zowel document als kunst versterkte de claim van de surrealisten dat de wereld vol erotische symbolen en surreële ontmoetingen zit. Man Ray werkte met succes in de schijnbaar onverenigbare werelden van de Parijse avant-garde en de commerciële fotografie. Zijn foto's werden gepubliceerd in zowel specialistische als populaire tijdschriften – van *Vogue* en *Vanity Fair* tot *La Surréalisme au service de la révolution* (1930-33) en *La Révolution surréaliste* (1924-29) – waarbij vaak afbeeldingen uit dezelfde serie in beide categorieën publicaties verschenen. Voor de surrealisten, evenals voor de mode, symboliseerde de mannequin de vrouw als object, geconstrueerd en gemanipuleerd, waarbij de grenzen tussen levend en niet-levend geweld werden aangedaan. Ondanks de impliciete

Man Ray, *Anatomieën*, 1929 De foto toont een verwarrende mannelijke/vrouwelijke ambiguïteit: de camera verandert op een onverwachte manier de nek en kin van een vrouwelijk model in een fallusachtige afbeelding. De surrealistische associatie met Freudiaanse theorieën is overduidelijk aanwezig; de afbeelding verwijst naar de angst voor onthoofding of castratie.

vrouwenhaat in veel surrealistisch werk waren er verscheidene belangrijke vrouwelijke surrealisten, waaronder met name Leonora Carrington (geb. 1917), Leonor Fini (1908-96), Jacqueline Breton (geb. 1910), Dorothea Agar (1899-1991) en Meret Oppenheim (1913-85). De met bont beklede kop en schotel, *Object* (1936) is een van de snelst erkende surrealistische objecten.

Het surrealisme maakte zijn snelle opwachting op het internationale podium in de jaren dertig van de twintigste eeuw met grote exposities in Brussel, Kopenhagen, Londen, New York en Parijs. De beweging werd al gauw wereldwijd een populair fenomeen, en er vormden zich groepen in Engeland, Tsjechoslovakije, België, Egypte, Denemarken, Japan, Nederland, Roemenië en Hongarije. Hoewel de poëtische en cerebrale aspiraties wellicht niet zijn begrepen, spraken de beelden van het surrealisme tot de verbeelding van het publiek. De vreemde combinaties, het eigenaardige karakter en de beeldspraken uit de droomwereld van het surrealisme vonden hun weg naar allerlei terreinen, variërend van film tot de modeontwerpen van Elsa Schiaparelli (1890-1973), de reclamewereld, etalageontwerpen en toegepaste kunst (Dalí's kreefttelefoon en de Mae West lippensofa, bijvoorbeeld). Hetzelfde verlangen naar glamour en escapisme tijdens de jaren dertig van de twintigste eeuw die leidden tot de populariteit van *Art deco voerden het publiek ook naar het surrealisme. Tegen het uitbreken van de Tweede Wereldoorlog verbleven de meeste belangrijke surrealisten, waaronder Breton, Ernst en Masson, in Amerika, waar ze nieuwe leden recruteerden als Tanning, Frederick Kiesler (1896-1965), Enrico Donati (geb. 1909), Arshile Gorky (1905-48) en Joseph Cornell (1903-73). Toen Breton echter na de oorlog terugkeerde naar Parijs, ervoer hij dat het surrealisme werd aangevallen door voormalige leden als Tzara en de nieuwe leider van de avant-garde, Jean-Paul Sartre (zie *Existentiële kunst), die het surrealisme veroordeelde om zijn 'tamelijk domme optimisme'. Desondanks werden er in Parijs in 1947 en in 1959 grote surrealistische exposities gehouden, en surrealistische ideeën en technieken drukten hun stempel op veel van de na-oorlogse kunstbewegingen, inclusief *art informel en *abstract expressionisme, *CoBrA, *nouveau réalisme en *performancekunst.

Belangrijke collecties
Fine Arts Museums of San Francisco, San Francisco, California
Joan Miró Foundation, Barcelona
Kunstmuseum, Düsseldorf
Salvador Dalí Museum, St Petersburg, Florida
Tate Gallery, Londen
Museum Boijmans Van Beuningen, Rotterdam

Belangrijke boeken
W. Rubin, *Dada and Surrealist Art* (1969)
D. Ades, *Dada and Surrealism Reviewed* (1978)
R. Krauss and J. Livingston, *L'Amour fou: Photography and Surrealism* (1985)
R. Martin, *Fashion and Surrealism* (1989)

Elementarisme

We moeten inzien dat kunst en het leven geen afzonderlijke gebieden zijn. Dit is de reden waarom het idee van kunst als illusie moet verdwijnen.

THEO VAN DOESBURG EN COR VAN EESTEREN, 1924

Het elementarisme was een variant van het neoplasticisme van *De Stijl dat rond 1924 was bedacht door een van de actiefste en luidruchtigste leden van De Stijl: Theo van Doesburg (1883-1931). Terwijl hij vasthield aan de neoplasticistische rechte hoeken en primaire kleuren, draaide Van Doesburg zijn composities 45 graden, om ze een element van verrassing en dynamiek te geven, wat ontbrak in de strak horizontale-verticale schilderijen die met andere De Stijl-kunstenaars, zoals Piet Mondriaan, worden geassocieerd. Het was een bewust controversiële actie en leidde vrijwel onmiddellijk tot een breuk tussen Mondriaan en Van Doesburg en binnen een paar maanden tot Mondriaans vertrek bij De Stijl.

Van Doesburg noemde zijn nieuwe schilderijen "contra-composities". Er is een oppervlakkig verband met zowel de *futuristen als de *vorticisten, die de diagonaal in hun schilderijen gebruikten om

de kracht van het eigentijdse leven uit te drukken, maar Van Doesburgs eigen interesses hadden hem naar architectuur en design geleid. De *Bauhaus-kunstenaars en de *constructivisten waren belangrijke invloeden. Net als zij was Van Doesburg geïnteresseerd in de synthese van de kunsten en in de praktische toepassing van kunst in het dagelijks leven. In 1920 en 1921 bezocht hij op uitnodiging van Walter Gropius het Bauhaus en bekritiseerde hij de expressionistische en mystieke benadering die toen door Johannes

Theo van Doesburg, Café L'Aubette, Straatsburg, 1928-29
Het laatste en misschien wel belangrijkste werk van de neoplasticistische architectuur benadert het meest Van Doesburgs streven naar een volledige integratie van schilderkunst en architectuur. "Het schilderen los van architectonische constructies", zo schreef Van Doesburg, heeft "geen enkele bestaansreden".

Itten werd gepropageerd. Hij zette zelfs naast het Bauhaus een concurrerende studio op en schreef triomfantelijk aan een vriend: "In Weimar heb ik alles radicaal ondersteboven gekeerd. (…) Ik heb (...) overal het vergif van de nieuwe geest rondgestrooid." Zijn relatie met El Lissitzky (zie *Constructivisme), die hij in 1921 had ontmoet, was minder strijdlustig. Lissitzky had al getheoretiseerd over de manieren waarop kunst en architectuur konden worden samengebracht en hij zou een grote invloed op Van Doesburg hebben.

Essays en manifesten vergezelden Van Doesburgs nieuwe praktische en theoretische ontwikkelingen. In "Vers une Construction Collective" (1924) schreven Van Doesburg en Cor van Eesteren (1897-1988): "We hebben de kleur haar ware plaats in de architectuur gegeven en wij verklaren dat het schilderen los van architectonische constructies (d.w.z. het ezelschilderij) geen enkele bestaansreden heeft." In het manifest van het elementarisme, dat in 1926 in De Stijl werd gepubliceerd, alsook in de periode van 1926 tot 1928, werkten zij de principes van het elementarisme in detail uit. Voor Van Doesburg waren contra-composities "de zuiverste en tegelijkertijd de meest directe wijzen van expressie van de menselijke geest (…) en toch altijd in opstand tegen, in strijd met, de natuur". In veel opzichten zouden zijn interessantste plannen echter een synthese te zien geven van de elementaristische schilderkunst en architectuur, om een spanning te creëren tussen de diagonalen van de schilderijen en de horizontale-verticale architectonische constructie.

Deze plannen werden in 1928 gerealiseerd bij de renovatie van het Café L'Aubette in Straatsburg, die werd uitgevoerd door Van Doesburg, Jean (Hans) Arp (1887-1966, zie *Dada) en Sophie Taeuber-Arp (1889-1943, zie *Dada). Van Doesburg was verantwoordelijk voor het algehele ontwerp, terwijl elk van de kunstenaars de decoratie van een ruimte voor zijn rekening nam. De oppervlakken in het interieur werden voorzien van levendig gekleurde, diagonale, abstracte bas-reliëfs die contrasteerden met de horizontale-verticale lijnen van de constructie. Door de contrasterende elementen, de integratie van kleur en verlichting werd een gevoel van beweging gecreëerd. Het was het laatste omvangrijke project van Van Doesburg; hij overleed in 1931 en met zijn overlijden verdween ook de drijvende kracht achter het elementarisme.

Belangrijke collecties
Art Gallery of New South Wales, Australië
Museum of Modern Art, New York
Stedelijk Museum, Amsterdam
Stedelijk Van Abbemuseum, Eindhoven
Tate Gallery, Londen

Belangrijke boeken
R. Banham, *Theory and Design in the First Machine Age* (1960)
Theo van Doesburg 1883–1931 (tent. cat. Eindhoven 1968)
J. Balieu, *Theo van Doesburg* (1974)
S. A. Mansbach, *Visions of Totality* (Ann Arbor, MA, 1980)
E. van Straaten, *Theo van Doesburg: Painter and Architect* (Den Haag, 1988)

Gruppo 7

Het kenmerk van de hedendaagse jeugd is een verlangen naar duidelijkheid en wijsheid.

MANIFEST VAN GRUPPO 7, 1926

Gruppo 7 was een vereniging van avant-gardearchitecten die in 1926 in Milaan werd opgericht om moderne architectuur in Italië te propageren. De leden van de vereniging waren Luigi Figini (1903-84), Guido Frette (1901), Sebastiano Larco (1901), Adalberto Libera (1903-63), Gino Pollini (1903-91), Carlo Enrico Rava (1903-85) en Giuseppe Terragni (1904-41). Zij brachten tussen 1926 en 1927 een vierdelig manifest uit in het tijdschrift *La Rassegna Italiana*, waarin zij hun standpunt uiteenzetten. Zij hadden kritiek op zowel de *futuristen ("een ijdele, destructieve furie") en de tamme herlevingsstijlen van de *Novecento-architecten ("een geforceerde

Giuseppe Terragni, flatgebouw Novocomum, Como, 1927-28
Dit eenvoudige, witte, symmetrische gebouw met vijf verdiepingen, waarin op vier verdiepingen de hoeken zijn weggelaten om de glazen zuilen bloot te leggen, was het eerste belangrijke rationalistische gebouw in Italië. In dit gebouw werd het Italiaanse classicisme gecombineerd met de structurele duidelijkheid die door de Russische constructivisten werd gepropageerd.

kracht"): "Wij willen niet breken met traditie (…) de nieuwe architectuur, de echte architectuur, moet zich ontwikkelen uit een strikte navolging van logica en rationaliteit." Net als hun Novecento-tijdgenoten zochten de Gruppo 7-architecten naar een 'Italiaanse' versie van moderne architectuur, maar zij keerden het internationale modernisme niet de rug toe. Integendeel: zij wilden de 'universele' elementen van de *internationale stijl gebruiken om een specifiek Italiaanse moderne stijl te creëren.

De groep kwam het eerst onder de aandacht met hun opname in de Biënnale van 1927 in Monza, een door de overheid gesteunde tentoonstelling van moderne architectuur, versieringskunsten en kunstnijverheid. De op machines geïnspireerde ontwerpen en modellen van Gruppo 7 werden naast die van de neoklassieke novecento getoond, aangezien beide groepen om de aandacht van Mussolini wedijverden. Later dat jaar werd een deel van hun werk overgebracht naar de tentoonstelling van de *Deutscher Werkbund in Stuttgart, waar zij samen met andere rationalistische architecten in de internationale schijnwerpers kwamen te staan.

Terragni was een van de belangrijkste architecten van Gruppo 7. Hij bouwde het eerste belangrijke rationalistische gebouw in Italië, een flatgebouw genaamd het Novocomum (nu bekend als het Transatlantico) in Como (1927-28). Het gebouw lokte in architectuurkringen een verhitte discussie uit. Het gaf blijk van een breed scala van bronnen, variërend van de machine-esthetiek van Le Corbusier (zie *Internationale stijl en *Purisme) en de Russische *constructivisten, tot de tijdloze, dichterlijke 'Italiaansheid' van de *Pittura Metafisica-schilders. Terragni had uiteenlopende internationale en nationale bronnen samengevoegd en een nieuwe stijl gecreëerd om de unieke, rationalistische én nationalistische aanpak

van Gruppo 7 te tonen. Het nieuwe gebouw van Terragni pretendeerde het type architectuur te zijn dat bij het fascistische regime paste. Als gevolg van de publieke aandacht werd in het jaar daarna in Rome een grotere tentoonstelling gehouden. Het was hier, op de eerste Esposizione dell'Architettura Razionale, die door Libera en de criticus Gaetano Minnucci was georganiseerd, dat de architecten van Gruppo 7 voor het eerst met andere Italiaanse rationalisten exposeerden. Dit leidde tot de oprichting van de Movimento Italiano per l'Architettura Razionale (*M.I.A.R.), een nieuwe, omvangrijkere vereniging waarin Gruppo 7 opging, teneinde een bredere verspreiding van rationalistische Italiaanse architectuur te bevorderen.

Belangrijke monumenten
Novocomum (Transatlantico), Como

Belangrijke boeken
G. R. Shapiro, 'Il Gruppo 7', *Oppositions* 6 and 12 (1978)
A. F. Marciano, *Giuseppe Terragni Opera Complet 1925–1943* (1987)
D. P. Doordan, *Building Modern Italy: Italian Architecture, 1914–1936* (1988)
R. Etlin, *Modernism in Italian Architecture, 1890–1940* (1991)

M.I.A.R.

De wil om te strijden tegen de beweringen van een 'anti-modernistische' meerderheid.

EDOARDO PERSICO, 1934

De Movimento Italiano per l'Architettura Razionale (Italiaanse beweging voor rationele architectuur; "M.I.A.R") werd in 1930 opgericht en kwam voort uit de Milaanse *Gruppo 7. De beweging bestond uit de voormalige Gruppo 7-leden Luigi Figini (1903-84), Adalberto Libera (1903-63), Gino Pollini (1903-91) en Giuseppe Terragni (1904-41), en andere rationalistische architecten die uit het hele land afkomstig waren, zoals Luciano Baldessari (1896-1982), Giuseppe Pagano (1896-1945) en Mario Ridolfi (1904-84). De M.I.A.R. had als missie om het werk van Gruppo 7 voort te zetten: het propageren van moderne, rationalistische architectuur als alternatief voor de neoklassieke architectuur van de *Novecento-architecten. Hun taak in het fascistische Italië was niet eenvoudig. De

neoklassieke stijl, die was gebaseerd op Italiaanse toonbeelden, sloot op natuurlijke wijze aan bij de nationalistische ideologie, terwijl de modernistische architectuur de stijl van internationale architecten was die korte tijd later door de fascistische staten als "ontaard" zou worden aangemerkt.

In het kader van hun missie organiseerden zij in 1931 de "Esposizione dell'Architettura Razionale" in de Galleria d'Arte in Rome, de galerie van kunstcriticus Pietro Maria Bardi. Bij deze tentoonstelling, die door Mussolini werd geopend, verschenen Bardi's pamflet "Bericht aan Mussolini over architectuur" en het "Manifesto per l'architettura razionale". Al hun overredingspogingen werden echter tenietgedaan doordat *Tavola degli orrori* (Gruweltafel) ook in

de tentoonstelling werd opgenomen: een satirische fotomontage van werk van gerespecteerde, neoklassieke architecten zoals Marcello Piacentini (1881-1960), de architectuuradviseur met wie Mussolini het meest contact had. De door de overheid gesteunde Nationale Unie van Architecten, die zich tot dan toe buiten de discussie over moderniteit versus traditie had gehouden, trok haar steun in en de groep werd nog in hetzelfde jaar ontbonden.

De campagne voor het rationalisme werd voortgezet in een aantal gebouwen die tussen 1932 en 1936 werden gebouwd. Terragni's Casa del Fascio (nu het Casa del Popolo) in Como (1932-36) is niet alleen zijn meesterwerk, maar ook een toonbeeld van het Italiaanse rationalisme. De witte, met marmer beklede kubus, die geometrisch is ontworpen rond een binnenplaats met een glazen dak, geeft gelijktijdig uitdrukking aan het Italiaanse karakter, de moderniteit en de politieke functie (als plaatselijk gebouw van de fascistische regering). Figini, Pollini en het bureau BBPR bleven binnen hun samenwerkingsverband ook in een rationalistische stijl bouwen, in het bijzonder voor de industrieel Adriano Olivetti (1901-60). Figini en Pollini voerden voor Olivetti een aantal woningbouwprojecten en industriële projecten in Ivrea uit (1934-42) en in 1935 werkten zij samen met Xanti Schawinsky (1904-79), een voormalige *Bauhaus-student, aan het ontwerp van de klassieke Olivetti-schrijfmachine "Studio 42".

Vanaf 1930 konden de rationalisten rekenen op de steun van het architectuurtijdschrift *Casa Bella*, wat werd uitgegeven door Pagano en zijn medeledacteur, de kunstcriticus en ontwerper Edoardo Persico (1900-36), die volhield dat het rationalisme niet onverenigbaar was met het fascisme. Aan het eind van de jaren dertig werd echter duidelijk dat Piacentini en de recentelijk opgerichte Raggruppamento Architetti Moderni Italiani de overhand hadden. Italië nam net als nazi-Duitsland een anti-modern standpunt in. Aan *Casa Bella* werd een verschijningsverbod opgelegd en vele rationalisten sloten zich aan bij het antifascistische verzet. Gianluigi Banfi (1910-45) van BBPR en Pagano werden wegens hun activiteiten gearresteerd en naar Duitse gevangenenkampen gedeporteerd, alwaar zij in 1945 stierven. Met het vroegtijdige overlijden van Persico in 1936, gevolgd door dat van Terragni in 1941 en zijn pupil Cesare Cattaneo in 1943, kwam er in feite een einde aan het Italiaanse rationalisme. Pas in de jaren zeventig van de twintigste eeuw, toen de gebouwen van de New York Five en de Tendenza-beweging verrezen, zou de invloed van het Italiaanse rationalisme internationaal voelbaar worden.

Belangrijke monumenten
Casa del Fascio (nu Casa del Popolo), Como
Olivetti Fabriek, Via Jervis, Ivrea
Piazza del Popolo, Como

Belangrijke boeken
A. F. Marciano, *Giuseppe Terragni Opera Completa 1925–1943* (1987)
D. P. Doordan, *Building Modern Italy: Italian Architecture, 1914–1936* (1988)
R. Etlin, *Modernism in Italian Architecture, 1890–1940* (1991)
F. Garofalo, *Adalberto Libera* (1992)
T. L. Schumacher, *Surface and Symbol: Giuseppe Terragni and the Architecture of Italian Rationalism* (1991)

Giuseppe Terragni, Casa del Fascio, Como, 1932-36
Geheel in overeenstemming met de politieke functie van het hoofdkwartier van de fascisten werden de glazen deuren tussen de hal en het plein elektronisch geopend om de aan massademonstraties deelnemende menigten van buiten naar het hart van het gebouw te laten stromen.

Concrete kunst

De overweldigende overheersing van het menselijke verstand, de triomf van de mens over chaos.

Denise Rene

In het manifest over de basis van concrete kunst (verschenen in de eerste en enige uitgave van *Art Concret* van april 1930) omschreef Theo van Doesburg, Nederlands kunstenaar en theoreticus, basislegger van *De Stijl en het *elementarisme, concrete kunst als volgt:

Wij verklaren als volgt:
1. Kunst is universeel. 2. Het kunstwerk moet volledig worden bedacht en in gedachten worden gevormd voordat het wordt uitgevoerd. Het mag niets van de formele eigenschappen van de natuur of van sensualiteit of sentimentaliteit krijgen. Wij willen lyriek, dramatiek, symboliek, enzovoorts weren. 3. Het schilderij moet volledig worden opgebouwd uit zuiver beeldende elementen, dat wil zeggen vlakken en kleuren. Een beeldelement heeft geen andere betekenis dan 'zichzelf' en derhalve heeft het schilderij geen andere betekenis dan 'zichzelf'. 4. De opbouw van het schilderij, alsook de elementen daarvan, dienen eenvoudig en visueel beheersbaar te zijn. 5. De techniek dient mechanisch te zijn, dat wil zeggen exact, anti-impressionistisch. 6. Streef naar absolute duidelijkheid.

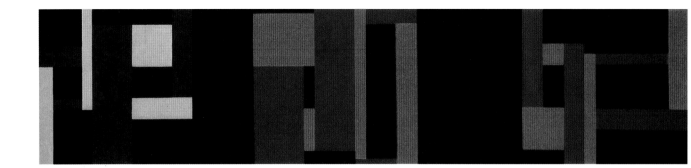

Het concept van abstracte kunst, zoals dat werd samengevat in het manifest, bleef het belangrijkste uitgangspunt voor tal van kunstenaars in de jaren dertig tot vijftig van de twintigste eeuw die hun werk "concreet" noemden. In het manifest wordt concrete kunst op beknopte wijze onderscheiden van een heel scala van nieuwe figuratieve stijlen (zie *American Scene, *Novecento Italiano en *Surrealisme), van bepaalde vormen van abstracte kunst, zoals de expressieve abstractie van Vasily Kandinsky (zie *Der Blaue Reiter) en werken die een abstractie zijn van de natuur of geabstraheerde natuur (zoals *kubisme, *futurisme en *purisme).

Concrete kunst moest niets sentimenteels, nationalistisch of romantisch hebben. De wortels van concrete kunst lagen in het *suprematisme, het *constructivisme, De Stijl en het *elementarisme van Van Doesburg. Het doel ervan was om universeel duidelijk te zijn en het product te zijn, niet van de irrationele geest, zoals de surrealisten betoogden, maar van de bewuste, rationele geest van een kunstenaar, zonder illusionisme of symbolisme. De kunst moest een entiteit op zichzelf zijn in plaats van een medium voor spirituele of politieke ideeën. In de praktijk werd de term synoniem aan geometrische abstractie, zowel in de schilderkunst als in de beeldbouwkunst. In de kunstwerken is er een nadruk op echte materialen en echte ruimte, en een voorliefde voor rasters, geometrische vormen en gladde oppervlakken. De kunstenaars werden vaak geïnspireerd door wetenschappelijke concepten of wiskundige formules.

Concrete kunst kreeg, ondanks het overlijden van Van Doesburg in 1931, een aanzienlijke betekenis. Ze kreeg eerst bijval van de Abstract-Création-groep, totdat deze in 1936 ter ziele ging. Vervolgens werden de term en het concept opgepakt en uitgewerkt door Max Bill (1908-94), een Zwitserse kunstenaar en architect en voormalig *Bauhaus-student. De kunstenaars die in de jaren dertig in geometrisch-abstracte stijlen werkten, waren onder anderen de Franse Jean Gorin (1899-1981), Jean Hélion (1904-87) en Auguste Herbin (1882-1960), de Italiaan Alberto Magnelli (1888-1971), de Nederlander César Domela (1900-92), de Engelsen Ben Nicholson (1894-1982) en Barbara Hepworth (1903-75), de Amerikanen Ilya Bolotowsky (1907-81) en Ad Reinhardt (1913-67) en de Russische emigranten Anton Pevsner (1886-1962, zie *Constructivisme) en Naum Gabo (1890-1977).

Max Bill, *Rhythm in Four Squares*, 1943 De nadruk van Bills nauwgezet gecomponeerde schilderij ligt op echte materialen en echte ruimte. Kunstenaars zoals Bill namen vaak wetenschappelijke concepten of wiskundige formules als uitgangspunt, wat resulteerde in een kenmerkende rangschikking van rasters en geometrische vormen.

Na de Tweede Wereldoorlog werd Parijs het belangrijkste centrum voor concrete kunst. In 1944 opende Denise René haar galerie om concrete kunst, *kinetische kunst en *op-art te propageren. Het jaar daarop werd in de Galerie René Drouin in Parijs de "Art Concret"-tentoonstelling gehouden, die was samengesteld met de hulp van Nelly van Doesburg (Theo's weduwe) en in 1946 werd de Salon des Réalités Nouvelles opgericht om geometrisch-abstracte kunst te exposeren. Aan het eind van de jaren veertig en in de jaren vijftig kreeg concrete kunst internationaal steeds meer aanhangers en werden in Argentinië, Brazilië, Italië en Zweden groepen geformeerd. Nieuwe beoefenaars van geometrische abstractie in andere landen waren onder andere Mary Martin (1907-69), Kenneth Martin (1905-84) en Victor Pasmore (1908-98) in Engeland en beeldhouwers zoals José de Rivera (1904-85) en Kenneth Snelson (1927) in de Verenigde Staten.

Naoorlogse discussies over abstracte kunst waren gericht op de relatieve verdiensten van 'koude' (geometrische) en 'warme' (dynamische) abstractie. In de jaren vijftig overheerste de laatste van die twee in de vorm van *abstract expressionisme en *art informel. Opnieuw ging concrete kunst tegen de heersende stroming in en werd het utopische erfgoed van de geometrische abstractie hoog gehouden - tegen de nieuwe 'existentiële' houding ten aanzien van materie en beelding in. Het bleef koel, onpersoonlijk en nauwkeurig. Vanuit deze situatie ontstond een nieuwe generatie concrete kunstenaars, die de mogelijkheden bleven uitbreiden in werk dat na verloop van tijd tot *post-painterly abstraction, *minimalisme en *op-art leidde.

Belangrijke collecties
Foundation for Constructivist and Concrete Art, Zürich
National Museum of Women in the Arts, Washington, D.C.
Sintra Museu de Arte Moderna, Sintra
Tate Gallery, Londen
Stedelijk Van Abbemuseum, Eindhoven
Yale Center for British Art, New Haven, Connecticut

Belangrijke boeken
Theo van Doesburg 1883–1931 (tent. cat. Eindhoven 1968)
J. Balieu, *Theo van Doesburg* (1974)
E. van Straaten, *Theo van Doesburg: Painter and Architect* (Den Haag, 1988)
N. Lynton, *Ben Nicholson* (1993)

Magisch realisme

De schilderkunst is de kunst van het denken.

RENÉ MAGRITTE, 1949

De term magisch realisme werd voor het eerst in 1925 door de Duitse kunstcriticus Franz Roh gebruikt om onderscheid te maken tussen representatieve en expressionistische tendensen in hedendaagse kunst. Deze term werd in Duitsland later vervangen door de naam *Neue Sachlichkeit (nieuwe zakelijkheid). Elders werden de benamingen precies realisme en fijn realisme gebruikt om naar de schilderstijl te verwijzen die van 1920 tot 1950 populair was in Amerika en Europa. In het algemeen zijn de werken herkenbaar aan de nauwgezette, bijna fotografische weergave van realistische taferelen die een mysterieuze en magische sfeer hebben door het gebruik van onduidelijke perspectieven en ongebruikelijke combinaties van onderwerpen. Deze techniek is sterk beïnvloed door de *Pittura Metafisica van Giorgio de Chirico. Evenals de *surrealisten bedienen de magisch realisten zich van vrije associatie om alledaagse onderwerpen een wonderlijke inhoud te geven, maar ze verwierpen de theorieën van Freud over de

Paul Delvaux, *Les Mains*, 1941
De hypnotische, tranceachtige toestand waarin de vrouwen in de nachtelijke wereld van Delvaux verkeren, verwijst naar droomfantasieën en sprookjes. Doordat de kijker toegang heeft tot deze fantasieën, wordt deze in een voyeuristische positie geplaatst.

een afbeelding, scheppen tegenstellingen tussen de werkelijke en de fictieve ruimte en trekken het concept van het schilderij als venster op de wereld in twijfel. Met zijn technieken, zoals eigenaardige tegenstellingen, schilderijen in schilderijen, combinaties van erotiek en alledaagsheid en vervormingen van schaal en perspectief, veranderde hij triviale objecten in mysterieuze beelden. Magritte was geïnteresseerd in de relatie tussen objecten, beelden en taal. In zijn serie *La Tréhison des Images* (1928-29) schildert Magritte een pijp die geen pijp is ('Ceci n'est pas une pipe'), omdat het een schilderij van een pijp is: niets meer dan een voorstelling van de realiteit. In zijn werken vestigt Magritte vaak de aandacht op de rol van het gezichtsvermogen. Hij is geïnteresseerd in de manier waarop onze perceptie van de realiteit wordt geconditioneerd door ons intellect en onze emoties en hij trekt de realiteit die wij waarnemen in twijfel.

De werken van Magritte werden vooral gewaardeerd door de surrealisten, maar hij verwierp zelf psychoanalytische interpretaties van de kunst: 'De ware aard van de schilderkunst ligt in het bedenken en scheppen van schilderijen die de toeschouwer een pure visuele perceptie van de buitenwereld bieden.' De buitenwereld die door Magritte wordt gepresenteerd, zit vol met tegenstellingen, ontwrichtingen, raadsels en vreemde combinaties, en is in feite een mysterie. In tegenstelling tot de surrealistische doctrine van het automatisme beschouwde Magritte (net als De Chirico) de zichtbare wereld als een even geldige bron van schoonheid als de innerlijke wereld van het onderbewustzijn.

De omslag die Magritte maakte voor de surrealistische publicatie *Minotaure* uit 1937, toont de duistere kant van het surrealisme en het magisch realisme (de minotaur uit de Griekse mythologie voedde zich met mensenvlees). Toen de minotaur een symbool werd voor het nazisme, kon de omslag van Magritte worden beschouwd als een voorspelling van de gruwelen van de toekomst en als een dringende waarschuwing voor de orthodoxe surrealisten en het volk om te ontwaken uit hun dromen.

De magisch realisten hebben met hun speciale technieken, met name het combineren van realistische beelden met een magische inhoud, grote invloed uitgeoefend op latere kunstenaars. Deze invloed is bijvoorbeeld te zien in het *nouveau réalisme, *neodada, *pop-art en het *superrealisme.

droomverklaring en het automatisme (de associatieve monoloog).

Tot de magisch realisten behoorden bijvoorbeeld de in Amerika woonachtige kunstenaars Peter Blume (1906-92), Louis Guglielmi (1906-56), Ivan Albright (1897-1983) en George Tooker (1920). In zijn beroemde schilderij *The Eternal City* (1934-37) schiep Blume een soort van 'sociaal surrealisme' door de *fijn-realistische techniek, de protestgeluiden uit *sociaal realistische werken en de hallucinatoire visuele vocabulaire van de surrealisten met elkaar te combineren. Het resultaat was een krachtige aanklacht tegen Mussolini en het Italiaanse fascisme. Tot de Europese surrealisten die ook als magisch realisten bekendstonden, behoorden de Fransman Pierre Roy (1880-1950) en de Belgen Paul Delvaux (1897-1994) en René Magritte (1898-1967), die alledrie door De Chirico waren beïnvloed. Dit gold met name voor Delvaux, zoals te zien is in zijn schilderijen van rustige steden die worden bevolkt door slaapwandelende naakte mensen.

Magritte is de bekendste telg van de magisch realisten en dankt zijn roem aan zijn nauwgezette realistische fantasieën over alledaagse onderwerpen. Zijn schilderijen werpen vragen op over de realiteit van

René Magritte, omslag van *Minotaure*, 1937
In Magrittes omslag voor de surrealistische publicatie Minotaure komt de duistere kant van het magisch realisme naar voren. Wanneer de minotaur als een symbool voor het nazisme wordt beschouwd, is de omslag een waarschuwing voor alle orthodoxe surrealisten om niet alleen op te passen voor het beest in zichzelf maar ook voor het gevaar in de buitenwereld.

Belangrijke collecties
J. Paul Getty Museum, Los Angeles, California
Museum of Modern Art, New York
National Museum of American Art, Washington, D.C.
Norton Museum of Art, West Palm Beach, Florida
Tate Gallery, Londen
Centraal Museum, Utrecht

Belangrijke boeken
S. Menton, *Magic Realism Rediscovered* (1983)
D. Sylvester, *Magritte* (1992)
M. Pacquet, *René Magritte* (Keulen, 1994)
Magritte (tent. cat. Museum van Schone Kunsten, Brussel, 1998)
C. Blotkamp (red.), *Magie en Zakelijkheid* (Zwolle, 1999)

American Scene

Echte Amerikaanse kunst... die daadwerkelijk uit Amerikaanse bodem is ontsproten en die probeert het Amerikaanse leven uit te beelden.

MAYNARD WALKER, 1933

In de jaren dertig van de twintigste eeuw was er in Amerika sprake van een heropleving van de Amerikaanse realistische traditie, die terugging op de *Ashcan School eerder die eeuw. De beurskrach van 1929, de Grote Depressie en de opkomst van het fascisme in Europa leidde tot een periode van nationaal zelfonderzoek en van een zowel in politiek als in artistiek opzicht groter wordende isolatie van Europa. In de ogen van veel Amerikanen symboliseerde de abstractie van de Europese modernistische kunst een toenemend moreel verval in Europa, wat ertoe leidde dat men zich ging toeleggen op een

Edward Hopper, *Approaching a City*, 1946
Hoewel de onderwerpen van Hopper gewoon en anoniem zijn en op een ongecompliceerde, zelfs ambachtelijke wijze zijn geschilderd, creëren zij niettemin een buitengewone psychologische sfeer waaruit vaak, zoals hier, het vergankelijke leven spreekt, dat bestaat uit aankomst en vertrek.

realistische kunst waarin de specifiek Amerikaanse onderwerpen werden verbeeld die eerder in de jaren twintig door de *precisionisten waren ontwikkeld. Samen met de *sociaal realisten maakten de American Scene-schilders (ook wel "American Gothic-schilders" en "regionalisten" genoemd) beelden van Amerika die varieerden van sombere isolatie tot de trots en pracht van een nieuw, landelijk paradijs.

Uit de schilderijen die Charles Burchfield (1893-1967) van de architectuur in dorpen en kleine steden maakte en uit de verlaten beelden van stedelijk en voorstedelijk Amerika van Edward Hopper (1882-1967) spreekt een sterk gevoel van eenzaamheid en wanhoop. Burchfields grillige, expressionistische stijl geeft zijn schilderijen een vervallen aanblik en maakte dat een criticus ze "liederen van haat" noemde. Hopper schreef dat het werk van zijn vriend "de verveling

van het dagelijkse bestaan in een provinciale gemeenschap" uitdrukte en prees hem voor het vastleggen van "een eigenschap die we dichterlijk, romantisch, lyrisch, of wat je maar wilt, kunnen noemen".

Hoppers opmerkelijke gebruik van licht, dat één criticus omschreef als een licht dat "brandt maar nooit verwarmt", maakt zijn eigen afbeeldingen zeer mysterieus. Zijn doel was om de sfeer van "al het broeierige, opzichtige leven van de Amerikaanse kleine stad, deze droevige troosteloosheid van ons voorstedelijke landschap" op te roepen. Nadat hij aan de New York School of Art bij Robert Henri, een van de grondleggers van het Amerikaanse realisme, had gestudeerd, ondernam Hopper zijn eerste reis naar Europa, met de lang gekoesterde ambitie om in Parijs te gaan studeren. Na een verblijf van enkele maanden aldaar keerde hij terug, na ook Londen, Amsterdam, Berlijn en Brussel te hebben bezocht. Hij beweerde – wellicht met enige schroom – dat zijn ervaring in Parijs weinig invloed had gehad:

> Wie heb ik ontmoet? Niemand. Ik had gehoord over Gertrude Stein, maar ik kan me niet herinneren ook maar iets over Picasso te hebben gehoord. 's Avonds ging ik in de cafés zitten kijken. Een paar keer ben ik naar de schouwburg geweest. Parijs heeft geen grote of directe invloed op mij gehad.

Hij bezocht Europa daarna nog twee keer, in 1909 en 1910, maar hoewel hij in zeker opzicht wel werd beïnvloed door zijn reizen, legde hij zich toe op het werk waarmee hij uiteindelijk zijn reputatie vestigde: Amerikaanse onderwerpen. "Amerika leek ontzettend primitief en rauw toen ik terugkwam", zei hij. "Het heeft me tien jaar gekost om over Europa heen te komen."

Terwijl het Amerika van het platteland en de kleine steden zoals dat door Burchfield en Hopper werd verbeeld een mogelijk monotone en deprimerende indruk gaf, gaven de regionalisten hetzelfde onderwerp een optimistischer, nostalgischer aanzien. In 1933 hield de journalist en kunsthandelaar Maynard Walker een tentoonstelling in het Kansas City Art Institute onder de titel "American Painting Since Whistler", waarop werk te zien was van onder anderen Thomas Hart Benton (1889-1975), John Steuart Curry (1897-1946) en Grant Wood (1892-1942). Walker propageerde openlijk realistische Amerikaanse kunst. In de inleiding van de tentoonstellingscatalogus vroeg hij verzamelaars om deze kunst te steunen in plaats van de "scheepsladingen waardeloze rommel die net van de Parijse school zijn geïmporteerd" (zie *Ecole de Paris). Henry Luce van het tijdschrift *Time* was enthousiast voorstander van het idee van een patriottische Amerikaanse kunst die gezonde "Amerikaanse waarden" hoog hield. Het kerstnummer van 1934 van *Time* toonde op de omslag een werk

van Benton en bevatte kleurenreproducties en lovende kritieken over andere regionalistische kunst. De regionalistische mythe was geboren en Benton, Curry en Wood speelden daarin de hoofdrol. Zoals Benton later zei:

> Voor ons werd een toneelstuk geschreven en een toneel opgebouwd. Grant Wood werd de typische bewoner van een kleine stad in Iowa, John Curry werd de typische boer uit Kansas en ik werd gewoon een boerenkinkel uit Ozark. Wij aanvaardden onze rol.

De schilderijen die Grant Wood maakte van landschappen in het Midwesten, de kleinsteedse burgerij en stoïcijnse, puriteinse boeren uit Iowa waren tussen 1930 en 1935 enorm populair. Zijn beroemde werk *American Gothic* (1930), dat zijn naam gaf aan het somberder aspect van de American Scene-schilderkunst, is buiten de periode van de Depressie die het verbeeldde een nationaal toonbeeld geworden van de verdraagzaamheid van de hardwerkende, gemiddelde Amerikaan. Thomas Hart Benton, die openhartiger was dan Maynard Walker, werd de spreekbuis van het regionalisme. Zijn nationalisme grensde aan xenofobie. "Een windmolen, een rammelkast en een lid van de Rotary betekenen voor mij meer dan de Notre Dame of het Parthenon." Zijn minachting gold in het bijzonder voor grote steden, en met name New York, die hij "doodkisten voor leven en denken" noemde, alsook voor het Europese modernisme, ofwel het "esthetische kolonialisme". Zijn eigen energieke, heroïsche stijl paste goed bij de serie publieke muurschilderingen, die na 1930 zijn geschilderd, waarin de geïdealiseerde, sociale geschiedenis van de mensen in het Midwesten werd afgebeeld met een gespierde vormenstijl die aan Michelangelo doet denken.

Benton studeerde in Parijs bij de Amerikaanse *synchromist Stanton MacDonald-Wright, maar toen hij eenmaal was bekeerd tot het realisme en tot de bevordering van de Gouden Eeuw van het Amerikaanse platteland, vernietigde hij het merendeel van zijn vroege abstracte werken. "Ik ging mij te buiten aan elk belachelijk "isme" dat langskwam en ik heb tien jaar nodig gehad om van al die modernistische rotzooi af te komen."

In de jaren dertig doceerde hij aan de Arts Students League in New York, waar hij lesgaf aan en bevriend raakte met de jonge Jackson Pollock, die later de vloeiende lijnen en epische schaal van het werk van Benton zou transformeren tot een nieuw soort modernisme. "Mijn werk met Benton was in die zin belangrijk dat het iets was waartegen ik me later sterk zou afzetten", zei Benton. Aan het begin

van de jaren veertig was de populariteit van het regionalisme tanende en trokken de *abstract expressionisten, een groep kunstenaars rond Pollock, bijzonder veel aandacht.

De belangrijkste opvolgers van de regionalisten, althans wat betreft de nostalgische portretteringen van Amerika, waren Norman Rockwell (1894-1978) en Andrew Wyeth (1917). Beiden zijn enorm populair gebleken. Rockwells illustraties en schilderijen van het ideale Amerikaanse gezin hebben hem in de jaren vijftig tot een begrip gemaakt, terwijl *Christina's World* (1948) van Wyeth samen met *American Gothic* om de titel van Amerika's favoriete schilderij strijdt.

Boven: Norman Rockwell, *Freedom from Want*, 1943
Tijdens de koude oorlog gaven Rockwells afbeeldingen van huiselijk Amerika – degelijk, betrouwbaar, welvarend en vooral vrij – een hele generatie Amerikanen een uiterst aantrekkelijk en overtuigend beeld van hun traditionele waarden.

Tegenoverliggende pagina: Grant Wood, *Stone City*, Iowa, 1930
Woods schilderijen van landschappen in het Midwesten, de kleinsteedse burgerij en stoïcijnse, puriteinse boeren uit Iowa, waaruit de verdraagzaamheid van de hardwerkende, gemiddelde Amerikaan sprak, waren tussen 1930 en 1935 enorm populair.

Belangrijke collecties
Butler Institute of American Art, Youngstown, Ohio
Cedar Rapids Museum of Art, Cedar Rapids, Iowa
Knoxville Museum of Art, Knoxville, Tennessee
National Museum of American Art, Washington, D.C.
Swope Art Museum, Terre Haute, Indiana

Belangrijke boeken
W. M. Corn, *Grant Wood: The Regionalist Vision* (1983)
T. Benton, *An Artist in America* (1983)
D. Lyons, *Edward Hopper and the American Imagination* (tent. cat. Whitney Museum of American Art, New York, 1995)
R. Hughes, *American Visions: The Epic History of Art in America* (1997)
W. Schmied, *Edward Hopper: Portraits of America* (1999)

Sociaal realisme

Ja, schilder Amerika, maar met je ogen open. Verheerlijk niet het provincialisme. Schilder het zoals het is: gemeen, vuil, hebzuchtig.

Moses Soyer

Twee bepalende gebeurtenissen in de jaren dertig van de twintigste eeuw, de Grote Depressie en de opkomst van het fascisme in Europa, brachten veel Amerikaanse kunstenaars ertoe om zich af te keren van abstractie en om in plaats daarvan in een realistische stijl te gaan schilderen. Voor regionalisten (zie *American Scene) betekende dit het propageren van een geïdealiseerde, vaak chauvinistische visie van Amerika's agrarische verleden. De sociaal realisten daarentegen vonden dat er behoefte was aan een kunst die sociaal bewuster was.

De schilders die vaak als "stedelijk realisten" werden aangeduid – Ben Shahn (1898-1969), Reginald Marsh (1898-1954), Moses Soyer (1899-1974), Raphael Soyer (1899-1987), William Gropper (1897-1977) en Isabel Bishop (1902-88) – documenteerden de slachtoffers van de politieke en economische tragedies in die periode. Hun thema's verbinden hen met de fotografen Dorothea Lange (1895-1965), Walker Evans (1903-75) en Margaret Bourke-White (1904-71), die in hun werk dezelfde karakteristieke mengeling van verslaggeving en fel sociaal commentaar bereikten en daarmee een aantal van de bekendste beelden van het Amerika tussen de twee wereldoorlogen creëerden.

Shahn was naast fotograaf ook schilder. Zoals veel van zijn collega's

beeldde hij de slachtoffers van rechterlijke dwalingen af. Hij werd aan het begin van de jaren dertig bekend om zijn schilderijen waarop het proces, de gevangenschap en de executie werden afgebeeld van de Italiaanse immigranten Nicola Sacco en Bartolomeo Vanzetti, die alom als slachtoffers van de Amerikaanse xenofobie werden beschouwd. Samen met andere kunstenaars en fotografen van de jaren dertig werkte Shahn voor de Farm Security Administration en legde hij de armoede op het platteland vast om te proberen regeringssteun voor de bewoners te bewerkstelligen.

Veel sociaal-realistische schilders hielden er marxistische principes op na, maar raakten na de schijnprocessen in Moskou (1936-37) en de ondertekening van het niet-aanvalsverdrag tussen Hitler en Stalin in 1939 gedesillusioneerd over het communisme. Hoewel in het sociaal realisme en het Sovjetrussische *socialistisch realisme vergelijkbare onderwerpen worden afgebeeld, onderscheiden de onderwerpen van de sociaal realisten zich door de genadeloze blik en het hardvochtige realisme van de heroïsche boeren van het socialistisch realisme. In dit opzicht zijn vergelijkingen te trekken met het werk van hun tijdgenoten in Duitsland, zoals George Grosz en Otto Dix (zie *Nieuwe zakelijkheid).

De sociaal realisten putten inspiratie uit de *Ashcan School (velen van hen hadden met Ashcan-kunstenaar John Sloan bij de Art Students League in New York gestudeerd) en uit het werk van de Mexicaanse muurschilders. Diego Rivera (1886-1957), José Clemente Orozco (1883-1949) en David Alfaro Siqueiros (1896-1974), die allen omvangrijke muurschilderingen in de Verenigde Staten maakten, dienden als voorbeeld voor een populaire, figuratieve kunst met een sociale inhoud. Aan het begin van de jaren veertig van de twintigste eeuw trokken nieuwe kunstvormen, met name het *abstract expressionisme, de aandacht van de critici en het publiek.

Boven: **Margaret Bourke-White,** *At the Time of the Louisville Flood,* **1937** De foto's van Bourke-White, die ons een aantal van de bekendste beelden van het Amerika tussen de twee wereldoorlogen heeft gegeven, zijn kenmerkend voor de mengeling van verslaggeving en fel sociaal commentaar van de sociaal realisten.

Tegenoverliggende pagina: **Ben Shahn,** *Years of Dust,* **ca. 1935** Samen met andere kunstenaars en fotografen van de jaren dertig (waaronder Lange en Evans), werkte Shahn voor de Farm Security Administration en legde hij de omstandigheden van de armen op het platteland vast om te proberen regeringssteun voor hen te bewerkstelligen.

Belangrijke collecties
Art Institute of Chicago, Chicago, Illinois
Butler Institute of American Art, Youngstown, Ohio
Modern Art Museum of Fort Worth, Texas
Oakland Museum of California, Oakland, California
Springfield Museum of Art, Springfield, Ohio
Whitney Museum of American Art, New York

Belangrijke boeken
D. Shapiro, *Social Realism: Art as a Weapon* (1973)
J. Treuherz, *Hard Times* (1987)
F. K. Pohl, *Ben Shahn* (1989)
H. Yglesias, *Isabel Bishop* (1989)

Socialistisch realisme

Artistieke portrettering moet in overeenstemming zijn met het doel van de ideologische verandering en de vorming van de arbeiders.

STATUUT VAN DE UNIE VAN SOVJETSCHRIJVERS, 1934

Het socialistisch realisme werd in 1934 tijdens het Eerste Congres van Sovjetschrijvers in Moskou uitgeroepen tot de officiële kunststijl van de Sovjet-Unie. Voor de andere kunsten volgden vergelijkbare congressen, waarop werd verkondigd dat het socialistisch realisme de enige soort kunst was dat in de Sovjet-Unie aanvaardbaar was. Met dit besluit kwam eindelijk een einde aan de discussie tussen de aanhangers van figuratieve kunst en de aanhangers van abstracte kunst, die sinds de jaren twintig van de twintigste eeuw hadden geredetwist over de soort kunst waarmee de revolutie het beste kon worden gediend (zie *Suprematisme en *Constructivisme), en kwam in feite een einde aan de 'moderne' (abstracte) beweging in de Sovjet-Unie. Vanaf 1934 moesten alle kunstenaars zich aansluiten bij de onder staatstoezicht staande Unie van Sovjetkunstenaars en op de goedgekeurde wijze werk vervaardigen.

De drie leidende beginselen van het socialistisch realisme waren: trouw aan de partij (*partiinost*), verbeelding van de juiste ideologie (*ideinost*) en toegankelijkheid (*narodnost*). Artistieke verdienste werd bepaald aan de hand van de mate waarin een werk bijdroeg aan de opbouw van het socialisme; werk dat dit niet deed, werd verboden. Realisme, dat voor het gewone volk gemakkelijker te begrijpen was, was de voorkeursstijl. Het was niet zozeer een kritisch realisme (zoals in het werk van de *sociaal realisten), als wel een inspirerend en opvoedend realisme. Het socialistisch realisme was bedoeld om de staat te verheerlijken en de superioriteit uit te drukken van de nieuwe, klasseloze maatschappij die door de Sovjets werd opgebouwd. Er werd zorgvuldig toezicht gehouden op de onderwerpen en de verbeelding daarvan in de kunst. Door de staat goedgekeurde schilderijen toonden meestal werkende of sportende mannen en vrouwen, politieke vergaderingen, politiek leiders en de technologische successen van de Sovjets. Al deze onderwerpen werden op een naturalistische, geïdealiseerde manier verbeeld, waarbij de mensen werden afgebeeld als jonge, gespierde, gelukkige leden van een progressieve, klasseloze maatschappij en de leiders als helden. Socialistisch-realistische werken hebben veelal een enorme omvang en drukken een heroïsch optimisme uit. Vooraanstaande socialistisch-realistische kunstenaars waren onder anderen Isaak Brodsky (1884-1939), Alexander Deineka (1899-1969), Alexander Gerasimov (1881-1963), Sergei Gerasimov (1885-1964),

Vera Mukhina, *Fabrieksarbeider en meisje van collectief landbouwbedrijf*, 1937

Veel socialistisch-realistische kunst, die op een naturalistische, geïdealiseerde manier werd uitgevoerd, toonde mannen en vrouwen die sport beoefenden, politieke vergaderingen bijwoonden of, zoals hier, aan het werk waren: jonge, gespierde, gelukkige leden van een progressieve, klasseloze maatschappij.

Alexander Laktionov (1910-72), Boris Vladimirsky (1878-1950) en Vera Mukhina (1889-1953).

Rond 1935 waren de populairste onderwerpen van socialistisch-realistische schilderijen de collectieve landbouwbedrijven en geïndustrialiseerde steden, die het geïdealiseerde resultaat van Stalins vijfjarenplannen toonden. Aan het eind van de jaren dertig waren portretten van Stalin zelf gangbaarder, waaruit de groeiende 'persoonsverering' bleek waarmee de succesvolle voltooiing van de eerste periode van intensieve zuiveringsacties gepaard was gegaan. Een van Stalins favoriete schilders, Alexander Gerasimov, maakte het succes van deze acties duidelijk in een toespraak aan de Unie van Kunstenaars in 1938:

> Vijanden van het volk, trotskistisch-boecharinistisch gepeupel, fascistische elementen die aan het kunstfront actief zijn geweest en die op elke manier hebben geprobeerd om de ontwikkeling van de sovjetkunst af te remmen en te belemmeren, zijn door onze geheime sovjetdienst ontmaskerd en geneutraliseerd.

Aan het einde van de Tweede Wereldoorlog formuleerde Andrei Zhdanov (1896-1948), Stalins cultureel woordvoerder sinds 1934, een reeks voorstellen die nog meer beperkingen zouden opleggen. In deze voorstellen, die in 1946 door het Centraal Comité van de communistische partij werden aangenomen, propageerde hij een specifiek Russische, nationalistische kunst, verbood hij alle buitenlandse invloeden, met name die van het Westen, en riep hij op tot een strengere overheidscontrole op de kunsten. Tussen 1946 en 1948 elimineerde Zhdanov alle schrijvers, musici, kunstenaars, intellectuelen en wetenschappers die schuldig werden geacht aan "veronachtzaming van de ideologie en ondergeschiktheid aan Westerse invloeden". Hoewel de beperkingen na de dood van Stalin in 1953 afnamen, bleef het socialistisch realisme jarenlang de huisstijl van de Sovjet-Unie en haar aanhangers, tot de *glasnost*-campagne (openheid) van Mikhail Gorbachev halverwege de jaren tachtig.

Tijdens het eerste Algemene Congres van de Unie van Sovjetarchitecten in 1937 werden de leden opgeroepen om in de architectuur socialistisch-realistische principes toe te passen. Zij moesten gebouwen laten verrijzen die waren geïnspireerd op de voor elk type gebouw aangewezen lokale stijl, gebruikmaken van de nieuwste bouwtechnieken en breken met de tradities van het vroegere burgerlijke verleden. De resultaten dienden gepast nationalistisch en monumentaal te zijn. Toen de oorlog uitbrak en alle bouwprojecten werden stopgezet, werd het Moskouse metrostelsel als enige project belangrijk genoeg gevonden om de aanleg daarvan voort te zetten.

Sinds de jaren zeventig van de twintigste eeuw hebben verschillende onofficiële Russische kunstenaars, in het bijzonder Vitali Komar (1943) en Alexander Melamid (1945), die in de jaren zeventig naar Amerika emigreerden, het visuele repertoire van het socialistisch realisme samengebracht met *pop-art in een stijl die zij "sots-art" noemen. Door deze grappige combinatie van stijlen kunnen zij de mythen en realiteiten van de Sovjet-Unie en Amerika aan de orde stellen. Hierbij passen zij dezelfde kunststijlen toe die tijdens de koude oorlog werden gebruikt om die mythen en realiteiten te verbeelden.

Vitali Komar en Alexander Melamid, *Double-Portrait as Young Pioneers*, 1982-83 Door de grappige combinaties kunnen Komar en Melamid de mythen en realiteiten van de Sovjet-Unie aan de orde stellen. Hierbij passen zij dezelfde kunststijlen toe die tijdens de koude oorlog werden gebruikt om die mythen en realiteiten te vormen en te verbeelden.

Belangrijke collecties
Dia Center for the Arts, New York
Russisch Staatsmuseum, St Petersburg
Tretyakov Gallery, Moskou

Belangrijke boeken
V. Komar, *Komar/Melamid: Two Soviet Dissident Artists* (Carbondale, Ill. 1979)
M. Cullerne Bown, *Art under Stalin* (1991)
D. Ades en T. Benton, *Art and Power* (1996)
T. Lahusen en E. Dobrenko (eds), *Socialist Realism Without Shores* (Durham, N.C., 1997)
A. Julius, *Idolizing Pictures* (2001)

Neoromantiek

Een wereld van privé-geheimzinnigheid.

JOHN CRAXTON, 1941

De term neoromantiek wordt gebruikt voor twee verwante, maar verschillende groepen schilders: een groep die in de jaren twintig en dertig van de twintigste eeuw in Parijs actief was, en een groep die tussen de jaren dertig en vijftig van diezelfde eeuw in Engeland actief was. De voornaamste figuren in Parijs waren onder anderen de Fransman Christian Bérard (1902-49), de uit Rusland uitgeweken Pavel Tchelitchew (1889-1957), Eugene Berman (1899-1972) en zijn broer Leonid Berman (1896-1976). Hun op fantasie gebaseerde beelden tonen sombere landschappen die worden bevolkt door droevige, tragische of afschuwwekkende figuren. De invloed van de *surrealisten, alsook van Giorgio de Chirico (zie *Pittura Metafisica) en René Magritte (zie *Magisch realisme) is duidelijk te zien in de denkbeeldige en mysterieuze landschappen. In symbolisch opzicht drukken ze verlies en vervreemding uit en, gelet op de ballingschap van de Russische emigranten, nostalgie naar andere plaatsen en andere tijden. John Minton (1917-57), een van de Engelse neoromantici,

studeerde in Parijs bij Tchelitchew en bewonderde het verontrustende leed in het werk van de Parijse groep. In het algemeen lieten de Engelse kunstenaars – waaronder Paul Nash (1889-1946), John Piper (1903-92), Graham Sutherland (1903-80), Keith Vaughan (1912-77) en Michael Ayrton (1921-75) – zich in hun werk echter bewust leiden door autochtone thema's en stijlen. Tijdens de oorlogsdreiging verengelsten zij het Europese modernisme om het aan hun behoeften aan te passen. Voor hen waren William Blake, Samuel Palmer, de prerafaëlieten, Arthurlegenden, de architectuur van parochiekerken en kathedralen en de Engelse landschapstraditie belangrijke invloeden.

Over het algemeen zijn de werken die zij maakten emotioneel en symbolisch geladen en wordt de natuur in hun werken voorgesteld als een bron van zowel vreemdheid als schoonheid. Natuurlijke of door de mens vervaardigde voorwerpen die in de landschappen voorkomen, worden afgebeeld als karakters met een eigen persoonlijkheid. Deze samensmelting van surrealistische beelden en de Engelse

landschapstraditie (waarin de elementen worden vermenselijkt, ongeacht of het bomen, gebouwen of zelfs neergestorte vliegtuigen zijn) valt ook af te leiden uit de opmerkingen die Nash maakte over een van zijn beroemdste schilderijen van de Tweede Wereldoorlog, *Totes Meer* (Dode Zee, 1940-41), waarop hij een gebied met neergestorte Duitse vliegtuigen had afgebeeld dat hij in de buurt van Oxford had gezien.

> Het ding keek naar me, plotseling, als een grote, overspoelende zee. (...) Bij maanlicht (...) zou je zweren dat ze begonnen te bewegen en te draaien zoals ze in de lucht deden. Een soort rigor mortis? Nee, ze zijn echt dood en liggen roerloos. Het enige bewegende wezen is de witte uil die laag over de lichamen van de roofdieren scheert.

Het schilderij van Nash, waarin de "dode zee" wordt gevormd door de "lichamen" van de aanvaller/het slachtoffer, doet denken aan verschillende elementen: de denkbeeldige landschappen van Emil Nolde (zie *Expressionisme), de surrealistische belangstelling voor de schakel tussen bezield en onbezield, en de strijd tussen machines en de natuur.

De Engelse neoromantische kunstenaars gaven de voorkeur aan waterverf en pen en inkt en hun werk bleek tijdens en na de oorlog geliefd voor illustraties en boekontwerpen. Henry Moore (1898-1986, zie *Organische abstractie) wordt soms ook met de neoromantici geassocieerd; zijn tekeningen uit de oorlogstijd hebben een typisch naargeestig karakter.

Belangrijke collecties
Aberdeen Art Gallery, Aberdeen
Fine Arts Museums of San Francisco, San Francisco, California
Museum of Modern Art, New York
National Gallery of Art, Washington, D.C.
Tate Gallery, Londen

Belangrijke boeken
S. Gablik, *Magritte* (1985)
B. Kochno, *Christian Bérard* (1988)
N. Yorke, *The Spirit of the Place: Nine Neo-Romantic Artists and their Times* (1988)
L. Kirstein, *Tchelitchew* (Santa Fe, CA, 1994)

Paul Nash, *Totes Meer (Dode zee)*, 1940-41
De "dode zee" van Nash, gevormd door de "lichamen" van de aanvaller/het slachtoffer, doet denken aan de surrealistische belangstelling voor de schakel tussen bezield en onbezield, en de strijd tussen machines en de natuur, waarin de natuur, met name het Engelse platteland, in overdrachtelijke zin zegeviert.

1945-1965

Een nieuwe wanorde

Jackson Pollock aan het werk in zijn atelier in East Hampton, Long Island

Art brut

Kunst die voortkomt uit pure inventiviteit en die op geen enkele wijze, zoals bij culturele kunst voortdurend het geval is, is gebaseerd op kameleon- of papegaai-achtige processen.

JEAN DUBUFFET

Art brut (Rauwe kunst) was de benaming die in 1945 werd bedacht door de Franse kunstenaar en schrijver Jean Dubuffet (1901-85) voor de collectie die hij aan het aanleggen was van schilderijen, tekeningen en beeldhouwwerken die niet door geschoolde kunstenaars waren vervaardigd (zie ook *Outsiderkunst). Hij beschouwde deze personen – kinderen, zieners, mediums, ongeschoolden, gevangenen en geesteszieken – als onaangetast door de dodende effecten van academische scholing en sociale conventies en derhalve vrij om werken van daadwerkelijke expressiviteit te creëren.

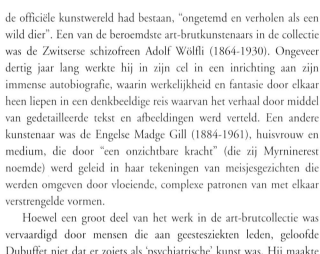

De Tweede Wereldoorlog was zojuist beëindigd en een groot deel van Europa lag in puin. Net als van de steden en dorpen leek ook van tradities en waarden weinig meer over te zijn en kunstenaars waren net als ieder ander gedwongen om opnieuw te beginnen. De belangstelling van Dubuffet werd gestimuleerd door de voor-oorlogse interesse van de *surrealisten voor het werk van geesteszieken, door een aantal tijdens de bezetting gehouden tentoonstellingen van kunst die door kinderen was vervaardigd, alsook door de omvangrijke naoorlogse tentoonstellingen van het werk van patiënten in het psychiatrisch ziekenhuis St. Anne in Parijs in 1946 en 1950. Dubuffet las ook de baanbrekende studie van de Berlijnse psychiater Dr. Hans Prinzhorn, *Bildnerei der Geisteskranken* (1922) en in 1945 bezocht hij psychiatrische ziekenhuizen in Zwitserland.

In 1948 richtten Dubuffet en onder anderen de critici André Breton (zie *Surrealisme) en Michel Tapié (zie *art informel) de *Compagnie de l'Art Brut* op, een non-profitbedrijf voor het verzamelen en bestuderen van art brut, dat tot die tijd buiten, maar parallel aan,

de officiële kunstwereld had bestaan, "ongetemd en verholen als een wild dier". Een van de beroemdste art-brutkunstenaars in de collectie was de Zwitserse schizofreen Adolf Wölfli (1864-1930). Ongeveer dertig jaar lang werkte hij in zijn cel in een inrichting aan zijn immense autobiografie, waarin werkelijkheid en fantasie door elkaar heen liepen in een denkbeeldige reis waarvan het verhaal door middel van gedetailleerde tekst en afbeeldingen werd verteld. Een andere kunstenaar was de Engelse Madge Gill (1884-1961), huisvrouw en medium, die door "een onzichtbare kracht" (die zij Myrninerest noemde) werd geleid in haar tekeningen van meisjesgezichten die werden omgeven door vloeiende, complexe patronen van met elkaar verstrengelde vormen.

Hoewel een groot deel van het werk in de art-brutcollectie was vervaardigd door mensen die aan geesteszieken leden, geloofde Dubuffet niet dat er zoiets als 'psychiatrische' kunst was. Hij maakte geen onderscheid tussen de kunst van geesteszieken en die van ongeschoolden of autodidactische kunstenaars, maar roemde beide als het werk van Elckerlijc, als bewijs van het democratische karakter van creativiteit. Wat hij met name bewonderde was de pure kracht en ongeremde expressiviteit van art brut.

In de luxueuze catalogus bij de eerste tentoonstelling van de collectie, getiteld *L'Art brut préféré aux arts culturels* (Art brut verkozen boven culturele kunst), die in 1949 in de Galerie René Drouin in Parijs werd gehouden, schreef hij: "De artistieke functie is in alle gevallen identiek en men kan net zo min van kunst van geesteszieken spreken als van kunst van mensen die een slechte spijsvertering hebben of van mensen die zere knieën hebben."

De art-brutcollectie reisde uiteindelijk naar de Verenigde Staten, waar hij van 1952 tot 1962 werd ondergebracht in het huis van de kunstenaar en schrijver Alfonso Ossorio (1916-90) op Long Island, alwaar de collectie door bezoekende kunstenaars werd bekeken. De collectie werd gezien door het grote publiek toen de collectie in 1962 in de Cordier-Warren Gallery in New York werd tentoongesteld voordat de collectie terugkeerde naar Parijs. In 1972 werd de collectie van ruim 5000 werken gedoneerd aan de stad Lausanne, waar hij in het Château de Beaulieu als de Collection de l'Art Brut een permanente plaats kreeg. Sinds de oprichting van de instelling verwijst art brut in theorie alleen naar werken in de collectie in

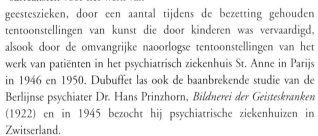

Boven: **Madge Gill, *Zonder titel*, ca. 1940**
Het spiritualisme was een steun en stimulans voor Madge Gill. Gill werd door haar "onzichtbare kracht" (die zij Myrninerest noemde) geleid in haar obsessieve en soms chaotische tekeningen van meisjesgezichten die werden omgeven door vloeiende, complexe patronen van met elkaar verstrengelde vormen.

Tegenoverliggende pagina: **Jean Dubuffet, *De koe met de subtiele neus*, 1954** Dubuffets koe, die absurd maar tegelijk aandoenlijk is, breekt met de Europese traditie van geschilderde koeien en stieren met hun statige, natuurlijke symboliek van vruchtbaarheid, of zelfs macho-heldhaftigheid, van het soort dat Picasso's Minotaurussen tonen. Naïviteit en humor nodigen uit tot een frisse en eerlijke reactie.

Lausanne. Met name in het Engels worden vaker de benamingen "outsiderkunst" en "visionaire kunst" gehanteerd.

De term art brut wordt ook vaak gebruikt voor de kunst van Dubuffet zelf. Hij was zelf geen 'outsider', hoewel hij pas laat in zijn leven van kunst zijn beroep maakte, na tot zijn éénenveertigste wijnhandelaar te zijn geweest. Hij werd beïnvloed door de ontdekking van de grotschilderingen in Lascaux in 1940 en door de anonieme graffiti op de muren van Parijs, zoals die door Brassaï (1899-1984) op foto waren vastgelegd. Beide droegen niet alleen bij aan zijn geloof in de oerdrift van de mensheid om dingen te merken en te creëren, maar ook aan zijn persoonlijke, visuele vocabulaire. Zelf streefde hij naar een rauwe en ongeremde kunst die tegelijkertijd lachwekkend, satirisch, ruw en absurd was. *De koe met de subtiele neus* (1954), absurd maar aandoenlijk, kon niet verder af staan van de Europese traditie van geschilderde koeien en stieren met hun idyllische houding en briesende potentie: de traditie lijkt te zijn opgegaan in een onschuld van zichzelf.

In tegenstelling tot zijn vriend Antonin Artaud (1896-1948) – toneelschrijver, kunstenaar, criticus, mysticus en voormalig surrealist – had Dubuffet het geluk om krankzinnigheid waar te nemen zonder het zelf te ervaren. Voor Artaud waren schrijven en tekenen echter een

manier om zijn geestesziekte te trotseren: geen luxe, maar catharsis. In zijn invloedrijke tekst "Van Gogh le suicidé de la société" (1947) schreef hij zelf: "Niemand heeft ooit geschreven, geschilderd, gebeeldhouwd, vormgegeven, gebouwd of uitgevonden behalve om letterlijk uit de hel te komen." Artauds tragische afdaling in de hel wordt op krachtige wijze gevisualiseerd in zijn gekwelde zelfportretten, die hij maakte door het papier aan te vallen met zijn crayons. "Hij werkte met razernij, brak crayon na crayon, terwijl hij worstelde met zijn eigen exorcisme", schreef een vriend. Ook Dubuffet was van mening dat kunst werd geboren uit een lichamelijke strijd tussen de kunstenaar en zijn media. Zijn buitengewone *haute-pâte*werken uit de jaren veertig en vijftig zijn reliëfachtige voorwerpen vervaardigd van een modderachtig materiaal dat was vermengd met zand, teer en grind en waarin op brute wijze afbeeldingen waren gekrast. Door deze pasta te bewerken, die Tapié beschreef als een "soort levende materie die haar eeuwige toverkracht deed gelden", creëerde hij het effect van figuren die uit de oersoep verrezen. In zijn latere werk, hoewel dat qua uiterlijk heel anders was dan zijn vroege werk, verkende hij soortgelijke thema's. Voor de *Hourloupe*-serie, waaraan hij van 1962 tot 1974 werkte, werd hij geïnspireerd door de halfbewuste tekeningetjes die men met een pen tijdens een

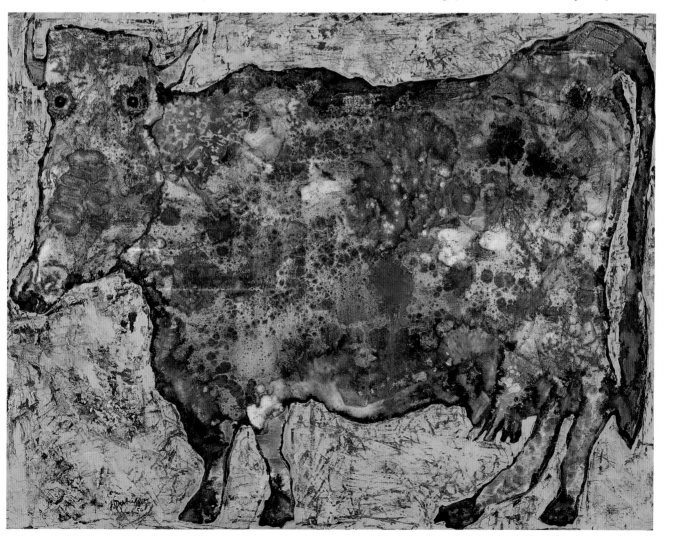

telefoongesprek maakt. Met het hulpmiddel waarmee de moderne mens een krabbel zet, creëerde Dubuffet een denkbeeldige, puzzelachtige wereld van schilderijen, beeldhouwwerken en omgevingen.

Door middel van zijn eigen kunst en door art brut te sponsoren en te propageren, probeerde Dubuffet de gangbare ideeën over kunst te ondermijnen: hoe kunst zou kunnen worden gemaakt, waarvan kunst zou kunnen worden gemaakt en wie kunst zou kunnen maken. Zijn werk en theorieën verbinden hem met diverse naoorlogse kunstbewegingen. De nadruk die hij legde op de intuïtieve oerbron van de kunst was ook te vinden bij kunstenaars die worden geassocieerd met *art informel, *existentiële kunst, *CoBrA en *abstract expressionisme. Zijn verkenning van nieuwe materialen en technieken was een bevrijdend voorbeeld voor uiteenlopende kunstenaars, waaronder *popkunstenaar Claes Oldenburg, die in 1969 schreef: "Jean Dubuffet heeft mij aangespoord om te vragen waarom kunst wordt gemaakt en waaruit het kunstproces bestaat, in plaats van te proberen een traditie te volgen en voort te zetten."

Belangrijke collecties

Adolf Wölfli-Stiftung, Kunstmuseum, Bern
Collection de l'Art Brut, Château de Beaulieu, Lausanne
Fine Arts Museums of San Francisco, San Francisco, California
Musée des Arts Décoratifs, Parijs
Museum of Fine Arts, Boston, Massachusetts
Stedelijk Museum, Amsterdam
Museum Kröller Müller, Otterlo

Belangrijke boeken

Parallel Visions: Modern Artists and Outsider Art, (tent. cat. Los Angeles County Museum of Art, 1992)
Susan J. Cooke, et al., *Jean Dubuffet 1943–1963* (tent. cat. Hirshhorn Museum, Washington, D.C., 1993)
J. Dubuffet, *Jean Dubuffet: The Radiant Earth* (1996)

Existentiële kunst

Het is waar dat onze generatie slechts één ding is gevraagd – dat ze met wanhoop moest kunnen omgaan.

ALBERT CAMUS, 1944

Na de oorlog was het existentialisme de filosofie die op het Europese vasteland de meeste aanhang genoot. Het uitgangspunt was dat de mens alleen op de wereld is, en dat er geen preëxistente morele of religieuze orde is waarop hij kan terugvallen. Enerzijds wordt hij gedwongen om zijn isolement, de zinloosheid en absurditeit van het bestaan tot zich te laten doordringen, anderzijds heeft hij de vrijheid om zijn wezen zelf te bepalen, om zichzelf met elke handeling opnieuw vorm te geven. Dergelijke thema's leefden sterk in de jaren direct na de oorlog en oefenden grote invloed uit op artistieke en literaire ontwikkelingen in de jaren vijftig – de populaire jongerencultuur van St-Germain-des-Prés, de tegencultuur van de beatgeneratie en de 'angry young men' in Groot-Brittannië.

De Franse schrijvers Jean-Paul Sartre (1905-80) en Albert Camus (1913-60) waren verzetshelden tijdens de Tweede Wereldoorlog en intellectuele helden van de naoorlogse periode. Sartres existentiële filosofie werd voor het eerst uiteengezet in zijn traktaat *L'Etre et le néant* (het zijn en het niets), dat in 1943 in bezet Parijs werd uitgegeven. In de naoorlogse jaren volgde wat de Franse schrijfster Simone de Beauvoir (1908-86) het 'existentiële offensief' noemde: een stroom boeken, toneelstukken en artikelen van de hand van Camus, Sartre, De Beauvoir en Jean Genet (1910-86) die in goede aarde viel bij het door de oorlog gedesillusioneerde publiek. Zoals De Beauvoir in 1965 zei, leek het alsof het existentialisme "hen de rechtvaardiging verschafte om hun vergankelijke toestand te accepteren zonder een zekere absolute toestand te hoeven verloochenen, om verschrikkingen en absurditeit het hoofd te kunnen bieden met behoud van hun menselijke waardigheid." Het existentialisme was een filosofie die al snel zijn weerslag vond in de kunst, met name in de literatuur en de beeldende kunst. Er bestonden nauwe banden tussen schrijvers - zoals André Malraux (1901-76), Maurice Merleau-Ponty (1908-61), Francis Ponge (1899-1988), Samuel Beckett (1906-89), - en beeldend kunstenaars. De taal van het existentialisme - authenticiteit, levensangst, vervreemding, absurditeit, walging, transformatie, metamorfose, angst, vrijheid – werd de taal van de kunstkritiek, toen de schrijvers hun beleving van het werk onder woorden brachten. Voor Sartre en anderen was het de kunstenaar, die gezien werd als iemand die doorlopend op zoek is naar nieuwe vormen van expressie, die steeds uiting gaf aan het existentiële dilemma van de mens.

Een kunstwerk ontleent zijn existentiële karakter niet aan de stijl, maar aan de sfeer en de gedachten die het oproept. Werken van de *abstract expressionisten, *art informel en *CoBrA, de Franse Homme-Témoin-groep (de Mens als Getuige), de Britse *Kitchen Sink School en de Amerikaanse *Beats worden allemaal soms als existentieel, maar evengoed als abstract of figuratief bestempeld. Zo zijn er ook veel kunstenaars die eigenlijk in geen enkel hokje passen: de Franse kunstenaars Jean Fautrier (1898-1964), Germaine Richier (1904-59) en Francis Gruber (1912-48), de Zwitsers Alberto

Giacometti (1901-66), de Nederlander Bram van Velde (1895-1981), en de Britten Francis Bacon (1909-92) en Lucian Freud (1922).

Fautriers bekendste serie schilderijen en sculpturen, O*stages* (gijzelaars), is gemaakt toen hij tijdens de oorlog ondergedoken zat in een psychiatrische inrichting net buiten Parijs, waar hij het gegil van de gevangenen kon horen die door de Duitsers in de omliggende bossen werden gemarteld. Deze gruwelijke ervaringen zijn in de werken terug te zien. Door de manier waarop de materialen zijn bewerkt, met hun gelaagde en gekerfde structuur, doen ze denken aan verminkt vlees van afgehakte lichaamsdelen. Hoewel hij wel afbeeldingen van dergelijk expliciet geweld maakte, ging hij nooit zover dat hij de menselijke figuur volledig uitwiste. Door zijn combinatie van figuratie en abstractie brengt hij zowel de menselijke oorsprong van de slachtoffers als de abstracte kenmerken van anonieme slachtoffers uit massagraven op een krachtige manier over. De werken geven ook blijk van een obsessieve drang om de slachtoffers te gedenken en de wreedheden die hen zijn aangedaan op te tekenen. Toen de O*stages*-werken in 1945 voor het eerst tentoongesteld werden, in de Galerie René Drouin in Paris, ontstond er grote beroering. De schilderijen hingen in dichte rijen naast elkaar, waardoor de associatie met massa-executies nog werd versterkt. Veel werken hadden een korrelige pasteltint, wat hen een schokkend erotische schoonheid bezorgde. Malraux schreef in het voorwoord van de expositiecatalogus dat hij de serie zag als "de eerste poging om de pijn van deze tijd tot op de tragische ideogrammen te ontleden en naar de wereld van de eeuwigheid te drijven."

Net als Fautrier werd Richier geroemd om haar 'authenticiteit', een sleutelbegrip binnen het existentiële gedachtegoed. Haar sculpturen werden als hoopgevend of als pessimistisch ervaren – als beelden van de gruwelijkheden van de oorlog, of van het vermogen van de mens om daarbovenuit te stijgen. Haar figuren hebben geen gezicht, maar ze zijn wel onverzettelijk en hebben nog een zekere waardigheid en levensbesef behouden. De existentiële angst is duidelijk aanwezig in Richiers werk, maar kan ook worden gezien in de context van het *expressionisme, gelet op het geweld van haar artistieke taal, en van het *surrealisme, gelet op de rijke mystiek in haar werk; juist door de combinatie van deze eigenschappen drukt het de stemming van de naoorlogse periode zo treffend uit.

Voor veel schrijvers, zoals Genet, Sartre en Ponge, was de voormalige surrealist Giacometti de archetypische existentiële kunstenaar. Zijn dwangmatige, herhaalde behandeling van steeds hetzelfde onderwerp en zijn kwetsbare figuren in open vlakten

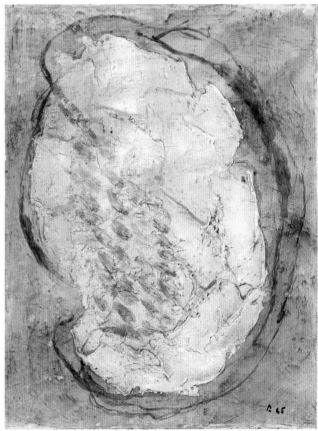

Rechtsboven: **Germaine Richier, *L'Eau*, 1953–54**
Richiers sculpturen werden of als hoopgevend, of als pessimistisch ervaren – als beelden van de gruwelijkheden van de oorlog, of van het vermogen van de mens om daarbovenuit te stijgen. Haar figuren hebben geen gezicht, maar ze zijn wel onverzettelijk en hebben nog een zekere waardigheid en levensbesef behouden.

Rechts: **Jean Fautrier, *Ostage*, 1945**
Fautriers gruwelijke ervaringen zijn in de O*stages*-serie terug te zien. Door de manier waarop de materialen zijn bewerkt, met hun gelaagde en gekerfde structuur, doen ze denken aan verminkt vlees van afgehakte lichaamsdelen.

weerspiegelden het isolement en de strijd van de mens, en de voortdurende noodzaak om steeds weer terug te gaan naar af en opnieuw te beginnen. Genet schreef in 1958: "Schoonheid komt louter voort uit de wond die ieder mens binnen in zich meedraagt.... Giacometti's kunst lijkt mij ten doel te hebben om deze verborgen wond in ieder mens en zelfs ieder ding bloot te leggen, opdat deze hen kan verlichten." Sartre schreef ook over Giacometti. Mede dankzij zijn essay voor de catalogus van Giacometti's eerste naoorlogse expositie in de Pierre Matisse Gallery in New York van 1948, 'La recherche de l'absolu', vonden de existentialistische ideeën ook ingang in de VS en Groot-Brittannië.

De existentiële 'ellende' – en de mythe van de existentiële kunstenaar – was tegen de jaren vijftig in zwang geraakt bij de stijlbewuste jongeren in de kroegen, kelders en jazzcafés van St-Germain-des-Prés. Vooral de 'misérabiliste-stijl' van de schildersgroep

Tegenoverliggende pagina: **Francis Bacon, *Figure in Movement*, 1976**
De dramatische, gewelddadige en claustrofobische sfeer van Bacons schilderijen was voor velen aanleiding om hem als de meest gekwelde existentiële kunstenaar te bestempelen.

Onder: **Alberto Giacometti, *Homme qui Marche III*, 1960**
Abstract expressionist Barnett Newman zei dat Giacometti's figuren "van speeksel leken te zijn gemaakt - nieuwe dingen zonder vorm, zonder structuur, maar op een of andere manier toch gevuld." De figuren lijken breekbaar, eenzaam en kwetsbaar door de enorme uitgestrekte ruimte om hen heen.

Homme-Témoin, van Bernard Buffet (1928-99), Bernard Lorjou (1908) en Paul Rebeyrolle (1926) was populair. Hun manifest van 1948, geschreven door de criticus Jean Bouret, verklaarde: "De bestaansreden van de schilderkunst is getuigenis doen, en niets menselijks kan zich daaraan onttrekken." De stijl die werd aangenomen was er een van dramatisch realisme. Buffet werd op slag beroemd met zijn gestileerde lineaire figuren in naoorlogse scènes vol ellende en verdriet, en groeide uit tot een van de meest succesvolle schilders van de jaren vijftig. De existentiële ideeën waren in de jaren vijftig ook doorgedrongen tot het idioom van de Engelse kunstkritiek, vooral door de aandacht voor Sartres essay over Giacometti. Dat bleek van groot belang voor de Britse criticus David Sylvester en de kring van Britse kunstenaars waar hij, aanvankelijk in Parijs en later in Londen, mee optrok, zoals Bacon, Reg Butler (1913-81), Eduardo Paolozzi (1924) en William Turnbull (1922). De dramatische, gewelddadige en claustrofobische sfeer van Bacons schilderijen was voor velen aanleiding om hem als de meest gekwelde existentiële kunstenaar te bestempelen. De sfeer van gepeins in Lucian Freuds hyperrealistische portretten uit de jaren veertig bracht criticus Herbert Read ertoe om hem "de Ingres van het existentialisme" te noemen.

Tegen het einde van de jaren vijftig was het existentialisme een wijdverbreid verschijnsel geworden. In 1959 werd een groot aantal Europese existentialisten samengebracht met hun Amerikaanse tegenhangers, zoals de abstract expressionist Willem de Kooning, in een expositie van conservator Peter Selz van het Museum of Modern Art in New York. De titel van deze tentoonstelling, 'New Images of Man' gaf de populariteit aan van het existentialisme als intellectueel kader voor de interpretatie van beeldende kunst. Maar in de jaren zestig was in de ogen van velen de vervreemding en het individualisme tot egocentrisme vervallen, en werd het existentiële wereldbeeld in twijfel getrokken door een nieuwe generatie die kunst wilde scheppen in gemeenschap met anderen en met hun omgeving (zie *Neodada, *Nouveau réalisme en *Pop-art).

Belangrijke collecties
Beyeler Foundation Collection, Bazel
California State University Library, Northridge, California
Fine Arts Museum of San Francisco, San Francisco, California
Moderna Museet, Stockholm
Stedelijk Museum, Amsterdam
Tate Gallery, Londen

Belangrijke boeken
C. Juliet, *Giacometti* (1986)
R. M. Mason, *Jean Fautrier's Prints* (1986)
H. Matter, *Alberto Giacometti* (1987)
R. Hughes, *Lucian Freud: Paintings* (1989)
D. Sylvester, *Looking Back at Francis Bacon* (2000)
E. Darley en H. Janssen, *Francis Bacon* (Zwolle, 2001)

Outsiderkunst

Hun werk komt voort uit essentiële behoeften, obsessies en dwanghandelingen en hun motivaties zijn eerlijk, puur en intens.

ANDY NASISSE

Outsiderkunst, een term die vaak als synoniem van *art brut wordt gebruikt, omschrijft kunst die door niet-kunstenaars is gemaakt. De aanduiding heeft echter een bredere toepassing, daar het niet alleen de art-brutcollectie in het Zwitserse Lausanne omvat, maar alle kunst die wordt vervaardigd door degenen die buiten het kunststelsel vallen. De benaming werd gemeengoed na de publicatie van *Outsider Art*, het invloedrijke boek van Roger Cardinal uit 1972. Cardinal zocht een term die de creatieve onafhankelijkheid van de maker benadrukte in plaats van zijn marginale sociale status of geestelijke toestand: outsiderkunstenaars staan buiten de kunstwereld, maar niet noodzakelijkerwijze buiten de samenleving. "Visionaire kunst", "intuïtieve kunst" en "Grassroots-kunst" zijn andere benamingen die om dezelfde redenen van neutraliteit worden gebruikt.

Sommige van de indrukwekkendste werken van outsiderkunst zijn monumentale constructies die in de loop van vele jaren zijn gebouwd. Eén daarvan is het Palais idéal (Ideaal paleis) in het Franse Hauterives, dat in 1879 door de Franse postbode Le Facteur (Ferdinand) Cheval (1836-1924) werd gestart en drieëndertig jaar later werd voltooid. De bizarre constructie, die doet denken aan Indiase tempels, gotische kathedralen en Chevals herinneringen aan de paviljoenen van de wereldtentoonstelling in Parijs in 1878, werd nog tijdens zijn leven een toeristische attractie en vele *surrealisten hebben er in de jaren dertig bedevaartstochten naar gemaakt. Watts Towers in Los Angeles (1921-54) van de Italiaanse bouwvakker Simon Rodia (ca. 1879-1965), dat is vervaardigd van staal en gekleurd cement en dat is versierd met tegels, schelpen en stenen, is een ander beroemd monument. Net als Cheval werkte Rodia drieëndertig jaar aan zijn bouwwerk. Vervolgens deed hij het over aan een buur, verliet de stad en weigerde om terug te keren, volgens eigen zeggen omdat "er niets is". In de jaren zestig werden de torens een belangrijke bron van inspiratie voor de *assemblagekunstenaars. De Rotstuin van Chandigarh (gestart in 1958) van de Indiase wegeninspecteur Nek Chand (1924) is nog steeds in wording. Al deze constructies hebben *mainstream*-kunstenaars voorbeelden gegeven van 'naïeve' visuele en stilistische vormen. Wat net zo belangrijk is, is dat zij het verleidelijke beeld presenteren van de kunstenaar als iemand die gedwongen is om te creëren – het idee dat kunst wordt gemaakt uit noodzaak en niet als keuze. Outsiderkunstenaars worden bewonderd om hun oprechtheid en volharding, zoals Andy Nasisse (1946), een van de vele eigentijdse kunstenaars die outsiderkunst bestuderen, verzamelen en erdoor worden geïnspireerd, heeft uitgelegd.

Door de groeiende publieke erkenning en waardering is outsiderkunst in de *mainstream* beland. Een van de opvallendste voorbeelden is dat van de Amerikaanse geestelijke Howard Finster (1916), wiens werk bij miljoenen bekend is geworden door onder andere de albumhoezen die hij ontwierp voor de popgroepen Talking

Heads (*Little Creatures*, 1985) en R.E.M. (*Reckoning*, 1988). Outsiderkunstenaars worden nu vertegenwoordigd in galerieën, ze krijgen opdrachten, hun werk wordt tentoongesteld in belangrijke musea en hun monumenten en omgevingen worden beschermd doordat ze op monumentenlijsten worden geplaatst. Toen de autoriteiten Chands illegale, geheime tuin ontdekten, sloopten ze de tuin niet, maar gaven zij hem een salaris en personeel om hem te helpen bij de aanleg van de tuin. De tuin bestrijkt nu ruim 10 hectare en trekt meer dan 5000 bezoekers per dag.

Tegenoverliggende pagina: Nek Chand, *Massed Villagers, tweede fase van de Rotstuin*, 1965-66 De Rotstuin aan de noordoostrand van de stad Chandigarh werd aangelegd met gebruikmaking van afgedankte voorwerpen en industrieel afval. De status van outsiderkunstenaars is de laatste jaren verbeterd en Chand heeft financiële steun gekregen voor het onderhoud van de geheime tuin. Bovendien is voor de voltooiing en het behoud van de tuin een stichting in het leven geroepen.

Belangrijke monumenten

Howard Finster, Paradise Garden, Pennville, Georgia
Le Facteur (Ferdinand) Cheval, Palais Idéal, Hauterives, Frankrijk
Nek Chand, The Rock Garden of Chandigarh, Chandigarh, India
Simon Rodia, Watts Towers, 107th Street, Los Angeles, California

Belangrijke boeken

R. Cardinal, *Outsider Art* (1972)
B.-C. Sellen en C. J. Johanson, *20th Century American Folk, Self-Taught, en Outsider Art* (1993)
B. Goldstone, *The Los Angeles Watts Towers* (Los Angeles, CA, 1997)
C. Rhodes, *Outsider Art* (2000)

Organische abstractie

De bespiegeling van de natuur geeft ons voortdurend nieuwe kracht.

BARBARA HEPWORTH, 1934

Organische abstractie is de benaming voor het gebruik van ronde, abstracte vormen die zijn gebaseerd op de vormen die we in de natuur aantreffen. Naast organische abstractie wordt ook wel de term biomorfe abstractie gebruikt. Het is geen school of beweging, maar een opvallend kenmerk van het werk van uiteenlopende kunstenaars, zoals Vasily Kandinsky (zie *Der Blaue Reiter), Constantin Brancusi (zie *Ecole de Paris) en de kunstenaars van de *art nouveau. De term wordt echter het meest gebruikt voor het werk dat in de jaren veertig en vijftig van de twintigste eeuw is gemaakt en met name voor het werk

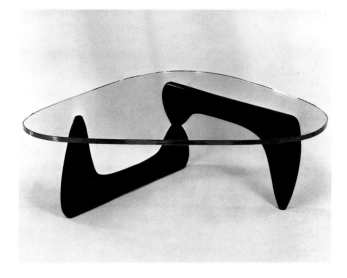

Rechts: Isamu Noguchi, *Tafel*, ca. 1940
Noguchi zag al zijn werk als sculpturen en gaf consequent de voorkeur aan biomorfe vormen, vooral in de jaren veertig. In zijn tafel liggen de plastische elegantie en finesse van de materialen besloten die kenmerkend zijn voor zijn werk als geheel.

van de *surrealisten Jean (Hans) Arp, Joan Miró en Yves Tanguy en van de Britse beeldhouwers Barbara Hepworth (1903-75, zie ook *Concrete kunst) en Henry Moore (1898-1986, zie ook *Neoromantiek).

De beeldhouwwerken van Arp, Miró en Moore vertonen qua vorm duidelijke overeenkomsten met natuurlijke vormen, zoals botten, schelpen en kiezelstenen. Hun werk was enorm populair en Moore schreef in 1937 dat hij ervan overtuigd was dat "er universele vormen zijn die alle mensen onbewust begrijpen en waarop zij kunnen reageren als hun bewuste beheersing hen daar niet van afsluit". Deze interesse treft men niet alleen aan bij andere kunstenaars, zoals Alexander Calder (1898-1976, zie *Kinetische kunst), Isamu Noguchi (1904-88) en de *abstract-expressionisten, maar ook bij een hele generatie meubelontwerpers, met name in de Verenigde Staten, Scandinavië en Italië. Hoewel de natuur zelf een cruciale bron van inspiratie was voor Hepworth, Moore en Arp, waren het meer de 'geronde', vloeiende vormen van hun beeldhouwwerken (die als "tekeningen in de ruimte" werden bewonderd) die essentieel waren voor de ontwerpers van de jaren veertig en vijftig van de twintigste eeuw.

Prominente meubelontwerpers in de Verenigde Staten waren onder anderen Charles Eames (1907-78) en zijn echtgenote Ray Eames (1912-88), Noguchi en de Fin Eero Saarinen (1910-61). Charles Eames en Saarinen kregen in 1940 bekendheid toen zij voor hun

gezamenlijke ontwerpen voor woonkamermeubilair de eerste prijs wonnen in de "Organic Design in Home Furnishings Competition" van het Museum of Modern Art in New York. In 1946 was Eames de eerste ontwerper die een solotentoonstelling in het museum kreeg. Het voorbeeld van avant-gardekunstenaars en industrieel ontwerpers (met name in de luchtvaart- en auto-industrie), alsook innovatieve technologische ontwikkelingen (zoals nieuwe buigtechnieken en nieuwe laminaten van diverse materialen) stelden meubelontwerpers in staat om steeds organischer ontwerpen te maken. Hierdoor, en door de algemene opvatting dat ronde vormen comfortabeler waren, kreeg organisch meubilair niet alleen een moderne, maar ook een uitnodigende uitstraling.

De fauteuil en het voetenbankje van rozenhout en leer (1955), die het echtpaar Eames oorspronkelijk had ontworpen als verjaardagscadeau voor de filmregisseur Billy Wilder, is een van hun beroemdste ontwerpen. Toen Charles het beschreef, zei hij dat hij wilde dat het de "warme, open uitstraling van een intensief gebruikte vanghandschoen van een eerste honkman" zou hebben. Saarinen ontwierp ook inmiddels beroemd geworden stoelen, waarvan de namen hun 'organische' bronnen aangaven: de Womb (baarmoeder) uit 1946 en de Tulip (tulp) uit 1956. Biomorfe vormen speelden ook een belangrijke rol in zijn architectonische projecten uit die periode, met name in het gebouw van de luchtvaartmaatschappij TWA op het JFK Airport in New York (1956-62). Noguchi zelf zag al zijn werk als sculpturen, ongeacht of het een lamp, een speelplaats, toneeldecor, tuin of openbaar kunstwerk was, en het merendeel van zijn werk had een biomorfe vorm, vooral in de jaren veertig. In zijn beroemde koffietafel van 1947, waarvan de glazen plaat op een licht gebogen houten onderstel rust, liggen de plastische elegantie en finesse van de materialen besloten die kenmerkend zijn voor zijn werk als geheel.

In Italië speelde vormgeving met een sterk organisch karakter een belangrijke rol in de naoorlogse wederopbouw. Omdat de rechte, geometrische lijnen van het rationalisme werden geassocieerd met het fascisme (zie *M.I.A.R.), richtten ontwerpers zich op de curve. In heel Italië verscheen een kenmerkende, organische esthetiek, waarin aspecten van Amerikaans design, surrealisme en de beeldhouwwerken van Moore en Arp waren samengesmolten, en die uiteenlopende disciplines omvatte, variërend van industriële vormgeving (auto's, schrijfmachines en Vespa's) tot binnenhuisarchitectuur en meubilair. Deze bronnen blijken duidelijk uit het van gebogen hout en metaal vervaardigde meubilair van Carlo Mollino (1905-73), dat bovendien is geïnspireerd door een eerdere pionier op het gebied van organisch ontwerp, namelijk Antoni Gaudí (zie *Modernisme), aan wie Mollino

Links: **Archille Castiglioni, *220 Messadro*, 1957**
De stoel van Castiglioni, die is gemaakt van een trekkerzadel, geeft op kernachtige wijze uitdrukking aan de terugkerende discussie, die al sinds de tijd van de Deutscher Werkbund en het Bauhaus woedde, over de relatie tussen kunst en vormgeving en de relatie tussen vormgeving en technologie.

Tegenoverliggende pagina: **Henry Moore, *Liggende figuur*, 1936**
Een jaar nadat dit werk was voltooid, schreef Moore dat hij ervan overtuigd was dat "er universele vormen zijn die alle mensen onbewust begrijpen en waarop zij kunnen reageren als hun bewuste beheersing hen daar niet van afsluit".

hulde bracht met zijn Gaudí-stoel uit 1949. Achille Castiglioni (1918) maakte ook meubilair waarin specifieke verwijzingen naar avant-gardekunst (*dada en *surrealisme) en het gebruik van het "gevonden voorwerp" te vinden waren. Zijn kruk Sella (zadel) uit 1957 – gemaakt van een fietszadel – en de Mezzadro-stoel – gemaakt van een trekkerzadel – geven op kernachtige wijze uitdrukking aan de terugkerende discussie over de relatie tussen kunst en vormgeving en de relatie tussen vormgeving en technologie (zie bijvoorbeeld de *Deutscher Werkbund en het *Bauhaus).

Scandinavië was in de jaren veertig en vijftig van de twintigste eeuw ook een centrum van organische abstractie. De Finse Alvar Aalto (zie ook *Internationale stijl), zijn echtgenote Aino Marsio Aalto (1894-1949) en de Deense architect en ontwerper Arne Jacobsen (1902-71) maakten allen internationaal gewaardeerd werk. Net als bij Saarinen blijken de organische bronnen van Jacobsen uit de titels van zijn bekendste stoelen: Mier (1951), Zwaan (1957) en Ei (1957).

Hoewel de neiging naar organische abstractie vooral zichtbaar was in de jaren veertig en vijftig van de twintigste eeuw, is het sindsdien een van de vele prominente stijlen in kunst en design gebleven en is het te vinden in het werk van uiteenlopende beeldhouwers, zoals Linda Benglis (1941), Richard Deacon (1949), Eva Hesse (1936-70), Anish Kapoor (1954), Ursula von Rydingsvard (1942) en Bill Woodrow (1948), alsook in het werk van de ontwerpers Ron Arad (1951), Verner Panton (1926-98) en Oscar Tusquets (1941).

Belangrijke collecties
Bolton Art Gallery, Bolton, Engeland
Cornell Fine Arts Museum at Rollins College, Winter Park,
 Florida
National Museum of Women in the Arts, Washington, D.C.
Tate Modern, Londen
Tate St Ives, Engeland
Museum Kröller Müller, Otterlo

Belangrijke boeken
Bruce Altshuler, *Isamu Noguchi* (1994)
P. Curtis, *Barbara Hepworth* (1998)
P. Reed (ed.), *Alvar Aalto* (1998)
J. Wallis, *Henry Moore* (Chicago, Ill., 2001)

Art informel

Tegenwoordig kan kunst alleen bestaan als het verbijstering wekt.

MICHEL TAPIÉ, 1952

Art informel (vormloze kunst) was de naam waarmee in Europa de gestuele abstracte schilderstijl werd aangeduid die de internationale kunstwereld van halverwege de jaren veertig tot eind jaren vijftig overheerste. De term was bedacht door de Franse schrijver, beeldhouwer en jazzmusicus Michel Tapié (1909-87), al bestonden er ook andere aanduidingen, zoals lyrische abstractie, materieschilderkunst en tachisme. Deze wildgroei van namen, die meer verwarring sticht dan duidelijkheid schept, kwam voort uit de felle concurrentiestrijd tussen Franse naoorlogse critici om als eerste nieuwe avant-gardestromingen te signaleren en te definiëren.

Georges Mathieu (1921) richtte met zijn term 'lyrische abstractie' de aandacht op de fysieke schilderbeweging in zijn eigen werk en dat

van kunstenaars als de Fransman Camille Bryen (1907-77), de Hongaar Simon Hantaï (1922), de Tsjech Iaroslav Sossuntzov, bekend als Serpan (1922-76) en de Duitsers Hans Hartung (1904-89) en Alfred Otto Wolfgang Schulze, bekend als Wols (1913-51).

Bij de materieschilderkunst stond de beeldende kracht centraal van de – vaak afwijkende – materialen die gebruikt werden door Franse kunstenaars als Jean Dubuffet (zie *Art brut), Jean Fautrier (zie *Existentiële kunst), de Nederlanders Jaap Wagemaker (1906-75) en Bram Bogart (1921), de Italiaan Alberto Burri (1915) en de Catalaan Antoni Tàpies (1923). Het tachisme (van het Franse *tâche*, vlek, smet) concentreerde zich op de expressieve beweging in het 'schrift' van de kunstenaar, zoals de Britse schilder Patrick Heron (1920), de Fransman Pierre Soulages (1919) en de Belg Henri Michaux (1899-1984).

Waar de theoretici van de nieuwe kunst het over eens waren was dat het werk van deze kunstenaars een radicale breuk betekende met de heersende kunststijlen van de periode direct na de oorlog, door de critica Geneviève Bonnefoi gekarakteriseerd als de "dubbele terreur van het *socialistisch realisme en de geometrische abstractie". De vocabulaire van het realisme alsook het intellectualisme van de geometrische abstractie (zie *Concrete kunst, *De Stijl en *Elementarisme) werden ontoereikend geacht om de werkelijkheid van het naoorlogse bestaan te behandelen; de armoede, het leed en de woede die volgens hen niet afgebeeld, maar alleen uitgedrukt kon worden.

Onder invloed van het existentialisme van die tijd, werden de vertegenwoordigers van de art informel geroemd om hun individualisme, authenticiteit, spontaniteit en emotionele en fysieke betrokkenheid bij het proces om het 'diepste wezen' van de kunstenaar af te beelden. Mathieu beschreef zijn eigen proces: "Snelheid, intuïtie, opwinding, dat is mijn scheppingsmethode." Hij gaf vaak grandioze openbare demonstraties, zoals in 1956 in het Théâtre Sarah-Bernhardt in Parijs, toen hij een doek van 12 bij 12 meter in nog geen half uur beschilderde, waarbij hij achthonderd tubes verf gebruikte.

Links: **Hans Hartung, *Zonder titel*, 1961**
Hartung was een van de Europese schilders die Tapié samen met Amerikaanse abstract-expressionistische schilders als Willem de Kooning en Jackson Pollock tentoonstelde, om te laten zien dat gestuele abstractie een internationale tendens was.

Tegenoverliggende pagina: **Wols, *De blauwe fantoom*, 1951**
In 1963, lang nadat de kunstenaar was overleden, schreef Jean-Paul Sartre: "Wols probeert als mens en tegelijkertijd als marsbewoner met een niet-menselijke blik naar de wereld te kijken. Dat is volgens hem de enige manier waarop wij onze ervaringen een universele waarde kunnen verlenen."

Voor Tapié markeerden de in 1945 direct na de oorlog gehouden exposities van Fautriers *Otages*, Dubuffets *Haute Pâtes* en van de tekeningen en aquarellen van Wols het begin van het informel-avontuur. De drie exposities vonden alle plaats in de Galerie René Drouin in Parijs, een belangrijke locatie voor de nieuwe stijlstroming. Net als bij Fautriers *Otages*-tentoonstelling, gaf Drouin de kleine beeldende werken van Wols extra zeggingskracht door ze in zwarte kaders en afzonderlijk belicht te exposeren. In 1953 schreef Tapié dat hij Wols zag als "de katalysator van een lyrische, explosieve, anti-geometrische en informele non-figuratie".

Wols was een grote bron van inspiratie voor schilders en schrijvers, zoals Jean-Paul Sartre die in 1963, lang nadat de kunstenaar was overleden, schreef: "Wols probeert als mens en tegelijkertijd als marsbewoner met een niet-menselijke blik naar de wereld te kijken. Dat is volgens hem de enige manier waarop wij onze ervaringen een universele waarde kunnen verlenen." Naar aanleiding van Wols' losgeslagen manier van leven – gekenmerkt door armoede, depressies en drankzucht – en zijn vroege dood als gevolg van bloedvergiftiging, betitelde Sartre hem als de archetypische existentiële kunstenaar, die zichzelf opofferde in een bezeten strijd om het leven zin te geven.

In de twee maanden nadat zijn vrouw door een ongeluk was overleden produceerde de schilder Michaux meer dan driehonderd tekeningen om zijn verdriet te verwerken, of zoals hij het formuleerde "om de wereld te ontdoen van chaotische, tegenstrijdige dingen waar ik in ben geworpen." De werken werden in 1948 in de Galerie Drouin getoond en ook hier werd de zeggingskracht versterkt doordat ze dicht op elkaar waren gehangen, waardoor de wanden van de galerie volgens de criticus René Bertelé eruitzagen "alsof ze door een vloedgolf waren getroffen."

Zoals veel anderen in die periode was Michaux naar aanleiding van zijn onderzoek naar de basisprincipes van de visuele en verbale communicatie, geïnteresseerd geraakt in Oosterse filosofieën, zoals het taoïsme en zen, en in Chinese en Japanse kalligrafie. Deze interesses kwamen voor een groot deel samen in zijn serie kalligrafieachtige tekeningen met Indische inkt uit 1951, die gezamenlijk bekend staan als 'Mouvements'. In de begeleidende verklaring schreef Michaux: "Ik zie in hen een nieuwe taal die het verbale verwerpt, en daarom beschouw ik ze als bevrijders." Michaux, die als schrijver en als schilder bekendheid genoot, beschouwde beide ambachten als middelen tot zelfontdekking. In 1959 schreef hij: "Ik schilder net zoals ik schrijf. Om te ontdekken, om mezelf te herontdekken, om datgene te zoeken wat echt van mij is, wat buiten mijn medeweten om altijd bij mij heeft gehoord."

Terwijl veel critici en kunstenaars een nieuwe *Ecole de Paris probeerden op te richten, was Tapié meer geïnteresseerd in gestuele abstractie als internationale tendens. Hij keek daarvoor verder dan de Franse hoofdstad, naar de Amerikaanse abstract expressionisten, de Duitse groepen Zen 49 en Quadriga, de Canadese Automatistes, de Italiaanse Arte Nucleare-schilders en de Japanse Gutai-groep. Met de flamboyante schilder en propagandist Mathieu organiseerde hij tentoonstellingen in Parijs, zoals 'Véhémences Confrontées'

Boven: **Patrick Heron, *Cadmium met Violet, Purper, Smaragd, Citroen en Venetiaans rood*, 1969**
Heron liet zich prikkelen door de natuur, maar zijn werk werd abstract. Kleur was zijn hoofdthema en zijn voornaamste bezigheid. In 1962 schreef Heron: "De schilderkunst moet nog een heel continent verkennen, in de richting van de kleur (en in geen enkele andere richting)."

Tegenoverliggende pagina: **Georges Mathieu, *Mathieu uit de Elzas gaat naar Ramsey Abbey***
In het voorwoord van de catalogus voor de expositie 'Véhémences Confrontées' van 1951 bagatelliseerde Mathieu de debatten die in de jaren veertig in de kunstwereld over abstractie versus figuratie waren gevoerd. Hij verkondigde: "Het avontuur is elders en anders."

(tegengestelde krachten) in de Galerie Nina Dausset in 1951, waarbij hij een grote verscheidenheid aan kunstbeoefenaars bijeenbracht, onder wie de Amerikaanse abstract expressionisten Willem de Kooning en Jackson Pollock, en Europeanen zoals Hartung, Bryen en Wols. In het voorwoord van de catalogus bagatelliseerde Mathieu de debatten die in de jaren veertig in de kunstwereld over abstractie versus figuratie waren gevoerd. Hij verkondigde: "Het avontuur is elders en anders." In 1952 ging Tapié hierop voort in zijn manifest-achtige boek *Un art autre* (een andere kunst). Hij schreef over een behoefte aan "temperamentvolle karakters die bereid waren om alles overhoop te halen" en legde uit dat "echte scheppende geesten weten dat zij alleen hun onvermijdelijke boodschap kunnen uitdrukken door middel van het buitengewone – paroxisme, magie, absolute extase." Diverse invloeden op de informel worden in het boek belicht. Het vooroorlogse surrealisme is er één van, met de nadruk op het onbewuste of voorbewustzijn als de zetel van de kunstzinnige inspiratie. Verder is er de *expressionistische abstractie, met name het werk van Vasily Kandinsky (zie *Der Blaue Reiter). Tapié's interpretatie van het werk van informel-kunstenaars (dat blijk geeft van de menselijke oerdrang om scheppend bezig te zijn) duidt ook op zijn betrokkenheid met art brut, zijn belangstelling voor existentiële kunst en filosofie en de relatie van de informel met andere stromingen van die tijd, zoals het *lettrisme. Net als het lettrisme kan Tapié's *Un art autre* ook gezien worden als een onderdeel van het herstel van *dada; want net als het dada-avontuur, betekende Art Autre een

terugkeer naar de uitgangspositie, een heroriëntering op het 'ware' – een onbepaalde ruimte zonder vorm, die gebaseerd is op een besef van de ontdekkingen van de wetenschap, de wiskunde, natuurkunde en de ruimte. De gemeenschappelijke belangstelling voor kalligrafie en de communicatieproblemen onderstreepten ook het feit dat veel lettristen en informel-kunstenaars nader tot elkaar kwamen in hun poging om een visuele poëzie te creëren.

Tapié's conceptualisering van deze 'andere kunst', waarbij de nadruk meer op de zienswijze lag dan op een bepaalde stijl, gold ook kunstenaars die met hun werk de conflicten tussen abstractie en figuratie en tussen geometrisch en gestueel leken te willen afzwakken, zoals de in Frankrijk gevestigde Roger Bissière (1888-1964), Maria Elena Vieira de Silva (1908-92), Nicolas de Staël (1914-55) en Germaine Richier (zie *Existentiële kunst); de Oostenrijker Friedrich Stowasser, bekend als Hundertwasser (1928), de Britse schilders Roger Hilton (1911-75), Peter Lanyon (1918-64) en Alan Davie (1920) en de leden van de *CoBrA-groep. Andere kunstenaars, die in hun werk interesse voor psychische bronnen van creativiteit aan de dag legden, zoals de Russen Serge Poliakoff (1900-69) en André Lanskoy (1902-76), de Oostenrijker Arnulf Rainer (1929) en de Italiaan Emilio Vedova (1919), zouden ook onder Tapié's benaming geschaard kunnen worden.

Tijdens de jaren vijftig werden in Europa, het Verre Oosten en Noord-Amerika nog meer art-informel-exposities gehouden. De populariteit van de expressieve gestuele abstractie leidde ertoe dat het abstract expressionisme en de informel in de naoorlogse periode een internationale schilderstijl werd. Maar eind jaren vijftig verscheen er een nieuwe generatie kunstenaars (zie *Neodada, *Nouveau réalisme en *Pop-art), die de dominante positie van de stroming ter discussie stelde.

Belangrijke collecties
Centre Georges Pompidou, Parijs
Fine Arts Museums of San Francisco, San Francisco, California
Museum Ludwig, Wenen
Tate Modern, Londen
University of Montana Museum of Fine Arts, Missoula, Montana
Stedelijk Museum, Amsterdam

Belangrijke boeken
Lyrical abstraction (tent. cat. Whitney Museum of
    American Art, New York, 1971)
S. J. Cooke, et al., *Jean Dubuffet 1943–1963* (tent. cat.
    Hirshhorn Museum, Washington, D.C., 1993)
J. Mundy, *Hans Hartung: Works on Paper* (1996)
M. Leja, J. Lewison, et al., *The Informal Artists* (1999)
H. Michaux, *Henri Michaux, 1899–1984* (tent. cat.
    Whitechapel Art Gallery, Londen, 1999)

Abstract expressionisme

Wat we nodig hebben, is doorleefde ervaring – intens, onmiddellijk, direct, subtiel, verenigd, warm, levendig, ritmisch.

ROBERT MOTHERWELL, 1951

Hoewel de term abstract expressionisme in de jaren twintig van de twintigste eeuw was gebruikt om de vroege abstracties van Vasily Kandisky (zie *Der Blaue Reiter) te beschrijven, wordt deze sinds die tijd gebruikt om een groep in Amerika gestationeerde kunstenaars te beschrijven die in aanzien stonden gedurende de jaren veertig en vijftig van de twintigste eeuw, waaronder William Baziotes (1912-63), Willem de Kooning (1904-97), Arshile Gorky (1905-48), Adolph Gottlieb (1903-74), Philip Guston (1913-80), Hans Hofmann (1880-1966), Franz Kline (1910-62), Robert Motherwell (1915-91), Lee Krasner (1911-84), Barnett Newman (1905-70), Jackson Pollock (1912-56), Ad Reinhardt (1913-67), Mark Rothko (1903-70), Clyfford Still (1904-80) en Mark Tobey (1890-1976).

Evenals de *expressionisten, waren zij van mening dat het ware onderwerp van de kunst bestond uit de innerlijke emoties van de mens, uit zijn zieleroerselen, en voor dit doel exploiteerden zij de fundamentele aspecten van het schilderproces – gebaar, kleur, vorm, textuur – omwille van hun expressieve en symbolische potentieel. Met hun Europese tijdgenoten (zie *Existentiële kunst en *Art informel) deelden zij een romantische visie van de kunstenaar als vervreemd van de mainstream maatschappij, een figuur die moreel verplicht is om een nieuw type kunst te scheppen die het hoofd zou kunnen bieden aan een irrationele, absurde wereld.

De term werd geïntroduceerd door de criticus Robert Coates in een artikel in 1946 over het werk van Gorky, Pollock en De Kooning, hoewel het slechts een van de vele termen was die in die periode werden gebruikt. Andere waren New York School, American-Type

Painting, Action Painting en Colour-Field Painting, die elk een ander aspect van het abstract expressionisme beschreven. 'Action Painting', een frase die werd bedacht door de criticus Harold Rosenberg (1906-78) in zijn essay 'The American Action Painters' (*ARTnews*, december 1952), richtte de aandacht op de zelfverzekerde lichamelijke betrokkenheid van de kunstenaars in Pollocks druipschilderijen, De Koonings woeste penseelvoering en Kline's krachtige monumentale zwarte en witte vormen. Ook bracht deze frase tot uitdrukking dat de kunstenaars zich geheel inzetten voor het scheppen in een wereld waarin voortdurend keuzes dienden te worden gemaakt. Hierdoor is hun werk verbonden met het heersende klimaat van het tijdperk direct na de oorlog, waarin een schilderij niet slechts een object was, maar een weergave van de existentiële strijd op het gebied van vrijheid, verantwoordelijkheid en zelf-definitie.

Ondanks de diversiteit van hun stijlen, deelden de kunstenaars veel ervaringen en overtuigingen. Het opgroeien tijdens de Depressie en de Tweede Wereldoorlog had geleid tot een verlies van hun geloof in gangbare ideologieën en de artistieke stijlen die ermee werden geassocieerd, of dit nu het socialisme en *sociaal realisme waren, nationalisme en regionalisme (zie *American Scene) of utopianisme en geometrische abstractie (zie *De Stijl en *Concrete kunst). Tijdens een aantal tentoonstellingen op verschillende Amerikaanse trefpunten werden andere invloedrijke Europese avant-gardewerken getoond - *fauvisme, *kubisme, *dada en *surrealisme – evenals Azteekse, Afrikaanse en Amerikaans-Indiaanse kunstvormen.

Deze visuele ervaringen werden aangevuld door een nieuwe generatie leraren zoals Hofmann, die ervaringen uit de eerste hand had opgedaan met de Europese avant-garde voordat hij naar New York verhuisde en de Hans Hofmann School of Fine Arts opende in 1934. Andere Europese kunstenaars die een toevluchtsoord zochten tijdens de Tweede Wereldoorlog voegden zich bij hem, met name de surrealisten André Breton, André Masson, Roberto Matta, Yves Tanguy en Max Ernst. Dit was een bepalend moment in de ontwikkeling van het abstract expressionisme. Het concept van 'psychisch automatisme' van de surrealisten als een middel om toegang te krijgen tot onderdrukte beelden en creativiteit, maakte grote indruk op de jonge Amerikaanse schilders. Dit viel samen met een groeiende interesse in de Jungiaanse psychoanalyse in New York

Boven: **Mark Rothko, *Black on Maroon (Two Openings in Black over Wine)*, 1958** Rothko stond er altijd op dat zijn schilderijen dicht op elkaar en vlak boven de grond werden opgehangen, om de toeschouwer er zo direct mogelijk bij te betrekken. "Ik ben geen abstract schilder", zei hij. "Ik ben alleen geïnteresseerd in het uitdrukken van menselijke emoties."

Onder: **Willem de Kooning, *Two Standing Women*, 1949** Dit schilderij is het begin van De Koonings prachtige serie vrouwelijke naakten, dubbelzinnige caleidoscopische figuren, bruisend van energie. "Vlees", zei hij, "is de reden dat olieverf is uitgevonden."

Tegenoverliggende pagina: **Arshile Gorky, *The Liver is the Cock's Comb*, 1944** Gorky's krachtige contouren van planten- en dierenvormen lijken heel spontaan tot stand te zijn gekomen, maar zijn in werkelijkheid het resultaat van langdurige bestudering van de natuur en zeer gedetailleerde voorbereidende schetsen. Zo ontstond het effect dat "de hartslag van de natuur" uitbeeldt.

(Pollock was twee jaar, van 1939 tot 1941, in Jungiaanse psychoanalyse). Evenals Sigmund Freud, geloofde Carl Jung (1875-1961) in het aan het licht brengen van het onderbewuste, maar hij trok de nadruk die Freud legde op sex en individuele neuroses in twijfel. Hij veronderstelde het bestaan van een 'collectief onderbewuste', de vroeger bestaande kennis van de mensheid als soort, die bestaat uit archetypen – gedeelde niet-geleerde mythen, symbolen en oerbeelden. Deze krachtige kruising van culturele en intellectuele invloeden vertaalde de activiteit van kunstenaar in een existentiële activiteit van betrokkenheid, met heroïsche implicaties. De spontaniteit van automatisme was niet alleen een reis van zelfontdekking voor de kunstenaar, maar de openbaring van universele mythen en symbolen, een activiteit die tegelijktijd persoonlijk en episch is. Kunst en de kunstenaar zijn niet alleen

noodzakelijk, maar ook verheven. De nieuwe generatie kunstenaars nam de uitdaging aan en maakte verbazingwekkende en dramatische werken. Arshile Gorky, door Breton geclaimed als surrealist, zou ook kunnen worden beschouwd als de eerste abstract expressionist. Hij was met name beïnvloed door de *organische abstractie van Kandinsky en Joan Miró, wiens biomorfe vormen opdoken in zijn grote schilderijen: levendige, suggestieve en toch ambigue afbeeldingen die hij voltooide in de paar jaar voor zijn zelfmoord op de leeftijd van vierenveertig jaar. Zijn goede vriend De Kooning, die Gorky's voorbeeldfunctie erkende, schilderde ook biomorfe abstracties, maar is het meest bekend om zijn aandacht voor de menselijke figuur, met name de Amerikaanse pin-up-afbeeldingen die bekend waren van reclameborden in het hele land. Hij werd vermaard om zijn serie *Vrouw* in de jaren vijftig van de twintigste eeuw, waarin het expressieve geweld van zijn penseelstreken een monsterlijke maar memorabele weergave van sexuele begeerte creëerde.

De meest bekende actieschilder blijft Jackson Pollock. 'Jack the Dripper', vastgelegd op film en op de foto's van Hans Namuth voor het magazine *Life* terwijl hij aan het werk is, werd het archetype van de nieuwe kunstenaar. Op een radicaal vernieuwende manier legde hij in de jaren vijftig van de twintigste eeuw zijn doeken plat op de grond en liet hij er verf op druipen, recht uit het blik of met behulp van een stok of troffel, waarbij hij labyrintachtige beelden creëerde die hij beschreef als 'zichtbaar gemaakte energie en beweging'. De werken zijn gemaakt op een verre van nonchalante, maar juist zeer gediscplineerde manier, en tonen een zelfverzekerd gevoel van harmonie en ritme, en doen sommige critici denken aan Pollocks training onder Thomas Hart Benton (zie *American Scene). Pollocks Jungiaanse analyse vond zijn weg in zijn manier van schilderen, die veel verwijzingen bevat naar bepaalde aspecten van mythen: altaren, priesters, totems en sjamanen.

Een ander constant thema in Pollocks werk, het Amerikaanse landschap, wordt tot uitdrukking gebracht in de schilderijen van

zowel Clyfford Still en Barnett Newman, grote doeken die beelden oproepen van de woeste bergen en uitgestrekte vlakten van het westen, wederom in 'heroïsche' termen. Newmans signatuur was de 'zip' in zijn schilderijen, de verticale lijn die, volgens sommige critici, het Amerikaanse transcendentalisme symboliseerde. De meest religieuze van de abstract expressionisten was echter Mark Rothko. Zijn weloverwogen schilderijen, die werden vervaardigd op het hoogtepunt van de Amerikaanse consumptie, roepen beelden op van spiritualiteit en nodigen uit tot contemplatie. De gestapelde horizontale velden van intense kleuren lijken te zweven en te flakkeren, verlicht door een etherische gloed. In zijn laatste belangrijke serie doeken, die hij voor de Rothko Chapel in Houston maakte en kort voor zijn zelfmoord voltooide, wilde hij een omgeving creëren die ontzag inboezemde en evenveel kracht uitstraalde als de grootste religieuze kunstwerken.

Zowel de critici als de kunstenaars zelf voorzagen de werken van heroïsche, nobele interpretaties. Newman gaf in een interview in 1962 als commentaar dat als de mensen zijn schilderijen nu eens goed lazen, 'het einde van het staatskapitalisme en van totalitaire regimes onafwendbaar zou zijn'. Hoewel veel van hun werken abstract waren, vonden de kunstenaars zelf dat het niet aan inhoud ontbrak. Sterker nog, ze benadrukten het belang van de inhoud van hun werk. In een manifest-achtige brief aan de *New York Times* in 1943 verklaarden

Boven: **Jackson Pollock, *Blue Poles*, 1952**
Van alle avant-gardestijlen betekenden de druipschilderijen van Pollock aantoonbaar de meest revolutionaire breuk met traditionele compositietechnieken. Ze waren in januari 1948 voor het eerst te zien, waarop De Kooning zei: "Jackson heeft het ijs gebroken."

Tegenoverliggende pagina: **David Smith, *Cubi XVIII*, 1964**
De achtentwintig Cubi, die nog niet af waren toen Smith omkwam, vormen samen een unieke prestatie in de beeldhouwkunst. De enorme structuren, gemaakt van glanzend, superhard T-304-staal, zijn elk sterk genoeg om zich tegen hun natuurlijke achtergrond te manifesteren.

Rothko, Gottlieb en Newman gezamenlijk: "Een goed schilderij dat nergens over gaat, bestaat niet. Wij stellen dat de inhoud cruciaal is en dat alleen tragische en tijdloze onderwerpen voldoen." In 1948 werd 'The Subjects of the Artist'-school gesticht door Baziotes, Motherwell, Rothko en beeldhouwer David Hare (1917-91), en volgens Motherwell was die naam heel bewust gekozen om te benadrukken dat onze schilderkunst niet abstract, maar juist rijk aan inhoud was." Wat de kunstenaars in wezen nastreefden was subjectief en emotioneel. Het doel was 'elementaire menselijke emoties' (Rothko); 'alleen mijzelf, niet de natuur' (Still); 'om mijn gevoelens uit te drukken in plaats van ze te illustreren' (Pollock); 'het zoeken naar de verborgen zin van het leven' (Newman); 'om enige orde in onszelf aan te brengen' (De Kooning); 'om mezelf met het universum te verenigen' (Motherwell).

Tijdens de jaren veertig en vijftig van de twintigste eeuw kon het werk van de abstract expressionisten rekenen op de bijval van talloze critici, onder wie Harold Rosenberg en Clement Greenberg. De schilderijen werden tentoongesteld in de Art of This Century Galery van Peggy Guggenheim en in andere centra voor moderne kunst. De beweging kreeg in 1951 institutionele erkenning met de expositie 'Abstract Painting and Sculpture in America' in het Museum of Modern Art in New York. Ten tijde van de koude oorlog, toen de Sovjetunie het *socialistisch realisme steunde en Amerikaanse conservatieve politici en critici abstracte kunst afdeden als 'communistisch', beschouwden voorstanders het abstract expressionisme als het bewijs van artistieke vrijheid en integriteit.

Hoewel het abstract expressionisme vooral gezien wordt als een beweging in de schilderkunst, kunnen de abstracte fotografie van Aaron Siskind (1903-92) en de sculpturen van Herbert Ferber (1906-91), Hare, Ibram Lassaw (1913), Seymour Lipton (1903-86), Reuben Nakian (1897-1986), Newman, Theodore Roszak (1907-81) en David Smith (1906-65) ook tot het abstract expressionisme gerekend worden. Het werk van deze groep varieert sterk: het kan op het gemoed werken, maar ook sereniteit uitdrukken; de onderwerpen lopen uiteen van persoonlijk tot universeel. Smith was de belangrijkste beeldhouwer van die periode, met zijn sculpturen van ijzer en staal. In zijn grote beelden buitte hij het expressieve vermogen van de verschillende kleuren en oppervlakken optimaal uit. Hij beschilderde bepaalde beelden en gebruikte gepolijst roestvrij staal voor andere buitensculpturen om de veranderingen die qua kleur en zonlicht in het omringende landschap optraden, in zijn werken te integreren; andere werken liet hij verroesten zodat ze diep rood werden. Voor Smith is deze roest "het rood van het mythische oosten van het westen, - het is het bloed der mensen, het was een cultuursymbool van het leven." Zowel de gepolijste als de verroeste beelden werden met een staalborstel bewerkt, zodat fijne krullen ontstonden die een treffend contrast met de architecturale massa bewerkstelligden. Smiths vroegtijdige dood – hij kwam bij een ongeluk om het leven – werd diep betreurd, zoals blijkt uit Motherwells hartstochtelijke uitspraak: "O David, je was zo verfijnd als Vivaldi en zo sterk als een vrachtwagen."

Het abstract expressionisme kreeg internationale erkenning na de reizende tentoonstelling 'The New American Painting' van het

MoMA, die in 1958-59 acht Europese landen aandeed. Maar in die tijd waren de werken niet echt nieuw meer, en ook de opvatting in de inleiding van de catalogus – dat "John Donne ten spijt, ieder mens een eiland is" – werd met de nodige scepsis bekeken door een nieuwe generatie kunstenaars (zie *Neodada, *Nouveau réalisme en *Pop-art), die weinig op had met de schijnbaar formulaire, vervreemde angst van hun voorgangers. De overheersende rol van het abstract expressionisme vormde echter wel een belangrijk vertrekpunt voor latere kunstenaars. Diverse aspecten en interpretaties van het werk vonden hun weg in uiteenlopende bewegingen zoals de *post-painterly abstraction, het *minimalisme en de *performancekunst.

Belangrijke collecties
Aberdeen Art Gallery and Museums, Aberdeen
Carnegie Museum of Art, Pittsburgh, Pennsylvania
Modern Art Museum of Fort Worth, Texas
Seattle Art Museum, Seattle, Washington
Tate Modern, Londen
Stedelijk Museum, Amsterdam

Belangrijke boeken
D. Anfam, *Abstract Expressionism* (1990)
S. Polcari, *Abstract Expressionism and the Modern Experience* (Cambridge, UK, 1991)
M. Auping, *Arshile Gorky* (1995)
P. Karmel (ed.), *Jackson Pollock* (2000)
J. Weiss, *Mark Rothko* (New Haven, CT, 2000)

Lettrisme

De emotieve kracht van letters, zuivere letters, letters die uit alle context zijn gerukt.

ISIDORE ISOU, DE KRACHTVELDEN VAN LETTRISTISCHE SCHILDERKUNST, 1964

Het lettrisme was een idealistische literaire en artistieke beweging die rond 1945 in Boekarest werd opgericht door een jonge Roemeense dichter, Isidore Isou (1925). In het geloof dat de enige hoop voor een betere maatschappij lag in een volledige vernieuwing van de uitgeputte vormen van de taal en de schilderkunst, streefde hij ernaar een visueel lexicon te creëren van tekens en letters – enigszins te vergelijken met hiërogliefen – die voor iedereen te begrijpen zouden zijn.

Isou en zijn kunst hadden een sterk missieachtig karakter. Door de scheppingshandeling kwam de kunstenaar, naar de mening van Isou, het dichtst bij God en Isous keuze voor letters als zijn uitgangspunt leek de goedkeuring van God te hebben in de tekst "In den beginne was het Woord". Isou werd door een aantal zaken beïnvloed. De ontdekking van de grotschilderingen in Lascaux in 1940 voedde zijn geloof dat de wil om te creëren een fundamentele wil is; belangrijker dan dat waren echter aspecten van *dada en *surrealisme, bewegingen die Isou probeerde uit te dagen met en te vervangen door zijn eigen beweging, het lettrisme. Deze uitdaging ligt zelfs besloten in de keuze van zijn nieuwe naam (hij werd geboren als Samuel Goldstein), die verwijst naar Isidore Ducasse, de held van de surrealisten, en die door de alliteratie doelbewust doet denken aan de naam van zijn landgenoot, dada-oprichter Tristan Tzara. De jonge Roemeen lijkt erop gebrand te zijn geweest om de tweede komst van de dadaïstische esthetiek in zichzelf aan te kondigen, wat een rechtstreekse uitdaging was aan het adres van Tzara en André Breton, de 'Paus' van het surrealisme.

Boven: **Isidore Isou, *Traité de bave et d'éternité* (Verhandeling over Gezever en de Eeuwigheid), 1950-51**
In deze zwart-witfilm speelden onder anderen Isidore Isou, Marcel Achard, Jean-Louis Barrault, Danielle Delorme, Jean Cocteau en Maurice Lemaître; de laatste was ook assistent-producer.

In januari 1945 kwam hij in Parijs aan met een afkeurend oordeel over het *socialistisch realisme en de surrealistische dichters; in januari 1946 verklaarde hij publiekelijk: "Dada is dood. Het lettrisme heeft zijn plaats ingenomen." Maurice Lemaître (1926), François Dufrêne (1930-82, zie *Nouveau réalisme), Guy Debord (1931-94), Roland Sabatier (1942), Alain Satié (1944) en anderen sloten zich bij Isou aan en maakten lettristische poëzie, schilderijen en films. In eerste instantie beperkten de kunstenaars zich tot het gebruik van Latijnse letters, maar na 1950 gebruikten zij allerlei bestaande of bedachte alfabetten en tekens om "hypergrafiek" te creëren. Hoewel het lettrisme nu nog steeds bestaat, had het de meeste invloed tussen 1946 en 1952, het jaar waarin interne meningsverschillen tot een breuk leidden. Zij die zich niet met de ideeën van de beweging konden verenigen, vormden de Lettristische Internationale, die zich na verloop van tijd ontwikkelde tot de *Situationistische Internationale, een groep die een groot deel van de ideeën van Isou op een nog radicalere wijze zou uitwerken.

Belangrijke collecties
Archives de la Critique d'Art, Châteaugiron, Frankrijk
Centre Georges Pompidou, Parijs
Getty Research Institute, Los Angeles, California
Sintra Museu de Arte Moderna, Sintra, Portugal

Belangrijke boeken
J.-P. Curtay, *Letterism and Hypergraphics* (1985)
S. Home, *The Assault on Culture: Utopian Currents from Lettrisme to Class War* (1993)
L. Bracken, *Guy Debord: Revolutionary* (Venice, CA, 1997)
A. Jappe, *Guy Debord* (Berkeley, CA, 1999)

CoBrA

Het leven verlangt schepping en schoonheid is leven!

CONSTANT, 1949

De CoBrA-groep was een internationale groep van voornamelijk Noord-Europese kunstenaars die zich van 1948 tot 1951 verenigden om hun visie van een nieuwe expressionistische kunst voor het volk te propageren. De belangrijkste figuren waren de Nederlanders Constant (Constant A. Nieuwenhuys, 1920) en Karel Appel (1921), de Nederlands-Belgische Corneille (Corneille Guillaume van Beverloo, 1922), de Deense schilder Asger Jorn (1914-1973), de Belgische schilder Pierre Alechinsky (1927) en de Belgische dichter Christian Dotremont (1924-1979). De naam wordt gevormd door de beginletters van de steden waaruit zij afkomstig waren: Kopenhagen (in het Engels Copenhagen), Brussel en Amsterdam.

In het klimaat van wanhoop dat na afloop van de Tweede Wereldoorlog heerste, zocht deze groep jonge kunstenaars een directe kunst die zowel de wreedheid van de mens als de hoop op een betere toekomst kon verbeelden. Zij waren fel gekant tegen de rationele, analytische principes van geometrische abstractie, het dogmatisme van het *socialistisch realisme en de fatsoenlijkheid van de *Ecole de Paris. Ook wezen zij de tradities van de figuratieve én de abstracte schilderkunst af; in plaats daarvan pasten ze elementen van beide toe, met het doel om de grenzen van kunst te verleggen en een universele, populaire kunst te creëren waarmee de creativiteit van de gehele

Links: **Corneille, Atelier Rue Santeuil, Parijs, 1961** Tien jaar na de opheffing van de groep had CoBrA nog steeds invloed op jongere kunstenaars, die zich door CoBrA lieten leiden bij de ontwikkeling van samenwerkingsmethoden, fantasiethema's en technieken voor abstracte figuratie.

mensheid kon worden bevrijd. Ter verspreiding van hun toekomstvisie voor kunst en het leven brachten zij manifesten uit, alsook tien uitgaven van het tijdschrift *CoBrA*, waarin zij tevens een aantal van hun woordschilderijen – gezamenlijke werken van kunstenaars en dichters – publiceerden. De groepsleden brachten hun theorieën ook in praktijk (soms in elk geval) en zij en hun gezinnen leefden samen en werkten samen, onder andere aan de interieurs van de huizen van vrienden.

In hun drang naar volledige vrijheid van expressie, een vrijheid die hun de mogelijkheid zou geven om zowel de gruwelijkheid als de humor van de realiteit te verbeelden, putten de CoBrA-kunstenaars uit verschillende bronnen. In prehistorische kunst, primitieve kunst, volkskunst, graffiti, Noorse mythologie, kunst van kinderen en kunst van psychiatrische patiënten (zie *Art brut en *Outsiderkunst) vonden zij een verloren gegane onschuld en een bevestiging van de oerdrang van de mens om uiting te geven aan zijn verlangens, of die nu mooi, gewelddadig, vreugdevol of cathartisch zijn. In bepaalde opzichten was het werk van de CoBrA-schilders een voortzetting van het project dat door de *surrealisten was gestart, namelijk om het onderbewuste de vrije loop te laten en om te ontsnappen aan de 'civiliserende' invloeden van de kunst en de samenleving die na de oorlog aan aanzien hadden ingeboet. Hun werk grijpt ook terug op de schilderijen van vroege *expressionisten zoals Edvard Munch en Emil Nolde. Met het gebruik van sterke, primaire kleuren en expressieve penseelstreken hebben CoBrA-werken een aantal visuele

overeenkomsten met het vroege Amerikaanse *abstract expressionisme. Toch waren deze twee bewegingen volledig afzonderlijke ontwikkelingen en hadden beide zeer uiteenlopende doelstellingen, technieken en ideologieën. In de jaren vijftig, in een tijd waarin oorlogen elkaar opvolgden en de koude oorlog zich ontwikkelde, was het utopische optimisme van de groep moeilijk te handhaven. Hun ontgoocheling en woede is voelbaar in een aantal werken die aan het eind van de jaren vijftig zijn gemaakt, zoals Appels *Exploded Head* uit 1958. Hoewel de groep officieel in 1951 uiteenging, bleef het merendeel van de kunstenaars een CoBrA-achtige schilderstijl hanteren. Ook bleven de meesten hun steun geven aan en deelnemen aan revolutionaire ondernemingen in leven en kunst, zoals de *Situationistische Internationale.

Belangrijke collecties
Cobra Museum, Amstelveen,
Solomon R. Guggenheim Museum, New York
Stedelijk Museum, Amsterdam
Tate Modern, Londen

Belangrijke boeken
K. Appel, *Karel Appel* (1980)
E. Flomenhaft, *A CoBrA Portfolio* (1981)
J.-C. Lambert, *CoBrA* (1983)
COBRA, 40 Years After (exh. cat., Amsterdam, 1988)
W. Stokvis, *CoBrA: An International Movement in Art after the Second World War* (1988)
Karel Appel - Werk op papier (Zwolle, 2001)

Karel Appel, *Vragende kinderen*, 1949 Appels wild gekleurde werken over het thema van vragende kinderen veroorzaakte in 1949 opschudding in Amsterdam. Een muurschildering die in de kantine van het stadhuis was aangebracht, werd afgedekt met behang nadat medewerkers hadden geklaagd dat zij niet met dat werk aan de muur konden eten.

Beat-art

De manier van leven leek voor hen veel belangrijker dan de zin ervan.

JOHN SLELLON HOLMES, NEW YORK TIMES MAGAZINE, 1952

Hoewel in discussies over de beatgeneratie de literaire verrichtingen meestal centraal staan, was het eigenlijk een interdisciplinaire sociale en artistieke beweging met een sterke belangstelling voor beeldende kunsten, zoals schilderkunst, beeldhouwkunst, fotografie en film. De term is in 1948 bedacht door de schrijver Jack Kerouac (1922-69) toen hem door collega-schrijver John Clellon Holmes (1926-88) naar een omschrijving van hun teleurgestelde generatie werd gevraagd. In 1952 zette Holmes in de New York Times hun ideeën uiteen in het artikel *This is the Beat Generation*. De Beats, legde hij uit, hadden alleen maar een wereld van verloren idealen gekend. Dat was voor hen inmiddels een vanzelfsprekendheid. De Amerikaanse *existentialisten, zoals ze wel genoemd werden, voelden zich vervreemd, maar in

tegenstelling tot de eerdere Lost Generation wilden ze de samenleving niet veranderen, maar er louter aan ontvluchten en hun eigen tegencultuur beginnen. Drugs, jazz, het nachtleven, zenboeddhisme en occultisme waren allemaal ingrediënten van de beatcultuur.

De beatgeneratie breidde zich al snel uit met een scala aan avant-gardeschrijvers, beeldend kunstenaars en filmmakers uit New York, Los Angeles, San Francisco en van het Black Mountain College in North Carolina. Tot de beweging behoorden de schrijvers William Burroughs (1914-97), Allen Ginsberg (1926), Kenneth Koch (1925) en Frank O'Hara (1926-66), en kunstenaars als Wallace Berman (1926-76), Jay DeFeo (1929-89), Jess (Collins, 1923), Robert Frank (1924), Claes Oldenburg (1929) en Larry Rivers (1923). Bij 'Beat'

ontmoeten beeldend kunstenaars elkaar die gewoonlijk tot andere 'groepen' werden gerekend, zoals *neodada, *assemblage, happenings (zie *Performancekunst) en *funk-art. Ze wilden de grenzen tussen kunst en het leven doorbreken, en van kunst een ervaring maken die je ook in cafés en jazzclubs kon beleven en niet alleen in musea. Ook wilden ze de barrières tussen de verschillende kunsten slechten. Kunstenaars schreven poëzie en schrijvers schilderden. (Kerouac beweerde dat hij waarschijnlijk beter kon schilderen dan Franz Kline). Performance was een belangrijk element in hun werk, of het nu het 'Theater Event' op het Black Mountain College in 1952 was, of Kerouac die in 1951 in één keer *On the Road* uittypte op een 30 meter lange rol van aan elkaar geplakte velletjes papier. Wat hen bond was hun minachting voor de conformist en de materialistische cultuur, hun weigering om de schaduwzijde van het Amerikaanse bestaan te negeren – geweld, corruptie, censuur, racisme en morele hypocrisie – en hun verlangen naar een nieuwe manier van leven op basis van rebellie en vrijheid.

Bermans werk brengt diverse stijlen van beat-art samen, met name in zijn verifax-collages die hij met het kopieerapparaat maakte: montages van volkscultuur, het alledaagse en het mystieke. *The Rose* (1958-66) van DeFeo is ook een oorspronkelijk werk. Ze heeft bijna zeven jaar lang op een welhaast ritualistische wijze aan het enorme assemblageschilderij gewerkt, tot het 24 bij 33 meter mat en op sommige plekken 20 centimeter dik was. Uiteindelijk woog het werk een ton. Vrienden en familie omschreven het als een 'levend wezen'. De serie Tricky Cad-collages die Jess van 1954 tot 1959 van Dick

Tracy-strips maakte, schetsen een beeld van een dolgedraaide wereld.

Geheel in strijd met het nostalgische beeld van de jaren vijftig als een tijd van eenheid en geluk, wordt in het werk van de Beats de Amerikaanse manier van leven met alle hoop en mislukkingen weergegeven. Waren de kunstwerken van de beatgeneratie in de jaren vijftig nog onderwerp van strafzaken wegens schending van de openbare eerbaarheid, in de jaren zestig maakten ze deel uit van de mainstream en waren beatniks in televisieprogramma's en populaire tijdschriften te zien. Maar hun invloed doet zich ook nu nog gelden; het non-conformisme van de beatgeneratie is nog altijd een bron van inspiratie voor nieuwe generaties jongeren en kunstenaars.

Belangrijke collecties

Kemper Museum of Contemporary Art, Kansas City, Missouri
Modern Art Museum of Fort Worth, Fort Worth, Texas
Spencer Museum of Art at the University of Kansas, Lawrence, Kansas
Whitney Museum of American Art, New York

Belangrijke boeken

B. Miles, *William Burroughs* (1993)
L. Phillips, et al., *Beat Culture and the New America* (1995)
M. Perloff, *Frank O'Hara* (Chicago, Ill. 1998)
R. Ferguson, *In Memory of My Feelings: Frank O'Hara and American Art* (Los Angeles, 1999)

Boven: **Jess, *Tricky Cad, Case I*, 1954**
De stripcollages van Jess, verwijzend naar de stripdetective Dick Tracy, laten een chaotische, gespannen wereld zien waarin de personages niet tot communicatie in staat zijn. Indirect vormen de werken een aanklacht tegen de wapenwedloop, de McCarthy-hoorzittingen en corruptie in de politiek.

Kinetische kunst

Alles is continu in beweging. Bewegingloosheid bestaat niet.

JEAN TINGUELY, 1959

Kinetische kunst is kunst die beweegt, of lijkt te bewegen. Volgens de schrijver Umberto Eco is het een 'vorm van plastische kunst waarbij door middel van de beweging van vormen, kleuren en vlakken een veranderend geheel wordt verkregen'. Deze definitie omsluit niet

Alexander Calder, *Four Red Systems* (Mobile), 1960
De factor toeval speelt een grote rol bij de mobiles die Calder na 1934 maakte. Dat lijkt te duiden op de invloed van zijn dadaïstische vrienden. Maar zijn belangstelling om organische vormen te ontwikkelen komt voort uit zijn vriendschap met Joan Miró en Jean (Hans) Arp.

alleen de eenvoudigste vorm van kinetische kunst – het integreren van een daadwerkelijk bewegend element in een kunstwerk – maar ook diverse andere vormen: kunst waarbij beweging optisch wordt gesuggereerd (zie *Op-art), kunst waarbij de illusie van beweging afhankelijk is van de beweging van de toeschouwer en kunst waarin constant veranderend licht is geïntegreerd (zoals de neonkunstwerken van de Amerikaanse kunstenaar Bruce Nauman, zie *Body-art, en van de leden van Zero, zie *GRAV).

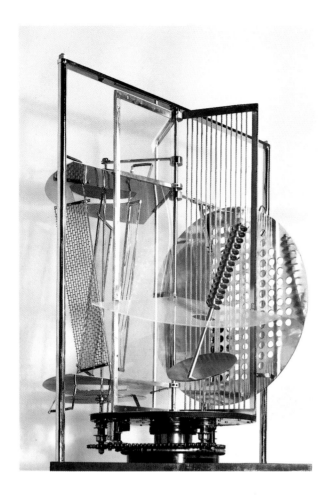

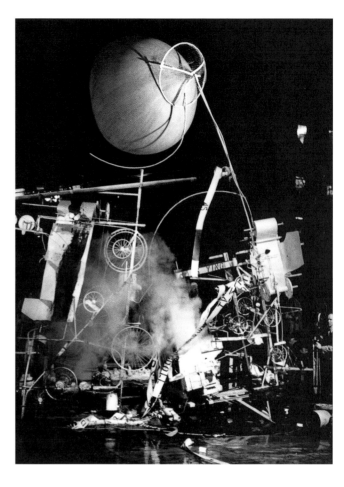

Hoewel kinetische kunst in de jaren vijftig pas echt opkwam, werd er in de jaren twintig al met beweging geëxperimenteerd. De belangrijkste richtingen werden aangegeven door het *constructivisme enerzijds en het *dadaïsme anderzijds. De belangstelling voor wetenschap en techniek, wat een onderdeel was van de constructivistenstijl, loopt als een rode draad door de kinetische kunst. Al in 1919 ontwierp Vladimir Tatlin een gebouw waarin bewegende componenten waren geïntegreerd (Monument voor de Derde Internationale), en in datzelfde jaar begon medeconstructivist Naum Gabo aan *Kinetische Constructie* (of *Staande Golf*). De dadaïsten waren meer geïnteresseerd in het spelelement en de factor toeval die inherent zijn aan kinetische kunst. Marcel Duchamps eerste 'readymade', *Fietswiel* (1913), een fietswiel op een keukenkruk dat met de hand rondgedraaid kon worden, is een van de vroegste voorbeelden.

Verdere ontwikkelingen vonden eind jaren twintig en in de jaren dertig plaats onder invloed van de Hongaarse Amerikaan László Moholy-Nagy (1895-1946, zie ook *Bauhaus) en de Amerikaan Alexander Calder (1898-1976). De bijzondere *Licht-Raum-Modulator* (1930) van Moholy-Nagy, een door een elektromotor aangedreven ronddraaiende sculptuur van metaal, glas en lichtstralen, verandert zijn omgeving doordat het licht weerkaatst en gebroken wordt door bewegende elementen in allerlei vormen en materialen. Calder was inmiddels ook bezig om echte beweging in zijn werken te

incorporeren: zijn *Circus* van ijzerdraad gaf in 1926 een 'voorstelling' in zijn atelier voor een geboeide Parijse avant-garde. Nadat hij in 1930 een bezoek had gebracht aan Piet Mondriaan in diens Parijse atelier, met een interieur in de trant van zijn *De Stijl-schilderijen, schreef Calder aan Duchamp dat hij 'bewegende Mondriaans' wilde maken. Het was Duchamp die zijn vroege, abstracte, met de hand en motorisch aangedreven sculpturen 'mobiles' noemde, waarop Jean Arp reageerde: "Hoe noemde je die dingen die je vorig jaar had gemaakt – stabiles?"

Talloze kunstenaars gingen in de jaren vijftig beweging in hun kunst verwerken, en kinetische kunst werd een gangbare aanduiding. Van grote betekenis was de tentoonstelling 'Le Mouvement' van 1955 in de Galerie Denise René in Parijs, waar werken te zien waren van de grondleggers Duchamp en Calder, naast werken van contemporaine

Linksboven: **László Moholy-Nagy, *Licht-Raum-Modulator*, 1930**
Toen Moholy-Nagy zijn modulator voor het eerst in werking zag, legde hij zijn eigen reacties vast: "Ik voelde me net een tovenaarsleerling. De gecoördineerde bewegingen en de gearticuleerde opeenvolgingen van licht en donker waren zo verrassend dat ik bijna in tovenarij begon te geloven."

Rechtsboven: **Jean Tinguely, *Homage to New York*, 1960**
Tinguely's machine was een vrolijk, bewegend spektakel dat zichzelf in werking stelde, piano speelde, een radio aanzette, rollen tekst uitspuugde, rooksignalen produceerde, claxons liet klinken, stinkbommetjes liet ontploffen en tot slot 'zelfmoord pleegde' door in elkaar te zakken.

kunstenaars als de Israëliër Yaacov Agam (1928), de Belg Pol Bury (1922), de Deen Robert Jacobsen (1912-93), de Venezolaan Jesús Raphael Soto (1923), de Zwitser Jean Tinguely (1925-91, zie ook *Nouveau réalisme) en Victor Vasarely (zie *Op-art). In 1961 volgde een belangrijke internationale overzichtstentoonstelling van kinetische kunst en op-art van vijfenzeventig kunstenaars, 'Movement in Art', die door heel Europa grote bezoekersaantallen trok. In de jaren zestig en zeventig werd over de hele wereld zeer uiteenlopende kinetische kunst gemaakt door veel verschillende kunstenaars, onder wie de Braziliaan Abraham Palatnik (1928), de Amerikanen George Rickey (1907) en Kenneth Snelson (1927), de Duitser Hans Haacke (1936), de Nieuw-Zeelander Len Lye (1901-80), de Filipino David Medalla (1942), de Griek Takis (1925) en de Hongaarse Fransman Nicolas Schöffer (1912-92).

De variatie binnen de kinetische kunst is opvallend, van de hypnotiserende, traag bewegende werken van Bury, tot de gracieus wiegende buitensculpturen van Rickey, en van cybernetische werken van Schöffer tot Taki's telemagnetische sculpturen van in de lucht hangende objecten. Maar het meest geliefde oeuvre is waarschijnlijk toch Jean Tinguely's collectie bizarre machines. Halverwege de jaren vijftig vervulde hij met zijn Meta-Malevich- en Meta-Kandinsky-series de ambitie van Calder om 'bewegende Mondriaans' te maken, en aan het eind van het decennium zorgde hij voor sensatie met zijn 'Méta-Matics' – tekenmachines die abstracte kunst maakten – een knipoog naar de ernst en originaliteit waarmee de leidende generatie abstractionisten geassocieerd werd (zie *Art Informel en *Abstract expressionisme). Daarna volgden fonteinen die abstracte ontwerpen uitspuugden en zijn beroemde zelfvernietigende machines, zoals *Homage to New York*, dat op 17 maart 1960 optrad en zichzelf in het Museum of Modern Art in New York vernietigde. Deze gebeurtenis

werd door Robert Rauschenberg (zie *Neodada en *Combines) omschreven als "even echt, even interessant, even kwetsbaar en even liefdevol als het leven zelf."

Beweging spreekt ook hedendaagse kunstenaars nog aan, getuige de LED-installaties van de Japanner Tatsuo Miyajima (1957), de robots van de Amerikaan Chico MacMurtrie (1961), de veranderende lichttorens van de Britse Angela Bullock (1964) en *Cold Dark Matter: An Exploded View* (1991) van haar landgenote Cornelia Parker (1956). Zowel kunstenaars als publiek zijn gevoelig voor een kunstvorm die, om met Miyajima te spreken, als doel heeft om "te blijven veranderen, met alles contact te krijgen, voor eeuwig door te gaan."

Belangrijke collecties
Centre Georges Pompidou, Parijs
Fine Art Museums of San Francisco, San Francisco, California
Museum Jean Tinguely, Bazel,
Museum of Fine Arts, Houston, Texas
Tate Modern, Londen
Whitney Museum of American Art, New York
Stedelijk Museum, Amsterdam

Belangrijke boeken
Kinetic art (tent. cat. Glynn Vivian Art Gallery, Swansea, Wales, 1972)
C. Bischofberger, *Jean Tinguely: Catalogue Raisonné* (Zürich, 1990)
J. Morgan, *Cornelia Parker* (Boston, MA, 2000)
Force Fields: Phases of the Kinetic (tent. cat. Hayward Gallery, Londen, 2000)

Kitchen Sink School

Doemdenken is in en Hoop is uit... de atoomkwestie is ontrafeld: het existentialistische station waar geen trein meer aankomt.

JOHN MINTON, 1955

De naam Kitchen Sink School (Gootsteenschool) werd gegeven aan een groep Britse schilders onder wie John Bratby (1928-92), Derrick Greaves (b. 1927), Edward Middleditch (1923-87) en Jack Smith (b. 1928), die halverwege de jaren vijftig in Groot-Brittannië grote populariteit genoten met hun figuratieve, realistische werk. De schilders waren in Londen opgeleid aan het Royal College of Art en exposeerden in de Beaux Arts Gallery, waar ze de aandacht trokken van de criticus David Sylvester, die de naam in 1954 verzon. Een aantal kunstenaars van de groep kwam van oorsprong uit het noorden van Engeland, (Greaves en Smith waren in dezelfde straat in Sheffield opgegroeid, en Middleditch had daar later gewoond), waar net als in

het werk van L. S. Lowry (1887-1976) een traditie van industriële en arbeidersthema's heerste. De Kitchen Sink School adopteerde deze thema's. Hun werk liet troosteloze, weinig heroïsche scènes zien uit het schamele naoorlogse bestaan, doodgewone onderwerpen uit het dagelijks leven: wanordelijke keukens, kapotgebombardeerde huurkazernes en achtertuinen. Het beledigde publiek vergeleek deze opzettelijk onaantrekkelijke onderwerpen met het literaire werk van de 'angry young men', zoals John Wain, Kingsley Amis en John Osborne (wiens toneelstuk *Look Back in Anger* in 1956 voor het eerst werd opgevoerd).

Hoewel het werk van de School typisch Brits was, maakte het ook

deel uit van een algemene tendens richting het sociaal realisme die zich eind jaren veertig en begin jaren vijftig in heel Europa manifesteerde. Daarvan is de weerslag te zien in het werk van Italiaanse schilders zoals Armando Pizzinato (1910) en Renato Guttoso (1912-87) en van de Franse Homme-Témoin-groep van Bernard Buffet (zie *Existentiële kunst). Soms geeft hun werk zelfs

Boven: **John Bratby, *Table Top*, 1955**
Nadat de Kitchen Sink School in de schaduw van het abstract expressionisme was beland, ging Bratby tijdelijk over op het schrijven van romans. In *Breakdown* (1960) schreef hij dat schilders van zijn generatie hadden getracht om de angst van het nucleaire tijdperk uit te drukken.

blijk van de klassieke existentiële angst die in die periode op het Europese vasteland werd verkend. In 1954 werd Bratby door een van de voorvechters van de groep, de Marxistische criticus John Berger, in een artikel als de archetypische existentiële kunstenaar aangeduid.

Bratby schildert alsof zijn leven er van afhangt. Hij schildert een doos cornflakes op een rommelige keukentafel alsof het deel uitmaakt van het Laatste Avondmaal; hij schildert zijn vrouw alsof ze hem door een rooster aanstaart en hij haar nooit meer zal terugzien.

Het werk van Bratby weerspiegelt ook de sfeer in die tijd die werd bepaald door de koude oorlog en de atoomdreiging, en weet datgene vast te leggen wat de *neoromantische schilder John Minton in 1955 omschreef als de 'chic van de contemporaine désespoir [wanhoop]'.

Het werk van de schilders van de Kitchen Sink School werd vaak tentoongesteld naast dat van een andere groep Britse schilders, later de School of London genoemd, waartoe Francis Bacon en Lucian Freud (zie *Existentiële kunst), Frank Auerbach (1931) en Leon Kossoff (1926) behoorden. De twee laatstgenoemde kunstenaars waren leerlingen van David Bomberg (zie *Vorticisme), die aan de Borough Polytechnic in Londen doceerde. Net zoals de Kitchen Sink School schilderden ze de grimmigere kant van het stadse bestaan, met name de achterstandswijken van Londen. Hun techniek en benadering verschillen echter aanzienlijk van de Kitchen Sink School (hun doeken zijn dicht bewerkt en expressionistisch), maar niettemin hebben Kossoffs serie schilderijen in het metrostation Kilburn en in het Londense Hackney samen met Auerbachs voorstellingen van bouwlocaties de nodige thema's gemeen met het werk van de Kitchen

Sink School. De schilders van de Kitchen Sink School, die Groot-Brittannië vertegenwoordigden bij de Biennale in Venetië van 1956, genoten een korte periode van populariteit. Tegen het einde van het decennium was de naoorlogse stemming veranderd en begon een nieuw en welvarend Londen te swingen.

Belangrijke collecties
Graves Art Gallery, Sheffield, Engeland
National Portrait Gallery, Londen
Tate Modern, Londen
The Lowry, Salford Quays, Manchester,

Belangrijke boeken
E. Middleditch, *Edward Middleditch* (1987)
L. S. Lowry, *L. S. Lowry* (Oxford, 1987)
M. Leber and J. Sandling, *L. S. Lowry* (1994)
L. Norbert, *Jack Smith* (2000)

Neodada

Kunst is geen object dat door één persoon wordt gemaakt, maar een proces
dat door een groep mensen in gang wordt gezet.
Kunst is een sociaal gebeuren geworden.

JOHN CAGE, 1967

Neodada is nooit een georganiseerde beweging geweest. De term neodada was een van de namen (naast nieuwe realisten, factual artists, polymaterialisten en common-objectkunstenaars) die eind jaren vijftig en in de jaren zestig werden gebruikt voor een groep jonge experimentalisten waarvan een groot aantal in New York waren gevestigd. Hun werk zorgde voor heftige controversen. In die tijd bestond er in de kunst een sterke tendens richting formele zuiverheid, zoals blijkt uit het werk van de 'post-painterly abstractionists'. De neodadaïsten gingen hier bewust lijnrecht tegenin en begonnen materialen en media op een humoristische, geestige en excentrieke manier te combineren. Neodada wordt soms gebruikt als een algemene overkoepelende term voor een aantal nieuwe bewegingen die in de jaren vijftig en zestig opkwamen, zoals *lettrisme, beat-art, *funk-art, *nouveau réalisme en *Situationist International.

Voor kunstenaars zoals Robert Rauschenberg (1925), Jasper Johns (1930), Larry Rivers (1923), John Chamberlain (1927), Richard Stankiewicz (1922-83), Lee Bontecou (1931), Jim Dine (1935) en Claes Oldenburg (1929) moest kunst veelomvattend zijn, zich van materialen van buiten de kunst bedienen, de gewone werkelijkheid omarmen en de volkscultuur hoog in het vaandel houden. Ze

Rauschenberg in zijn atelier aan Front Street, New York, 1958
Na zijn studie bij John Cage aan het Black Mountain College begin jaren vijftig, maakte Rauschenberg naam als een pluriforme, inventieve figuur die met zijn experimenten met schilderen, objecten, performances en geluid voor veel tijdgenoten het pad effende.

verwierpen de vervreemding en het individualisme die met de abstract expressionisten geassocieerd werden en verkozen een maatschappelijke kunst die de nadruk legde op samenleving en milieu. Samenwerking was een kenmerk van hun werk. De neodadaïsten realiseerden projecten met dichters, muzikanten en dansers, en gingen ook met andere gelijkgestemde kunstenaars om, zoals de nouveaux réalistes. Dankzij experimenteren en kruisbestuiving ontstond zo een nieuwe esthetiek.

Tijdens deze periode was er sprake van een hernieuwde belangstelling voor de *dadabeweging en voor het werk van Marcel Duchamp, vooral in Amerika. De dadaïstische 'alles-kan'-instelling werd zeker aanvaard door de kunstenaars, die net als echte dadaïsten onorthodoxe materialen gebruikten om zich af te zetten tegen de tradities binnen de hogere kunst. De collages van Pablo Picasso en Kurt Schwitters, de readymades van Marcel Duchamp en de inspanningen van de *surrealisten om het bijzondere van alledaagse voorwerpen om te zetten in een gemeenschappelijk, publiek idioom waren voor hen zeer belangrijke bronnen van inspiratie. De ideeën van de nieuwe kunst waren ook in overeenstemming met nieuwe kritische ideeën. Het werk van Jackson Pollock (zie *Abstract expressionisme) werd door de kunstenaar Allan Kaprow (zie *Performancekunst)

geherinterpreteerd als kunst die gericht was op de wereld van alledag in plaats van op pure abstractie.

Invloedrijke tijdgenoten waren onder anderen componist John Cage, uitvinder Buckminster Fuller en mediatheoreticus Marshall McLuhan. In dat sterk nationalistische tijdperk leken voor veel mensen de ideeën van McLuhan met zijn 'global village' en Fuller met zijn 'Spaceship Earth' – de wereld als één grote entiteit – een hoopgevender alternatief dan de vaak fatalistische sociale kritiek en existentiële filosofie van die tijd. Zoals zoveel neodada-werk vormden de mixed-mediacomposities van Cage en zijn samenwerkingsprojecten met danser Merce Cunningham een pleidooi voor het gebruik van toeval

Boven: **Larry Rivers, *Washington Crossing the Delaware*, 1953**
Rivers had zijn doelwit goed uitgekozen. Het schilderij met dezelfde naam uit 1851 van Emanuel Leutze was een schoolvoorbeeld van negentiende-eeuws patriottisme. Generaties Amerikaanse schoolkinderen waren er al mee opgegroeid toen Larry Rivers zijn politieke aanval plaatste.

Tegenoverliggende pagina: **Jasper Johns, *Flag, Target with Plaster Casts*, 1955**
Met 'dingen die de geest al kent' (vlaggen, schietschijven, cijfers) maakte Johns dubbelzinnige en verwarrende kunstwerken. Het waren abstracte schilderijen en tegelijkertijd conventionele tekens. Ambiguïteit en sociaal-politiek engagement waren kenmerkend voor neodadaïsten.

en het experiment, en voor de maatschappelijke omgeving.

Tot de belangrijkste neodadaïstische werken behoren *Washington Crossing the Delaware* (1953) van Rivers, Rauschenbergs *Combines uit 1954-64, Johns' *Map* (gebaseerd op Buckminster Fullers *Dymaxion Air Ocean World*), 1967-71, alsook zijn vlaggen, schietschijven en cijfers. Rivers' versie van het bekende negentiende-eeuwse historische schilderij van Emanuel Leutze werd met minachting ontvangen in de kunstwereld van New York toen het voor de eerste keer tentoongesteld werd. Vanwege de nogal abstract-expressionistische benadering en een algehele compositie die 'besmet' was met een weinig modieuze historieschilderstijl en figuratie, werd Rivers verweten dat hij zowel oude als nieuwe meesters zonder enig respect behandelde. In het algemeen geeft zijn werk blijk van de bereidheid om uit sterk

Larry Rivers en Jean Tinguely, *Turning Friendship of America and France*, **1961**
Het feit dat deze machine annex schilderij een coproductie is (samenwerking is een typisch kenmerk van neodadaïstisch werk) bevestigt op speelse wijze het bestaan van een gemeenschap van kunstenaars over landsgrenzen heen, en dat in een periode waarin grenzen een verontrustend grote rol speelden in de internationale politiek.

uiteenlopende bronnen te putten, waardoor vergelijkingen met *postmodern werk zich opdringen.

Johns werd in 1958 op slag beroemd met zijn eerste expositie in de Leo Castelli Gallery in New York, toen achttien van de twintig geëxposeerde werken voor het einde van de tentoonstelling verkocht waren. Door het levensechte karakter van zijn vlaggen – een frisse kijk op een vertrouwd voorwerp – was men geneigd om de status in twijfel te trekken: was het nou een vlag of een schilderij? Zo werden ook door de innovaties van Rauschenberg de grenzen van de kunst verkend en opgerekt. Hoewel ze sterk uiteenlopende werken produceerden, delen Rauschenberg, Johns en Rivers hun transformatie van de abstract-expressionistische benadering, hun gebrek aan respect voor traditie en hun gebruik van Amerikaanse iconografie. De invloed van deze drie kunstenaars op latere stromingen zoals *pop-art, *conceptual art, *minimalisme en performancekunst, is aanzienlijk.

Het ontroerend optimistische gezamenlijke project van Larry Rivers en de nouveau réaliste Jean Tinguely, *Turning Friendship of America and France* (1961), is in veel opzichten kenmerkend voor de neodada-beweging. Het draait rond, net zoals de aarde, en presenteert zo de mogelijkheid en wenselijkheid van vreedzame coëxistentie en huldigt het gebruik van handel (gesymboliseerd door afbeeldingen van sigarettenpakjes) voor het tot stand brengen van culturele uitwisselingen op alle niveaus. Op vergelijkbare wijze geeft Johns' kaart van Fuller een krachtig beeld van deze nieuwe, onderling nauw verbonden kunstwereld en van de wil tot samenwerking tussen kunst en techniek. Ondanks hun heterogeniteit hebben de neodadaïsten zeer veel invloed gehad. Hun visuele vocabulaire, technieken en bovenal hun drang om gehoord te worden, zijn overgenomen door latere kunstenaars in hun protesten tegen de oorlog in Vietnam, racisme, seksisme en het overheidsbeleid. De nadruk die zij op deelname en performance legden werd weerspiegeld in het activisme dat de politiek en de performancekunst eind jaren zestig kenmerkte. Hun idee dat ze deel uitmaakten van een wereldgemeenschap was een voedingsbodem voor de latere sit-ins, anti-oorlogsdemonstraties, milieuprotesten, studentenprotesten en demonstraties voor burgerrechten.

Belangrijke collecties
Centre Georges Pompidou, Parijs
Museum of Modern Art, New York
Stedelijk Museum, Amsterdam,
Whitney Museum of American Art, New York

Belangrijke boeken
L. Rivers with A. Weinstein, *What Did I Do?* (1992)
K. Varnedoe, *Jasper Johns: A Retrospective* (tent. cat. New York, The Museum of Modern Art, 1996)
Robert Rauschenberg: A Retrospective (tent. cat. New York, Guggenheim Museum, 1997)
A. J. Dempsey, *The Friendship of America and France*, Ph.D. (Courtauld Institute of Art, University of Londen, 1999)

Combines

Schilderen heeft zowel met kunst als met het leven te maken. Geen van beide kan gemaakt worden. (Ik probeer in de tussenliggende ruimte te opereren.)

ROBERT RAUSCHENBERG, 1959

In de zomer van 1954 kwam de Amerikaanse kunstenaar Robert Rauschenberg (1925) met de term 'combine' als aanduiding van zijn nieuwe werk, dat het midden hield tussen schilderijen en sculpturen. Werken die voor aan de muur waren bedoeld, zoals *Bed* (1955), werden combine-schilderijen genoemd, en de vrijstaande werken zoals *Monogram* (1955-59), heetten combines. Deze twee werken zijn misschien wel zijn beroemdste, of beruchtste, vanwege de reacties die ze losmaakten toen ze tentoongesteld werden. In 1958 werd *Bed* uitgekozen voor een expositie van jonge Amerikaanse en Italiaanse kunstenaars op het Festival dei Due Mondi in het Italiaanse Spoleto. De organisatie van het festival weigerde het combine-schilderij tentoon te stellen en hing het in een magazijn. Toen *Monogram* het jaar daarop in New York geëxposeerd werd, bood een welgestelde verzamelaar aan om het voor het Museum of Modern Art in New York te kopen, maar het museum weigerde de schenking.

Rauschenberg verklaarde dat hij *Bed* uit pure noodzaak op een deken was gaan schilderen: z'n doek was op. De combinatie van alledaagse voorwerpen, nagellak, tandpasta en een schilderstijl die *abstract-expressionistisch aandeed, zorgden destijds voor schandalen in de New-Yorkse kunstwereld. Terwijl de kunstwereld worstelde met het vernieuwende idee om een bed aan de muur te hangen, vond Rauschenberg het "een van de vriendelijkste schilderijen die ik ooit heb gemaakt. Ik was altijd bang dat er een keer iemand in zou kruipen." Maar anderen vonden het beangstigend, omdat men het gevoel had dat het de plek van een verkrachting of moord voorstelde. Hoe de reacties ook mochten zijn, het werk verschafte wel inzicht in Rauschenbergs inspiratiebronnen. Met aspecten uit Kurt Schwitters' collages van alledaagse rommel en Marcel Duchamps readymades (zie *Dada) en een abstract-expressionistische penseelvoering creëerde hij unieke assemblages (zie *Assemblage).

Eind jaren vijftig en in de jaren zestig werden Rauschenberg en andere kunstenaars van zijn generatie zoals Jasper Johns en Larry Rivers vaak beschouwd als *neodadaïstisch vanwege hun affiniteit met dada en hun dadaïstische gebrek aan eerbied voor traditie. Deze kunstenaars waren op zoek naar een manier om te assimileren en zich te onttrekken aan de sterke invloed van de abstract expressionisten. Ze behielden wel hun expressionistische penseelvoering, maar ze begonnen ook afbeeldingen uit het dagelijks leven, uit de media en algemene publicaties te gebruiken, en schiepen zo kunstwerken die

Robert Rauschenberg, *Bed*, 1955
Rauschenberg vertelde dat hij uit pure noodzaak op een deken was gaan schilderen: zijn doek was op en hij had geen geld om nieuw materiaal te kopen. Het kussen, zei hij, had hij toegevoegd voor de structuur, om balans in de compositie te brengen.

van bijzonder grote invloed zouden zijn op latere kunststromingen, zoals *pop-art.

Hoewel veel critici Rauschenberg afdeden als een 'grappenmaker', groeide zijn populariteit gestaag bij zowel kunstenaars als publiek, en werd hij begin jaren zestig het onderwerp van een aantal museumretrospectieven, met name in het Jewish Museum in New York in 1963, en in de Londense Whitechapel Art Gallery in 1964. In datzelfde jaar omschreef een Londense criticus hem als 'de belangrijkste Amerikaanse kunstenaar sinds Jackson Pollock', en kreeg hij bij de Biennale van Venetië de Internationale Grote Prijs voor schilderkunst. Na 1964 liet hij de combines voor wat ze waren en ging hij experimenteren met zeefdrukken, techniek, dans en performancekunst. Hij wordt door velen gezien als een van de inventiefste en invloedrijkste kunstenaars van de tweede helft van de twintigste eeuw.

Belangrijke collecties
Moderna Museet, Stockholm
Museum Ludwig, Keulen
Museum of Contemporary Art, Los Angeles
Museum of Modern Art, New York
Stedelijk Museum, Amsterdam,

Belangrijke boeken
C. Tomkins, *Off the Wall: Robert Rauschenberg and the Art World of Our Time* (1980)
M. L. Kotz, *Rauschenberg: Art and Life* (1990)
Robert Rauschenberg: A Retrospective (tent. cat. Guggenheim Museum, New York, 1997)
S. Hunter, *Robert Rauschenberg* (1999)

Nieuw-brutalisme

Brutalisme probeert het hoofd te bieden aan een door massaproductie beheerste maatschappij, en tracht een ruige poëzie te onttrekken aan de chaotische en krachtige factoren die er aan het werk zijn.

ALISON EN PETER SMITHSON, 1957

Nieuw-brutalisme was de term die in de jaren vijftig werd gegeven aan een architectuurhervormingsbeweging die in gang was gezet door het Britse architectenechtpaar Alison (1928-93) en Peter (1923) Smithson. De term verscheen in 1953 voor het eerst op papier in het decembernummer van *The Architectural Review*, en was gekozen als aanduiding voor het gebruik door Le Corbusier van ruw beton (béton brut) in gebouwen als de Unité d'Habitation in Marseilles (1947-52), en voor de ruige expressie van materialen van Jean Dubuffets *Art Brut. De Smithsons gingen de term ook gebruiken voor hun eigen werk, waarin ze afstand namen van het strakke en steriele karakter van het modernisme van de late *Internationale stijl, en van de nostalgische verfijning van de Britse naoorlogse architectuur die door de welvaartsstaat werd gestimuleerd. Hun doel was een krachtig en helder industrieel ontwerp voor huisvesting en scholen, waaraan in Groot-Brittannië na de oorlog grote behoefte was. Ze speelden daartoe meer in op de echte behoeften van de mensen die er moesten wonen en werken.

De Smithsons grepen selectief terug op de waarden van modernistische pioniers, zoals Louis Sullivans holistische visie op 'functionalisme' (zie *Chicago School) en de sociale aspiraties van Walter Gropius, Le Corbusier en Ludwig Mies van der Rohe (zie *Internationale stijl). Maar uit hun werk bleek tevens dat ze zich bewust waren van de opkomende massacultuur, waaruit pop-art en design zouden voortkomen. Nieuw-brutalisme was een poging om functionele gebouwen met zeggingskracht te maken die in hun

omgeving geïntegreerd waren en de verleidelijke, krachtige helderheid bezaten die de wereld van industrieel design en reclame uit die tijd kenmerkte.

De Smithsons tekenden ook voor de Hunstanton Secondary Modern School (1949-54) in het Engelse Norfolk. Dit gebouw met z'n onbedekte materialen en leidingen en met z'n strenge ontwerp wordt beschouwd als het eerste voorbeeld van het nieuw-brutalisme. De Yale University Art Gallery in New Haven (1951-53) van Louis I. Kahn (1901-74) en Douglas Orr wordt gezien als een van de belangrijkste voorbeelden van deze stijl in de Verenigde Staten. Beide gebouwen drukken de ethiek van het nieuw-brutalisme uit: de 'eerlijkheid' van het materiaalgebruik en het *existentiële ethos, een soort anti-esthetica. De Smithsons bewonderden het werk van Mies en zijn compromisloze drang om de structuur van een gebouw te benadrukken.

Le Corbusier was van nog grotere invloed op veel architecten, en met name op diegenen die in de jaren vijftig bekendheid kregen, zoals William Howell (1922-74), de Smithsons, James Stirling (1926-92) en Denys Lasdun (1914-2001) in Groot-Brittannië, Aldo van Eyck (1918-99) en Jacob Bakema (1914-81) in Nederland, Kenzo Tange (1913) in Japan en Kahn en Paul Rudolph (1918) in de Verenigde Staten. Door zijn expressionistische kijk op het functionalisme van de *Internationale stijl, zijn aandacht voor locatie, context en gebruik van zelf ontwikkelde vormen en bouwmethoden, werd Le Corbusier een zeer belangrijke inspiratiebron. Naar het voorbeeld van zijn latere

werk pasten de nieuw-brutalisten glas, baksteen en beton toe om expressieve kenmerken te realiseren. Gegoten beton accentueerde de structuurelementen van hun gebouwen, bevestigde het karakter van materiaal en constructie, en maakte verdere afwerking overbodig. Zoals Kahn het uitlegde: "Ik denk dat een architect zoals iedere kunstenaar instinctief de kenmerken behoudt waaraan je kunt zien hoe iets gemaakt is." Het nieuw-brutalisme wilde zich ontworstelen aan de rigide formules van het orthodoxe modernisme en gaf blijk van een nieuwe vrijheid die door de *postmoderne architecten nog verder zou worden uitgebouwd.

Jack Lynn en Ivor Smith, Park Hill, Sheffield, 1961
Park Hill, gebouwd in de trant van het Golden Lane-project van de Smithsons, volgt de topologie van de locatie op de voet. Interne circulatie en continuïteit tussen huizenblokken met hoge dichtheid en de buitenruimte waren belangrijke overwegingen.

Belangrijke monumenten
Louis Kahn, Kimbell Art Museum, Fort Worth, Texas
Louis Kahn with Douglas Orr, Yale University Art Gallery,
    New Haven, Connecticut
Denys Lasdun, National Theatre, Southbank Centre, Londen
Alison and Peter Smithson, Hunstanton Secondary Modern
    School, Norfolk
—, Golden Lane housing, Londen
Kenzo Tange, National Gymnasiums, Tokyo

Belangrijke boeken
R. Banham, *The New Brutalism* (1966)
L. I. Kahn, *Louis I. Kahn: Writings, Lectures, Interviews* (1991)
W. Curtis, *Denys Lasdun* (1994)
J. Rykwert, *Louis Kahn* (2001)

Funk-art

Organisch, gewoonlijk biomorf, nostalgisch, antropomorf, seksueel, instinctief,
emotioneel, erotisch, grof, obsceen.

HAROLD PARIS, 'SWEET LAND OF FUNK', ART IN AMERICA, 1967

Eind jaren vijftig werden werken van een aantal kunstenaars uit Californië, zoals Bruce Conner (1933), George Herms (1935) en Ed Kienholz (1927-94), omschreven als *funky*, onwelriekend. De term was een verwijzing naar hun gebruik van afvalmaterialen of, om met Kienholz te spreken, "restanten van de menselijke beschaving". Funkkunstenaars reageerden op de onaanvaardbare monumentale en geabstraheerde eigenschappen van veel *abstract expressionisten. Zij wilden weer enig realisme en maatschappelijke verantwoordelijkheid in de kunstwereld brengen.

Kienholz, Conner, Paul Thek (1933-88), Lucas Samaras (1936) en de Britse kunstenaar Colin Self (1941) probeerden op een choquerende manier de aandacht te vestigen op kwesties die maar al te vaak genegeerd werden, zoals abortus, geweld, de doodstraf, psychische aandoeningen, angst voor ziekte, ouder worden en de dood, rechterlijke dwalingen, de vanzelfsprekendheid van oorlogen, en de onderdrukking van de vrouw.

Hun werk bouwde voort op de traditie van maatschappijkritiek en protest van de *sociaal realisten en de *magisch realisten van de jaren dertig, en had ook raakvlakken met *neodada en *beat-art. Kunstenaars van al deze 'bewegingen' deelden de overtuiging dat kunst geen vlucht uit deze wereld moest zijn, maar er deel van moest uitmaken. Funk-art legt echter een sterkere morele verontwaardiging aan de dag dan het meeste neodada-werk en ontbeert de spirituele en mystieke dimensie van veel beat-art.

Met name Conner en Kienholz stelden actuele sociaalpolitieke kwesties vol woede en ernst aan de kaak. Conners assemblages van gescheurde kleren, gehavende meubels en kapotte prullaria lijken verloren levens die tot kunst zijn verheven. *BLACK DAHLIA* (1959) is een aanklacht tegen de voortdurende voyeuristische aandacht voor de geruchtmakende, nimmer onopgeloste moord van 1947 op actrice Elizabeth Short, bijgenaamd de Black Dahlia (later het onderwerp van James Ellroys gelijknamige roman). *The Child* (1959-60) vestigt de

aandacht op verwaarlozing van kinderen door de ouders. Het is geen vrolijk glimlachend kind van een glossy tijdschrift, maar een typische Conner-figuur van vodden en vuil. *Roxy's* (1961) van Kienholz gaat over misogynie en morele hypocrisie. Een bekend bordeel in Las Vegas was op grote schaal nagebouwd zoals het er in 1942 uitzag, met meubels die van vrouwen waren gemaakt, met vrouwen gemaakt van dierenbotten; het stelt vrouwen voor als minnaressen, objecten, gebruiksvoorwerpen, slachtoffers, beesten en roofdieren.

Conner en Kienholz werden allebei aangetrokken tot gebeurtenissen die niet in de officiële geschiedschrijving lijken te zijn terechtgekomen. Beiden wijdden een werk aan de terechtstelling van Caryl Chessman in 1960, die ten uitvoer werd gebracht omdat een officieel uitstel van executie niet op tijd bij de beul aankwam. Aan de ogenschijnlijk half vergane assemblage met een telefoondraad, *Homage to Chessman* (1960), begon Conner op de dag van de executie, uit protest tegen de gang van zaken. De woordspeling in de titel van Kienholz' vulgaire werk *The Psycho-Vendetta Case* (1960), stelt de doodstraf aan de orde – als een wraakmiddel van de overheid – en brengt Chessmans executie specifiek op één lijn met een andere beruchte rechterlijke dwaling, de zaak Sacco-Vanzetti uit 1927, die het onderwerp was van een kunstwerk van sociaal realist Ben Shahn uit de jaren dertig.

De onvermoeibare blik van Conner en Kienholz werd eveneens gericht op kwesties als de angst voor en de realiteit van geesteszieken, de vervreemding als gevolg van het moderne leven, de tragedie achter in achterkamertjes uitgevoerde abortussen, de aanhoudende oorlogen en de angst voor een kernoorlog. Conners *Couch* (1963) schetst met het in ontbinding verkerende, van alle ledematen ontdane lichaam op een bebloede sofa een bijzonder gruwelijk beeld van een dergelijke mogelijkheid. Met *The Portable War Memorial* (1968) doet Kienholz de vreselijke constatering dat oorlog onderdeel van ons dagelijks leven is geworden en dat we zijn omringd met een eindeloze hoeveelheid uitwisselbare oorlogsmonumenten die ons niet meer raken en ons handelen niet beïnvloeden. En juist die 'ongevoelige toeschouwers' wilden de kunstenaars van de funk-art bereiken. Tijdens de jaren zestig werd funk-art ook gebruikt als aanduiding voor een andere groep kunstenaars, van wie er een groot aantal in San Francisco gevestigd waren, onder wie Robert Arneson (1930-92), William T. Wiley (1937), David Gilhooly (1943) en Viola Frey (1933). Hun visie was minder macaber en humoristischer, meer een regionale *pop-funk-mengvorm. De vele keramisten onder hen, die hogere kunst en kunstnijverheid integreerden, uitten zich vooral in visuele en verbale

Rechts: Bruce Conner, *BLACK DAHLIA*, 1959
BLACK DAHLIA was een commentaar op een geruchtmakende moordzaak uit die tijd. Het is een compositie van foto's en fetisjistische voorwerpen (lovertjes, kant, nylonkousen) die zinspeelt op persoonlijke taboes en publiciteit.

Tegenoverliggende pagina: ***Portable War Memorial***, 1968
Het tableau is in tweeën verdeeld: de linkerkant staat vol met wat de kunstenaar 'propagandamiddelen' noemde – oorlogssymbolen en patriottisme – en rechts zijn 'ongeroerde toeschouwers' in een snackbar afgebeeld: "het leven gaat gewoon door." Op het bord met krijt en wisser kan de lijst met slachtoffers worden bijgewerkt.

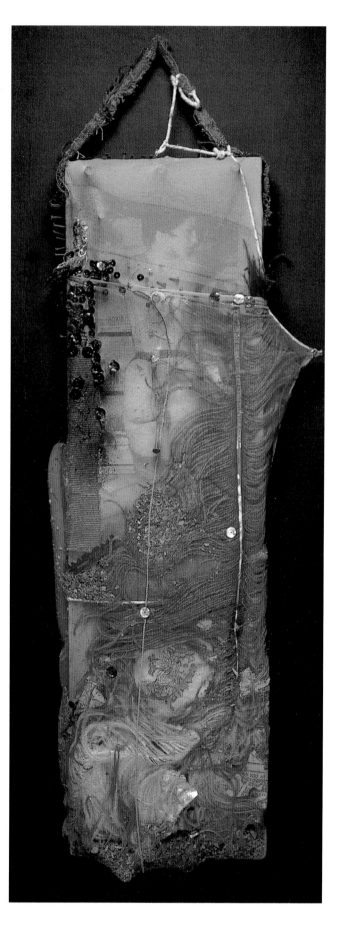

woordspelingen. Arnesons herzieningen van nationale symbolen – zo verving hij in *In God We Trust* (1965) de beeltenis van George Washington op een kwartje door dat van zichzelf – zijn niet zozeer bijzonder kritisch als wel geestig.

Een aantal jonge Britse kunstenaars, zoals Jake (1966) en Dinos (1962) Chapman, Sarah Lucas (1962) en Damien Hirst (1965), probeert door middel van macabere of groteske assemblages ook de onmenselijke bejegening van mensen onderling, de dood en de manier waarop de vrouw als object wordt gezien, bespreekbaar te maken. De werken van de gebroeders Chapman, *Hell* (1999-2000), *Lucas's Bunny* (1997) en *Hirst's A Thousand Years* (1990) – dat bestaat uit een rottende koeienkop met maden – zijn drie voorbeelden die de bijtende maatschappijkritiek van Kienholz en Conner lijkt te verenigen met de zwarte humor van de latere Californische funk-art-kunstenaars.

Belangrijke collecties
Moderna Museet, Stockholm
Norton Simon Museum, Pasadena, California
Saatchi Collection, Londen
Stedelijk Museum, Amsterdam

Belangrijke boeken
R. L. Pincus, *On a Scale that Competes with the World* (Berkeley, CA,1994)
L. Phillips, *Beat Culture and the New America, 1950–65* (1995)
T. Crow, *The Rise of the Sixties* (1996)
Kienholz: A Retrospective (tent. cat. Whitney Museum of American Art, New York, 1996)
2000 BC: The Bruce Conner Story Part II (tent. cat. Walker Art Centre, Minneapolis, 1999)

Nouveau réalisme

Dit is Nouveau réalisme: nieuwe perceptieve benaderingen van het werkelijke.

PIERRE RESTANY, 1960

Het werk van de Europese nouveaux réalistes van eind jaren vijftig tot en met de jaren zestig is opmerkelijk divers: het loopt uiteen van de gescheurde posters van de Franse kunstenaars Raymond Hains (1926), tot de valstrikschilderijen van de Zwitser Daniel Spoerri (1930) en de 'accumulaties' van de Fransman Arman (1928). Wat deze werken echter gemeen hebben is het scherpe, opzettelijk gecreëerde contrast met de heersende stroming binnen het modernisme van die tijd.

Tegen het einde van de jaren vijftig, toen het aantal beoefenaars van de tweede en derde generatie toenam, hadden het *abstract expressionisme en de *art informel volgens velen het contact met de maatschappelijke werkelijkheid verloren. De armoedige om-standigheden waarin de eerste generatie naoorlogse kunstenaars had moeten werken waren inmiddels niet meer aan de orde en er was een nieuwe samenleving van toenemende overvloed, technologische vooruitgang en snelle politieke veranderingen ontstaan. Deze nieuwe wereld gingen de nouveaux réalistes verkennen.

In oktober 1960 richtte de kunstcriticus Pierre Restany in de woning van Yves Klein (1928-62) in Parijs officieel de Nouveau Réaliste-groep op. Samen met acht kunstenaars – de Fransen Klein, Hains, Arman, François Dufrêne (1930-82), Martial Raysse (1936) en Jacques de la Villeglé (1926) en de Zwitsers Spoerri en Jean Tinguely (1925-91) – ondertekende hij bovenstaande verklaring. Dit platform vormde het kader voor gezamenlijke activiteiten en omvatte behalve de zeer uiteenlopende werken van bovengenoemde kunstenaars ook dat van anderen die zich later aansloten, onder wie César (1921-99) en Gérard Deschamps (1937) uit Frankrijk, de

Italiaan Mimmo Rotella (1918) en de Frans-Amerikaanse Niki de Saint Phalle (1930). De van oorsprong Bulgaarse Christo (1935) nam in het begin van zijn carrière wel deel aan een aantal exposities en

Boven: Arman, *Accumulatie van kannen*, 1960
Arman heeft gezegd: "Ik heb het accumulatieprincipe niet ontdekt, het heeft mij ontdekt. Het was altijd al duidelijk dat de maatschappij haar gevoel van veiligheid door hamstergedrag probeert vast te houden, zoals blijkt uit de etalages, de lopende banden, de bergen afval."

Tegenoverliggende pagina: Yves Klein, *Anthropométries de l'époque bleue*, 9 maart 1960
Ten overstaan van een publiek smeerden Kleins modellen zich in met zijn eigen gepatenteerde verf (Internationaal Klein-blauw) en drukten zich op aanwijzing van de kunstenaar tegen een aantal vlakken aan, terwijl zijn *Symphonie Monotone* werd gespeeld.

festivals van de nouveaux réalistes, maar hij heeft zichzelf nooit als nouveau réaliste beschouwd (zie *Installatiekunst en *Land-art voor besprekingen van het werk van Christo en Jeanne-Claude).

Het nouveau réalisme wordt in het algemeen gezien als de Franse tegenhanger van de Amerikaanse *pop-art, maar de kunstenaars zijn eigenlijk nauwer verwant aan de *neodadaïsten. Net als zij lieten de nouveaux réalistes zich inspireren door *dada, door de readymades van Marcel Duchamp, door de *surrealistische waardering voor het 'bijzondere' in het alledaagse, en door de *kubistische machine-esthetiek van het 'nieuwe realisme' van Fernand Léger. Een ander gemeenschappelijk kenmerk was dat zij de cultus rond de kunstenaar bij de abstracte schilders verwierpen en dat ze de participatie van het publiek bij hun werk stimuleerden.

Restany was een van die eersten die de steeds hechtere vriendschap

Niki de Saint Phalle, *Venus de Milo*, 1962
Bij een performance-event in New York in 1962 werd een Venus met twee zakken verf erin het podium op gereden en door Saint Phalle met een geweer beschoten. Zo werd het toppunt van vrouwelijkheid 'vermoord' en restte een lijk vol verfspetters.

tussen veel Amerikaanse en Europese kunstenaars opmerkte. In 1961 organiseerde hij in Parijs de expositie 'Le Nouveau Réalisme à Paris et à New York', waar werken te zien waren van de *nouveaux réalistes* en van de Amerikanen Robert Rauschenberg, Jasper Johns, John Chamberlain, Chryssa, Lee Bontecou en Richard Stankiewicz. Vanaf toen, tot aan het laatste festival van het nouveau réalisme van 1970 in Milaan, namen de kunstenaars die Restany als *Nouveaux Réalistes* had bestempeld gezamenlijk deel aan talloze exposities, festivals en performance-events in Europa en de VS.

Yves Klein blijft de bekendste nouveau réaliste. Zijn gevarieerde productie heeft invloed gehad op veel verschillende gebieden binnen de kunst van het eind van de twintigste eeuw: multimedia, multidisciplinaire kunst, collaboration, *performancekunst, *minimalisme, *body-art, *conceptualisme, enzovoort. Hij dreef de spot met het begrip uniciteit in de kunst, maar paradoxaal genoeg bezielde hij met zijn eigen persoonlijkheid alles wat hij deed. In 1957 schilderde hij een aantal identieke monochromen in een zeer opvallend ultramarijn (later gepatenteerd als 'IKB', Internationaal Klein-blauw), en verkocht ze voor verschillende prijzen. Het jaar daarop exposeerde hij een compleet lege ruimte in de Iris Clert-galerie in Parijs, en verkocht stukken leegte op grond van het idee dat die zijn inspiratie bevatten.

Bij zijn antropometrieën uit 1960 smeerden naakte vrouwen zich in met zijn IKB-verf en trokken elkaar over een groot stuk doek op de vloer, terwijl een orkest zijn *Symphonie Monotone* speelde, een enkele noot die twintig minuten lang werd aangehouden, afgewisseld met twintig minuten stilte. Het publiek, gekleed in smoking en avondjurken, keek in eerbiedige stilte toe.

Werken zoals de compressies van César en de accumulaties van Arman liepen ook vooruit op latere ontwikkelingen. Zo anticiperen Césars geregisseerde readymades op de industriële 'kubussen' van de minimalisten. Maar ze zijn ook interessant vanwege hun directe en provocerende relatie tot toenmalige maatschappelijke vraagstukken, een belangrijk aspect van het nouveau réalisme. Césars compressiekunst – waarin tot schroot verwerkte auto's zijn gerecycled en een nieuw leven als kunst zijn gegund – kan geïnterpreteerd worden als een aanklacht tegen de materialistische cultuur met al zijn consumptie en afval, of in positievere zin als een erkenning van de cruciale rol van machines. Armans verzamelingen van objecten vertegenwoordigen een gevorderde vorm van anti-kunst, waarmee hij algemeen aanvaarde artistieke waarden en doelen ondermijnt. Met zijn *poubelles* (afvalbakken) laat hij de inhoud van prullenbakken zien; zijn *colères* (woede-uitbarstingen) tonen een reeks kapotgeslagen voorwerpen. Zijn *accumulations* zijn verzamelingen van voorwerpen die bijvoorbeeld samen in een kist zijn gedaan om de toeschouwer ertoe aan te zetten om de status van het voorwerp in deze tijd van massaconsumptie te heroverwegen. Arman verwijst met regelmaat naar historische onderwerpen. *Home Sweet Home* (1960), een accumulatie van gasmaskers, confronteert de toeschouwer met de gruwelen van de holocaust en met de tragiek van de voortdurende oorlogen en genociden.

Veel werken van de nouveaux réalistes zijn uitingen van 'scheppende verwoesting' en het resultaat van acties of performances. Kleins *Anthropométries*, Armans *colères* en Niki de Saint Phalle's *tirs* (schietende schilderijen) zijn maar een paar voorbeelden. Saint Phalle kenschetste haar schietende assemblages ooit als symbolische protesten tegen het stereotiepe beeld van vrouwen dat door de huidige maatschappij wordt opgedrongen. Deze aandacht voor de vrouwelijke figuur en de manier waarop deze in de kunst wordt weergegeven was een voorbode van de beeldspraak en de thema's van het feminisme van de jaren zeventig.

Belangrijke collecties
Centre Georges Pompidou, Parijs
Museum of Modern Art, New York
Tate Modern, Londen
Whitney Museum of American Art, New York
Stedelijk Museum, Amsterdam

Belangrijke boeken
P. Restany, *Yves Klein* (1982)
M. Vaizey, *Christo* (1990)
J. Howell, *Breakthroughs: Avant-Garde Artists in Europe and America, 1950–1990* (1991)
A. J. Dempsey *The Friendship of America and France: A New Internationalism, 1961–1965*, Ph.D (Courtauld Institute of Art, University of Londen, 1999)

Situationist International

Er kan geen situationistische schilderkunst of muziek bestaan, alleen een situationistisch gebruik van deze middelen.

INTERNATIONALE SITUATIONNISTE NO 1, JUNI 1958

De Situationist International (SI – er bestaat geen verband met de Britse Situationkunstenaars van begin jaren zestig) ontstond in 1957 in het Italiaanse Cosio d'Arroscia als een alliantie van avant-gardistische groepen dichters, schrijvers, critici en filmmakers. Ze vonden dat kunstbeoefening een politieke daad was: door middel van de kunst kon de revolutie worden bewerkstelligd. In theorie en praktijk hingen ze heel bewust de idealen van *dada, het *surrealisme en *CoBrA aan.

Het collectief was aanvankelijk opgericht door leden van het Parijse Lettrist International (een afsplitsing van het lettrisme), onder wie filmmaker en theoreticus Guy Debord (1931-94), zijn vrouw, de collagekunstenares Michèle Bernstein en Gil J. Wolman (1929-95), leden van de Mouvement International pour un Bauhaus Imaginiste (een groep die na het uiteenvallen van CoBrA was gevormd), onder wie voormalig CoBrA-kunstenaar uit Denemarken Asger Jorn (1914-73) en de Italiaan Giuseppe Pinot-Gallizio (1902-64) en de Britse kunstenaar Ralph Rumney (1934) die zichzelf de afgevaardigde van het Londens Psychogeografisch Comité noemde. Ook andere vooraanstaande kunstenaars sloten zich aan, zoals voormalig CoBrA-lid Constant (1920), en binnen korte tijd telde SI zeventig leden uit Algerije, België, Groot-Brittannië, Frankrijk, Duitsland, Nederland, Italië en Zweden. Er werden jaarlijkse conferenties gehouden en er werd een tijdschrift uitgegeven, de *Internationale Situationniste* (1958-69).

Hun werk draaide om een aantal hoofdstrategieën. De 'geconstrueerde situatie' was er één van. Door geconstrueerde situaties te realiseren in plaats van traditionele kunstobjecten, meenden de Situationisten te kunnen voorkomen dat de commercie, die met de kunst aan de haal dreigde te gaan, er een statusverhogend consumptieartikel van zou maken. Tegen die achtergrond produceerde Pinot-Gallizio zijn 'industriële schilderijen' - enorme doeken van wel 45 meter lang – die hij met behulp van nieuwe materialen en technieken vervaardigde (verfspuiten, industriële verf, hars) en per meter verkocht. Daarmee nam hij stelling tegen de conventies van de kunstmarkt, waar de originaliteit en exclusiviteit van een kunstwerk voorop staat. (De kunstmarkt liet zich echter niet afschrikken. Toen Pinot-Gallizio een willekeurige prijsverhoging doorvoerde, nam de vraag toe.) De Situationisten waren ook van mening dat artistiek ingrijpen in de dagelijkse omgeving de mensen bewust zou kunnen maken van de wereld om hen heen en tot een verandering van de maatschappij zou kunnen leiden. Het was Pinot-Gallizio's bedoeling om zijn enorme schilderijen zo groot te maken dat ze complete steden zouden bedekken, zodat er een aangenamere, dynamische omgeving zou ontstaan. Zijn *Caverna dell'Anti-Materia* (1959), een multimediale, multizintuiglijke installatie poogde de toeschouwer de betrokkenheid en het vermogen te verschaffen om zich bewust te worden van zijn of haar inbreng in het creëren en manipuleren van een bepaalde atmosfeer. Een ander sleutelbegrip van de stroming was de zogenaamde 'psychogeografie', de studie naar het psychologische effect van de stad op haar inwoners. In tegenstelling tot de functionele stad van Le Corbusier (zie *Internationale stijl) was Constants project 'New Babylon', met de ideale stad als doel,

gebaseerd op de vooronderstelling dat de inwoners de stad aan hun wensen konden aanpassen. In de jaren zestig en zeventig oefende het idee grote invloed uit op architectuur- en designgroepen zoals Archigram en Archizoom (zie *Anti-design).

Détournement (ondermijning of corruptie) was een ander belangrijk concept voor de Situationisten. Door zich bestaande kunst toe te eigenen en deze te veranderden, probeerden ze oude ideeën aan de kaak te stellen en te ondermijnen, en nieuwe te scheppen. Jorn begon in 1959 met zijn 'Modificaties'. Hij kocht tweedehands doeken op vlooienmarkten en schilderde die over. In hetzelfde jaar werkte hij ook samen met Debord aan een boek met veranderde afbeeldingen en tekst, *Mémoires*, dat in schuurpapier gebonden was zodat het niet zomaar als een willekeurig boek op de boekenplank teruggezet kon worden.

Van 1957 tot 1961 produceerden de Situationisten talrijke kunstwerken, situaties, exposities, films, maquettes, plattegronden, pamfletten en tijdschriften. Maar de samenwerking tussen radicale kunst en politiek was geen lang leven beschoren. Interne conflicten leidden ertoe dat leden opstapten of geroyeerd werden, en in 1962 waren de meeste beroepskunstenaars vertrokken. De resterende, in Parijs gevestigde leden gingen zich onder leiding van Debord meer op politieke theorie en politiek activisme richten. Hun ideeën sloten rechtstreeks aan bij de studentenprotesten van 1968, die in mei van dat jaar uitmondden in een algemene staking en de bezetting van Parijs. SI-kreten als "het strand ligt onder het wegdek" en

"consumptie is opium voor het volk" verschenen door heel Parijs op de muren en de beweging bevond zich op het toppunt van zijn roem, maar dat was tevens het begin van het einde. Vanwege interne geschillen en de angst dat ze door hun toenemende faam verzwolgen zouden worden door de 'spektakelmaatschappij', besloot Debord in 1972 de groep in stilte te ontbinden.

Er bestaan treffende parallellen met andere kunstenaars uit die periode (zie *Nouveau réalisme, *Performancekunst, *Fluxus, *Beat-art and *Neodada), en buiten de wereld van de kunst zijn SI-technieken ingeburgerd in de reclame en fanzines. Vraagstukken die vaak met het *postmodernisme in verband worden gebracht, zoals de politisering van het stedelijk landschap, de rol van de media, de verwording van de kunst tot consumptieartikel of fetisj, en de relatie tussen kunst en politiek, waren stuk voor stuk al door SI aangesneden.

Pinot-Gallizio, *Le Temple des Mécréants (De tempel der ongelovigen)*, 1959

Deze installatie, een environment van olieverf op doek, werd in 1989 tentoongesteld in het Centre Georges Pompidou in Parijs. Het vertegenwoordigde gedeeltelijk het streven van de Situationisten om verandering te brengen in de vercommercialiseerde status van het kunstobject.

Belangrijke collecties
Centre Georges Pompidou, Parijs
Fine Arts Museums of San Francisco, San Francisco, California
Sintra Museu de Arte Moderna, Sintra
Tate Gallery, Londen

Belangrijke boeken
K. Knabb (ed.), *Situationist International* (Berkeley, CA, 1981)
A. Jorn, *Asger Jorn* (tent. cat. Solomon R. Guggenheim Museum, New York, 1982)
E. Sussman (ed.), *On the passage of a few people through a rather brief moment in time* (Cambridge, MA, 1991)
M. Wigley, *Constant's New Babylon: The Hyper-Architecture of Desire* (Rotterdam, 1998)
A. Jappe, *Guy Debord* (Berkeley, CA, 1999)

Assemblage

Alle vormen van samengestelde kunst en wijzen van positioneren.

WILLIAM C. SEITZ, 1961

Tijdens research voor een expositie over de geschiedenis van collage begin jaren zestig, werd de aandacht van de Amerikaanse conservator William C. Seitz van het Museum of Modern Art (MoMA) in New York getrokken door recent werk dat niet in de traditionele categorieën schilderkunst en beeldhouwkunst paste. Het uiteindelijke resultaat was de oorspronkelijke expositie 'Art of Assemblage' van 1961, waarmee een nieuw genre werd benoemd voor tot dan toe ongecategoriseerd werk. "Wat was begonnen als een historische expositie," schreef hij, "ontwikkelde zich volgens zijn eigen logica en onder druk van alle

gebeurtenissen tot een overzicht van een internationale golf die op het punt stond over te slaan." De benaming waarvan hij zich bediende werd al sinds 1953 gebruikt door Jean Dubuffet (zie *Art brut) om bepaald soort werk van hemzelf te omschrijven. Volgens Seitz was de expositie "een poging om een van de vele draden te volgen die door het labyrint van twintigste-eeuwse stijlen lopen." Hij presenteerde een scala van historische en contemporaine werken die de volgende fysieke kenmerken gemeen hadden:

1. Ze zijn hoofdzakelijk geassembleerd in plaats van geschilderd, getekend, vormgegeven of gebeeldhouwd. 2. De samenstellende elementen zijn geheel of gedeeltelijk voorgevormde natuurlijke of vervaardigde materialen, objecten of fragmenten die niet als kunstmateriaal zijn bedoeld.

Louise Nevelson, *Royal Tide IV*, 1959–60
Veel werk van Nevelson is gemaakt van hout dat ze in New York op straat bij elkaar sprokkelde, vaak om drie of vier uur 's ochtends. Daarna stelde ze gelijkmatig geschilderde plastische muurschilderingen samen. Voor latere werken, toen ze wat ruimer bij kas zat, maakte ze gebruik van metaal en plexiglas.

Joseph Cornell, *L'Egypte de Mlle Cléo de Mérode: cours élémentaire d'Histoire Naturelle*, 1940
Cornell stelde een kist samen met Egyptische symbolen (zand, tarwe, boodschappen op papier) die de kedive van Egypte in de jaren negentig van de negentiende eeuw mogelijk heeft aangeboden aan een bekende courtisane die hij het hof wilde maken.

De expositie omvatte 252 werken van 138 assemblagekunstenaars uit twintig landen, van wie velen al bekend waren als *kubisten, *futuristen, *constructivisten, *dadaïsten en *surrealisten. Belangrijke dadaïstische stukken waren readymades van Marcel Duchamp, Merzbau van Kurt Schwitters en collages van afval en *objets trouvés*. Het surrealisme had inspiratie gegeven in de vorm van theatermogelijkheden – dramatische tegenstellingen en waardering van het 'bijzondere' in het alledaagse. Dit bleek duidelijk uit de kleine, intieme kisten van Joseph Cornell (1903-72) en de omvangrijke muurachtige environment-constructies van Louise Nevelson (1899-1988), twee vroege Amerikaanse meesters van de assemblage.

De contemporaine afdelingen van de tentoonstelling brachten Amerikaanse en Europese kunstenaars samen die in parallelle stromingen actief waren, zoals de *nouveaux réalistes en kunstenaars die ook gerekend werden tot *beat-art, *funk-art, junk-art, *kinetische kunst en *neodada. Andere belangrijke assemblagekunstenaars die in de expositie waren opgenomen waren de Amerikanen Jean Follett (1917), Marisol (1930), Richard Stankiewicz (1922-83), Lucas Samaras (1936) en H.C. Westermann (1922-81), de Italianen Enrico Baj (1924), Alberto Burri (1915-95) en Ettore Colla (1896-1968) en de Britten John Latham (1921) en Eduardo Paolozzi (1924). Door dit gevarieerde aanbod liep een aantal verschillende lijnen: junksculpturen en reliëfs van Lee Bontecou (1931), Stankiewicz en anderen, driedimensionale collages van George Herms (1935), Robert

Rauschenberg (zie *Combines), Daniel Spoerri (1930) en anderen, kistachtige constructies met daarin verwerkt readymades van Cornell, Nevelson, Arman (zie *Nouveau réalisme) en anderen, en satirische houten figuren van de hand van Marisol en Westermann. De rode draad die deze uiteenlopende kunstenaars verbond was een gemeenschappelijke belangstelling voor het gebruik van alledaagse voorwerpen, betrokkenheid bij de wereld om hen heen en een afkeer van de expressieve abstractie die sinds de oorlog de kunst overheerste (zie *Art informel en *Abstract expressionisme).

De MoMA-expositie had deels ten doel om werken te tonen die niet eenvoudig te categoriseren zijn. Bij een symposium dat gelijktijdig met de expositie werd gehouden zaten Duchamp, Richard Huelsenbeck, Rauschenberg, kunsthistoricus Roger Shattuck en criticus Lawrence Alloway in het forum. Dankzij het kritische debat, dat veel aandacht kreeg, werd de term 'assemblage' snel internationaal bekend. De expositie wierp een nieuw licht op het werk van Duchamp, Schwitters en dada, zodat men er weer met een frisse blik naar kon kijken. Seitz' tentoonstelling droeg ook bij aan het openbreken van de starre classificaties die al sinds de negentiende eeuw werden gehanteerd.

Assemblage had collage een derde dimensie gegeven, en assemblagekunstenaars Jim Dine (1935), Allan Kaprow (1927), Ed Kienholz (1927-94), Claes Oldenburg (1929), Samaras en Carolee Schneemann (1939) breidden dat verder uit tot complete environments met hun *installaties en *performances. Hoewel de kunstwereld haar aandacht eind jaren zestig al snel op *pop-art en het *minimalisme richtte (bewegingen die het nodige te danken hebben aan de interesse van assemblagekunstenaars voor de volkscultuur en het gebruik van readymade-materialen), was assemblage algemeen erkend als een flexibele techniek waar veel hedendaagse kunstenaars zich graag van bedienen.

Belangrijke collecties
Centre Georges Pompidou, Parijs
Museum of Modern Art, New York
Stedelijk Museum, Amsterdam
Tate Gallery, Londen
Whitney Museum of Modern Art, New York

Belangrijke boeken
W. Seitz, *The Art of Assemblage* (tent. cat. Museum of Modern Art, New York, 1961)
K. McShine, *Joseph Cornell* (1980)
J. Elderfield (ed.), *Studies in Modern Art 2: Essays on Assemblage* (1992)
J. Cornell, *Theater of the Mind* (1993)
A. J. Dempsey, *The Friendship of America and France*, Ph.D. (Courtauld Institute of Art, University of Londen, 1999).

Pop-art

Populair, voorbijgaand, vervangbaar, goedkoop, in massa geproduceerd, jong, geestig, sexy, effectgericht, vol allure, en big business.

RICHARD HAMILTON, 1957

De eerste schriftelijke vindplaats van de term "pop" is een artikel van de Engelse criticus Lawrence Alloway (1926-90) uit 1958, maar de nieuwe belangstelling voor de populaire cultuur, en de poging om daaruit kunst te maken, was al aan het begin van de jaren vijftig van de twintigste eeuw een kenmerk van de Independent Group in Londen. Tijdens informele bijeenkomsten aan het Institute of Contemporary Arts (ICA) bespraken Alloway, Alison en Peter Smithson (zie *Nieuw-brutalisme), Richard Hamilton (1922), Eduardo Paolozzi (1924) en anderen de groeiende massacultuur van films, reclame, sciencefiction, consumentisme, media en communicatie, productontwerp en nieuwe technologieën, een cultuur die in Amerika was ontstaan, maar die zich nu naar het Westen verspreidde. Zij werden vooral gefascineerd door reclame, grafische vormgeving en productontwerp en wilden kunst en architectuur maken die een vergelijkbare populaire aantrekkingskracht had. Al in 1947 verwerkte Paolozzi (die altijd al geïnteresseerd was in *dadaïstische en *surrealistische werkwijzen) het woord "pop" in zijn collage *I was a Rich Man's Plaything*, en zijn collages uit de jaren veertig en het begin van de jaren vijftig van de twintigste eeuw worden meestal aangeduid als "proto-pop". De lezing en diavoorstelling "Bunk" die hij in 1952 aan het ICA gaf, was in zoverre vernieuwend dat hij daarbij diverse beelden uit de massacultuur presenteerde ter serieuze beoordeling.

Drie kunstenaars die aan het Royal College of Art in Londen studeerden (waar zowel Paolozzi als Hamilton korte tijd lesgaven), namelijk Peter Blake (1932), Joe Tilson (1928) en Richard Smith (1931), maakten allen vroege pop-art, maar Richard Hamiltons collage *Just what is it that makes today's homes so different, so appealing?* (1956) was het eerste werk dat de status van icoon kreeg. Het werk, dat was gemaakt van advertenties uit Amerikaanse tijdschriften, was vervaardigd voor de groepstentoonstelling "This is Tomorrow" die in 1956 in de Whitechapel Art Gallery in Londen door de Independent Group werd georganiseerd. Met de beroemde bodybuilder Charles Atlas en een pin-up glamour girl als het nieuwe huiselijke paar, lijkt het een nieuw tijdperk in te luiden. Een stripverhaal en een blik ham nemen de plaats in van een schilderij en een beeldhouwwerk, terwijl een portret van John Ruskin (zie *Arts and Crafts) dat aan de muur hangt de *American way of life* aankondigt als de nieuwste uiting van kunst als opgedane ervaring, zoals door de Arts and Crafts-beweging was bepleit.

De volgende generatie studenten aan het Royal College of Art – waaronder de in de Verenigde Staten geboren R.B. Kitaj (1932), Patrick Caulfield (1936), David Hockney (1937) en Allen Jones (1937) – verwerkte ook thema's van de popcultuur in hun collages en

assemblages en verwierf in de periode van 1959 tot 1962 algemene bekendheid, met name door de jaarlijkse "Young Contemporaries"-tentoonstellingen. Zij lieten zich in hun werk inspireren door het alom aanwezige beeldmateriaal in de stad, zoals graffiti en reclame, dat soms terug te vinden is in gekraste, grafische werken die doen denken aan de *art brut van Jean Dubuffet (zoals in de tekeningen van Hockney) en soms in gepolijste en glanzende beelden die opzettelijk deden denken aan mode- of pornotijdschriften (zoals in de schilderijen en, later, sculpturen van Jones). In tegenstelling tot de meeste Britse popkunstenaars van de eerste generatie, wier werk consequent figuratief was, introduceerden de kunstenaars van de tweede generatie abstracte details in hun werk. Zij gebruikten niet alleen het consumentisme van de Amerikaanse stijl als onderwerp, maar pasten ook de technieken van de Amerikaanse abstracte schilders toe (zie *Abstract expressionisme en *Post-painterly abstraction).

Intussen shockeerden in Amerika zelf de *neodada-, *funk-, *beat- en *performancekunstenaars de kunstwereld van de jaren vijftig met

Richard Hamilton, *Just What Is It That Makes Today's Homes So Different, So Appealing?* 1956 Deze kleine, volle collage werd een icoon van pop. Stripverhalen, televisie, reclame, reclameborden en merknamen dagen, samen met het absurd geïdealiseerde paar, de kijker uit om zich los te maken van zijn vooroordelen.

werken waarin producten uit de massacultuur waren verwerkt, zoals de collages van beroemdheden als James Dean, Shirley Temple en Elvis van Ray Johnsons (1927-95). De neodadawerken van Jasper Johns, Larry Rivers en Robert Rauschenberg waren in het bijzonder belangrijk voor een groep kunstenaars die in New York in een aantal solotentoonstellingen in 1961 en 1962 opkwam, waaronder Billy Al Bengston (1934), Jim Dine (1935), Robert Indiana (1928), Alex Katz (1927), Roy Lichtenstein (1923-97), Marisol (1930), Claes Oldenburg (1929), James Rosenquist (1933), George Segal (1924), Andy Warhol (1928-87) en Tom Wesselmann (1931). Aan het begin van de jaren zestig zag het publiek voor het eerst werk dat sindsdien internationaal beroemd is geworden: Warhols zijdezeefdrukken van Marilyn Monroe, de olieverfstriptekeningen van Lichtenstein, de enorme, van vinyl vervaardigde burgers en ijshoorntjes van Oldenburg en de naakten van Wesselmann in huiselijke omgevingen waarin echte douchegordijnen, telefoons en badkamerkastjes waren opgenomen. In de Sidney Janis Gallery in New York werd een grote internationale tentoonstelling ingericht (31 oktober–1 december

1962) onder de titel "New Realists". Het werk van Britse, Franse, Italiaanse, Zweedse en Amerikaanse kunstenaars was gegroepeerd rond de thema's "dagelijkse voorwerpen", "massamedia" en "herhaling" of "verzameling" van in massa geproduceerde voorwerpen. Het was een beslissend moment. Sidney Janis was de belangrijkste handelaar in eersteklas, Europese moderne en abstract-expressionistische werken en naar aanleiding van zijn tentoonstelling werd pop-art dé nieuwe kunsthistorische beweging waarnaar de aandacht moest uitgaan en waarvan men werk moest verzamelen.

De kritieken over de nieuwe kunst waren verdeeld. Sommige critici waren zo beledigd door de acceptatie van 'alledaagse cultuur' en commerciële kunsttechnieken dat zij pop-art afdeden als non-kunst of anti-kunst. Max Kozloff was één zo'n criticus en noemde de popkunstenaars in 1962 misprijzend "nieuwe proleten", "kauwgomkauwers" en "delinquenten". Anderen zagen het als een nieuw type *American Scene-schilderkunst of *sociaal realisme. Veel critici vonden het door het schijnbare gebrek aan sociaal commentaar of politieke kritiek lastig om het werk überhaupt te bespreken. Kozloff

Tegenoverliggende pagina: **David Hockney, *I'm in the Mood for Love*, 1961**
Kort nadat hij in 1961 aan het Royal College of Art in Londen de Gold Medal had gewonnen, werd Hockney een vooraanstaand popkunstenaar. Hij gaf de Londense kunstwereld een vleugje Amerikaanse vitaliteit en pret nadat hij een bezoek had gebracht aan de Verenigde Staten, waar hij zich later zou vestigen.

Boven: **Andy Warhol, *Orange Disaster*, 1963**
Warhols Disaster-schilderijen zijn een zinspeling op sensatiezucht en voyeurisme; door het krantenachtige karakter en de gekleurde tinten ontstaat een koel ironische afstand tussen de kijker en het onderwerp. Het gecombineerde effect vestigt de aandacht op onze morele onverschilligheid die we vertonen wanneer we met dagelijkse calamiteiten worden geconfronteerd.

kwam echter in 1973 op zijn mening terug en vond dat het juist deze combinatie van "schreeuwende thema's van misdaad, seks, eten en geweld" zonder "politieke vooroordelen" was die het werk zijn "rebelse waarde" gaf. Deze onpartijdigheid verbond de pop-art bovenal met andere kunstvormen in die periode, zoals de Franse Nouveau Roman (Nieuwe roman), Nouvelle Vague, het *minimalisme en *post-painterly abstraction.

In dit stadium werd het werk nog steeds met verschillende namen aangeduid, waaronder neorealisme, *factual art, common-object painting* en neodada. Critici waren niet blij met het woord "realistisch", vanwege de politieke en morele connotaties die het had (bijvoorbeeld met het socialistisch realisme en het sociaal realisme), en vielen terug op de Britse term *pop-art.* Alloway, die nu curator is bij het Guggenheim Museum in New York, droeg bij aan de popularisering van de term in de Verenigde Staten. Uiteindelijk werd de benaming specifieker en werd deze gebruikt als kunstterm en niet om de popcultuur en de massamedia aan te duiden.

Los Angeles was bijzonder ontvankelijk voor de nieuwe kunst, niet alleen omdat de stad minder diepgewortelde artistieke tradities had, maar ook vanwege de jonge, rijke inwoners die enthousiaste verzamelaars van eigentijdse kunst waren. Vlak voor de "New Realist"-tentoonstelling in New York organiseerde het Pasadena Art Museum een tentoonstelling getiteld "The New Painting of Common Objects" (25 september–19 oktober 1962), waarop werk te zien was van Dine, Lichtenstein, Warhol en de Californische kunstenaars Robert Dowd, Joe Goode (1937), Phillip Hefferton, Edward Ruscha

(1937) en Wayne Thiebaud (1920). Eveneens in 1962 exposeerden in de Dwan Gallery neodada- en popkunstenaars op een tentoonstelling genaamd "My Country 'Tis of Thee" en kreeg Warhol zijn eerste belangrijke tentoonstelling in de Ferus Gallery in Los Angeles, waar tweeëndertig van zijn Campbell's Soup-schilderijen werden geëxposeerd. Poponderwerpen (stripverhalen, consumenten-producten, afbeeldingen van beroemdheden, reclame en pornografie) en popthema's (de verheffing van 'ordinaire' kunst, americana, suburbia, de mythen en realiteiten van de Amerikaanse droom) vonden aan de Westkust net zo snel ingang als in het Oosten.

Pop-art verspreidde zich via talrijke tentoonstellingen in galerieën en musea door de rest van de Verenigde Staten en Europa. Andere kunstenaars uit die periode die aan pop-art verwant werk maakten, waren onder anderen de Franse kunstenaars Martial Raysse (1936), Jacques Monory (1934) en Alain Jacquet (1939), de Italiaan Valerio Adami (1935) en de Zweed Öyvind Fahlström (1928-76). In 1965 had de betekenis van de term zich opnieuw verder uitgebreid en omvatte deze alle aspecten van de stedelijke populaire cultuur. Twee betekenissen van pop hebben zich gehandhaafd: de beperkte betekenis voor de schone kunsten en de bredere, culturele definitie die popmuziek, populaire romans, popcultuur, enzovoorts omvat.

Zoals pop-art was geïnspireerd op commerciële vormgeving en de popcultuur, zo had zij op haar beurt ook weer invloed op commerciële vormgeving, reclame, productontwerp, modeontwerp en binnenhuisarchitectuur. Twee van de beroemdste popafbeeldingen werden ontworpen door Milton Glaser (1929) van de Push Pin

stoel net zo comfortabel was als een honkbalhandschoen (zie *Organische abstractie).

Achteraf gezien lijken pop-art en -ontwerp deel uit te maken van de bredere reactie op de langdurige overheersing van de naoorlogse modernistische stijlen. De popkunstenaars wezen de hoge mate van ernst, angst en elitarisme van de internationale stijl van abstractie (zie *Abstract expressionisme en *Art informel) en de anonimiteit en kilte van de architectuur en vormgeving van de *internationale stijl af. De beweging kwam ook op in een periode van economische bloei en een groeiende internationale kunstmarkt.

Aan het begin van de jaren zestig veranderde de relatie die de avant-garde tot het publiek had, net als de rol van de criticus, vooral in de Verenigde Staten. Voorheen had de avant-garde de bourgeoisie veracht; nu omarmden de *nouveaux réalistes, de neodadaïsten en de popkunstenaars de bourgeoisie en haar belangstelling voor alles wat nieuw en modern was. Hoewel dit volgens sommige critici problemen veroorzaakte, vielen de handelaars en verzamelaars al snel voor de nieuwe kunst. Galeriehouders zoals Leo Castelli, Richard Bellamy, Virginia Dwan en Martha Jackson reageerden zonder de erkenning van de critici af te wachten, waardoor zij de criticus de rol van culturele 'deurwachter' ontnamen. De rol van de kunstenaar veranderde ook: zijn rol werd nu geassocieerd met allure en beroemdheid. Zoals Larry Rivers het in 1963 uitlegde: "Voor de eerste keer in dit land staat de kunstenaar 'op het podium'. Hij rommelt niet meer in een kelder met iets wat misschien niemand ooit zal zien. Hij staat nu in het volle licht van de publiciteit." De invloed van deze verandering is vandaag de dag nog steeds voelbaar.

Pop-art heeft sinds het begin ervan weinig aan populariteit ingeboet, hoewel andere bewegingen al snel de aandacht van de kunstwereld naar zich toetrokken, zoals *op-art, *conceptual art en *superrealisme – bewegingen die alle iets aan pop-art verschuldigd zijn. Voor het fenomeen pop-art zelf ontstond in de jaren tachtig opnieuw aandacht en belangstelling (zie *Neopop).

Studio, die in 1954 in New York was opgericht: de Indiana-achtige "I Love New York"-sticker met een hart en zijn Dylan-poster uit 1967. In de Dylan-poster is ook de invloed te zien van een hernieuwde belangstelling voor *art nouveau en *art deco in de jaren zestig, die zich met de drugscultuur en muziek van de jeugd en pop-art vermengde tot *psychedelia*. Meubels die op pop waren geïnspireerd, werden gemaakt door ontwerpers zoals de Deen Verner Panton (1926-98) en het Italiaanse ontwerpteam van Jonathan De Pas (1932-91), Donato d'Urbino (1935) en Paolo Lomazzi (1936), die bekend zijn om hun opblaasbare "Blow"-stoel uit 1967 en hun "Joe Sofa" uit 1971, een reusachtige honkbalhandschoen. De "Joe Sofa" (genoemd naar Joe DiMaggio) lijkt, met een knipoog naar de zachte sculpturen van Oldenburg, een logische inwilliging te zijn van de wens van de vader van organische vormgeving, Charles Eames (die wilde dat zijn

Boven: **Roy Lichtenstein, *Mr Bellamy*, 1961** Lichtenstein schilderde striptekeningen waarin hij de goedkope druktechnieken met de hand nabootste. De banaliteit van de voorstelling, die op het doek is opgeblazen, krijgt een allegorisch en monumentaal karakter. Het is zowel een parodie als een vraag: welk type afbeeldingen nemen we serieus en waarom?

Tegenoverliggende pagina: **Jonathan De Pas, Donato d'Urbino en Paolo Lomazzi, 'Joe Sofa', 1971** Charles Eames zei dat hij wilde dat zijn stoel net zo comfortabel was als een honkbalhandschoen. Met de "Joe Sofa" (genoemd naar Joe DiMaggio) gaat zijn wens in vervulling. Popkunstenaars maakten begrippen, voorwerpen en merken tot kunst, en omgekeerd.

Belangrijke collecties
Andy Warhol Museum, Pittsburgh, Pennsylvania
Fine Arts Museums of San Francisco, San Francisco, California
Museum of Contemporary Art, Chicago, Illinois
Sintra Museu de Arte Moderna, Sintra, Portugal
Tate Modern, Londen
Stedelijk Museum, Amsterdam
Museum Ludwig, Keulen

Belangrijke boeken
L. R. Lippard, *Pop Art* (1988)
J. Katz, *Andy Warhol* (1993)
J. James, *Pop Art* (1996)
M. Livingstone, *David Hockney* (1996)
M. Livingstone and J. Dine, *Jim Dine* (1998)
L. Bolton, *Pop Art* (Lincolnwood, Ill., 2000)

Performancekunst

Tegenwoordig hoeft de jonge kunstenaar niet meer te zeggen dat hij een schilder, dichter of danser is. Hij is eenvoudig een 'kunstenaar'.

ALLAN KAPROW, 1958.

De performance vormde een belangrijk ingrediënt van veel avant-gardistische stromingen en bewegingen in de twintigste eeuw, zoals het *futurisme, de Russische avant-garde (zie *Rayonisme en *Constructivisme), *dada, *surrealisme en *Bauhaus. Tijdens de jaren vijftig trad het performanceaspect van kunst steeds meer op de voorgrond in het werk van kinetische kunstenaars, action painters van het *abstract expressionisme en *art informel, de Japanse Gutai-groep en de *Beat-kunstenaars. In de naoorlogse periode begon de componist John Cage (1912-92) een samenwerkingsverband met David Tudor (1926-96) en choreograaf en danser Merce Cunningham (1919) om performanceprojecten te maken. In 1952 voerden zij het bijzonder originele Theater Event uit in het Black Mountain College in North Carolina. Cage beschrijft de gebeurtenis in An Autobiographical Statement (1990):

> Onvergelijkbare activiteiten – Merce Cunningham danste,
> Robert Rauschenberg exposeerde schilderijen en speelde muziek
> af op een Victrola , M. C. Richards las gedichten van Charles
> Olsen of van haarzelf voor terwijl ze op een ladder hoog boven
> het publiek stond, David Tudor speelde piano en zelf hield ik
> een lezing vol pauzes terwijl ik op een andere ladder ver van het
> publiek stond – vonden allemaal plaats op momenten tijdens
> mijn lezing die niet vooraf waren vastgesteld.

Zelfs in de dada-periode was zoiets nog nooit vertoond en het nieuws over de performance verspreidde zich snel. Alras werden aspecten van de performance, zoals de stormloop op de zintuigen met behulp van de combinatie van media en kunstdisciplines, het ontbreken van een verhaalstructuur en de samenwerking tussen verschillende soorten kunstenaars, belangrijke ingrediënten van de zogenaamde happenings die door veel New Yorkse kunstenaars werden gehouden, zoals onder andere door Allan Kaprow (1927), Red Grooms (1937), Jim Dine (1935) en Claes Oldenburg (1929).

Kaprow was een van de eersten die deze ontwikkeling beschreef. In zijn manifest 'The Legacy of Jackson Pollock' (1958), voert hij de oorsprong van happenings terug tot het 'action painting' van het abstract expressionisme: "De wijze waarop Pollock deze traditie (schilderkunst) bijna vernietigde, kan eventueel worden beschouwd als een terugkeer naar een moment waarop kunst meer verwant was aan rituelen, magie en het leven." Kaprows eigen eerste openbare happening, 18 Happenings in 6 Parts, vond in het volgende jaar in de Reuben Gallery in New York plaats en was een collage van ervaringen voor de performers en de toeschouwers, die ook werden beschouwd als performers.

Het belang van performancekunst groeide in de jaren zestig toen

een veelheid aan verschillende vormen ontstond. Deze varieerden van de 'action spectacles' van de *Nouveaux Réalistes waarin de performance deel uitmaakte van de schepping van het kunstwerk, zoals het beroemde Leap into the Void (1960) van Yves Klein en de 'shooting paintings' van Niki de Saint Phalle, tot de op zich zelf staande happenings die zelf het kunstwerk vormden, en van jazz- en poëzieperformances tot de multimediale samenwerkingsverbanden van een groot aantal kunstenaars, zoals Cage en Cunningham, de *Neo-dada-kunstenaars, de Nouveaux Réalistes, leden van E.A.T.

Boven: **Yves Klein, *Leap into the Void*, 1960** Klein poogde de scheppingsdrift los te koppelen van de wereld van objecten en commercie en gaf dit idee vorm in deze poging om te vliegen. Voor Klein was zijn gepatenteerde kleur, International Klein Blue (IKB), een andere uiting van deze kosmische ambitie.

Tegenoverliggende pagina: **Carolee Schneemann, *Meat Joy*, 1964** Dit stuk dat in Paris en New York werd uitgevoerd, vormde een poging om de tastzin, reuk, smaak en geluid in een kunstwerk te combineren. De lichamen van de acteurs werden bedolven onder het bloed van karkassen en zij voerden handelingen uit met rauwe vis, kipkarkassen en worsten.

(Experiments in Art and Technology), *Fluxus en van het Judson Dance Theater. Ook een groot aantal *minimalistische en *conceptuele kunstenaars hielden zich bezig met performancekunst.

Performances werden snel populair. Het gevoel van vrijheid voor de kunstenaar en de toeschouwers was aanstekelijk. Kaprow zei 'We voelden de vrijheid om de werkelijke wereld op een rare manier te reconstrueren' en danscriticus Jill Johnston herinnerde zich het volgende:

> Iedereen kan het. Tijdens de jaren zestig verspreidde dit idee zich als een lopend vuurtje door de kunstwereld […]. Kunstenaars maakten dansvoorstellingen. Dansers componeerden muziek. Componisten schreven gedichten. Dichters creëerden gebeurtenissen. Allemaal verschillende mensen traden op in deze gebeurtenissen, waaronder critici, vrouwen en kinderen.

Soms werden verschillende performances samengebracht in festivals. Een voorbeeld was de performance New York Theater Rally van danser Steve Paxton en curator Alan Solomon die in New York in 1965 werd uitgevoerd. Het was een interdisciplinaire gebeurtenis van 22 performances in zeven programma's waaronder Happening Washes (1965) van Oldenburg, de installatie Shower (1965) van Robert Whitman (1935), Site (1964, zie *Minimalisme) van Robert Morris en twee performances door Rauschenberg (zie *Neodada en *Combines), genaamd Pelican (1963) met Cunningham-danser Carolyn Brown en Fluxus-kunstenaar Per Olof Ultvedt (1927) en ten slotte Spring Training (1965) met de dansers Trisha Brown, Barbara Lloyd, Viola Farber, Deborah Hay, Paxton, Rauschenbergs zoon Christopher en, hoe onwaarschijnlijk het ook moge zijn: schildpadden met zaklantaarns op hun rug. Omdat Rauschenberg in zijn performances een nevenschikking van aspecten en mozaïeken van beelden en geluiden toonde, beschouwden critici deze als levende collages of als 'live' varianten van zijn combines. Hiermee wordt een welkom verband gelegd tussen performancekunst en de geest van veel driedimensionale kunst uit deze periode. Uit vrees dat iemand kunsthistorische tradities aan de nieuwe kunstvorm zou opleggen schreef Rauschenberg in 1966 een soort van manifest:

> Wij noemen onze kunstvorm bastaardtheater om de verwantschap met het traditionele theater (klassiek en hedendaags) op de juiste wijze weer te geven. Onze invloeden zijn twijfelachtig en onze afkomst is onzuiver. Onze onechte esthetiek biedt ons maximale vrijheid en flexibiliteit in ons werk. Onze grilligheid komt naar voren in een constante weigering om toe te geven aan een vastomlijnde betekenis, een methode of een medium. Wij hebben geen achternaam en dat behaagt ons.

De multidisciplinaire, hybride gebeurtenissen van deze periode waren gebaseerd op stromingen binnen en buiten de theaterwereld, en binnen en buiten de kunsttradities. Deze experimenteerdrift en kruisbestuiving tussen theater, dans, film, video en visuele kunst was essentieel voor de ontwikkeling van performancekunst. Dankzij performances, die ook wel Actions, Live Art of Direct Art werden genoemd, konden kunstenaars de grenzen tussen media en disciplines, en tussen kunst en leven wegnemen.

Als kunstvorm groeide het belang van performancekunst verder tijdens het einde van de jaren zestig en de jaren zeventig, vaak in de hoedanigheid van *body-art. Sindsdien hebben performance-kunstenaars zich niet alleen beziggehouden met onderwerpen die in de kunstwereld aan de orde waren, maar ook werk gemaakt dat rechtstreeks verwijst naar de belangrijke sociaal-politieke onderwerpen van tegenwoordig. Seksisme, racisme, oorlogen, homohaat, AIDS en een grote verscheidenheid aan culturele en sociale taboes zijn – en worden nog steeds - op geheel nieuwe en vaak schokkende manieren aangeroerd door performancekunstenaars. Belangrijke werken zijn onder andere gemaakt door Vito Acconci en Carolee Schneemann (zie ook *Body-art), de Weense kunstenaars van Aktionismus, Rebecca Horn (1944), Jacki Apple (1942), Martha Wilson (1947), Eleanor Antin (1935), Adrian Piper (1948), Yayoi Kusama (1940), Karen Finley (1956), Diamanda Galas (1952) en Ron Athey (1961).

Dat veel performancestukken sensationeel en aangrijpend waren voor het publiek, wordt benadrukt door de kroniekschrijver van performancekunst, Rose Lee Goldberg uit de VS, die het volgende vertelde: "Performancekunstenaars hebben ons dingen getoond die we

niet meer zullen meemaken, en soms dingen die we liever helemaal niet hadden gezien."

Humor en satire zijn ook vanaf het begin belangrijke ingrediënten van performancekunst geweest en in de jaren zestig werd in veel gebeurtenissen de spot gedreven met de pretentieuze kunstwereld, bijvoorbeeld in het werk van de Canadese groep General Idea (A. A. Bronson, Felix Partz en Jorge Zontal) en van de in London woonachtige Schotse kunstenaar Bruce McLean (1944). In 1972 vormden McLean, Paul Richards, Gary Chitty en Robin Fletcher de groep Nice Style, The World's First Pose Band en publiceerden zij een boek met de beste poseerstukken zoals Waiter, Waiter There's a Sculpture in my Soup, Piece of He Who Laughs Last Makes the Best Sculpture.

Autobiografische onderwerpen, zoals het individuele en het collectieve geheugen en de individuele en de collectieve identiteit, konden in performances grondiger worden verkend dan in andere vormen. Het onderhoudende, verhalende aspect van deze performances, variërend van de monologen van Spalding Gray (1941) en cabaretachtige performancestukken van Bogosian (1953) tot de multimediaspektakels van Laurie Andersons (1947), bood een schril contrast met de esoterische, cerebrale aard van veel minimalistische of conceptuele performances. In de jaren tachtig werd performancekunst vooral dankzij kunstenaars als Anderson steeds toegankelijker. Haar samensmelting van hogere kunsten en populaire cultuur bracht performancekunst in contact met een groot, internationaal publiek.

Performancekunst was uit een groot aantal bronnen voortgekomen – kunst, variété, vaudeville, dans, theater, rock 'n' roll, musicals, film, circus, cabaret, clubcultuur, politiek activisme, enzovoort – en in de jaren zeventig ontwikkelde de stroming zich tot een gevestigd genre met een eigen geschiedenis. Daardoor begon performancekunst zelf invloed uit te oefenen op ontwikkelingen in theater, film, muziek, dans en opera. Vooral de grote theaterproducties aan het eind van de jaren zeventig en tachtig van auteurs als Robert Longo (1953), Robert Wilson (1941) en Jan Fabre (1958) hebben hun sporen nagelaten. Een voorbeeld is het beroemde Einstein on the Beach (1976) van Wilson: een vijf uur durende multidisciplinaire productie waaraan een aantal verschillende performancekunstenaars zoals Philip Glass en Lucinda Childs hebben meegewerkt.

De ondefinieerbare aard van performancekunst is zijn kracht. Een oudgediende in de performancekunst, Joan Jonas (1936), vertelde het volgende in een interview in 1995:

Wat me tot performancekunst dreef was de mogelijkheid om geluid, beweging, beeld en allerlei verschillende onderdelen te vermengen tot een complexe uiting. Ik was niet goed in het maken van één, afzonderlijke kunstuiting, zoals een beeld.

Dat verklaart waarom performancekunst voor veel kunstenaars het meest aantrekkelijke medium was. In de werken van John-Paul Zaccarini (1970), zoals Throat (1999-2001), worden veel oudere stijlen van performancekunst samengebracht. Zaccarini citeert een groot aantal kunstvormen – circus, dans, gesproken werk, tekst, geluid, clownsspel en film – en neemt autobiografische onderdelen, sociale commentaren en humor in zijn werk op.

Boven: **Laurie Anderson, *Wired for Light and Sound*, uit *Home of the Brave*, New York, 1986** De kunstenaar had een speciale gloeilamp met microfoon gemaakt. Wanneer zij deze in haar mond plaatste, werden haar wangen verlicht en kon zij zanggeluiden voortbrengen die leken op vioolklanken.

Tegenoverliggende pagina: **Yayoi Kusama, naakthappening en vlagverbranding tegen de oorlog op Brooklyn Bridge, 1968** Kusama koos belangrijke locaties in New York City voor haar performances, waaronder Central Park en Wall Street. Zij wilde dat deze locaties werden verbonden met het sentiment tegen de oorlog en het establishment. De performers zijn hier door Kusama voorzien van stippen.

Belangrijke collecties
Dia Center for the Arts, Beacon, New York
New Museum of Contemporary Art, New York
Tate Modern, Londen
The Sherman Galleries, Sydney, Australië
Stichting De Appel, Amsterdam

Belangrijke boeken
R. Kostelanetz, *The Theatre of Mixed Means* (1968)
S. Banes, *Greenwich Village 1963: Avant-Garde Performance and the Effervescent Body* (1993)
R. Goldberg, *Performance: Live Art since 1960* (1998)
—, *Performance Art: From Futurism to the Present* (2001)

GRAV

Kunstwerken zijn als picknickplaatsen of Spaanse herbergen, waar je consumeert wat je zelf meebrengt.

FRANÇOIS MORELLET

Veel kunstenaars in de jaren zestig van de twintigste eeuw verkenden specifieke aspecten van de schilderkunst en beeldbouwkunst, zoals optische illusies, beweging en licht. In die tijd werden dergelijke groepen kunstenaars gezamenlijk aangeduid als "la Nouvelle Tendance" (de Nieuwe Trend). Een van de groepen die in deze categorie vielen, was de Groupe de Recherche d'Art Visuel (Groep voor Onderzoek in Visuele Kunst), afgekort tot GRAV, die in 1960 in Parijs werd opgericht en formeel in 1968 werd ontbonden.

GRAV was een collectief waarbij kunstenaars van verschillende nationaliteiten waren aangesloten. Het manifest werd aanvankelijk door elf kunstenaars ondertekend. Onder hen bevonden zich de Fransen François Morellet (1926), Joel Stein (1926) en Jean-Pierre Vasarely (zoon van Victor Vasarely, zie *Op-art), alias Yvaral (1934), de Argentijnen Horacio García-Rossi (1929) en Julio Le Parc (1928), en de Spanjaard Francisco Sobrino (1932). In het jaar na de oprichting van de groep publiceerden de leden "Assez de Mystifications!" (Genoeg misleiding!) waarin zij een toelichting gaven op hun pogingen om het "menselijk oog" vast te houden en het aan traditionele kunst inherente elitarisme aan de kaak te stellen. Net als veel kunstenaars van hun generatie verwierpen zij de angst, het egoïsme en de genotzucht die samenhing met de expressieve abstractie van de *art-informelschilders en de *abstract-expressionistische schilders en waren zij vastbesloten om te breken met de elitaire traditie die kunst als speciaal en heilig beschouwde. Hun doel was om het publiek te betrekken in het artistieke proces. Uitgaande van de overtuiging dat kunst en wetenschap, die allesbehalve lijnrecht tegenovergesteld aan elkaar zouden zijn, met elkaar konden worden verenigd, gebruikten de GRAV-kunstenaars zowel artistieke strategieën als technologische methoden om dynamische, democratische werken te vervaardigen waarvan zij geloofden dat die uiteindelijk tot een betere wereld zouden leiden. Om te beoordelen of hun werk geschikt en relevant was voor de doelstellingen van de groep als geheel, legden de leden hun werk aan de andere groepsleden voor.

GRAV-werk heeft overeenkomsten met *op-art en *kinetische kunst. Victor Vasarely (1908-97), de Hongaars-Franse vader van op-art, was een inspirerende figuur. Morellet lijkt zelfs in een groot deel van zijn werk Vasarely's geometrische abstracties een derde dimensie te geven. Een van de inventiefste en succesvolste GRAV-kunstenaars was de in Parijs woonachtige Argentijnse kunstenaar Julio Le Parc, die de beschouwer wilde desoriënteren en uit zijn apathie wilde halen. Zijn werk *Continual Mobile, Continual Light* (1963), waarin hangende spiegels door ventilatoren worden bewogen en door bewegende lampen worden verlicht, verkent de effecten die beweging, licht, illusie en toeval op de waarneming van de beschouwer hebben. Bij andere werken van Le Parc wordt de beschouwer rechtstreeks bij het werk betrokken doordat hij apparatuur moet inschakelen of een vervormende bril moet opzetten. Op de Biënnale in Venetië van 1966 werd aan Le Parc de Grand Prize voor schilderkunst toegekend voor zijn vele experimenten en vruchtbare verbeelding.

Het optimisme van de GRAV-kunstenaars en hun geloof in het huwelijk van kunst en techniek verbinden hen met twee contemporaine groepen kunstenaars: de groep Zero in Duitsland en E.A.T. (Experiments in Art and Technology) in de Verenigde Staten. Zero werd in 1957 in Düsseldorf opgericht door de kunstenaars Otto Piene (1928) en Heinz Mack (1931). Zij waren voornamelijk geïnteresseerd in de mogelijkheden van licht en beweging, zoals in Pienes *Light Ballet*, dat in 1961 in verschillende Europese musea te zien was. E.A.T. werd in 1966 in New York opgericht door Robert Rauschenberg (1925, zie *Neodada en *Combines) en de technici Billy Klüver en Fred Waldhauer. Aan hun gezamenlijke performances, die internationaal werden uitgevoerd, deden kunstenaars, dansers, componisten en wetenschappers mee; samen maakten zij werken die niet uitsluitend binnen het gebied van kunst, wetenschap of het bedrijfsleven vielen, maar een resultaat waren van de interactie tussen die drie gebieden.

Tegenoverliggende pagina: **Julio Le Parc, *Lunettes pour une vision autre*, 1965**
Le Parc ontwierp zijn werk vaak met de deelname van de beschouwer in gedachten. Hier moesten de beschouwers diverse soorten brillen opzetten die speciale effecten creëerden. Net als andere GRAV-kunstenaars verkende hij de kracht van optische illusies om de manier waarop wij de wereld zien – letterlijk – te veranderen.

Belangrijke collecties
Albright-Knox Art Gallery, Buffalo, New York
Groninger Museum, Groningen
Museo de Arte Moderno, Bogotá, Colombia
Sintra Museu de Arte Moderna, Sintra
Tate Modern, Londen

Belangrijke boeken
J. Le Parc, *Continual Mobile, Continual Light* (1963)
J. Van der Marck, *François Morellet: Systems* (Buffalo, NY, 1984)
S. Lemoine, *François Morellet* (Zurich, 1986)
P. Wilson, *The Sixties* (1997)

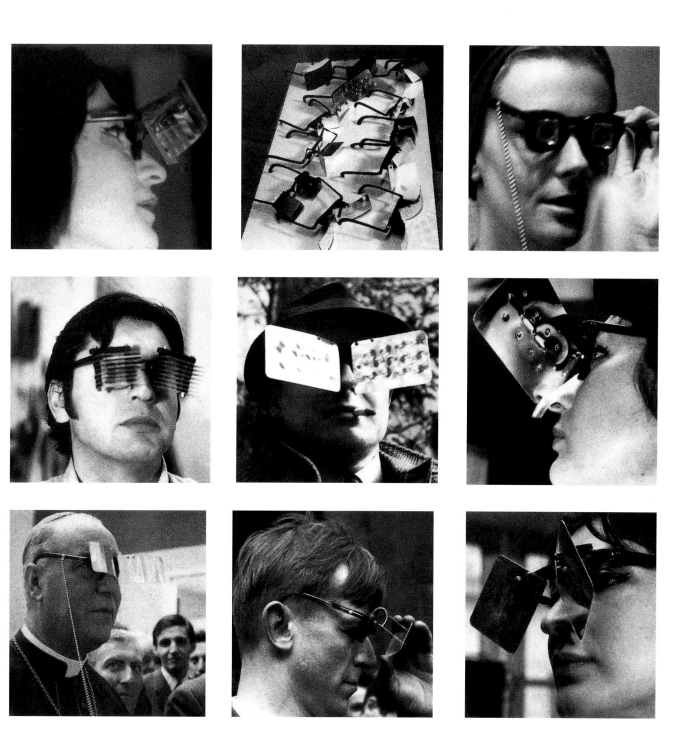

Fluxus

Fluxus is wat Fluxus doet, maar niemand weet wie het heeft gedaan.

Of ze nu de vorm hebben van *performancekunst, postkunst, *assemblages, spelletjes, concerten of publicaties, het basisidee achter Fluxus-activiteiten is dat het leven zelf als kunst kan worden ervaren. De term Fluxus werd in 1961 bedacht door George Maciunas (1931-78) om het steeds veranderende karakter van de groep te benadrukken en om verbanden aan te brengen tussen de uiteenlopende activiteiten, media, disciplines, nationaliteiten, geslachten, benaderingen en beroepen waarvan binnen de groep sprake was. Voor Maciunas was Fluxus "een samensmelting van Spike Jones, vaudeville, gag, kinderspelletjes en Duchamp". Bij het merendeel van het werk van deze informele, internationale groep speelde samenwerking een rol, hetzij met andere kunstenaars, hetzij met de beschouwer, en Fluxus ontwikkelde zich in korte tijd tot een steeds groter wordende gemeenschap van kunstenaars in verschillende disciplines en met

verschillende nationaliteiten die met elkaar samenwerkten. Zoals George Brecht (1925) het uitlegde: "Voor mij was Fluxus een groep mensen die met elkaar overweg konden en die geïnteresseerd waren in elkaars werk en persoon." De groep bestond onder anderen uit Maciunas, Brecht, Robert Filiou (1926-87), Dick Higgins (1938-98), Alison Knowles (1933), Yoko Ono (1933), Nam June Paik (1932), Dieter Roth (1930-98), Daniel Spoerri (1930), Ben Vautier (1935; alias Ben), Wolf Vostell (1932-98), Robert Watts (1923-88), Emmett Williams (1925) en La Monte Young (1935).

Men kan Fluxus zien zoals haar eigen leden haar zagen, namelijk als een tak van de *neodadabeweging van de jaren vijftig en zestig van de twintigste eeuw, die verwant was met *lettrisme, *beat-art, *funk-art, *nouveau réalisme en de *Situationist International. Net als hun tijdgenoten streefden Fluxus-kunstenaars naar een nauwere integratie

als "niets anders dan een verlenging van één gedenkwaardige gebeurtenis in Darmstadt in 1958".

Fluxus-werk varieerde van het absurde en het gewone tot het gewelddadige en omvatte vaak elementen van sociaal-politieke kritiek, met het doel om de pretenties van de kunstwereld te bespotten en om de beschouwer en de kunstenaar macht te geven. Fluxus-werk had een hoog 'doe-het-zelf'-gehalte en bestond grotendeels in de vorm van schriftelijke instructies die door anderen moesten worden uitgevoerd. In de jaren zestig en zeventig waren er tal van Fluxus-festivals, -concerten en -tours, Fluxus-kranten, -bloemlezingen, -films, -levensmiddelen, -spelletjes, -winkels, -tentoonstellingen en zelfs Flux-echtscheidingen en Flux-bruiloften. Zoals Higgins op een rubberstempel uitlegde: "Fluxus is: een manier van doen, een traditie, en een manier van leven en doodgaan." Zoals Cage elk geluid muziek liet worden, liet Fluxus alles voor kunst gebruiken. In een manifest uit 1965 stelde Maciunas hetzelfde, namelijk dat de kunstenaar de taak had om "aan te tonen dat alles kunst kan zijn en dat iedereen het kan maken".

Veel Fluxus-doelstellingen werden verwezenlijkt door de collagekunstenaar en vader van de postkunst Ray Johnson (1927-95). In de jaren vijftig begon hij brieven en tekeningen te sturen naar kunstenaars en beroemdheden die hij bewonderde, hetzij als cadeau, hetzij met de instructies "aanvullen en retourneren aan Ray Johnson". In 1962 had het netwerk zich inmiddels ontwikkeld tot de New York Correspondance [sic] School (NYCS), waarvan de naam naar zelfstudiekunst en danscursussen verwees. Met zijn vrijelijk gedistribueerde kunstwerken die alleen konden worden ontvangen en niet konden worden gekocht of verkocht, creëerde Johnson buiten de kunstmarkt een internationaal netwerk van verzamelaars en medewerkers. Hoewel Fluxus en postkunst hun hoogtepunt in de jaren zestig en zeventig beleefden, ontwikkelen beide zich vandaag de dag nog steeds en kunnen hun beoefenaars profiteren van nieuwe technologieën, zoals internet.

van kunst en leven en een democratischer benadering van het creëren, ontvangen en verzamelen van kunst. Het waren anarchistische activisten (net als de *futuristen en *dadaïsten voor hen waren geweest) en utopische radicalen (zoals de Russische *constructivisten). Een directere invloed hadden de bloemlezing van Robert Motherwell, *The Dada Painters and Poets* (1951), en de experimentele componist John Cage (1912-92, zie *Neodada en *Performancekunst). Veel van de bij Fluxus behorende Amerikaanse componisten en beeldend kunstenaars kenden Cage persoonlijk of hadden bij hem gestudeerd aan het Black Mountain College of de New School for Social Research in New York. Higgins vertelde later over deze lessen: "Het beste van de klassen van Cage was dat hij het gevoel gaf dat 'alles kon', in principe tenminste (...)."

Cage kreeg internationaal invloed door zijn Europese tour tussen 1958 en 1959, gedurende welke hij een 'concert' van vragen gaf. Voor de latere nouveau réalisme- en Fluxus-kunstenaar Spoerri bleek deze tour uiterst inspirerend. Het was "de eerste performance die ik zag die volledig anders was", zei hij. "Het veranderde mijn leven." Fluxus- en *videokunstenaar Paik ging zelfs zo ver om zijn carrière te beschrijven

Boven: **Yoko Ono, *A Grapefruit in the World of Park...*, 24 November 1961** Ono staat achter de poster waarmee reclame wordt gemaakt voor haar optreden in de Carnegie Hall in New York. Daar voerde ze werk uit voor "Strawberries and violin", waarin zowel tekst als geluid voortkwam.

Tegenoverliggende pagina: **George Maciunas, Dick Higgins, Wolf Vostell, Benjamin Patterson en Emmet Williams geven uitvoering aan Philip Corners *Piano Activities* op de Fluxus Internationale Festspiele Neuester Musik in Wiesbaden in september 1962** Het eerste Fluxusfestival vond plaats in Wiesbaden, waar Maciunas als ontwerper voor de Amerikaanse luchtmachtbasis werkte.

Belangrijke collecties
Hamburger Kunsthalle, Hamburg
Queensland Art Gallery, South Brisbane, Australië
Tate Modern, Londen
Whitney Museum of American Art, New York
Centraal Museum, Utrecht
Stedelijk Van Abbemuseum, Eindhoven

Belangrijke boeken
J. Hendricks, *Fluxus Codex* (1988)
E. Williams, *My Life in Flux- and Vice Versa* (1992)
E. Armstrong and J. Rothfuss, *In the Spirit of Fluxus* (tent. cat. Walker Art Center, Minneapolis, 1993)
E. Williams and A. Noël, *Mr. Fluxus: A Collective Portrait of George Maciunas 1931–1978* (1997)

Op-art

Het is belangrijker om de aanwezigheid van een kunstwerk te ervaren dan om het te begrijpen.

VICTOR VASARELY

Hoewel alle kunst in zekere mate afhankelijk is van optische illusies, worden bij op-art specifiek optische fenomenen toegepast om de normale waarnemingsprocessen in verwarring te brengen. Op-artschilderijen, die bestaan uit nauwkeurige, geometrische zwart-witpatronen of rangschikkingen van schrille kleuren, trillen, verblinden en flikkeren en creëren zo moiré effecten, illusies van beweging of nabeelden.

Halverwege de jaren zestig van de twintigste eeuw kondigde de modebewuste kunstwereld van New York al het einde van *pop-art aan en werd er gezocht naar een vervanging daarvan. In 1965 bracht de tentoonstelling "The Responsive Eye" in het Museum of Modern Art in New York, waarvoor William C. Seitz (zie ook *Assemblage) de curator was, het antwoord. Hoewel op de tentoonstelling werk van beoefenaars van *post-painterly abstraction, *GRAV-kunstenaars en beoefenaars van *concrete kunst te zien was, was het het werk van degenen die Seitz "perceptueel abstractionisten" noemde, dat ieders aandacht trok. Voor de Amerikanen Richard Anuszkiewicz (1930) en Larry Poons (1937), de Brit Michael Kidner (1917) en Bridget Riley (1931) en de Hongaars-Franse kunstenaar Victor Vasarely (1908-97) was dit het begin van grote belangstelling van de kant van de media.

Vóór de opening van de tentoonstelling werd hun werk "op-art" genoemd, een afkorting van "optical art" (optische kunst, met een duidelijke verwijzing naar pop-art). Deze benaming was niet afkomstig van de kunstenaars of van critici, maar van de media. De naam verscheen voor het eerst in een niet-ondertekend artikel voor het tijdschrift *Time* in oktober 1964 en werd tegen de tijd dat de tentoonstelling in 1965 plaatsvond, algemeen gebruikt. De stijl sprak al snel tot de verbeelding van het publiek (zo verschenen bezoekers van de voorvertoning van "The Responsive Eye" in op op-art geïnspireerde kleding) en de nieuwe stijl verspreidde zich naar mode, interieurontwerp en grafische vormgeving. Net als bij pop-art het geval was, maakte deze onmiddellijke populariteit de stijl niet geliefd bij de critici, met name in de Verenigde Staten, waar de aanhangers van het *abstract expressionisme, het *minimalisme en *post-painterly abstraction op-art als een gimmick afdeden. De kunstenaars zelf hadden gemengde gevoelens over de populariteit van hun werk. Bridget Riley, wier werk enthousiast door het publiek werd ontvangen, heeft eens gedreigd een producent van "Riley"-jurken een proces aan te doen. Ze heeft ook openlijk verklaard dat het "commercialisme, opportunisme en de hysterische sensatiezucht" verantwoordelijk waren voor de vervreemding van de kunstwereld. Rileys opvallende gebruik van geometrische zwart-witvormen hebben een ritmisch en vervormend effect. In haar latere werken gebruikte zij in plaats van zwart en wit contrasterende kleuren en kleur-schakeringen.

Hoewel optische kunst als geheel nieuw werd gezien, had de stijl wel degelijk zijn voorlopers, met name in Europa, waar Op-art een serieuzere behandeling van de critici kreeg. Optische kunst vindt zijn oorsprong in de traditionele techniek van trompe-l'oeil. Twintigste-eeuwse kunstenaars die met het *Bauhaus, *dada, *constructivisme, *orfisme, *futurisme en *neo-impressionisme worden geassocieerd, waren ook al geïnteresseerd in optische waarneming en illusie. De dadaïsten Marcel Duchamp en Man Ray hadden al in 1920 optische illusies verkend in hun *Rotary Glass Plates (Precision Optics)*. Ook László Moholy-Nagy (zie *Kinetische kunst en *Bauhaus) en Josef Albers (zie *Bauhaus) hadden de visuele effecten bestudeerd die werden verkregen door de relaties van licht, ruimte, beweging,

Boven: **Bridget Riley, *Pause*, 1964**
Hoewel de mode-industrie Rileys vroege zwart-witschilderijen in één klap chic maakten (enigszins tegen de zin van de kunstenares in), hadden ze een allesbehalve geruststellend effect; zij geven juist een dreigend, subversief gevoel van verwarring en desoriëntatie.

Tegenoverliggende pagina: **Victor Vasarely, *Vega-Gyongiy-2*, 1971**
Vasarely was van mening dat het niet zozeer van belang was of de beschouwer zijn werk begreep; belangrijker was het fysieke effect dat zijn werk op de beschouwer had. Voor zijn schilderijen, die zijn gebaseerd op een multidimensionale illusie, bedacht hij de term "cinetische kunst", wat virtuele in plaats van daadwerkelijke beweging uitdrukt.

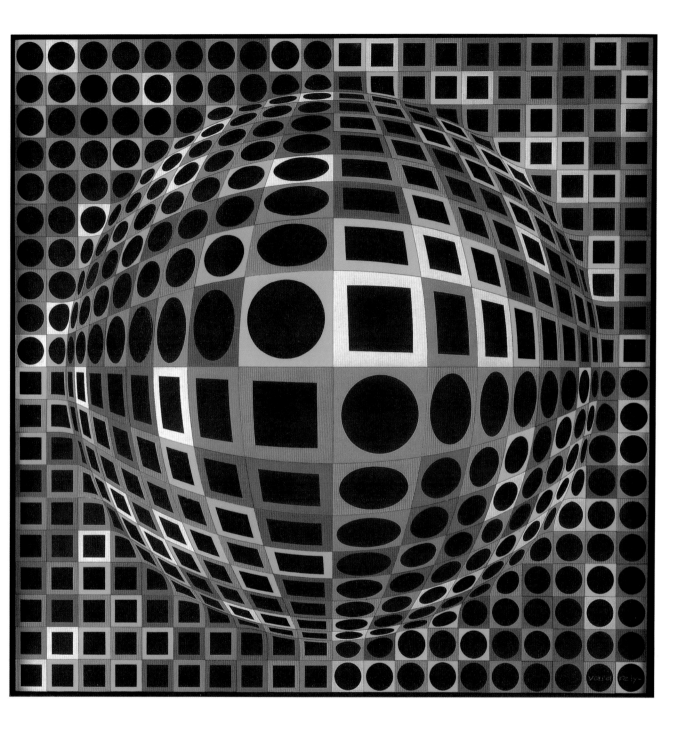

perspectief en kleur, en hun werk was in Europa en de Verenigde Staten alom bekend.

Voor Victor Vasarely, de invloedrijkste op-artbeoefenaar, was de illusie van beweging altijd zijn centrale thema. Vasarely studeerde in 1929 in Boedapest bij de *Hongaarse activist Sándor Bortnyik en, net als de andere Hongaarse activisten en GRAV-kunstenaars die hij later inspireerde, streefde hij ernaar om een kunst uit te vinden die open, collectief en utopisch zou zijn. Hij wilde ontwerpen maken die door anderen of door machines konden worden uitgevoerd en die in de architectuur en stedenbouw konden worden geïntegreerd. Zijn uiteindelijke doel was om een nieuwe maatschappij te vormen, de

"nieuwe stad: geometrisch, zonnig en vol kleuren". Hij was van mening dat zijn "Planetary Folklore"-serie aan dit doel bijdroeg door de toepassing ervan in de architectuur en stedenbouw. In de jaren vijftig werden Vasarely en andere Europese op-artbeoefenaars in Parijs gesteund door de Galerie Denise René; een aantal van hun werken werd opgenomen in "Le Mouvement", een inmiddels historische tentoonstelling die in 1955 werd gehouden.

Bij op-art is de deelname van de kijker nodig om het werk 'af te maken'. In dit opzicht zijn op-artwerken 'virtuele' werken die de kijker ertoe aanzetten om niet alleen over de waarnemings- en denkprocessen na te denken, maar ook over het bedrieglijke karakter van de realiteit. Deze thema's verbinden op-art met een aantal gelijktijdige bewegingen, zoals *Fluxus, *superrealisme en *GRAV, alsook met de gestalttheorieën in de psychologie (het geheel wordt als groter waargenomen dan de som der delen) en nieuwe ontdekkingen in de psychologie en de fysiologie van de waarneming. De illusie van beweging of metamorfose die inherent is aan op-art is ook een belangrijk kenmerk van kinetische kunst.

Hoewel op-art snel uit de mode raakte, werden de beelden en technieken van op-art in de jaren tachtig van de twintigste eeuw opnieuw toegepast door een nieuwe generatie kunstenaars, zoals de Amerikaan Philip Taaffe (1955) en de Nederlander Peter Schuyff (1958). Deze hernieuwde belangstelling leidde ook tot een herwaardering van het werk van overtuigde op-artbeoefenaars zoals Riley, de Amerikaan Julian Stanczak (1928) en de Brit Patrick Hughes (1939), die sinds 1964 driedimensionale reliëfschilderijen heeft gemaakt.

Belangrijke collecties
Dia Center for the Arts, Beacon, New York
Fondation Vasarely, Aix-en-Provence
Henie Onstad Art Center, Høvikodden, Noorwegen
Museum of Modern Art, New York
Tate Modern, Londen

Belangrijke boeken
K. Moffett, *Larry Poons* (tent. cat. Museum of Fine Arts, Boston, 1981)
M. Kidner, *Michael Kidner* (1984)
V. Vasarely, *Vasarely* (1994)
B. Riley, *Bridget Riley* (2000)

Post-painterly abstraction

Wat je ziet, is wat je ziet.

FRANK STELLA, 1966

De term "post-painterly abstraction" werd in 1964 door de invloedrijke Amerikaanse criticus Clement Greenberg (1909-94) bedacht voor een tentoonstelling die in het Los Angeles County Museum of Art werd gehouden en waarvoor hij de curator was. Zijn term omvatte andere individuele stijlen, zoals *hard edge*, voor het werk van Al Held (1928), Ellsworth Kelly (1923), Frank Stella (1936) en Jack Youngerman (1926), *stain painting*, voor het werk van onder anderen Helen Frankenthaler (1928), Joan Mitchell (1926-92) en Jules Olitski (1922); *Washington Color Painters*, zoals Gene Davis (1920-85), Morris Louis (1912-62) en Kenneth Noland (1924), *systemic painting*, voor het werk van Josef Albers (1888-1976), Ad Reinhardt (1913-67), Stella en Youngerman; en *minimal painting*, voor het werk van Robert Mangold (1937), Agnes Martin (1912), Brice Marden (1938) en Robert Ryman (1930).

Al deze verschillende, Amerikaanse, abstracte schilderstijlen kwamen aan het eind van de jaren vijftig en het begin van de jaren zestig van de twintigste eeuw voort uit het *abstract expressionisme en zetten zich daar in sommige opzichten tegen af. In het algemeen meden de nieuwe abstracte kunstenaars de openlijke emotionaliteit van het abstract expressionisme en verwierpen zij de expressieve, dynamische penseelstreken en voelbare oppervlakken van action-painting ten gunste van koelere, anoniemere werkwijzen. Hoewel zij bepaalde visuele kenmerken en schildertechnieken gemeen hadden met de abstract-expressionisten Barnett Newman en Mark Rothko, deelden zij niet in de transcendentale opvattingen die de oudere kunstenaars over kunst hadden. In plaats daarvan benadrukten zij veelal het schilderen als object in plaats van illusie. *Shaped canvases*,

doeken waaraan een specifieke vorm is gegeven, benadrukten de eenheid tussen het geschilderde beeld en de vorm en de grootte van het doek. Onder invloed van Reinhardts opvatting "art for art's sake", verwierpen zij de sociale, utopische aspiraties van *concrete kunstenaars, van wie het werk soms op hun eigen werk lijkt.

Stella's *Black Stripe*-schilderijen werden in 1959 geëxposeerd in het

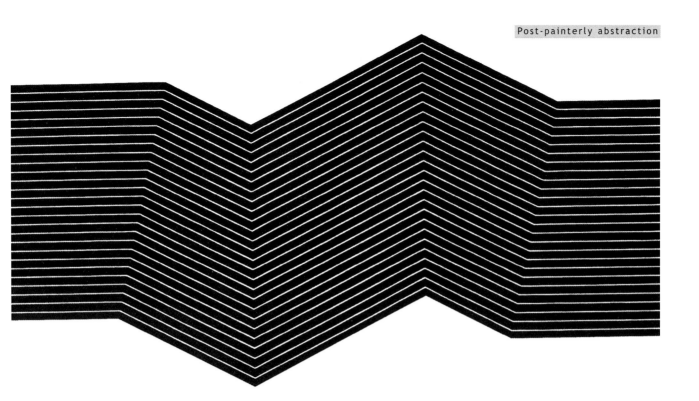

Museum of Modern Art in New York. De directheid van zijn beelden gaf duidelijk aan dat zij geschilderde objecten en geen *existentiële ervaringen of media voor sociaal commentaar waren. Volgens sommige critici was Stella een "pedante kwast" of een "minderjarige delinquent"; zijn verwerping van de gekoesterde romantische, vloeiende eigenschappen van het abstract expressionisme was "een klap in het gezicht". Voor anderen – met name kunstenaars – bood hij echter een uitweg uit de impasse van het abstract expressionisme.

Voor Greenberg, de openhartigste voorvechter van post-painterly abstraction, was de ontwikkeling van moderne kunst van *kubisme via abstract expressionisme tot post-painterly abstraction een kwestie van puristische reductie. Hij was van mening dat elke kunstvorm zich zou moeten beperken tot de eigenschappen die voor die kunstvorm zelf essentieel waren; de schilderkunst, een visuele kunst, zou zich daarom moeten beperken tot visuele of optische ervaringen en elke associatie met beeldbouwkunst, architectuur, theater, muziek of literatuur moeten vermijden. Werken van post-painterly abstraction die hun formele eigenschappen benadrukten - waarin gebruik werd gemaakt van de zuiver optische eigenschappen van pigment en waarin de vorm van het doek en de platheid van het beeldvlak werden

benadrukt - vertegenwoordigden voor Greenberg de superieure kunstvorm van de jaren zestig. Hij deed andere stijlen uit diezelfde tijd, zoals *pop-art en *minimalisme, af als "nieuwigheidskunst", hoewel de kunstenaars die in die drie stijlen werkten allen een objectieve, anti-expressionistische houding hadden en een wantrouwen koesterden jegens wat Jasper Johns (zie *Neodada) de "stank van de ego's van kunstenaars" noemde.

Greenberg bleek aanzienlijke invloed te hebben en post-painterly abstraction domineerde op museumtentoonstellingen in de jaren zestig en zeventig. Het verzet kwam in de jaren zeventig, na de opkomst van verschillende stijlvarianten van het *postmodernisme, toen het Greenbergiaanse modernisme zowel door kunstenaars als door critici werd bekritiseerd. Zoals de criticus Kim Levin in het artikel "Farewell to Modernism" (Arts Magazine, 1979) schreef: "De voornaamste stroming kabbelde voort, zichzelf minimaliserend en conceptualiserend tot zij in de vergetelheid raakte, maar uiteindelijk raakten we verveeld door al die puurheid."

Boven: **Frank Stella,** *Nunca Pasa Nada,* **1964**
In de *Black Stripe*-schilderijen - omvangrijke doeken met strepen die uit de vrije hand over een nauwkeurige, geometrische tekening waren geschilderd en waartussen het ruwe doek te zien is - worden aspecten van dynamische en geometrische abstractie gecombineerd en lijkt met beide vormen van abstractie de spot te worden gedreven, waarbij de ene vorm wordt gezuiverd en de andere wordt bezoedeld.

Tegenoverliggende pagina: **Kenneth Noland,** *First,* **1958**
Noland gaf er de voorkeur aan duidelijk begrensde contouren, eenvoudige motieven en pure kleuren te gebruiken (vaak in acrylverf in plaats van olieverf). Mede door de speciale techniek die hij gebruikte om het nog niet geprepareerde doek te verven, was de hand van de kunstenaar niet waarneembaar en waren alle voelbare kenmerken van het oppervlak verdwenen.

Belangrijke collecties
Kemper Museum of Contemporary Art, Kansas City, Missouri
Museum of Contemporary Art, San Diego, California
National Museum of American Art, Washington, D.C.
Portland Art Museum, Portland, Oregon
Tate Modern, Londen
Stedelijk Museum, Amsterdam

Belangrijke boeken
W. Rubin, *Frank Stella: Paintings from 1958 to 1965* (1986)
K. Wilkin, *Kenneth Noland* (1990)
R. Armstrong, *Al Held* (1991)
B. Haskell, *Agnes Martin* (1992)
W. Seitz, *Art in the Age of Aquarius* (1992)
D. Waldman, *Ellsworth Kelly: A Retrospective* (1996)

1965-heden

Na de avant-gardisten

Keith Haring tekenend in de ondergrondse van New York, 1982

Minimalisme

Het voornaamste probleem van schilderen is dat het een rechthoekig vlak is dat plat tegen de muur is geplaatst.

DONALD JUDD, 1965

Het minimalisme kwam tussen 1963 en 1965 onder de aandacht van de kunstwereld van New York, na solotentoonstellingen van werk van Donald Judd (1928-94), Robert Morris (1931), Dan Flavin (1933-96) en Carl Andre (1935). Hoewel het minimalisme geen georganiseerde groep of beweging was, was het een van de vele benamingen (naast onder andere "Primary Structures", "Unitary Objects", "ABC Art" en "Cool Art") die door critici werden gebezigd om de schijnbaar simpele geometrische constructies te beschrijven die deze kunstenaars en anderen voortbrachten. De kunstenaars zelf waren niet gecharmeerd van de benaming, omdat deze de negatieve implicatie had dat hun werk simplistisch was en geen 'kunstinhoud' had.

Minimalistische kunstenaars keken bijzonder veel naar het werk van de Russische *constructivisten en *suprematisten, met name van degenen van wie het werk naar doelbewuste abstractie neigde. Het werk *Zwart vierkant* (*ca.* 1915, zie p. 104) van de suprematist Kasimir Malevich was een belangrijke indicator van een nieuwe kunststijl die opzettelijk niet-utilitair en niet-representatief was.

Het minimalisme vestigde zich als beweging met de omvangrijke overzichtstentoonstelling "Primary Structures: Younger American and British Sculptors", die in 1966 in het Jewish Museum in New York werd gehouden. Niet lang daarna begon de term "minimalistisch" te worden gebruikt voor het werk van de Amerikaanse beeldhouwers Andre, Richard Artschwager (1923), Ronald Bladen (1918-88), Larry Bell (1939), Flavin, Judd, Sol LeWitt (1928), Morris, Beverly Pepper (1924), Richard Serra (1939) en Tony Smith (1912-80), het werk van de Britse Sir Anthony Caro (1924), Phillip King (1934), William Tucker (1935) en Tim Scott (1937), en van schilderijen van *postpainterly abstraction-kunstenaars.

Judd, die zowel filosofie als kunstgeschiedenis had gestudeerd aan de Columbia University in New York, werd een van de interessantste commentatoren voor de kunst die hij en andere minimalisten maakten. In zijn artikel uit 1965, getiteld "Specific Objects", schreef Judd:

Links: **Donald Judd, *Zonder titel*, 1969**
"Drie dimensies zijn ware ruimte. Daarmee wordt het probleem van illusionisme en van letterlijke ruimte, ruimte in en rond markeringen en kleuren opgelost (...) de diverse grenzen van de schilderkunst zijn niet meer aanwezig." Donald Judd, "Specific Objects", 1965

Tegenoverliggende pagina: **Dan Flavin, *Fluorescent light installation*, 1974**
Flavin paste tl-buizen toe en beschouwde de ruimte waarin zij werden geïnstalleerd als een wezenlijk onderdeel van het werk. Doordat het effect van licht en ruimte de plaats inneemt van het conventionele kunstobject, raakt het werk 'gedematerialiseerd'.

Daadwerkelijke ruimte is inherent krachtiger en specifieker dan verf op een doek. (...) Het nieuwe werk lijkt uiteraard meer op een beeldhouwwerk dan op een schilderij, maar het ligt dichter bij schilderkunst. (...) Kleur is nooit onbelangrijk, zoals meestal bij beeldbouwkunst het geval is.

De kunstenaars waar Judd op doelde – Frank Stella (zie *Postpainterly abstraction), de neodadaïsten Robert Rauschenberg, John Chamberlain en Claes Oldenburg, en de nouveau-réalismekunstenaar Yves Klein – maakten werk dat niet binnen de gevestigde categorieën van de schilderkunst en beeldbouwkunst paste, maar waarin elementen van beide werden gecombineerd (zie ook *Assemblage). Judd noemde deze werken "specific objects" (specifieke objecten), een term die vaak werd genoemd met betrekking tot zijn eigen werk. Sinds 1961 had hij in drie dimensies gewerkt. In zijn muurstapelingen combineert hij de traditionele presentatie van geschilderde werken (plat tegen een muur) en van beeldhouwwerken (op een sokkel) en lokt daarmee de fundamentele vraag uit: zijn de muurstapelingen schilderkunst of beeldbouwkunst? In de stapelingen wordt kleur gebruikt, zoals in

geschilderde werken, maar de stapelingen steken uit de muur, zodat de muur zelf onderdeel van het werk wordt. Bovendien bestaan ze uit materialen die zelden door beeldhouwers worden gebruikt, zoals multiplex, aluminium, plexiglas, ijzer en roestvrij staal. Deze schijnbaar eenvoudige constructies stellen een aantal complexe concepten aan de orde. Een constant thema is de wisselwerking tussen negatieve en positieve ruimten in feitelijke objecten en de interactie van objecten met hun directe omgeving, zoals de ruimte in een museum of galerie. In 1971 nam Judd de controle hierover in eigen hand door naar Marfa in Texas te verhuizen en een aantal gebouwen te converteren tot permanente installaties van zijn eigen werk en dat van anderen.

De kubusdozen van Morris uit 1965 wijzen op vergelijkbare thema's. De omvangrijke, gespiegelde objecten, de beschouwers en de galerieruimte staan met elkaar in wisselwerking en maken deel uit van een zich telkens veranderend werk, wat de kijkervaring, de waarneming en de expressie van ruimte en beweging benadrukt. Door dergelijke thema's is er een verband te zien tussen minimalisme en *performancekunst en *land-art, gebieden waarop Morris ook heeft

elkaar te koppelen. Hij erkende ook dat hij zich had laten leiden door een van de hoge *Eindeloze zuilen* van Constantin Brancusi (*ca.* 1920 zie *Ecole de Paris): zijn *Diagonal of May 25, 1963*, één gele tl-buis die onder een hoek van 45 graden ten opzichte van de horizontale as hangt, was opgedragen aan Brancusi. Flavins werk heeft iets van de transcendentale uitstraling van Brancusi's beeldhouwwerk, en zijn installaties staan bekend om hun 'heilige karakter'.

Brancusi's modulaire beeldhouwwerken waren ook een belangrijke bron van inspiratie voor Andre, net als de interne symmetrie van Stella's *Stripe*-schilderijen. Hij experimenteerde met de verschillende kleuren en gewichten van een reeks metalen en andere materialen waarbij hij de rechtmatige positie van beeldbouwkunst en de relatie daarvan met het menselijk lichaam onderzocht. In *37 Pieces of Work* dat in 1969 is gemaakt voor het Guggenheim Museum in New York vormen zesendertig afzonderlijke stukken samen het zevenendertigste stuk. In tegenstelling tot traditionele beeldhouwwerken is het werk niet verticaal of op een sokkel geplaatst, maar ligt het horizontaal, als een kleed op de vloer. Het nodigt de toeschouwer uit om een interactie met het werk aan te gaan door erop te lopen en de verschillende eigenschappen van de verschillende soorten metaal zowel fysiek als visueel te ervaren.

Toen minimalistische kunst voor het eerst verscheen, vonden veel critici en openhartige leden van het publiek het koud, anoniem en harteloos. De industriële geprefabriceerde materialen waarvan vaak gebruik werd gemaakt, leken niet op 'kunst'. Aangezien de definitie van 'kunst' in de tweede helft van de twintigste eeuw is uitgebreid, lijkt het merendeel van de kritiek van destijds nu moeilijk te begrijpen. Judd, bijvoorbeeld, mag zijn werken dan hebben laten vervaardigen, ze zijn wel herkenbaar als 'Judds'. Bovendien doen de pure sensualiteit van het materiaal en het oppervlak van veel minimalistische stukken allesbehalve koud aan. Flavins lichtinstallaties transformeren de galerie- of museumruimte tot een etherische omgeving; Judds muursculpturen werpen een weerkaatst licht op de muur dat eerder doet denken aan de gebrandschilderde ramen in een kerk dan aan die in een fabriek, en veel vloerstukken van Andre roepen het beeld van glinsterende mozaïeken of quilts op. Door de elementen in elk object te beperken, is het effect eerder complex dan minimaal.

De kennelijke verwerping van openlijke sentimentaliteit verbindt het minimalisme met andere kunstvormen van de jaren vijftig en zestig van de twintigste eeuw, van de Franse Nouveau Roman (Nieuwe roman) en nouvelle vague tot neodada, *pop-art en post-painterly

gewerkt. Een uitspraak die Morris in 1966 deed, benadrukt echter de paradox van eenvoud:

> Eenvoud in vorm kan niet noodzakelijkerwijze worden gelijkgesteld met eenvoud in ervaring. Door een eenheid van vormen nemen de relaties niet af. Ze worden erdoor geordend.

Flavin verkende thema's die met ruimte en licht verband hielden; hij is met name bekend om zijn sculpturen van omgevingen waarin tl-lampen waren verwerkt, zoals *Pink and Gold* (1968). Deze werken lijken een specifiek minimalistische neiging te belichamen: de neiging om het object op zich weer te geven. Door het gebruik van licht en de benutting van de ruimte waarin ze zijn geïnstalleerd (het licht van de tl-buizen verlicht de omliggende oppervlakken of wordt daarop weerkaatst), lijkt het werk van Flavin echter een gedematerialiseerde staat te benaderen die losstaat van het object zelf. "Symbolisering neemt af – wordt gering", schreef Flavin in 1967 over het minimalisme. Flavin, die net als Judd kunstgeschiedenis aan de Columbia University studeerde, erkende altijd zijn vele kunsthistorische bronnen, zoals Marcel Duchamp en zijn readymades (zie *Dada) en de constructivisten. Flavins *Monument to V. Tatlin* (1964) is een rangschikking van tl-buizen die doet denken aan Vladimir Tatlins eerdere pogingen om esthetica en technologie aan

Boven: **Carl Andre, *Equivalent VIII*, 1978** Toen deze opstelling van bakstenen door the Tate Gallery in Londen werd aangekocht, leidde dat in de Britse pers tot felle kritiek. De bewering dat elementaire, industriële materialen die op zorgvuldige wijze in een museum of galerie waren geplaatst, een nieuwe identiteit konden aannemen, kon niet iedereen overtuigen.

Tegenoverliggende pagina: **Foster and Partners en Sir Anthony Caro, Millennium Bridge, Londen, 2000** Deze zeer ondiepe hangbrug – die de makers een "minimale interventie" noemden – verwezenlijkt de lichtheid en eenvoud van de oorspronkelijke conceptschets, ondanks de aanzienlijke technische moeilijkheden die de beperkte beschikbare ruimte op beide rivieroevers met zich meebracht.

abstraction. De scheiding tussen de kunstenaar en de vervaardiging van zijn kunst, en het beroep dat wordt gedaan op het intellect van de toeschouwer doen denken aan aspecten van *conceptual art. In de afgelopen jaren is de term "minimalistisch" ook gebruikt met betrekking tot binnenhuisarchitecten, meubelontwerpers, grafisch ontwerpers en mode-ontwerpers die zuivere, krachtige lijnen en schaarse decoratie in hun werk toepassen (paradoxaal genoeg vaak bewust om een exclusief en luxueus effect te creëren).

Hoewel de term tot het begin van de jaren zeventig niet algemeen werd gebruikt voor muziek, werd in de jaren zestig het werk van diverse componisten met minimalisme geassocieerd. De manier waarop zij composities maakten, was in zeker opzicht verwant met werkwijzen in de visuele kunsten: hun kenmerken – zoals statische harmonie, herhaling en het gebruik van onconventionele instrumenten – waren erop gericht om het compositiemedium terug te brengen tot een absoluut minimum. Composities waarin gebruik wordt gemaakt van modulaire of zich herhalende elementen en patronen (bijvoorbeeld van Terry Riley, Steve Reich of Philip Glass) doen denken aan de benadering van minimalistische kunstenaars die het idee van een geordend, schijnbaar betekenisloos raster als basis gebruikten voor pure uitdrukkingsvormen die geen interpretabele betekenis hadden. Het werk van verscheidene componisten – waaronder La Monte Young en John Cage – werd nauw geassocieerd met het werk van *performancekunstenaars, *Fluxuskunstenaars en beoefenaars van conceptual art. Hoewel er formeel gesproken geen school van minimalistische architectuur bestaat, hebben talrijke modernistische architecten gestreefd naar een zuiverheid en strakheid in hun ontwerpen die ruwweg minimalistisch kunnen worden genoemd (zie *Purisme en *Internationale stijl). In dit opzicht kan de strakke stijl van Ludwig Mies van der Rohe (van wie de beroemde uitspraak "less is more" afkomstig is) als minimalistisch worden beschouwd; dat geldt evenzeer voor het werk van de Mexicaanse architect Luis Barragán (1902-88), wiens eigen woning in Tacubaya, Mexico-Stad (1947), bekendstaat om de geometrische zuiverheid en levendige kleuren. Satellite City Towers (1957-58), het snelweg-monument dat Barragán in samenwerking met de beeldhouwer Mathias Goeritz (1915-90) ontwierp, geeft een versmelting te zien van schilderkunst, beeldbouwkunst en architectuur. De vijf beschilderde, betonnen torens buiten Mexico-Stad, ook wel de "Torens zonder Functie" genoemd, variëren in hoogte van 49 tot 58 meter.

In de jaren tachtig van de twintigste eeuw maakte een nieuwe generatie gerenommeerde Japanse architecten, waaronder Kazuo Shinohara (1925), Fumihiko Maki (1928), Arata Isozaki (1931) en

Tadao Ando (1941), minimalistisch werk dat evenzeer door de klassieke stijl van zenboeddhisme als door het Europese modernisme was beïnvloed. Maki's National Museum of Modern Art in Kyoto (1986) is hiervan een goed voorbeeld, met de ingetogen, uit graniet en glas bestaande gevel die volgens de architect is geïnspireerd op het overzichtelijke stadsnet van Kyoto.

De doelstellingen en technieken van de *hightecharchitecten komen voor een deel ook overeen met die van de minimalisten. Deze overeenkomst resulteerde in de samenwerking tussen de beeldhouwer Sir Anthony Caro, het architectenbureau Foster and Partners en het ingenieursbureau Ove Arup and Partners voor de Millennium Bridge (2000) in Londen. De hangbrug werd drie dagen na de opening tijdelijk gesloten om de geruchtmakende 'schommeling' te corrigeren waarvan sprake was toen mensen voor het eerst over de brug gingen. De brug functioneert echter nog steeds prachtig als een "tekening in de ruimte" en een "sculpitecture" (een samentrekking van "sculpture" en "architecture"), de benaming die Caro sinds 1989 voor zijn architectonische constructies gebruikt. Hoewel de zuiverheid en het intellectuele karakter van minimalisme in de kunstwereld van de jaren tachtig uit de mode raakte, drongen bepaalde kenmerken van de stijl door in het repertoire van een latere generatie kunstenaars. Door de nadruk op de effecten van de context en op de theatraliteit van de kijkervaring, heeft het minimalisme een indirecte, maar grote invloed gehad op latere ontwikkelingen in conceptual art, performancekunst en *installatiekunst, en bood het een gunstig klimaat voor de opkomst van het *postmodernisme.

Belangrijke collecties
Chinati Foundation, Marfa, Texas
Modern Art Museum of Fort Worth, Texas
Montclair Art Museum, New Jersey
Museum Boijmans Van Beuningen, Rotterdam
Museum of Modern Art, New York
Tate Gallery, Londen

Belangrijke boeken
D. Judd, *Complete Writings, 1959–1975* (1975)
K. Baker, *Minimalism* (1988)
G. Battcock (ed.), *Minimal Art: A Critical Anthology* (Berkeley, CA, 1995)
M. Toy, *Aspects of Minimal Architecture* (1994)
D. Batchelor, *Minimalism* (1999)
J. Meyer, *Minimalism* (2001)

Conceptual art

Nu kunstenaar zijn houdt in dat je de aard van kunst onderzoekt.

JOSEPH KOSUTH, ARTS MAGAZINE, 1969

Conceptual art ontwikkelde zich rond 1970 tot categorie of beweging. Conceptual art, dat ook wel conceptkunst, conceptuele kunst, ideeënkunst of informatiekunst (*Information Art*) wordt genoemd, heeft als grondregel dat ideeën of concepten het echte werk vormen. Of het nu om *body-art, *performancekunst, *installatiekunst, *videokunst, *geluidskunst, *land-art of *Fluxus-activiteiten gaat, het object, de installatie, actie of documentatie wordt beschouwd als niets meer dan een middel om het concept te presenteren. In haar meest extreme vorm doet conceptual art volledig afstand van het fysieke voorwerp en brengt het de ideeën over door middel van mondelinge of schriftelijke boodschappen. Het werk en de ideeën van Marcel Duchamp (zie *Dada) was van grote invloed. Wat hem tot de onbetwiste oerbeoefenaar van conceptual art maakte, was het feit dat hij vragen zette bij de regels van kunst, het feit dat hij het intellect, het lichaam en de beschouwer betrok bij het maken en ontvangen van kunst, en het feit dat hij het idee boven de traditionele begrippen van stijl en schoonheid plaatste. De explosieve groei van conceptual art aan het eind van de jaren zestig werd voorafgegaan door diverse *neodadawerken en -acties: het werk van de Amerikaan Robert

Rauschenberg, *Erased De Kooning Drawing* (1953; gemaakt door een tekening uit te gommen die Willem de Kooning hem had gegeven (zie ook *Combines) en zijn telegramportret van Iris Clert, *This is a Portrait of Iris Clert if I say so* (1961); de poging van de Franse *nouveau-réalismekunstenaar Yves Klein om te vliegen, die is gedocumenteerd als *Leap into the Void* (1960), en zijn expositie en verkoop van "zones van onstoffelijkheid" in 1958 en 1959; de actie van de Italiaan Piero Manzoni (1933-63) in 1961 waarbij hij menselichamen signeerde en zijn *Merda d'artista* (Poep van de kunstenaar, 1961), dat bestond uit negentig gelabelde, genummerde en gesigneerde blikken met zijn eigen uitwerpselen. *Funk-kunstenaar Ed Kienholz beschreef zijn eigen werk in 1963 als "concepttableaus". In datzelfde jaar werd de *Anthology* van de componist La Monte gepubliceerd met het essay "Concept Art" van Fluxus-kunstenaar Harry Flynt (1940), die probeerde een definitie te geven:

> "Conceptkunst" is allereerst een kunst waarvan het materiaal bestaat uit concepten, zoals het materiaal van bijvoorbeeld muziek uit geluid bestaat. Aangezien concepten nauw zijn verbonden met taal, is conceptkunst een soort kunst waarvan het materiaal wordt gevormd door taal.

Conceptual art werd nader omschreven door twee vooraanstaande beoefenaars, namelijk de Amerikanen Sol LeWitt (1928) en Joseph Kosuth (1945). In het artikel van LeWitt uit 1967, getiteld "Paragraphs on Conceptual Art", definieerde hij conceptual art als datgene wat "wordt gemaakt om de geest van de beschouwer te prikkelen en niet om zijn blik vast te houden of zijn emoties te bespelen" en verklaarde hij dat het "idee zelf, zelfs als dat niet zichtbaar wordt gemaakt, net zo goed een kunstwerk is als elk ander afgewerkt product".

Voor Kosuth was de uitdaging voor de kunstenaar om de aard en taal van kunst te ontdekken en te definiëren. In zijn manifestachtige "Art after Philosophy" (1969) schreef hij: "De enige rechtvaardiging van kunst is kunst. Kunst is de definitie van kunst." Zijn theorieën

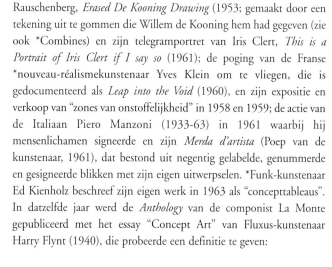

Links: Joseph Kosuth, *One and Three Chairs*, 1965 Het stuk bestaat uit drie gelijke delen: een stoel, een foto ervan en een afgedrukte definitie uit een woordenboek. Het is, in de woorden van een criticus, "een ontwikkeling van werkelijkheid naar ideaal". Samen met LeWitt speelde Kosuth een belangrijke rol bij de definitie van de parameters van conceptual art.

Tegenoverliggende pagina: Joseph Beuys, *The Pack*, 1969 Beuys werd na een vliegtuigongeluk tijdens de oorlog gered door Tataren, die zijn lichaam inpakten in vilt en vet. Hij gebruikte deze materialen als artistieke symbolen van genezing en overleving. Hij stelde zichzelf aan als docent (hij startte de Free International University) en kreeg een omvangrijke persoonlijke aanhang.

werden gevormd door zijn belangstelling voor taalkundige analyse en structuralisme. Ad Reinhardt (een belangrijke kunstenaar voor de *post-painterly abstraction-beoefenaars en de *minimalisten) had in 1961 verklaard: "Wat je kan zeggen over kunst is dat het kunst is. Kunst is kunst en al het overige. Kunst als kunst is niets anders dan kunst. Wat geen kunst is, is geen kunst." Kosuths vroege voorbeeld van conceptual art, *One and Three Chairs* (1965-66), was bedoeld om de beschouwer bewust te maken van de taalkundige aard van kunst en realiteit en van de interactie tussen een idee en de visuele en mondelinge weergave daarvan. Hoewel de term oorspronkelijk in New York werd gedefinieerd, werd de term al snel gebruikt voor uiteenlopende kunstenaars, waardoor conceptual art een omvangrijke, internationale beweging werd. De volgende kunstenaars hadden nauwe associaties met conceptuele werken: de Amerikanen John Baldessari (1931), Robert Barry (1936), Mel Bochner (1940), Dan Graham (1942), Douglas Huebler (1924), William Wegman (1942) en Lawrence Weiner (1940), de Duitse Joseph Beuys (1921-86), Hanne Darboven (1941), Hans Haacke (1936) en Gerhard Richter (1932), de Japanse Shusaku Arakawa (1936) en On Kawara (1932), de Belgische Marcel Broodthaers (1924-76) en de Nederlander Jan Dibbets (1941), de Britten Victor Burgin (1931) en Michael Craig-Martin (1941), de Art & Language-groep in Groot-Brittannië en New York, de in Parijs gevestigde Franse en Zwitserse kunstenaars van BMPT, en met name Daniel Buren (1938, zie ook *Site-works). Al in 1969 werden conceptuele activiteiten gedocumenteerd in omvangrijke overzichtstentoonstellingen; de term conceptual art kreeg formele erkenning met de tentoonstelling "Conceptual Art and Conceptual Aspects" die in 1970 in het New York Cultural Center werd gehouden, en raakte nog verder ingeburgerd door de tentoonstelling "Information" in het New Yorkse Museum of Modern Art in 1970.

Conceptual art neemt vaak de vorm aan van documenten, schriftelijke voorstellen, films, video's, performances, foto's, installaties, kaarten of wiskundige formules. Kunstenaars gebruikten bewust formules die er vaak oninteressant uitzagen (vanuit de traditionele kunst gezien) om zo alle aandacht op het centrale idee of de centrale boodschap te richten. De gepresenteerde activiteiten of gedachten zouden op een andere plaats of op een ander tijdstip, of zelfs gewoon

in het hoofd van de beschouwer, hebben kunnen plaatsvinden. Wat werd geïmpliceerd was een verlangen om de creatieve handeling te ontdoen van de mystiek en om de kunstenaar en de beschouwer buiten de belangensfeer van de kunstmarkt meer macht te geven.

Lawrence Weiner hield in 1968 op met schilderen en legde zich vervolgens toe op het schrijven van voorstellen in boeken of rechtstreeks op muren van galerieën. De "titel" van elk stuk geeft aan hoe het stuk was gepland en hoe de beschouwer er zich een voorstelling van kon maken, waarbij meerdere persoonlijke versies van het werk mogelijk waren. Zoals Weiner het stelde: "Vanaf het moment dat je van een van mijn werken weet, is het jouw eigendom. Het is voor mij onmogelijk om in iemands hoofd te kruipen en het werk eruit te halen." Weiners aandacht voor taal had hij gemeen met veel conceptual-artbeoefenaars, zoals Kosuth, Barry, Baldessari en Art & Language. Net zoals het werk van de *popkunstenaars Robert Indiana en Ed Ruscha, wier woorden ook als beelden fungeerden, leenden de werken zich goed voor reproductie en benadrukten zij het feit dat zowel beelden als woorden kunnen worden gedecodeerd en gelezen.

Hoewel Sol LeWitt zichzelf in de eerste plaats onderscheidde als minimalist, hield hij vol dat het een conceptuele vorm was. In de tijd dat LeWitt zijn oorspronkelijke essays over conceptual art schreef, creëerde hij ook een aantal van zijn bekendste stukken. Hij streefde er met opzet naar om alle elementen van toeval en subjectiviteit weg te nemen en maakte zo seriewerken van cijfers en letters die als verhalen moesten worden gelezen, alsook "Wall Drawings", waarvan het lijnenraster werd toegepast door iedere medewerker die bereid was de nauwkeurige instructies van LeWitt op te volgen.

Terwijl vele vroege conceptuele kunstenaars zich in hoge mate met de taal van kunst bezighielden, richtten anderen in de jaren zeventig hun blik op de buitenwereld en maakten zij werk waarin natuurverschijnselen een rol speelden (Barry, Dibbets, Haacke en land-kunstenaars), narratief werk met een vleugje humor of ironie (Arakawa, Baldessari, Kawara en Wegman), werk waarin werd verkend in hoeverre kunst levens en instellingen kon transformeren (Beuys, Buren en Haacke), en werk waarmee kritiek werd geuit op de machtsverhoudingen in de kunstwereld en op de algemenere sociale, economische en politieke omstandigheden van de wijdere wereld (Broodthaers, Buren, Burgin en Haacke). Wat de meeste conceptuele werken met elkaar gemeen hebben, is dat ze een beroep doen op de verstandelijke vermogens van de beschouwer: Wat is kunst? Wie bepaalt wat het is? Wie bepaalt hoe het wordt geëxposeerd en bekritiseerd? Hierin weerklinkt de toenemende politisering van veel

Links: **Piero Manzoni**, *Merda d'artista no. 066* (Poep van de kunstenaar, nr. 066), 1961 Manzoni blikte zijn eigen uitwerpselen in. De negentig blikken, die mechanisch waren afgesloten, werden door hem gelabeld, genummerd en gesigneerd en werden verkocht tegen de dagprijs van hun gewicht in goud.

Tegenoverliggende pagina: **Marcel Broodthaers**, *Musée d'Art Moderne, Département des Aigles, Section XIX Siècle*, **Brussel, 1968-69** Het fictieve museum van Broodthaers is een langlopende tentoonstelling van uiteenlopende voorwerpen die zowel een artistieke als een politieke bedoeling heeft. Het zet ons ertoe aan na te denken over de aard van voorwerpen die openbaar tentoon worden gesteld en over openbare tentoonstellingen zelf.

kunstenaars in een tijd van de Vietnam-oorlog, studentenprotesten, moorden, de strijd om de burgerrechten en de opkomst van de vrouwenbeweging, de antikernwapenbeweging en de milieubeweging. Beuys, een soort moderne sjamaan, liet uiterst persoonlijke – en vaak confronterende – evenementen plaatsvinden waarin hij dergelijke thema's dramatiseerde. Toen hem werd gevraagd waarom hij kunst met politiek mengde, antwoordde hij: "Omdat echte toekomstige politieke intenties artistiek moeten zijn." In 1970 verbrandde Baldessari zijn eerder vervaardigde kunstwerken en legde hij zich toe op conceptual art. Het jaar daarop maakte hij zijn eerste *I Will Not Make Any More Boring Art*-stukken, waarin het gehele oppervlak wordt ingenomen door een zinsnede die telkens wordt herhaald, alsof het strafwerk is. Hij sprak namens velen zijn ergernis uit over de overheersing van het minimalisme en de post-painterly abstraction en het feit dat zij steeds verder van de echte wereld kwamen af te staan. Werken van Haacke, Buren en Broodthaers ontzenuwen de mythe dat kunst en cultuur binnen een afzonderlijk, apolitiek domein bestaan. Hun installaties en stukken vestigen de aandacht op de autoriteit van de kunstinstellingen. Door hun invloed op de vervaardiging en ontvangst van kunst te onderzoeken, openbaren de kunstenaars de manier waarop men kunst kan laten werken: als een handelsproduct van verering, een manier om status over te brengen of een hulpmiddel om iets te verbergen.

Haackes sociaal-politieke, op informatie gebaseerde werk houdt zich bezig met de ideologieën van kunstinstellingen (zie ook *Postmodernisme). Met stemstukken zoals *MOMA-Poll* (1970) nodigde Haacke bezoekers uit om hun stem uit te brengen in antwoord op een vraag. De inhoud van het werk hing af van de antwoorden die de beschouwers zelf hadden verstrekt. In het werk van Buren wordt gekeken naar de manier waarop galerieën en musea zowel de beschouwer als het kunstobject leiden. Buren toont zijn verticaal gestreepte doeken of posters in verschillende contexten: in musea, op reclameborden, op spandoeken of op sandwichborden. Op deze manier vestigt hij de aandacht op de rol die context speelt bij het herkennen van een object als 'kunst' en op de wederkerige relatie van kunst en context: de kracht van kunst om een ruimte of context te transformeren tot een ruimte die kunst waard is (zie ook *Site-works).

Broodthaers, een dichter die zich rond 1965 met kunst ging bezighouden, onderwerpt de status van kunst en musea aan een kritische blik en beschouwt de omstandigheid van voorstellingen door middel van puzzelachtige werken waarin er een constante interactie is tussen woorden, afbeeldingen en objecten. Uit Broodthaers' belangstelling voor woordenspelen blijkt ook de invloed van zijn artistieke voorouders Duchamp en René Magritte (die hij in 1940 ontmoette; zie *Magisch realisme). Tussen 1968 en 1972 richtte hij in zijn huis in Brussel een *Musée d'Art Moderne, Département des Aigles* (Museum van Moderne Kunst, Afdeling Adelaars) in. Het eerste gedeelte, getiteld *Section XIX Siècle* (Sectie XIXe Eeuw) bestond uit posters, ansichtkaarten, pakkisten en inscripties waarop adelaars te zien waren. De collectie werd later, in 1972, samen met de *Section des Figures* (Sectie Figuren), tentoongesteld met Magritte-achtige labels met daarop de tekst: "Dit is geen kunstwerk." Broodthaers' fictieve museum prikkelde de beschouwer om na te denken over de factoren die bepalen of een object als een kunstwerk mag worden beschouwd en over de versie van de geschiedenis die door de collectie van een museum wordt gepresenteerd: is deze minder fictief dan het museum van Broodthaers? Toen hij zijn museum sloot, legde Broodthaers uit dat hij "soms de rol speelde van een apolitieke parodie op artistieke gebeurtenissen en soms van een artistieke parodie op politieke gebeurtenissen" en dat dit is "wat de officiële musea doen (...) Weliswaar met het verschil dat de fictie kan worden gebruikt om niet alleen de realiteit te onthullen, maar ook wat zich daarachter verschuilt." Conceptual art bereikte halverwege de jaren zeventig een hoogtepunt, waarna het werd overschaduwd door de opkomst van kunstenaars wier interesse bij de traditionele materialen van kunst en de uiting van emoties lag (zie *Transavanguardia en *Neo-expressionisme). De belangstelling voor conceptual art leefde echter sterk op onder kunstenaars die in de jaren tachtig opkwamen en van wie velen met het postmodernisme werden geassocieerd. Aan een groot deel van de hedendaagse kunst liggen nog steeds ideeën van conceptual art ten grondslag; veel kunstenaars van wie het werk niet gemakkelijk in een categorie kan worden ondergebracht, zijn conceptual-artbeoefenaars genoemd, zoals Susan Hiller (1942), Peter Kennard (1949), Juan Muñoz (1953), Gabriel Orozco (1962) en Simon Patterson (1967).

Belangrijke collecties
Art Gallery of Ontario, Toronto, Ontario
Hood Museum of Art, Hanover, New Hampshire
Housatonic Museum of Art, Bridgeport, Connecticut
Museum of Modern Art, New York
Tate Modern, Londen
Stedelijk Museum, Amsterdam
Stedelijk Van Abbemuseum, Eindhoven

Belangrijke boeken
U. Meyer (ed.), *Conceptual Art* (1972)
L. Lippard (ed.), *Six Years: The Dematerialization of the Art Object 1966–72* (1973)
M. Newman and J. Bird (eds), *Rewriting Conceptual Art* (1999)
A. Alberro and B. Stimson (ed.), *Conceptual Art: A Critical Anthology* (Cambridge, MA, 1999)
A. Rorimer, *New Art in the 60s and 70s* (2001)

Body-art

*Wat kon ik doen als minimalisme zo fantastisch was? De oorsprong ontbrak echter.
Ik moest de oorsprong onthullen.*

VITO ACCONCI

Body-art is een kunstvorm waarin het lichaam, doorgaans het lichaam van de kunstenaar zelf, als medium wordt gebruikt. Sinds de jaren zestig is deze discipline een van de populairste en meest controversiële kunstvormen en heeft deze de wereld veroverd. Body-art is op veel manieren een reactie op de onpersoonlijkheid van *conceptuele en *minimalistische kunst. Zoals Vito Acconci (1940) verklaarde, ontbrak de lichamelijke aanwezigheid van de schepper in veel kunstwerken uit die periode. Body-art kan echter ook worden beschouwd als een verdere ontwikkeling van conceptuele kunst en minimalisme. In de vormen waarin body-art tot uiting komt in een openbaar ritueel of een performance, heeft deze stroming bovendien raakvlakken met *performancekunst. Body-art wordt evenwel vaak in privé-situaties gemaakt en vervolgens via media aan het publiek getoond, zoals bijvoorbeeld met behulp van de Autopolaroids van de Amerikaan Lucas Samaras (1936), waarmee hij de toeschouwer in feite de rol van voyeur geeft. Het publiek van body-art ervaart een aantal verschillende rollen: van passieve toekijker tot actieve deelnemer. Vaak reageert het publiek zeer emotioneel op werken die opzettelijk vervreemdend, saai, schokkend, confronterend of grappig zijn.

Verschillende belangrijke kunstenaars boden de generatie van Acconci invloedrijke voorbeelden. Eén van hen was Marcel Duchamp (zie *Dada), die met zijn stelling dat alles als kunstwerk kan worden gebruikt, voor het eerst aangaf dat het lichaam een potentieel kunstwerk was. Een tweede voorloper van de body-art was Yves Klein (zie *Nouveau réalisme), die het vrouwelijke lichaam als levend penseel gebruikte in het werk *Anthropometries* uit 1960. Een derde was Piero Manzoni (zie *Conceptual art) die in 1961 zijn naam op het lichaam

van verschillende mensen zette om een reeks levende beeldhouwwerken te maken. Een aantal vroege body-art-stukken lijkt rechtstreeks op deze bronnen terug te grijpen. *Self-Portrait as a Fountain* (1966) van de Amerikaan Bruce Nauman (1941) is een eerbetoon aan de beroemde 'fontein' van Duchamp, en is een uitvloeisel van de stelling van Duchamp dat de kunstenaar zelf een kunstwerk vormt. Nauman formuleerde het als volgt: "de echte kunstenaar is een verrassend heldere fontein." Het lichaam is zowel in Naumans neon- als in zijn videokunst een terugkerend thema. In zijn werk verkent hij het lichaam in de ruimte, de psychologische nuances en machtsspelletjes van menselijke relaties, de lichaamstaal, het lichaam van de kunstenaar als materiaalkeuze en het zelfverkennende narcisme van de kunstenaar.

De versmelting van kunst en leven die centraal staat in body-art, is tot humoristische extreme vormen doorgevoerd door de Britse kunstenaars Gilbert (1943) en George (1942). Waar Manzoni anderen veranderde in 'levende beeldhouwwerken', veranderden zij zichzelf in levende sculpturen en daardoor werd hun hele leven getransformeerd tot kunst. In *The Singing Sculpture* uit 1969, dat ook bekend staat als *Underneath the Arches*, verklaarden zij plechtig 'Wij zullen altijd voor jou poseren, kunst.' Net als Nauman en zijn fontein brengen Gilbert en George de fundamentele vragen naar voren wat kunst is en wie daarover beslist, terwijl zij de pretenties van de kunstenaars en de kunstwereld onderkennen en mild bespotten.

De Amerikaanse schilder, performance kunstenaar, filmer en auteur Carolee Schneemann (1939) gebruikt het 'lichaam als een bron van kennis' in controversiële werken met sociale, seksuele en kunsthistorische resonanties. Een van haar bekendste stukken was *Meat Joy* (zie de afbeelding op p. 223), dat in 1964 in New York en Parijs werd opgevoerd. Het is een multimediaal orgiastisch spektakel van in bloed en verf doordrenkte mannelijke en vrouwelijke perfomers die rond krioelen met rauwe vis en kip. Hoewel het zonder meer een weerspiegeling is van de belangrijke sociaal-politieke kwesties van de jaren zestig – seksuele vrijheid en gelijke rechten voor vrouwen, kan het

Links: **Bruce Nauman, *Self-Portrait as a Fountain*, 1966–67**
Met een bewuste verwijzing naar het beroemde omgedraaide urinoir van Duchamp (Fontein, 1917) volgt Naumann de stelling van Duchamp dat alles kunst kan zijn. In dit idee maakt de kunstenaar deel uit van het kunstwerk en staat hij er niet buiten als maker.

Tegenoverliggende pagina: **Chris Burden, *Trans-fixed*, 23 April 1974**
De kunstenaar wordt gekruisigd op de achterkant van een Volkswagen getoond. Beoefenaars van body-art hebben zich door niets laten weerhouden – noch door sadomasochisme, noch door zelfverminking – om een fysieke wisselwerking met kunst en de wereld tot stand te brengen, wat zij vaak deden aan de hand van verwijzingen naar onderdrukking en slachtoffering.

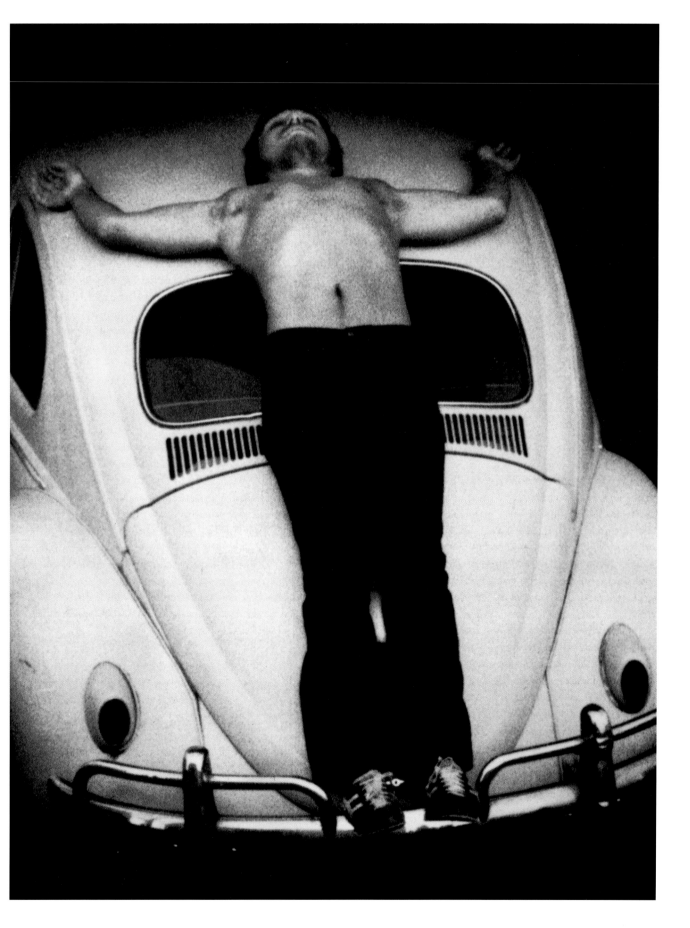

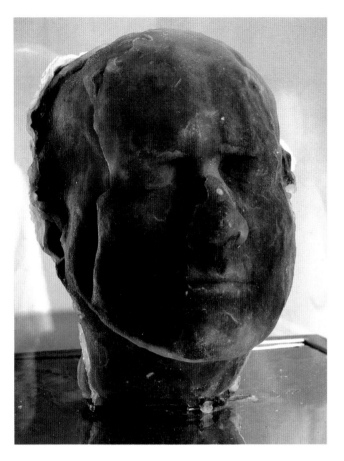

stuk van Schneemann ook worden geïnterpreteerd als een uitdaging van de door mannen beheerste kunstwereld, een voortvloeisel uit en een ontwrichting van Kleins performance-schilderingen. In *Anthropometries* (zie de afbeelding op p. 211) dirigeert een onberispelijk geklede man (Klein) de bewegingen van vrouwelijke naakten. In *Meat Joy* claimde Schneemann deze macht als vrouw en orchestreerde zij het dierlijke gedrag van mannen en vrouwen: de smoking uittrekken en kunst maken die even slordig is als het leven zelf.

In deze drie werken zijn veel specifieke kenmerken van body-art terug te vinden. In de werken wordt een groot aantal interpretaties van de rol van de kunstenaar (de kunstenaar als kunstwerk en als een sociale en politieke commentator) en de rol van kunst (kunst als vlucht uit het dagelijks leven, kunst als een ontmaskering van sociale taboes, kunst als een methode die leidt tot zelfontdekking, kunst als narcisme) gepresenteerd en in twijfel getrokken. Zij vormen een krachtig middel om een grote verscheidenheid aan onderwerpen te bestuderen, zoals identiteit, geslacht, seksualiteit, ziekte, dood en geweld. De werken variëren inhoudelijk van sadomasochistisch exhibitionisme tot gemeenschappelijke vieringen, van sociaal commentaar tot komedie.

De meeste verontrustende voorbeelden van body-art zijn gemaakt

Marc Quinn, **Self** (detail), 1991 Quinn tapte ruim vier liter van zijn eigen bloed af en bewaarde dit (de gemiddelde hoeveelheid in een menselijk lichaam) om het vervolgens af te gieten en te bevriezen in zijn eigen beeltenis. Het is een opzienbarende studie van het zelfportret en van levenskracht en sterfelijkheid.

tijdens de studentenopstanden en de demonstraties tegen de Vietnam-oorlog en het Watergate-schandaal aan het eind van de jaren zestig en zeventig. Tegen een achtergrond van wreedheid en corruptie, die werd getoond door de Amerikaanse media, maakten Acconci, Dennis Oppenheim (1938) en Chris Burden (1946) riskante, pijnlijke werken met sadomasochistische ondertonen waarin zij zichzelf verwondden. In Europa werd een vergelijkbaar territorium verkend door de Engelse kunstenaar Stuart Brisley (1933), de Servische kunstenares Marina Abramovic (1946), de Italiaanse Gina Pane (1939-90) en de Australiër Rudolf Schwarzkogler (1941-69). Hun extreme acties waren vaak staaltjes van uithoudings- en overlevingsvermogen met ingrediënten als zelfverminking en pijnrituelen. Het geweld en masochisme in body-art is vervolgens niet verminderd. Deze aspecten komen bijvoorbeeld terug in het werk van de Franse multimedia performance-kunstenaar Orlan (1947) die trots verklaarde: "Ik ben de eerste kunstenaar die chirurgie als medium gebruikt en de bedoelingen van plastische chirurgie verandert." Wellicht het meest aangrijpend en doordringend waren de sadomasochistische performances van de Amerikaan Bob Flanagan (1952-96), die met behulp van pijnrituelen vat probeerde te krijgen op de pijnen die hij leed als gevolg van zijn ziekte cystische fibrose.

Waar het werk van Flanagan ons confronteert met de angst voor ziekte, pijn en de dood en het werk van Orlan de culturele schoonheidsnormen in twijfel trekt, dwingen de fotografische zelfportretten van het ouder wordende naakte lichaam (1984) van de Amerikaan John Coplans (1920) ons tot een confrontatie met onze eigen angst voor ouderdom terwijl de aandacht wordt gevestigd op het algemeen geaccepteerde idee dat jeugd gelijkstaat aan schoonheid. Aan het eind van de twintigste eeuw kreeg body-art een ruimere betekenis door het gebruik van nieuwe technologieën. *Corps étranger* (Vreemd lichaam, 1994) van de Palestijnse kunstenares Mona Hatoum (1952) is een video-opname van een inwendige reis door haar eigen lichaam. *Self* (1991) is een reeks van afgietsels van de Engelse kunstenaar Marc Quinn (1964) die hij met zijn eigen bloed van zijn lichaam heeft gemaakt. In 1995 zei Quinn: "mensen kennen zichzelf tegelijkertijd het beste en het slechtste…wanneer je een afgietsel van je lichaam maakt, krijg je de mogelijkheid om jezelf te 'zien'."

Belangrijke collecties
Kemper Museum of Contemporary Art, Kansas City, Missouri
Museum of Contemporary Art, Los Angeles, California
Saatchi Collection, Londen
Tate Modern, Londen
Stichting De Appel, Amsterdam

Belangrijke boeken
R. Goldberg, *Performance Art: From Futurism to the Present* (1988)
S. Banes, *Greenwich Village 1963: Avant-Garde Performance and the Effervescent Body* (1993)
A. Jones, *Body Art: Performing the Subject* (Minneapolis, MN, 1998)
A. Rorimer, *New Art in the 60s and 70s* (2001)

Installatiekunst

Installatiekunst, al dan niet locatiespecifiek, is een flexibel idioom gebleken.

DAVID DEITCHER, 1992

Installatiekunst heeft net als *assemblages en *happenings (zie *Performancekunst) haar wortels in de vroege jaren zestig van de twintigste eeuw. In die tijd werd het woord "environment" (omgeving) gebruikt voor werken als de tableaus van *funk-kunstenaar Ed Kienholz, de bewoonbare assemblages van *popkunstenaars George Segal, Claes Oldenburg en Tom Wesselmann en de happenings van onder anderen Allan Kaprow, Jim Dine, Red Grooms. Deze omgevingen stonden in verbinding met de ruimte om hen heen – een overduidelijke verwerping van de traditionele kunstbeoefening – en betrokken de beschouwers bij de werken. De werken hadden een open en omringend karakter en waren bedoeld als katalysator voor nieuwe ideeën, niet als vergaarplaats van vaste betekenissen.

Kunst die zo onbepaald en provocerend was, was ogenblikkelijk populair: vanaf de jaren zestig werd installatiekunst op diverse manieren door uiteenlopende kunstenaars uitgewerkt (zie *Pop-art, *Op-art, *Fluxus, *Minimalisme, *Performancekunst, *Geluidskunst, *Kinetische kunst, *Situationist International, *Conceptual art, *Land-art, *Arte Povera en *Site-works). De trend beperkte zich ook niet tot één land. In 1958 exposeerde de *nouveau-réalismekunstenaar Yves Klein in Parijs met een lege galerieruimte onder de titel *Le Vide* (De Leegte), wat twee jaar later door Arman, een andere nouveau-réalismekunstenaar, werd 'beantwoord' met *Le Plein* (Vol), waarvoor dezelfde galerie volledig met rommel werd gevuld. De tentoonstelling "Environments, Situations, Spaces" die in 1961 in de New Yorkse Martha Jackson Gallery werd gehouden, was een andere vroege expositie die was gewijd aan wat later installatiekunst zou worden genoemd.

Installaties waren niet geheel nieuw in de jaren zestig. Eerder die eeuw hadden kunstenaars al omgevingen gecreëerd, hoewel zij dat voornamelijk hadden gedaan om de schilderkunst uit te breiden tot drie dimensies. Drie voorbeelden hiervan zijn het *elementaristische restaurant in Straatsburg, de *Merzbau* van *dadaïst Kurt Schwitters en de uit neon- en tl-lampen bestaande omgevingen van de Italiaan Lucio Fontana (1899-1968) uit de jaren veertig. Met name de *surrealisten, met hun flair voor theatraliteit, hadden veel invloed. Naar aanleiding van tentoonstellingen van surrealistisch werk ontstond het idee van installatiekunst als creatief ontwerp van de tentoonstelling als geheel. Op de in 1942 in New York gehouden surrealistische tentoonstelling bracht dadaïst Marcel Duchamp een wirwar van touw aan rond de schermen waarop de schilderijen waren geplaatst; deze interventie (de zogeheten *Mile of String*) legde de beschouwers in plaats van een passieve rol een actieve rol op bij het bekijken van de werken. Duchamp was het grote voorbeeld van de kunstenaar als curator en ceremoniemeester: hij plande de installaties van zijn eigen werken in detail, zelfs de postuum gehouden tentoonstelling in 1969 van *Etant*

Donnés (waaraan hij twintig jaar in het geheim had gewerkt) in het Philadelphia Museum of Art.

Het duurde niet lang voordat installatiekunst diverse soorten werk omvatte. Tijdelijke werken, zoals de beroemde, ingepakte objecten van Christo en Jeanne-Claude (beiden geboren in 1935; zie *Land-art) zijn één soort. Een vroeg werk van de Christo's, *Rideau de Fer* (IJzeren Gordijn), dat werd gebouwd als reactie op de Berlijnse Muur (opgetrokken in 1961), toont de onontkoombare doeltreffendheid van installatiekunst. In de nacht van 27 juni 1962 werd met 240 felgekleurde olievaten een barrière opgeworpen om de rue Visconti af te zetten, waarmee niet alleen een verrassend mooi visueel, maar ook een krachtig politiek statement werd afgegeven. Vaak worden installaties gemaakt voor specifieke tentoonstellingen, zoals de enorme installatie *Hon* (Zweeds voor: zij) voor de Moderna Museet in Stockholm in 1966, gemaakt door Niki de Saint Phalle (zie *Nouveau réalisme), Jean Tinguely (zie *Kinetische kunst) en de Finse kunstenaar Per Olof Ultvedt (1927). In een reusachtige, liggende, zwangere vrouw, die de beschouwers via een opening tussen haar benen binnentraden, huisde een pretparkachtige omgeving, compleet met bioscoop, bar, geliefdenhoek en hostesses om de bezoekers te verwelkomen. Installaties zijn ook vervaardigd door kunstenaars die zich met *video- en geluidskunst bezighouden en door kunstenaars die een meer conceptuele instelling hebben, zoals Gabriel Orozco (1962) en Juan Muñoz (1953). De installaties kunnen autobiografisch zijn, zoals het werk van Tracey Emin (1963), of een aandenken aan de verbeelde

Marcel Duchamp, *Mile of String*, 1942 Dit werk werd geïnstalleerd op de surrealistische tentoonstelling in New York. Vroege voorbeelden van installatiekunst (hoewel de term pas in de jaren zestig werd bedacht) waren vaak theatrale interventies in een kunstomgeving; dit waren per definitie vaak performances van korte duur.

levens van anderen, zoals het werk van Christian Boltanksi (1944), Sophie Calle (1953) en Ilya Kabakov (1933). Het kunnen ook interventies zijn in architectonische ruimten, zoals de inkepingen die Gordon Matta-Clark (1943-78) in gebouwen maakte.

Sinds de jaren zeventig geniet installatiekunst de steun van commerciële galerieën en alternatieve ruimten over de gehele wereld, zoals de galerie De Appel in Amsterdam, het New Yorkse PS1 Museum, de Mattress Factory in Pittsburgh en de Matt Gallery in Londen. Belangrijke musea, zoals het Musée d'Art Contemporain in Montréal, het Museum of Modern Art in New York, het Museum of Contemporary Art in San Diego en in de Royal Academy of Art in Londen, hebben alle belangrijke tentoonstellingen van installatiekunst gehouden. In 1990 opende in Londen het Museum of Installation.

Boven: **Barbara Kruger, *Zonder titel*, 1991** Kruger brengt haar boodschappen over door middel van posters en reclameborden, alsook door middel van allesomgevende installaties of montages van woorden en afbeeldingen waarmee de heersende opvattingen worden aangevochten en gedeconstrueerd; haar werken laten het de beschouwer niet toe om de status-quo gemakkelijk of zonder nadenken te accepteren.

Tegenoverliggende pagina: **Maurizio Cattelan, *La Nona Ora* (Het negende uur), 2000** Dit werk, dat aanvankelijk werd gemaakt voor een museumtentoonstelling in Basel, deed veel stof opwaaien toen het werd overgebracht naar de tentoonstelling "Apocalypse" van de Londense Royal Academy in 2000. Het toont een wassen beeld van Paus Johannes Paulus II dat lijkt te worden geveld door een meteoor (of een 'straffe Gods').

Installaties kunnen locatiespecifiek zijn (zie *Site-works) of bedoeld zijn voor andere locaties. *La Nona Ora* (Het negende uur, 1999) van Maurizio Cattelan (1960) werd oorspronkelijk voor een museumtentoonstelling in Basel gemaakt, maar had net zo veel effect in de Royal Academy of Art in Londen, waar het een jaar later voor de tentoonstelling "Apocalypse" opnieuw werd opgebouwd. De humor, het pathos en de ambivalentie van de levensgrote, wassen figuur, het verbrijzelde plafond, het rode vloerkleed en het fluwelen touw overleefden alle de verhuizing en stelden ook op hun nieuwe plek dezelfde kwesties aan de orde: de blindheid van het geloof, de aard der wonderen en de kracht en verheffing van religie (en kunst). In dezelfde tentoonstelling draait het bij *Shelter* (1999) van Darren Almond (1971) om een andere plaats: Auschwitz. De plastische reproducties van de originele bushaltes buiten de gevangenenkampen zouden daar na de tentoonstelling worden teruggeplaatst, terwijl de originelen werden overgebracht naar een tentoonstelling in Berlijn. Hun bestemming was een krachtige herinnering aan de continuïteit van de dagelijkse routines buiten de plek waar zich een van de grootste tragedies van de twintigste eeuw had afgespeeld. Installatiekunst heeft bewezen een uiterst effectief genre te zijn voor activistische kunstenaars, zoals Robert Gober (1954), Mona Hatoum (1952) en Barbara Kruger (1945, zie ook *Postmodernisme). Voor Krugers installatie uit 1991 in de Mary Boone Gallery in New York werden de muren, het plafond en de vloer bedekt met afbeeldingen en teksten

over geweld tegen vrouwen en minderheden, waardoor een totaalomgeving ontstond die de bezoekers volledig omgaf en toeschreeuwde.

In de jaren tachtig en negentig begonnen installatiekunstenaars binnen dezelfde installaties media en stijlen met elkaar te combineren. Op het eerste gezicht lijken deze installaties te bestaan uit elementen die geen verband met elkaar houden, maar de elementen worden door een centraal thema bijeengehouden. De Canadees Claude Simard (1956) brengt binnen dezelfde show figuratieve schilderijen, sculpturen, objecten en elementen van performancekunst met elkaar samen. Simard geeft aan niet te zijn gebonden aan een bepaalde stijl of een bepaald medium (op een manier die Duchamp waardig is) en gebruikt alle noodzakelijke methoden om zijn project over geheugen, identiteit, autobiografie en geschiedenis uit te voeren. In het artikel "The Web of Memory" uit 1996 merkte hij op: "Mijn kunst bestaat uit een reeks apparaten die ik bouw om het nogal verwende kind in mij zoet te houden. (...) Ik heb geprobeerd om herinneringen uit te wissen, te misleiden en te herinterpreteren, maar ze gaan niet weg." Installaties in het Musée d'Art Contemporain de Montréal in Quebec (1998) en de Jack Shainman Gallery in New York (1999) bestonden uit stukken die op zichzelf stonden, maar ook in wisselwerking met elkaar stonden,

waardoor, zoals één criticus zei, een "museum van de ziel" werd gecreëerd: niet alleen de ziel van Simard, maar de ziel van de kleine plaats op het platteland in Quebec waar hij was opgegroeid.

Rond de eeuwwisseling heeft installatiekunst zich als een van de belangrijkste genres gevestigd en veel kunstenaars maken werken die installaties kunnen worden genoemd. Doordat installatiekunst vaker wordt beoefend, is de term juist door de flexibiliteit van de installatiekunst en door de volstrekte diversiteit van het werk dat het omvat, eerder een algemene dan een specifieke term geworden.

Claude Simard, aanblik van installatie, Jack Shainman Gallery, New York, 1999 In Simards installaties wordt een reeks objecten, schilderijen en sculpturen (uit hout gesneden sculpturen, portretbusten, poppen, digitale foto's, grammofoonplaten, zonnebloemen) gepresenteerd om de thema's geheugen en identiteit te verkennen.

Belangrijke collecties
Hamburger Kunsthalle, Hamburg
Kemper Museum of Contemporary Art, Kansas City, Missouri
Saatchi Collection, Londen
Solomon R. Guggenheim Museum, New York
Tate Modern, Londen
Stichting De Appel, Amsterdam

Belangrijke boeken
N. De Oliveira, N. Oxley and M. Archer, *Installation Art* (1994)
Blurring the Boundaries. Installation Art 1969–96 (tent. cat. Museum of Contemporary Art, San Diego, CA, 1997)
J. H. Reiss, *From Margin to Centre: The Spaces of Installation Art* (Cambridge, MA, 1999)

Superrealisme

Ik wil werken met het beeld dat het [de camera] heeft vastgelegd, dat (...)
tweedimensionaal en vol oppervlaktedetails is.

CHUCK CLOSE, 1970

Superrealisme is een van de vele benamingen (naast fotorealisme, hyperrealisme en in het Engels ook *sharp-focus realism*) voor een bepaald type schilderkunst en beeldbouwkunst dat in de jaren zeventig van de twintigste eeuw met name in de Verenigde Staten bekendheid kreeg, hoewel het geen scherpomlijnde beweging is. Tijdens de hoogtijdagen van abstractie, *minimalisme en *conceptual art legden bepaalde kunstenaars zich toe op het creëren van illusionistische, beschrijvende, representatieve schilderijen en beeldhouwwerken. Het merendeel van de schilderijen zijn gekopieerd van foto's, terwijl de meeste beeldhouwwerken is vervaardigd op basis van lichaams-afgietsels. Het werk was in die tijd populair bij handelaars, verzamelaars en het grote publiek, maar werd door veel kunstcritici afgewezen omdat het een regressieve ontwikkeling zou zijn. Nu sindsdien enige tijd is verstreken, is het gemakkelijker om de overeenkomsten te zien tussen het superrealisme (het kenmerkend koele, onpersoonlijke voorkomen, de aandacht voor gewone of industriële onderwerpen) en de contemporaine *pop-artbeweging en minimalistische beweging. Zo kan ook de aandacht voor detail, het nauwgezette vakmanschap en de bijna wetenschappelijke benadering

van het maken van kunst via de *precisionisten worden teruggevoerd op de *neo-impressionisten van de vorige eeuw. Uit de superrealistische schilderkunst blijkt op verschillende manieren ook de invloed die fotografie sinds het *impressionisme op de schilderkunst heeft gehad.

De belangrijkste beoefenaars van superrealisme in de schilderkunst waren de in de Verenigde Staten gevestigde Britse kunstenaar Malcolm Morley (1931), de Amerikanen Chuck Close (1940), Richard Estes (1936), Audrey Flack (1931), Ralph Goings (1928), Robert Cottingham (1935), Don Eddy (1944) en Robert Bechtle (1932), de Brits-Amerikaanse John Salt (1937), de Duitse Gerhard Richter (1932) en de kunstenaarsgroep Zebra in Hamburg, die bestond uit Dieter Asmus (1939), Peter Nagel (1942), Nikolaus Störtenbecker (1940) en Dietmar Ullrich (1940). Deze kunstenaars werkten op

Onder: **Richard Estes, *Holland Hotel*, 1984** Estes werkt vanaf verschillende foto's van een scène, waarbij hij elementen daarvan combineert om afbeeldingen te creëren die overal even scherp zijn en zo 'echter' lijken dan een foto. Het spiegelzaaleffect, dat wordt gecreëerd door het weerspiegelende glas, heeft een verwarrend effect op de waarneming van ruimte door de beschouwer.

onderwerpen naar voren. Malcolm Morley, die de term "superrealisme" in 1965 bedacht, maakte fotoachtige schilderijen van de welvarende bourgeoisie en van oceaanschepen, zoals *SS Amsterdam in Front of Rotterdam* (1966). Veel van zijn schilderijen waren gebaseerd op ansichtkaarten, kiekjes, reisposters en -brochures, en vaak gaf hij ze een witte rand om de bron aan te geven en het 'artifactuele' effect te versterken.

Wellicht de bekendste superrealist is Chuck Close, wiens reusachtige portretten van zijn vrienden en zichzelf beroemd zijn geworden. Close maakte deze afbeeldingen met een airbrush en een minimale hoeveelheid pigment om een glad, fotoachtig oppervlak te krijgen. De aandacht voor detail in dit nauwgezette proces is zichtbaar in de vetophopingen, poriën en haren van degenen die poseerden en in het behoud van de onscherpe delen van de foto. De combinatie van de grootschaligheid en de 'onpersoonlijke' techniek levert afbeeldingen op die tegelijkertijd monumentaal, intiem en onmiskenbaar van de hand van Close zijn.

In de voorstellingen van Este daarentegen worden mensen zelden rechtstreeks afgebeeld, hoewel hun aanwezigheid wordt geïmpliceerd door de voorwerpen en omgeving in zijn stadsscènes, of door hun weerspiegeling in de glasplaten die kenmerkend voor zijn werk zijn. In tegenstelling tot de meeste andere superrealistische schilders, werkt Estes vanaf verschillende foto's van een scène, waarbij hij elementen daarvan combineert om afbeeldingen te creëren die overal even scherp zijn en zo 'echter' lijken dan een foto. Het spiegelzaaleffect, dat wordt gecreëerd door het weerspiegelende glas, heeft een verwarrend effect op de waarneming van ruimte door de beschouwer en roept vragen op als: "Wat is echt?" "Wat is werkelijkheid?" De glimmende afbeeldingen die Goings maakt van de snelwegcultuur en massaproducten, zoals auto's, trucks, wegrestaurants en caravans, missen ook een duidelijke menselijke aanwezigheid en stralen een eenzaamheid en verlatenheid uit die doen denken aan Edward Hopper (zie *American Scene).

Audrey Flack is het bekendst om haar herinvoering van de vanitas in afbeeldingen waarin zij specifiek gebruik maakt van de emotionele, nostalgische en symbolische associaties van foto's en die daarom de neutraliteit van foto's allesbehalve bevestigen. Haar levendig gekleurde, gedetailleerde stillevens, waarin vaak met vrouwelijke ijdelheid geassocieerde voorwerpen worden gecombineerd met herinneringen aan de dood, zijn bespiegelingen van narcisme en materialisme.

De 'fotoschilderijen' van Gerhard Richter zijn gebaseerd op 'gevonden' foto's uit kranten en tijdschriften of op zijn eigen kiekjes. Hij brengt deze foto's over op het doek en vervaagt ze met een droge kwast om de schilderijen dezelfde korreligheid als het origineel te

verschillende manieren en verbeeldden uiteenlopende onderwerpen: portretten, landschappen, stadsgezichten, suburbia, stillevens en de vrijetijdsbesteding van de bourgeoisie. Hoewel hun techniek in die tijd als anoniem en machineachtig werd beschouwd, blijken hun werken, wanneer die aandachtiger worden bestudeerd, net zozeer het karakter van een individuele handtekening te hebben als het meest expressionistische kunstwerk.

Wat het werk zo nieuw en eigentijds maakte, was de manier waarop het de aandacht vestigde op de invloed die mediabeelden – foto's, commerciële reclame, televisie en films – op onze waarneming van de werkelijkheid hebben. De werken, en vooral de schilderijen, komen niet rechtstreeks voort uit contact met de echte wereld, maar uit afbeeldingen daarvan, wat vragen over werkelijkheid en kunstmatigheid opwerpt. Een superrealistisch schilderij is niet het leven, maar het leven twee stappen daarvandaan: een beeld van een beeld van het leven. Dit dubbele bedrog, in combinatie met een vaak overweldigende mate van detail, geeft de werken een duidelijk onrealistisch, of surrealistisch, karakter en bracht de Amerikaanse kunsthistoricus en criticus William Seitz ertoe om de term "artifactualisme" te opperen als passender benaming.

Hoewel het wel mogelijk is om het werk van de superrealisten in één categorie onder te brengen, komen bij een aandachtiger bestudering typerende kenmerken wat betreft techniek en

Boven: **John Ahearn**, *Veronica and her Mother*, **1988** De plastische portretten die Ahearn maakte van inwoners van de South Bronx in New York worden soms aangebracht op de muren van gebouwen in de wijk. "De grondslag voor het werk is kunst die een populaire basis heeft, niet alleen wat betreft aantrekkelijkheid, maar ook wat betreft oorsprong en betekenis (...) Het kan hier, maar ook in een museum iets betekenen."

Tegenoverliggende pagina: **Chuck Close**, *Mark*, **1978-79** Close maakte deze afbeeldingen door een foto over te brengen op een raster en vervolgens elk vierkant in te kleuren met een airbrush en een minimale hoeveelheid pigment om een glad, fotoachtig oppervlak te krijgen.

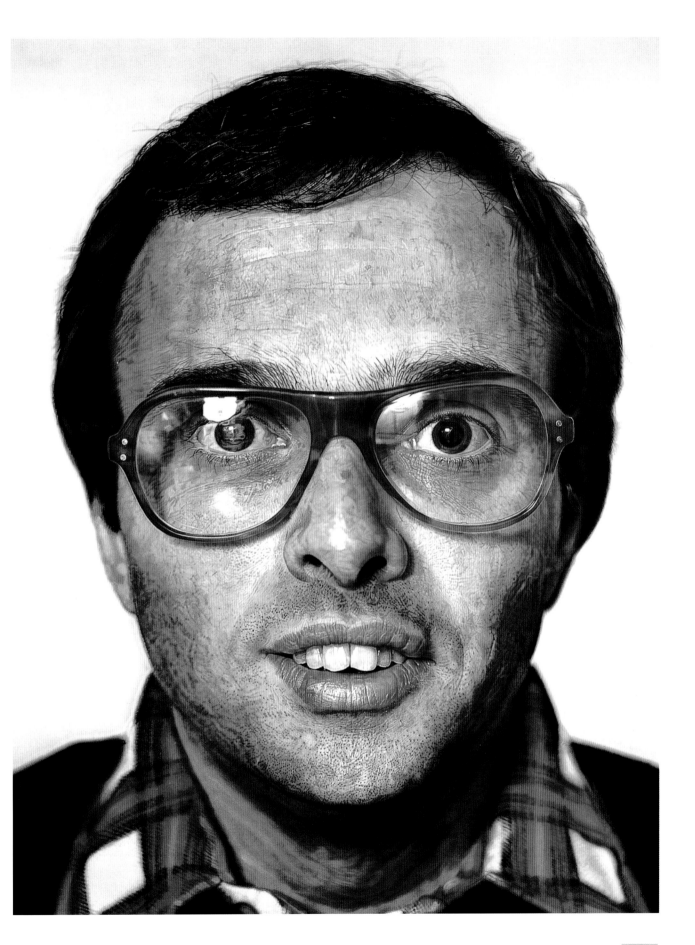

geven, waarmee hij doelbewust de gebreken van amateurfotografie doet uitkomen. Zijn soft-focus, romantische schilderijen van landschappen, figuren, interieurs, stillevens en abstracties lijken schilderkunst en fotografie en abstractie en illusionisme met elkaar te verenigen en vestigen de aandacht op de manier waarop onze waarneming van de werkelijkheid en het verleden door schilderkunst en fotografie wordt gekleurd. Superrealistische technieken werden niet alleen in de schilderkunst toegepast, maar ook in de beeldbouwkunst. De invloed van de "veristische beeldhouwwerken" van de Amerikanen Duane Hanson (1925-96) en John De Andrea (1941) werd in een recensie als volgt samengevat: "Abstractie is in het verleden al vele malen bekritiseerd, maar nog nooit zo uitvoerig." Beide beeldhouwers maken afgietsels van mensen, maar terwijl de naakten van De Andrea het jonge, aantrekkelijke ideaal zijn, kunnen Hansons groeperingen van verschillende typen gewone Amerikanen, zoals *Tourists* (1970), worden geïnterpreteerd als commentaar of een humoristisch zelfbewustzijn. Zijn figuren zijn gemaakt van directe afgietsels, vervaardigd van versterkt polyesterhars en fiberglas en gekleed in echte kleding. Het resulterende effect is een verbazingwekkende maar tegelijkertijd onthutsende gelijkenis. Andere, recentere beeldhouwers zouden ook superrealisten kunnen worden genoemd, zoals de Amerikanen John Ahearn (1951) en Rigoberto Torres (1962) en de in Londen gevestigde Australische beeldhouwer Ron Mueck (1958). De sculptuur-reliëfportretten die Ahearn en Torres hebben gemaakt van inwoners van de South Bronx in New York zijn vervaardigd met behulp van plastic mallen van personen uit de wijk, die vervolgens in fiberglas zijn gegoten en zijn geschilderd. De sculpturen zijn niet alleen met succes tentoongesteld in kunstgalerieën, maar ook aangebracht op

de muren van de gebouwen in de wijk, waardoor zij letterlijk onderdeel worden van de omgeving waaruit ze zijn ontsproten.

Terwijl de sculpturen van Ahearn en Torres bepaalde mensen uit een specifieke tijd en plaats vastleggen, verkent Mueck in zijn sculpturen universelere typen. Ze zijn geen rechtstreekse afgietsels van mensen, maar van maquettes die op vrienden en familieleden zijn gebaseerd en die in klei zijn gemodelleerd. Ze zijn griezelig levensecht, en toch versterken zij, hetzij sterk verkleind hetzij sterk vergroot, de emotionele toestand van de figuren en geven zij de beschouwer de indruk Alice in Wonderland of Gulliver te zijn. *Ghost* (1998), een 2,1 meter lange prepuber, gekleed in een slobberig badpak, drukt op krachtige wijze de opgelatenheid en zelfbewustheid uit die een opgroeiend meisje kan ervaren.

Belangrijke collecties
Fine Arts Museums of San Francisco, San Francisco, California
National Gallery of Scotland, Edinburgh
Tate Modern, Londen
Whitney Museum of American Art, New York
Museum Ludwig, Keulen

Belangrijke boeken
C. Lindey, *Superrealist Painting and Sculpture* (1980)
M. Morley, *Malcolm Morley* (tent. cat. Tate Gallery Liverpool, England, 1991)
R. Storr, et al., *Chuck Close* (1998)
A. Rorimer, *New Art in the 60s and 70s* (2001)

Anti-design

Wij hebben ervoor gekozen om het tanende bauhaus-imago, dat een belediging is voor het functionalisme, te negeren.

ARCHIGRAM, 1961

Anti-design, *Radical Design* en *Counter-Design* zijn benamingen voor een aantal 'alternatieve' architectuur- en designbenaderingen in de jaren zestig en zeventig van de twintigste eeuw, met name die van de Britse groep Archigram en de Italiaanse studio's Archizoom en Superstudio. Net als hun tijdgenoten (zie *Postmodernisme) verwierpen deze anti-designers de principes van hoog modernisme (zie *Internationale stijl) en in het bijzonder de verheffing van de esthetische functie van een object boven de sociale en culturele rol ervan. Zij verzetten zich tegen de conventies van vormgeving en de invloed van geld en politici en richtten zich op een radicale, visionaire manier op de behoeften van het individu.

De oudste van deze groepen, Archigram (1961-74), bestond uit de jonge, in Londen gevestigde architecten Peter Cook (1936), David

Greene (1937), Michael Webb (1937), Ron Herron (1930-94), Warren Chalk (1927) en Dennis Crompton (1935). De naam, een samentrekking van de woorden Architectuur en Telegram, gaf het idee van een dringende boodschap aan een nieuwe generatie. Hun originaliteit had precedenten in de utopische visies van de pioniers van het modernisme, zoals Bruno Taut en Die Gläserne Kette (De Glazen Keten; zie *Arbeitsrat für Kunst), en hun ideeën werden gevoed door een aantal eigentijdse publicaties en ontwikkelingen: het invloedrijke *Theory and Design in the First Machine Age* (1960) van Reyner Banham, *Phantastische Architektur* (1960, in het Engels gepubliceerd in 1963) van U. Conrads en H.G. Sperlich, Constants visie van de nieuwe stad (zie *Situationist International) en de innovatieve ideeën van Richard Buckminster Fuller voor verplaatsing

en huisvesting (zie *Neodada). Puttend uit deze bronnen hielden de leden van Archigram in hun plannen voor het tweede machinetijdperk rekening met bruikbaarheid, recycling, verplaatsbaarheid en individuele keuze. Aangezien project-ontwikkelaars of bankiers er niet van konden worden overtuigd dat hun toekomstvisie (een mobiele wereld die technologisch en tegelijk arcadisch was) commercieel levensvatbaar was, nam hun architectonische productie de vorm aan van tekeningen, collages en modellen. Projecten als *7* (1963), *Plug-in City* (1964-66) en *Cushicle* (een opblaasbaar pak met water, levensmiddelen, radio en televisie, 1966-67) waren internationaal inspirerende ontwerpen en waren het begin van wat de schrijver Michael Sorkin omschreef als een trend om het "functionalisme" weer "leuk" te maken.

Archizoom (de naam is een expliciete hulde aan Archigram) en Superstudio werden beide in 1966 in Florence opgericht. De leden van Archizoom (1966-74) waren onder anderen Andrea Branzi (1939), Gilberto Corretti (1941), Paolo Deganello (1940), Dario en Lucia Bartolini en Massimo Morozzi. Superstudio (1966-78) bestond onder meer uit Cristiano Toraldo di Francia, Alessandro en Roberto Magris, Piero Frasinelli en Adolfo Natalini. Ettore Sottsass (zie *Postmodernisme) en Joe Colombo (1930-71) waren ook belangrijke figuren voor de Italiaanse anti-designers. Zij lieten zich inspireren door *pop-art, kitsch en stijloplevingen (bijvoorbeeld *art deco en *art nouveau) om meubels te ontwerpen die zo speels oneerbiedig waren als Archizooms *Mies-stoel* uit 1969. Dit ontwerp was een aanval op de begrippen 'goed ontwerp' en 'goede smaak' die in de jaren vijftig in Italië heersten (zie *Organische abstractie). Ze ontwierpen ook plannen voor flexibele steden van de toekomst waarin techniek de nomadische bevolking zou bevrijden van de beperkingen van loonarbeid.

Ron Herron, *The Walking City Project*, 1964 Teruggrijpend op de onuitvoerbare projecten van de vroeg-twintigste-eeuwse architecten, duidden de futuristische, mobiele steden van Archigram-ontwerper Herron volgens velen ook op de techniek van overleving: zijn reusachtige, geavanceerde capsules lijken in de nasleep van een atoomaanval door de restanten van een stad te dwalen.

Alle drie de groepen werden in de jaren zeventig ontbonden, deels als gevolg van de economische depressie en deels vanwege de teleurstelling als gevolg van het verkeerde gebruik van nieuwe technologieën. Hun invloed is echter aanzienlijk geweest. Hun liefde voor experimenten en technologische vernieuwing is terug te vinden in het werk van de *hightechbeweging, terwijl de postmodernisten hen navolgden in de verwerping van het orthodoxe modernisme. Een grotere aandacht voor de dynamiek van stedelijke omgevingen is kenmerkend voor veel contemporaine architecten, zoals de Nederlander Rem Koolhaas (1944). De invloed van de oorspronkelijke anti-designers is ook te zien bij recente groepen die bij stadsvernieuwingsprojecten zijn betrokken, zoals de volledig uit vrouwen bestaande, in Londen gevestigde Muf (opgericht in 1993) en de Nederlandse groep West 8 (opgericht in 1987). De uitdaging van de hedendaagse ontwerper beperkt zich nu niet meer tot formeel ontwerp, maar bestaat uit het leiden, of choreograferen, van de natuurlijke stroom en het gebruik van openbare ruimten. Dit is wellicht het belangrijkste erfgoed van anti-design.

Belangrijke collecties
FRAC Centre, Orléans
Malaysian Exhibition, Commonwealth Institute, Londen
Museum of Modern Art, New York

Belangrijke boeken
P. Cook, *Experimental Architecture* (1970)
A. Branzi, *The Hot House: Italian New Wave Design* (1984)
D. A. Mellor and L. Gervereau (eds), *The Sixties, Britain and France, 1962–1973: The Utopian Years* (1996)
B. Lootsma, *SUPERDUTCH: New Architecture in the Netherlands* (2000)

Supports-surfaces

Het gaat niet om de vorm, maar om het idee, het wezen van de abstractie.

NOEL DOLLA, 1993

Supports-surfaces was een groep van jonge Franse kunstenaars die van ongeveer 1966 tot 1972 samen tentoonstellingen hielden. Dit was een tijd van onstuimige politieke veranderingen voor Frankrijk en de Franse koloniën (er werd gevochten in Indo-China en Vietnam en er heerste onvrede over het groeiende Amerikaanse culturele imperialisme). De groep was toegewijd aan de revolutionaire sociale omwenteling (de meeste leden waren maoïsten) en herleidde de schilderkunst tot de essentiële eigenschappen, namelijk het doek en het spanraam (het raam waarop het doek wordt gespannen). Hiermee wilden zij de grip van de kunstmarkt op het werk verkleinen en de kunst ontdoen van symbolische en romantische kwaliteiten.

Ook gebruikten zij ongewone materialen in hun werk, zoals kiezels, stenen, met was behandelde stof en karton. De kleur werd direct op de ondergrond aangebracht (zowel op het doek als op het spanraam). Ze rolden, vouwden, wikkelden, verkreukelden, verbrandden en pigmenteerden hun werk en lieten dit in de zon verbleken. En op exposities plaatsten zij de werken direct op de vloer of hingen zij deze zonder spanraam of lijst op.

De belangrijkste leden van de groep waren Daniel Dezeuze (1942), Patrick Saytour (1935) en Claude Viallat (1936), maar zij exposeerden hun werk vaak samen met een aantal andere jonge Franse kunstenaars: François Arnal (1924), Pierre Buraglio (1939), Louis Cane (1943), Marc Devade (1943-83), Noël Dolla (1945), Toni Grand (1935), Bernard Pagès (1940), Jean-Pierre Pincemin (1944) en Vincent Bioulès (1938), die de groep op een laat moment haar naam gaf tijdens een expositie die in 1970 in het kader van ARC (Animation, Recherche, Confrontation) werd gehouden in het Musée d'Art Moderne de la Ville de Paris.

Een achterliggende gedachte van hun project was het demystificeren van kunst en het overbruggen van de kloof tussen kunst en de gewone mensen. Claude Viallat beschreef het werk van de kunstenaars op nuchtere wijze: "Dezeuze beschilderde spanramen zonder doek, ik beschilderde doeken zonder spanraam en Saytour schilderde de beeltenis van het spanraam op het doek." In een tijd waarin de figuratieve schilderkunst als de stijl van de revolutionairen werd beschouwd (zie *Sociaal realisme), was de voorkeur voor abstractie van de groep ongebruikelijk en doelbewust provocatief. Op een bepaalde manier eisten de leden de utopische ideologie of het gedachtegoed van de pioniers van de abstractie opnieuw op (zie bijvoorbeeld *Constructivisme, *De Stijl en *Concrete kunst). Bovendien trokken zij de formalistische interpretaties van moderne kunst door de Amerikaanse criticus Clement Greenberg in twijfel (zie *Post-painterly abstraction).

Net als veel *conceptuele kunstenaars en *Arte Povera-kunstenaars, die de taal van de *minimalistische of formalistische kunst gebruikten om deze te ontwrichten, verwierpen zij het beeld

van de schilder als een genie en van kunst als iets speciaals dat was voorbehouden aan de elite. In plaats daarvan brachten zij de kunst naar de mensen door talrijke openluchtexposities in kleine steden buiten het traditionele kunstcircuit te organiseren, met name in Zuid-Frankrijk. Ze koesterden niet de illusie dat de mensen hun bedoelingen direct zouden begrijpen en deden er alles aan om een theoretische achtergrond en uitleg bij hun werk te bieden met behulp van posters en verhandelingen.

De kunstenaars wilden het schilderij zelf aan een kritisch onderzoek onderwerpen door te putten uit andere disciplines die volgens hen 'niet buiten een ideologie worden geplaatst', zoals linguïstiek en de psychoanalyse. Dit onderzoek moest ingaan op de geschiedenis, materialen en structuren van het werk. In hun tijdschrift *Peinture/Cahiers théoriques* dat in 1971 als spreekbuis voor de groep was opgericht, beschreven zij hun theoretische basis en toonden zij geestverwantschap met een aantal conceptuele kunstenaars, zoals kunstenaars die zich bezighielden met de wisselwerking van kunst en taal. Hun kunst stond echter nooit in de schaduw van hun theorieën. In zekere zin is hun werk een samensmelting van een formalistische toewijding aan het schilderen, een conceptualistische toewijding aan het idee en een socialistische toewijding aan politieke veranderingen.

Het voortbestaan van de groep Supports-surfaces werd al snel bedreigd door een combinatie van hoge verwachtingen en uiteenlopende politieke standpunten. In juni 1971 stapte een aantal kunstenaars uit de groep en de laatste expositie van Supports-surfaces

Expositie in galerie Jean Fournier, 15–22 april 1971
Tijdens deze expositie werden werken van Dezeuze, Saytour, Valensi en Viallet getoond en kwamen hun constructieve vakmanschap en talenten naar voren. Niet al hun exposities werden in galerieën gehouden. De groep stond bekend om exposities in de openlucht.

werd in april 1972 gehouden te Straatsburg. Ondanks het korte bestaan van de groep had Supports-surfaces een grote invloed op de Franse kunstscene die nog steeds voelbaar is. In de jaren negentig werden hun ideeën verder verspreid buiten Frankrijk. In 1998 werd hun werk opgenomen in een grote expositie van het Guggenheim Museum in New York en tijdens een reizende groepsexpositie is hun werk vertoond in het Palazzo delle Esposizione in Rome (1999) en het museum Pori in Finland (2000). Tijdens een conferentie die in 1999 in combinatie met een expositie in galerie Gimpel Fils werd gehouden in Londen, kwam een aantal van de kunstenaars opnieuw bijeen een presenteerden zij hun werk en ideeën aan een nieuw publiek.

Belangrijke collecties
ARC, Musée d'Art Moderne de la Ville de Paris, Parijs
Centre Georges Pompidou, Parijs
Museé d'Art Moderne, Saint-Etienne

Belangrijke boeken
D. A. Mellor and L. Gervereau (eds), *The Sixties, Britain and France, 1962–1973: The Utopian Years* (1996)
S. Hunter, 'Faultlines: Buraglio and the Supports/Surfaces – Tel Quel axis', *Parallax*, vol. 4, no. 1 (januari 1998)
M. Finch, 'Supports/Surfaces', *Contemporary Visual Art Magazine*, no. 20 (1998)

Videokunst

Zoals de collagetechniek de olieverf heeft vervangen, zo zal de kathodestraal het doek vervangen.

Nam June Paik

In de jaren zestig van de twintigste eeuw, toen *pop-kunstenaars beelden uit de massacultuur introduceerden in galerieën en de technologie van beweging en geluid werd verkend (zie *Kinetische kunst en *Geluidṣkunst), ging een groep kunstenaars de uitdaging aan met het krachtigste nieuwe massamedium: televisie. In 1959 begonnen *Fluxus-kunstenaar Wolf Vostell (1932-98) en de in Korea geboren Amerikaanse kunstenaar en musicus Nam June Paik (1932) televisies in hun installaties op te nemen. De symbolische geboorte van videokunst had echter pas in 1965 plaats toen Paik de nieuwe draagbare Sony Portapak-videocamera kocht. Videokunstenaars van de eerste generatie gebruikten de rijke syntaxis van de taal van televisie - spontaniteit, discontinuïteit, amusement – vaak om de gevaren van een dergelijk, in cultureel opzicht invloedrijk medium onder de aandacht te brengen. Met name Paik dreef er de spot mee en verklaarde openlijk: "Ik maak technologie belachelijk."

Bill Viola, *Nantes Triptych*, 1992 Zowel de onderwerpen (geboorte en overlijden) als de vorm (het drieluik) zijn belangrijke elementen in de eeuwenoude Europese christelijke kunsttraditie, maar het gebruik van video in plaats van schilderkunst roept bij de beschouwer een andere reeks reacties op.

De ontwikkeling van videokunst werd beïnvloed door diverse intellectuele trends en in Paiks video's *Marshall McLuhan Caged* (1967) en *A Tribute to John Cage* (1973) wordt hulde gebracht aan twee belangrijke figuren. Avant-gardecomponist John Cage (zie ook *Neodada, *Performancekunst en *Fluxus) was een van de eersten die pleitte voor de toepassing van nieuwe technologie in kunst. In "Understanding Media: Extensions of Man" (1964) voerde de Canadese schrijver Marshall McLuhan (1911-80) aan dat de verandering van de communicatiemiddelen de waarneming zelf had veranderd; de waarneming was niet meer zuiver visueel georiënteerd, maar multi-zintuiglijk georiënteerd. "De taak van kunst is niet om ervaringsmomenten op te slaan", schreef hij, "maar om omgevingen te verkennen die anders onzichtbaar zijn." Voor McLuhan was kunst, net als voor William Blake wiens werk hij citeerde, een manier om "alle zintuigen van de mens te verenigen en zo te streven naar de eenheid van de verbeelding". "Het medium is de boodschap" werd zijn beroemde uitspraak.

Vroege videokunstenaars combineerden mondiale communicatie-theorieën met elementen uit de popcultuur om videobanden, één- en meerkanaalsproducties, internationale satellietinstallaties en beeldhouwwerken met meerdere monitoren te produceren. Paik werkte vaak samen met andere kunstenaars, in het bijzonder met de avant-gardecelliste Charlotte Moorman (1933-91). In *TV Bra for Living Sculpture* (1969) speelde Moorman composities van onder anderen Paik terwijl ze een 'bh' droeg die was gemaakt van twee

miniatuur-tv's waarop de afbeeldingen met de tonen van de muziek meeveranderden.

Tegen het einde van de jaren zestig begonnen commerciële galerieën videokunst te ondersteunen. In 1969 presenteerde de Howard Wise Gallery in New York de historische tentoonstelling "TV as a Creative Medium", waarop naast *TV Bra for Living Sculpture* werk te zien was van Ira Schneider (1939), Frank Gillette (1941), Eric Siegel (1944) en Paul Ryan (1944). Howard Wise (1903-89) richtte daarna Electronic Arts Intermix (EAI) op om een dienst voor de verspreiding van videobanden en montagefaciliteiten voor kunstenaars te bieden. EAI beschikt nu over een van de belangrijkste collecties videokunst in de Verenigde Staten. Publieke televisiestations, zoals Bostons WGBH, ondersteunden ook videokunst en al snel bloeide een creatieve relatie op tussen kunstenaars en commerciële televisie. Een groot aantal technieken en speciale effecten, die nu heel gewoon zijn in televisieproducties en muziekvideo's, en met name in de postproductie, werd uitgevonden door kunstenaars als Paik en Dan Sandin (1942). Sandin ontwikkelde in 1973 de Sandin Image Processor (IP), waarmee videobeelden elektronisch kunnen worden gewijzigd en de dynamiek van kleuren kan worden verkend.

Andere vroege videokunstenaars en technische pioniers zijn onder anderen het man-en-vrouw-team Steina (1940) en Woody (1937) Vasulka, die diverse elektronische apparaten hebben ontwikkeld voor kunstenaars, waaronder de Digital Image Articulator. Met de

ontwikkeling van nieuwe productietechnieken werd videokunst steeds geavanceerder.

Misschien als gevolg van de flexibiliteit van het nieuwe medium en de intimiteit waarmee het met thema's op het gebied van vrouwelijke identiteit kon omgaan, sprak het een groot aantal vrouwen aan, waaronder Dara Birnbaum (1946), Ana Mendieta (1948-86), Adrian Piper (1948), Ulrike Rosenbach (1949) en Hannah Wilke (1940-93). Zoals performancekunstenaar Joan Jonas (1936) uitlegde: "Door met video te werken, kon ik mijn eigen taal ontwikkelen. (...) Video was voor mij iets om in te duiken en om te onderzoeken als een ruimtelijk element met mijzelf daarbinnenin." Jongere vrouwelijke videokunstenaars, zoals Pipilotti Rist (1962), Amy Jenkins (1966) en Alex Bag (1969) hebben deze traditie voortgezet. In *Turbulent* (1998) geeft de Iraanse Shirin Neshat (1957) een aangrijpend attest af van de verschillende statussen die mannen en vrouwen in haar land hebben.

Informatietechnologie gaf videokunstenaars de mogelijkheid om de kracht van mediastereotypen te ondermijnen, op het gebied van geslacht, seksualiteit of ras. De Amerikaanse kunstenaar Matthew Barney (1967) heeft onderwerpen op het gebied van mannelijke identiteit en lust verkend, terwijl de Brit Steve McQueen (1966) de zwarte man op complexere en gevoeligere wijze heeft afgebeeld dan men in de traditionele tweedimensionale portretteringen in de heersende media aantreft. Videokunst heeft een breed scala van beoefenaars met sterk uiteenlopende doelstellingen aangetrokken en leent zich net zo gemakkelijk voor de humoristische, verhalende sketches van William Wegman (1943) en de gespiegelde architectonische omgevingen van Dan Graham (1942), als voor de woord-beeldspelletjes van Gary Hill (1951) en de op gesplitste schermen weergegeven beelden van de Canadees Stan Douglas (1960).

In de jaren tachtig werden wereldwijd in de belangrijkste musea en universiteiten afdelingen opgezet voor video en nieuwe media. Tegelijkertijd ontstond een nieuwe generatie kunstenaars die zich in video specialiseerden. Hun werk heeft zich gaandeweg verder ontwikkeld, terwijl zich in de rol van de kunstenaar een belangrijke verschuiving heeft voorgedaan. In vroege producties was de kunstenaar vaak te zien in de rol van uitvoerende of stond hij achter de camera, maar nu nam de kunstenaar de rol aan van producent of editor, die het werk in de postproductiefase de gewenste betekenis gaf. Bill Viola (1951) heeft complexe, grootschalige video-installaties gemaakt van scènes en gebeurtenissen die vaak uiterst intieme, emotionele

ervaringen waren, zoals een hartoperatie, geboorte en overlijden.

De versmelting van video met de computer die zich sinds het eind van de jaren tachtig heeft voorgedaan, heeft samen met verdere technologische ontwikkelingen op het gebied van projectie geleid tot de vervaardiging van grotere en complexere videokunst. Doordat video is bevrijd uit de zwarte doos, zijn de monumentale projecties van Viola mogelijk geworden, alsook het innovatieve werk van de Amerikaan Tony Oursler (1957), die levenloze voorwerpen tot leven brengt door ze te projecteren op pratende hoofden die de kijker rechtstreeks aanspreken. Zijn werk kan komisch, aangrijpend of soms angstaanjagend zijn. Zo is algemeen bekend dat veel jeugdige bezoekers van de tentoonstelling "Spectacular Bodies" in The Hayward Gallery in Londen (2000) van streek zijn geraakt door de pratende stierentestikels. In *The Influence Machine*, een nog ambitieuzer project uit hetzelfde jaar, richtte Oursler zijn projecties op de buitenomgeving door het Londense Soho Square om te vormen tot een "psycholandschap". Pratende bomen en gebouwen, pratende hoofden die in uitgeblazen rook verschijnen, lichten, geluiden en schimmen zorgden voor een krachtig, gecombineerd effect.

Boven: **Tony Oursler, *The Influence Machine*, 2000** De openluchtprojecties van Oursler vormden het Londense Soho Square om tot "psycholandschap", waarin de 'geest' van de locatie werd aangeroepen. Pratende bomen en gebouwen, pratende hoofden als in De Tovenaar van Oz, lichten, geluiden en schimmen creëren gezamenlijk de griezelige spanning van een omvangrijke seance in de open lucht.

Tegenoverliggende pagina: **Naim June Paik, *Global Groove*, 1973** "Ik maak techniek belachelijk", zei Paik. Videokunstenaars van de eerste generatie zoals hij gebruikten de rijke syntaxis van de taal van televisie – spontaniteit, discontinuïteit, amusement – om de gevaren van een dergelijk in cultureel opzicht invloedrijk medium onder de aandacht te brengen.

Belangrijke collecties
Electronic Arts Intermix, New York
Museum of Modern Art, New York
Tate Modern, Londen
Whitney Museum of American Art, New York

Belangrijke boeken
D. Hall and S. J. Fifer (eds), *Illuminating Video: An Essential Guide to Video Art* (1990)
L. Zippay, *Artist's Video: An International Guide* (1992)
B. London, *Video Spaces: Eight Installations* (1995)
M. Rush, *New Media in Late 20th-Century Art* (1999)

Land-art

Waarom zouden we het werk niet buiten plaatsen en de condities verder veranderen?

ROBERT MORRIS, 1964

Land-art, ook wel "earth-art" of "earthworks" genoemd, kwam aan het eind van de jaren zestig van de twintigste eeuw op als een van de vele trends die door de gekozen materialen en locaties de grenzen van de kunst verlegden. In tegenstelling tot *pop-kunstenaars, die traditie afwezen en de stadscultuur omarmden, trokken land-kunstenaars de stad uit en gebruikten zij de omgeving als hun materiaal. Dit viel samen met een groeiende belangstelling voor ecologie en een bewustwording van de gevaren van vervuiling en de excessief groeiende consumptiemaatschappij. Volgens een psychoanalyticus die in 1969 in Art in America werd geciteerd, was land-art "de uiting van een verlangen tot ontvluchting van de stad die ons levend verorbert, en mogelijk een vaarwel aan ruimte en land nu we daar nog wat van hebben". In zekere zin is land-art veelal een vorm van behoud, want als een stuk land aan kunst is gewijd, kan het worden gered van bebouwing. Dit is een verlangen om niet alleen het milieu, maar ook de menselijke geest te beschermen: werken roepen vaak expliciet de spiritualiteit op van archeologische locaties, zoals indiaanse begraafplaatsen, Stonehenge, graancirkels en de reusachtige tekeningen in de heuvels van Engeland.

Tot dusverre zijn de meeste land-kunstenaars Britten en Amerikanen geweest. In hun werk zijn invloeden te zien van een sterke landschapstraditie (in het geval van Britse kunst) en van de romance met het Westen (in de Amerikaanse kunst). In de Verenigde Staten, waar land-art voor het eerst opkwam, zijn de belangrijkste figuren onder anderen Sol LeWitt (1928), Robert Morris (1931), Carl Andre (1935), Christo en Jeanne-Claude (beiden geboren in 1935), Walter De Maria (1935), Nancy Holt (1938) en haar man Robert Smithson (1938-73), Dennis Oppenheim (1938), Richard Serra (1939), Mary Miss (1944), James Turrell (1943), Michael Heizer (1944) en Alice Aycock (1946). In Europa zijn de Britse kunstenaars Richard Long (1945), Hamish Fulton (1946) en Andy Goldsworthy (1956), en de Nederlandse kunstenaar Jan Dibbets (1941) vooraanstaande land-kunstenaars.

Een aantal van deze pioniers wordt ook geassocieerd met *minimalisme. Land-art kan immers worden gezien als een verlenging van het minimalistische project: terwijl minimalisten werkten met de ruimte in galerieën, werken land-kunstenaars met de grond zelf. Ook wordt in het merendeel van hun werken de geometrische taal van het

minimalisme gebruikt, hetzij in de vorm van immense sculpturen in het land (zoals de labyrintachtige constructies van Aycock of de architectonische werken van Holt), hetzij als monumentale sculpturen die van het land zelf zijn gemaakt (bijvoorbeeld De Maria's inkepingen in de grond en de uitgravingen van Heizer en Turrell). Andere werken, waarin foto's, diagrammen of geschreven teksten worden gebruikt om tijdelijke interventies in het landschap vast te leggen, hebben overeenkomsten met *conceptual art (De Maria, Dibbets, Fulton, Goldsworthy, LeWitt, Long en Oppenheim). Nog weer andere, gemaakt door kunstenaars die belangstelling tonen voor het inzamelen en hergebruiken van afval, hebben thema's gemeen met junk-art (zie *Assemblage) en *Arte Povera.

Land-art vestigde zich als beweging met de tentoonstelling "Earth Works" in de Dwan Gallery in New York in 1968. De tentoonstelling,

Boven: **Robert Smithson, *Spiral Jetty*, 1970**
Dankzij een twintig jaar durende lease kon Smithson zijn bekendste werk maken: een spiraalvormige weg van zwarte basaltstenen en aarde die in het water van het Great Salt Lake in Utah uitloopt en onder invloed van algen en chemisch afval rood kleurt.

Tegenoverliggende pagina: **Walter De Maria, *The Lightning Field*, 1977**
Het theatrale landschap is een essentieel onderdeel van *The Lightning Field*. Zelfs zonder blikseminslag benadrukt het werk de krachten van de natuur, wanneer de palen in het vroege ochtendlicht glimmen en bij het intense zonlicht in de middag verdwijnen.

die werd georganiseerd door Smithson, omvatte fotografisch documentatiemateriaal van projecten, zoals *Box in a Hole* (1968) van LeWitt (het begraven van een metalen doos bij het Visser-huis in Bergeyk, Nederland) en De Maria's *Mile Long Drawing* (1968, twee krijtstrepen in de Mojavewoestijn in Californië). Deze tentoonstelling werd in 1969 gevolgd door de tentoonstelling "Earth" in het kunstmuseum van Cornell University in Ithaca, New York. De galeriehoudster Virginia Dwan (zie ook *Pop-art) was een van de eerste liefhebbers van land-art; zonder haar steun zouden veel land-artprojecten niet zijn uitgevoerd. Sinds 1974 heeft ook de Dia Arts Foundation (nu het Dia Center for the Arts) projecten gefinancierd.

De locaties van land-art zijn vaak afgelegen. De documentatie van de wandelingen die Richard Long in bijvoorbeeld Lapland of het Himalayagebergte maakte, gedurende welke hij lijnen of heuvels vormde van het daar beschikbare materiaal, zoals stenen en hout, nodigt de kijker uit om in zijn verbeelding zijn gang door deze romantisch verlaten gebieden te reconstrueren. Als gevolg van de omvang en beschikbaarheid van nog ongerept gebied in de Verenigde Staten bevinden veel monumentale land-artwerken zich in de woestijnen, in de gebergten en op de prairies van het zuidwesten van Amerika. Heizer, bijvoorbeeld, liet de schilderkunst in 1967 varen en trok naar het Westen, op zoek naar "het soort onberoerde, vredige, religieuze ruimte in de woestijn dat kunstenaars altijd hebben geprobeerd in hun werk te stoppen". Sinds zijn verhuizing heeft

Heizer, die afkomstig is uit een familie van geologen en archeologen en tal van historische locaties in Egypte, Peru, Bolivië en Mexico heeft bezocht, *Double Negative* en *City* vervaardigd. *Double Negative* (1969-70) bestaat uit een geul die over een lengte van een halve kilometer in het Virginia River-plateau in Nevada is gehouwen. Het nog ambitieuzere *City* is gestart in 1970, het jaar waarin Dwan daarvoor de grond op een geïsoleerde plek in Garden Valley in Nevada kocht. De bouw van de eerste fase van het werk, bestaande uit Complex One (1972-74), Complex Two (1980-88) en Complex Three (1980-99), besloeg bijna dertig jaar. In 2000 is Heizer fase twee gestart.

Het beroemdste werk van Robert Smithson, *Spiral Jetty* (1970), is te vinden in een verlaten industriegebied in het Great Salt Lake in Utah. Met financiering van Dwan vormde hij het door oliezoekers onbruikbaar geworden terrein om tot wellicht het beroemdste en meest romantische van alle land-artwerken. Smithson werd gefascineerd door het fysieke begrip entropie, of "omgekeerde evolutie", de zelfdestructieve én zelfherstellende processen van de natuur en de mogelijkheden voor terugwinning. *Spiral Jetty*, een werk waarin een stuk natuur werd toegeëigend voor kunst, en dat, zonder tussenkomst, uiteindelijk door erosie zal worden teruggewonnen door de natuur, is een verkenning van deze thema's. Door het wisselende waterpeil van het meer staat *Spiral Jetty* gedurende het merendeel van zijn bestaan onder water en verschijnt het slechts zo nu en dan als een camee boven water. Het werk is vrijwel alleen bekend door foto's en een film die kort na de voltooiing zijn gemaakt.

Walter De Maria is een andere oorspronkelijke land-kunstenaar. In 1977 gaf het Dia Center for the Arts opdracht tot het maken van twee van zijn bekendste werken: *The New York Earth Room* en *Lightning Field*. De *New York Earth Room* is een binnensculptuur van 127.300 kilo rijke, zwart-bruine aarde in een onberispelijke, stedelijke, witte galerieruimte, die het uiterlijk en de doordringende

geur van het land in de stad brengt. *Lightning Field*, dat zich in een hooggelegen, door bergen omringd woestijngebied in New Mexico bevindt, bestaat uit 400 stalen palen die zodanig zijn gerangschikt dat ze een gelijkmatig netwerk van anderhalve kilometer bij één kilometer vormen. De palen zijn aan de bovenkant voorzien van een naald, om bliksem aan te trekken tijdens de zomerse onweersbuien die zich vaak in het gebied voordoen. Volgens De Maria is "isolatie de essentie van land-art".

Christo en zijn partner Jeanne-Claude werken sinds de jaren zestig samen om hun monumentale, tijdelijke omgevingswerken – in de stad of op het platteland – uit te voeren (zie *Installatiekunst). Sinds het begin van Christo's carrière is zijn belangrijkste thema het verpakken of bekleden van objecten om deze tijdelijk een andere gedaante te geven. De op grootse schaal uitgevoerde werken zijn een combinatie van een verbazingwekkend schouwspel en heroïsche inspanningen. *Wrapped Coast – One Million Square Feet, Little Bay, Sydney, Australia* (1969); *Valley Curtain, Rifle, Colorado* (1970-72); *Running Fence, Sonoma and Marin Counties Coast in California* (1972-76); *Surrounded Islands, Biscayne Bay, Greater Miami, Florida* (1980-83) en *The Umbrella, Japan-USA* (1984-91) staan alle bekend om de immense gezamenlijke inspanningen die ervoor nodig waren, van de financiering van de projecten (de Christo's nemen geen opdrachten aan en brengen geld bijeen door de verkoop van voorbereidende tekeningen, modellen van projecten, enzovoorts), tot de verkrijging van wettelijke toestemming en de feitelijke uitvoering van de werken. Eenmaal uitgevoerd vallen de werken buiten de markt, aangezien ze niet kunnen worden gekocht of verkocht, en zijn ze openlijk zichtbaar voor iedereen.

Het conceptuele en kortstondige karakter van veel land-art houdt in dat deze kunst vaak alleen door middel van documentatie bekend kan worden. Door de afgelegen locaties of het gebrek aan onderhoud aan de werken zijn de meeste werken ook hoofdzakelijk bekend van foto's. Hierin komt echter verandering, nu meer wordt gedaan om de locaties te behouden en om een betere toegang tot de werken te verschaffen.

Christo en Jeanne-Claude, *Wrapped Coast, Little Bay, Australië*, 1969
Voor dit werk werden 93.000 vierkante meter anti-erosiemateriaal en 58 kilometer polypropyleentouw gebruikt. De kust bleef vanaf 28 oktober 1969 tien weken lang ingepakt voordat al het materiaal werd verwijderd.

Belangrijke collecties
Dia Center for the Arts, Beacon, New York
Tate Modern, Londen

Belangrijke locaties
W. De Maria, *Lightning Fields*, Catron County, New Mexico
M. Heizer, *City*, Garden Valley, Nevada
M. Heizer, *Double Negative*, Overton, Nevada
R. Smithson, *Broken Circle/Spiral Hill*, Emmen
R. Smithson, *Spiral Jetty*, Great Salt Lake, Utah
J. Turrell, *Roden Crater*, Sedona, Arizona
James Turrell, *Hemels Gewelf*, Kijkduin
Marinus Boezem, *De Groene Kathedraal*, Almere
Robert Morris, *Observatorium*, Lelystad
Richard Serra, *Sea Level*, Zeewolde

Belangrijke boeken
A. Sonfist, *Art in the Land* (1983)
J. Beardsley, *Earthworks and Beyond* (1989)

Site-works

Ik ben voor een kunst (...) die iets anders doet dan in een museum op z'n kont zitten.

CLAES OLDENBURG, 1961

Sinds de jaren vijftig van de twintigste eeuw hebben kunstenaars werken gemaakt die specifiek in verbinding met hun context staan, door kunst uit musea te halen en naar de straten en het platteland te brengen (zie bijvoorbeeld *Fluxus, *Conceptual art en *Land-art). In de jaren zestig werd de term *site-specific* (locatiespecifiek) steeds vaker gebruikt voor het werk van *minimalisten en beoefenaars van land-art en conceptual art, zoals Hans Haacke (zie *Conceptual art en *Postmodernisme) en Daniel Buren (1938).

In diezelfde periode ontstond een beweging voor gemeenschaps-kunst die het standpunt aanhing dat kunst niet voorbehouden moest zijn aan een handjevol bevoorrechte lieden. Tien jaar later bracht dit lokale en nationale overheden in Europa en in de Verenigde Staten ertoe om openbare-kunstprojecten te financieren. Hoewel niet al deze projecten verband houden met hun omgeving, verspreidde de belangstelling voor locatie en context zich naar de openbare kunst, wat een steeds groter wordend aantal site-works tot gevolg had. Locatiespecifieke werken verkennen de fysieke context waarin zij worden geplaatst (ongeacht of dit galerieën, stadspleinen of heuveltoppen zijn), zodat de context een integraal onderdeel van de werken zelf uitmaakt. In openbare kunst wordt het werk niet langer beschouwd als monument, maar als middel om een locatie te transformeren. Bovendien wordt in openbare kunst de nadruk gelegd op de samenwerking tussen kunstenaars, architecten, opdrachtgevers en het publiek.

In 1977 gaf het programma Art-in-Architecture van de United States General Services Administration, een van de grootste opdrachtgevers van openbare kunst in de Verenigde Staten, de *popkunstenaar Claes Oldenburg (1929) opdracht tot het maken van *Batcolumn*, een bijna 30 meter hoge, stalen honkbalknuppel die uit het centrum van Chicago verrijst. *Batcolumn* is een klassiek voorbeeld van de manier waarop een site-work werkt. Het past in praktisch opzicht perfect bij de locatie (door de open, stalen tralieconstructie is het bestand tegen de harde wind waarom Chicago bekendstaat), maar tegelijkertijd verwijst het naar wat het karakter van de regio kan worden genoemd en is het een erkenning van de lokale staalindustrie en de bouwkundige prestaties van de *Chicago School. In conceptueel opzicht doet het niet alleen denken aan de liefde van de stad voor het nationale tijdverdrijf honkbal, maar is de knuppel ook, met een lichte spot die kenmerkend is voor Oldenburg, zodanig gemaakt dat hij op de wapenstok van een politieman lijkt, als herinnering aan Chicago's historische reputatie voor geweld en corruptie.

Richard Serra, *Tilted Arc*, Federal Plaza, New York 1981

Serra gaf zelf toe dat zijn werk opzettelijk verstorend was: "Ik wil de beschouwer bewust maken van de realiteit van de omstandigheden: privé, openbaar, politiek, formeel, ideologisch, economisch, psychologisch, commercieel, sociologisch, institutioneel."

Hoewel Oldenburgs *Batcolumn* een triomf was voor het Art-in-Architecture-programma, bleek *Tilted Arc* van Richard Serra (1939) een ramp. De reusachtige, stalen plaat, met een hoogte van 3,6 meter, een lengte van 36,5 meter en een gewicht van 72 ton, werd in 1981 op Foley Square in New York geplaatst voor het Federal Plaza-gebouwencomplex. Met betrekking tot de locatie was er een interactie tussen de elegante welving van de plaat en het decoratieve ontwerp van het plein zelf, terwijl de welving ook de aandacht vestigde op het uniforme stratennet van Manhattan. Vanaf het begin deed het werk veel stof opwaaien. Het werk werd aan de ene kant geprezen door critici die, net als Michael Brenson, in het assertieve gebruik van het onbewerkte staal verwijzingen zagen naar schepen, auto's en treinen en naar de rol die de staalindustrie had gespeeld in de vorming van Amerika. Zoals Serra opmerkte, was het werk, hoewel het van zichzelf zwaar was, bedoeld om gewichtloos te lijken, om een subtiel evenwicht uit te drukken tussen het werk en de ruimte, en tussen het

werk en de beschouwer, dat verschoof wanneer men eromheen liep. Maar eromheen lopen was voor sommige gebruikers van het plein juist het probleem. Doordat het "ijzeren gordijn" zich over de gehele breedte van het plein uitstrekte, waren wandelaars gedwongen een korte omweg te maken. Hoewel Serra deels het doel mag hebben gehad om een diepzinnige verwijzing naar een ijzeren gordijn elders te creëren, volgden felle protesten en werd *Tilted Arc*, ondanks een rechtszaak waarin Serra aangaf dat elke wijziging of verplaatsing een vernietiging zou betekenen van het werk zoals het was ontworpen, uiteindelijk op een nacht in 1989 verwijderd (ironisch genoeg in hetzelfde jaar als waarin het 'andere' ijzeren gordijn, de Berlijnse Muur, werd neergehaald).

De kunstwereld was verontwaardigd over het besluit om *Tilted Arc* te verwijderen, maar het vormde een waardevolle les over de betrokkenheid van het publiek bij site-works. In de jaren tachtig werden in Europa en de Verenigde Staten bureaus voor openbare kunst opgericht om de onderhandelingen tussen kunstenaars, architecten, het publiek, autoriteiten en financieringsinstellingen te vergemakkelijken en om gebruikers van openbare ruimten te raadplegen.

Een kille ontvangst kreeg ook, in elk geval in eerste instantie, een van de installaties die Parijs in de jaren tachtig transformeerde, namelijk *Deux Plateaux* (1985-86) van Daniel Buren op de binnenplaats van het Palais Royal. Toen de revolutionaire conceptualist de kenmerkende strepen van zijn bekende, tijdelijke installaties overbracht naar een statige, permanente locatie, veroorzaakte dat evenveel verontwaardiging bij progressief ingestelden

als bij reactionairen. De eersten beschuldigden hem van verraad; de laatsten wierpen het bezwaar op dat het een schending zou zijn van een geliefd monument. Het werk van Buren heeft sindsdien echter waardering gekregen en wordt nu beschouwd als een intelligente metamorfose van een lelijk parkeerterrein tot een magische openbare ruimte. De afgeknotte, gestreepte zuilen, die zich boven een ondergronds kanaal bevinden, leiden het oog naar de zuilen van het Palais Royal zelf, terwijl 's avonds de rode en groene lichten op het bovenste niveau het effect van een startbaan creëren en blauw fluorescerend licht de stoom kleurt die uit de grond omhoogkomt.

In de afgelopen jaren zijn openbare beeldhouwwerken en locatiespecifieke werken steeds gangbaarder geworden in Europese en Amerikaanse steden. In 1997 werd in de Duitse stad Münster de tentoonstelling "Sculpture Projects" gehouden, waarvoor ruim zeventig internationale kunstenaars waren uitgenodigd om de stad om te vormen tot een beeldenpark. In het Verenigd Koninkrijk is het

Tegenoverliggende pagina: **Claes Oldenburg en Coosje van Bruggen, Batcolumn, 1977** Oldenburg merkte op dat een gebouw dat ondersteboven is gekeerd, zou lijken op een "knuppel die op zijn handvat balanceerde". Met zijn *Batcolumn* zet hij daarom de industriële architectuur van de regio op zijn kop om een symbool van plezier te creëren – in de vorm van een honkbalknuppel.

Onder: **Daniel Buren, *Deux Plateaux*, 1985–86** De binnenplaats van het Palais Royal in Parijs werd getransformeerd door middel van vrijstaande, van cement en marmer vervaardigde zuilen met verschillende hoogten, lichteffecten en een ondergrondse, kunstmatige stroom. Hoewel het werk aanvankelijk veel kritiek kreeg, is het in de loop der tijd een geliefde plek van het publiek geworden.

aantal projecten toegenomen doordat sinds de start van de National Lottery meer geld beschikbaar is gekomen. Net als elders bevinden deze site-works zich vaak niet in de belangrijkste kosmopolitische steden, maar in gebieden die in cultureel, industrieel en politiek opzicht een grotere uitdaging vormen. Eén voorbeeld daarvan, *The Angel of the North* (1998) van Antony Gormley (1950), bevindt zich op een heuvel boven de wasruimte van een voormalige kolenmijn in Gateshead, in het noordoosten van Engeland. Het werk is vervaardigd van 200 ton staal, is 20 meter hoog en heeft een spanwijdte van 54 meter. Zowel de fysieke locatie van het werk (de mijn en de heuvel, die Gormley deed denken aan een "megalithische terp"), als de sfeer van de plek (die de "industrie huldigt en zichtbaar maakt") zijn essentieel voor het succes van het monument, dat door de bevolking in de armen is gesloten als een toeristische trekpleister en als eerbetoon aan de geschiedenis van het gebied en de mensen die daarvan deel uitmaken.

Belangrijke monumenten

D. Buren, *Deux Plateaux*, Palais Royal, Parijs
A. Gormley, *The Angel of the North*, Gateshead, Engeland
C. Oldenburg, *Batcolumn*, Chicago, Illinois
Vito Acconci & Studio, *Park in het Water*, terrein Haagsche Hogeschool, Den Haag

Belangrijke boeken

M. Gooding, *Public Art: Space* (1998)
Richard Serra Sculpture 1985–1998 (tent. cat, The Museum of Contemporary Art, Los Angeles, 1998)
G. Celant, *Claes Oldenburg and Coosje van Bruggen: Large-Scale Projects* (1995)
R. Serra, *Writings and Interviews* (1994)
C. van Winkel, *Moderne Leegte. Over kunst en openbaarheid* (1999)

Arte Povera

De duizeling van iglo's en fruit, de zwerm stenen aan de blauwe horizon, smeltend ijs en dwaze kleuren.

Germano Celant, 1985

Arte Povera (armoedige kunst) was de term die door de Italiaanse curator-criticus Germano Celant (1940) in 1967 werd bedacht voor een groep kunstenaars waarmee hij sinds 1963 had gewerkt: de Italianen Giovanni Anselmo (1934), Alighiero e Boetti (1940-94), Pier Paolo Calzolari (1943), Luciano Fabro (1936), Mario Merz (1925), Marisa Merz (1931), Giulio Paolini (1940), Pino Pascali (1935-68), Giuseppe Penone (1947), Michelangelo Pistoletto (1933), Gilberto Zorio (1944) en de in Griekenland geboren Jannis Kounellis (1936).

De naam verwijst naar de 'nederige' (of 'arme'), in de kunst ongebruikelijke materialen die de kunstenaars in hun *installaties, *assemblages en *performances gebruikten, zoals was, verguld brons, koper, graniet, lood, terracotta, doek, neon, staal, plastic, groenten en zelfs levende dieren. De naam moet niet al te letterlijk worden

Tegenoverliggende pagina: **Michelangelo Pistoletto, *Golden Venus of Rags*, 1967–71**
De samensmelting van klassieke en contemporaine beelden is in veel Arte Povera-werk te zien, net als het dubbelzinnige karakter van Pistoletto's werk, dat de vraag oproept of het geïdealiseerde, perfecte verleden te prefereren is boven de kleur en chaos van het heden.

Rechts: **Mario Merz, *Iglo*, 1984–85** De iglo's van Merz, gemaakt van diverse materialen (in dit geval van spiegelglas, staal, gaas, plexiglas en was), kunnen op verschillende manieren worden geïnterpreteerd. Volgens Germano Celant is een iglo van Merz "een schuilplaats en een kathedraal voor overleving, die net zo goed bescherming geeft tegen de politiek van kunst als tegen de wind".

opgevat, aangezien de meeste materialen die worden toegepast niet goedkoop zijn en een rijke traditie in andere disciplines genieten. De werken zelf zijn rijkelijk gelaagd, complex, vaak extravagant en veelal vervaardigd van zinnenstrelende materialen. De kunstenaars waren

ook niet afkomstig uit de arme gebieden in het zuiden van Italië, maar uit het in industrieel opzicht welvarende Noorden. Met hun werk stellen zij niet de situatie van de armen aan de orde, maar benadrukken zij abstracte begrippen, zoals de morele verloedering van een maatschappij die wordt gedreven door de vergaring van materiële rijkdom.

Celant en de kunstenaars die hij voorstond, werden volwassen in een tijd van economische voorspoed en een toenemende vercommercialisering in de kunstwereld. Het was een sterk gepolitiseerde tijd, die bekend is vanwege de protestacties die in 1968 en 1969 door studenten en arbeiders werden gehouden. Zoals Kounellis opmerkte: "In 1962-63 waren we al 68'ers en in 1968 waren we al gevestigde politici." Arte Povera was het Italiaanse antwoord op de algemene tijdgeest, waar kunstenaars de grenzen van de kunst verlegden, het gebruik van materialen uitbreidden en de aard en definitie van kunst zelf, alsook de rol daarvan in de maatschappij onderzochten. Zij deelden veel van deze interesses met anderen in deze periode, zoals de *neodada-, *Fluxus-, performance- en *body-kunstenaars.

Arte Povera-werken worden gekenmerkt door onverwachte combinaties van objecten of beelden, door het gebruik van contrasterende materialen en door de versmelting van verleden en heden, natuur en cultuur, en kunst en leven. Door veel werken lopen dialogen met de geschiedenis. Pistoletto's *Venus of the Rags* (1967), een 1,8 meter hoge, gipsen reproductie van een klassieke Venus, die naar een berg vodden is gekeerd, weerspiegelt de structuur van de Italiaanse maatschappij waarin de surreële combinaties van de *Pittura Metafisica-schilders deel uitmaken van het alledaagse leven. Paolini en Kounellis deconstrueren oudere meningen (zoals die van het oude Rome en Griekenland), om de symbolische betekenissen en associaties die de tand des tijds hebben doorstaan, te onderzoeken. De tentoonstelling van Kounellis die in 1969 in de Galleria l'Attico in Rome werd gehouden en waarop *Horses* (1969) te zien was – twaalf levende paarden die in de galerie waren getuigd – dramatiseerde de voortgaande relatie tussen de natuur (vertegenwoordigd door de paarden) en cultuur (de kunstgalerie), het verleden (het paard als symbool van het klassieke verleden) en het heden (de witte galerie). Anselmo's assemblages van groenten en granietblokken onthullen de effecten van verborgen krachten, zoals zwaartekracht en bederf. Aan het eind van de jaren zestig, een periode die werd gekenmerkt door een groeiend milieubesef, waren dit zeer actuele onderwerpen. Fabro's *Italy*-serie (ondersteboven hangende reliëfs van de kaart van Italië in verschillende, luxueuze materialen, zoals verguld brons, bont en glas) vestigt de aandacht op de economische en culturele rijkdom van Italië en op een wereld die gek was geworden, of ondersteboven was gekeerd.

Mario Merz is het bekendst om zijn iglo's, die hij sinds 1968 in diverse materialen heeft vervaardigd. De iglo's zijn op verschillende manieren geïnterpreteerd: als verwijzing naar een vervlogen tijd waarin de mens en de natuur in harmonie met elkaar leefden; als monument voor de oude nomadenstammen die Italië waren binnengetrokken en hun primitieve cultuur hadden vermengd met de oververfijning van Rome; en als een postapocalyptische visie van het leven na een nucleaire vernietiging. In deze laatste interpretatie vormen de iglo's de perfecte habitat voor de stad van de toekomst zoals die door Merz' landgenoten bij Archizoom en Superstudio werd voorzien (zie *Anti-design).

Vanaf het begin was Celant de organisator en theoreticus van de groep. Hij beheerde hun eerste tentoonstelling in 1967 in de Galleria La Bertesca in Genua en schreef zijn manifest "Arte Povera: notities voor een guerrillastrijd", dat tegelijkertijd in *Flash Art* werd gepubliceerd. Daarin benadrukte hij het doel van de kunstenaars om de "bestaande culturele voorschriften aan stukken te slaan" door zich voornamelijk bezig te houden met de fysieke eigenschappen van het medium en de veranderlijkheid van het materiaal. Hun werk was in zoverre 'arm' dat het werd ontdaan van de associaties die door de traditie werden opgelegd; Celant putte hiervoor inspiratie uit het 'arme theater' van de Poolse regisseur Jerzy Grotowsky (1933-99), die had geprobeerd om de relatie tussen acteur en publiek te herdefiniëren door alle niet-essentiële barrières, zoals kostuums, make-up, geluids- en lichteffecten, weg te nemen. Het was tevens een rechtstreekse uitdaging aan het adres van de *Situationistische Internationale, die toen de gebeurtenissen in 1968 plaatsvonden het maken van kunst min of meer hadden opgegeven.

Celant bracht de beweging onder de aandacht via zijn boek *Arte Povera*, dat in 1969 in het Italiaans en Engels werd uitgebracht. Het duurde niet lang voordat Arte Povera werd opgenomen in internationale tentoonstellingen van *conceptual art en proceskunst. Hoewel Arte Povera-werk kenmerkend Italiaans is, heeft het onderwerpen en interesses gemeen met kunstenaars elders, zoals de Duitser Joseph Beuys (zie *Conceptual art), de Fransman Bernard Pagès (zie *Supports-surfaces) en de Britse beeldhouwers Richard Deacon en Bill Woodrow (zie *Organische abstractie), Anish Kapoor (zie *Neo-expressionisme), en Tony Cragg (1949), die van stadspuin felgekleurde muur- en vloersculpturen maakt.

Belangrijke collecties
Kunstmuseum Liechtenstein, Vaduz, Liechtenstein
Kunstmuseum, Wolfsburg, Duitsland
Museo d'Arte Contemporanea, Rivoli, Italië
Tate Modern, Londen
Stedelijk Museum, Amsterdam

Belangrijke boeken
G. Celant, *Arte Povera* (1969)
Italian Art in the 20th Century: Painting and Sculpture 1900–1988 (tent cat., Royal Academy of Arts, London, 1989)
A. Boetti en F. Bouabré, *Worlds Envisioned: Alighiero e Boetti and Frédéric Bruly Bouabré* (tent cat., Dia Center for the Arts, New York, 1995)

Postmodernisme

De herontdekking van ornament, kleur, symbolische verbanden en de rijke geschiedenis van vormen.

VOLKER FISCHER, TENTOONSTELLING "DESIGN NOW", FRANKFURT, 1988

Hoewel het een alom omstreden term is, wordt de term postmodernisme over het algemeen gebruikt voor bepaalde nieuwe kunstuitingsvormen in het laatste kwart van de twintigste eeuw. De term werd oorspronkelijk gebruikt voor gebouwen die halverwege de jaren zeventig verrezen en die afstand deden van de schone, rationele, *minimalistische vormen (zie ook *Internationale stijl) ten gunste van meerduidige, tegenstrijdige constructies die werden verlevendigd door speelse verwijzingen naar historische stijlen, aan andere culturen ontleende elementen en het gebruik van verrassend levendige kleuren. Een typisch voorbeeld hiervan is Piazza d'Italia (1975-80) in New Orleans van de Amerikaanse architect Charles Moore (1925-93).

Het is een architectonisch hoogstandje vol theatraliteit met een vernuftige collage van klassieke bouwkundige motieven in de vorm van een toneeldecor.

In de jaren tachtig werd de term postmodernisme ook gebruikt voor uiteenlopende ontwikkelingen op het gebied van vormgeving en beeldende kunsten die te zien waren in werken waarvan het beeldmateriaal was ontleend aan de popcultuur (de zakenwereld bijvoorbeeld), zoals in het werk van Richard Prince (1949). In andere werken werden ongelijksoortige elementen gecombineerd (tekst met afbeeldingen, objecten met grafische werken), zoals in het werk van Tim Rollins (1955) en K.O.S. (Kids of Survival). Daarnaast waren er, in tegenstelling tot bepaalde soorten modernistische kunst, ook werken die zich rechtstreeks met sociale en politieke kwesties bezighielden.

In *Freedom is now just going to be sponsored – out of petty cash* (1990) van de in Duitsland geboren Hans Haacke, beoefenaar van *conceptual art, zijn diverse ongelijksoortige elementen

Hans Haacke, *Freedom is now just going to be sponsored – out of petty cash*, 1990 Toen na de val van de Berlijnse Muur grote Duitse bedrijven zich in het voormalige Oost-Duitsland vestigden, maakte de conceptual-artbeoefenaar Hans Haacke van een van de oude observatieposten een merkwaardige wegwijzer naar de toekomst.

bijeengebracht om een politiek beladen boodschap over te brengen: het werk bestaat uit een observatietoren die na de val van de Berlijnse Muur nog overeind stond op de Potsdamerplatz, met daarbovenop het logo van Mercedes Benz, dat kan worden geïnterpreteerd als een merknaamsymbool van het kapitalisme in het voormalige West-Duitsland. Een tekst van J.W. von Goethe, "Kunst blijft kunst", staat er als een grafschrift.

De aanhoudende discussie over de aard – of zelfs het bestaan – van postmodernisme is een felle discussie. In veel opzichten is het postmodernisme zowel een afwijzing van het modernisme als een voortzetting ervan. Ad Reinhardt (zie *Post-painterly abstraction) stelde dat kunst geen banden met de alledaagse werkelijkheid heeft en dat het bij kunst alleen om formele zaken van lijn en kleur draait. Maar binnen de beeldende kunsten wordt met een eclectische, politiek geëngageerde assemblage, zoals de installatie *The Dinner Party* (1974-79) van Judy Chicago (1939), nadrukkelijk getracht de beperkingen van Reinhardts modernistische dogma te doorbreken. Modernisme bevatte echter elementen die niet 'formalistisch' waren en in het postmodernisme worden de experimenten voortgezet die door Marcel Duchamp waren gestart en die zich via *dada, *surrealisme, *neodada, *pop-art en *conceptual art hadden ontwikkeld.

In 1966 werden in twee boeken een aantal van de voornaamste postmoderne ideeën aangekondigd. In zijn *Architettura della città* (1966, Engelse uitgave *The Architecture of the City*, 1982) stelde de Italiaanse architect Aldo Rossi (1931-97) met betrekking tot historische Europese steden dat nieuwe gebouwen zich moesten aanpassen aan oude vormen in plaats van nieuwe vormen te introduceren. In het andere boek, het controversiële *Complexity and Contradiction in Architecture* (1966) van de Amerikaanse architect Robert Venturi (1925), bepleitte Venturi een "messy vitality" (rommelige vitaliteit) en parodieerde hij de beroemde modernistische uitspraak "Less is more" (minder is meer) door het tegenovergestelde te verklaren: "Less is a bore" (minder is saai). Deze boodschap werd beslist ter harte genomen door het team dat het weelderige Groninger Museum (1995) in Nederland ontwierp, bestaande uit de Italiaanse ontwerper-architecten Alessandro Mendini (1930) en Michele de Lucchi (1951), de Franse ontwerper Philippe Starck (1949) en het Weense architectenbureau Coop Himmelblau (opgericht in 1968).

De verscheidenheid van materialen, stijlen, constructies en omgevingen zijn kenmerkend voor het postmodernisme, dat niet met één stijl kan worden omschreven. Voorbeelden van postmodernisme zijn de *hightech Hong Kong and Shanghai Bank Headquarters (1979-84), ontworpen door de Engelsman Sir Norman Foster (1935), met zijn buisvormige, stalen spanten, het Museo Nacional de Arte

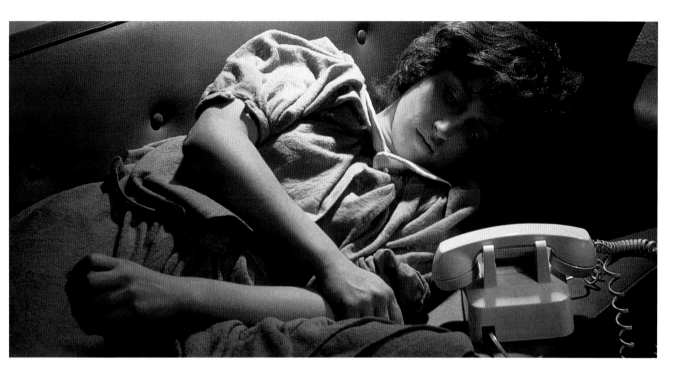

Romano in Spanje (1980-86) van de Spanjaard Rafael Moneo (1937), dat is opgetrokken in de klassieke stijl van met de hand vervaardigde bakstenen, het Portland Public Services Building (1980-82) van de Amerikaanse Michael Graves (1934), met zijn heldere pastelkleuren en bovenmaatse sluitstenen en de Grande Arche de la Défense in Parijs (1982-89) van de Deen Johan Otto von Spreckelsen (1919-87), een monumentale, betonnen kubus bekleed met glas en wit Carrara-marmer. Hoewel deze werken een bewuste individuele stijl hebben, hebben ze desondanks alle het avontuurlijke karakter dat kenmerkend is voor de postmodernistische architectuur van de jaren tachtig en negentig.

Niet alleen architecten, maar ook vormgevers pasten de technieken van het postmodernisme toe. Vanaf de jaren zestig leidde ontevredenheid over de orde en uniformiteit van het *Bauhaus tot vernieuwingen, doordat ontwerpers met kleur en structuur experimenteerden en decoratieve motieven uit het verleden overnamen in een benadering die ook wel "adhocisme" wordt genoemd. De Italiaanse ontwerper Ettore Sottsass (1917, zie ook *Anti-design) is een centrale figuur wiens baanbrekende ontwerpen een hoogtepunt bereikten in zijn werk voor de groep Memphis, die hij in 1981 in Milaan oprichtte. De keuze voor de naam van de groep geeft al de eclectische benadering van de groep aan. Tijdens de eerste bijeenkomst van de groep werd het lied "Memphis Blues" van Bob Dylan gespeeld en de rijke en onwaarschijnlijke mengeling van associaties die het leek te bieden – Amerikaanse blues, Tennessee, Elvis Presley – sprak Sottsass en zijn medeleden onmiddellijk aan. De anti-functionele *Carlton Bookcase* (1981), waarvan het ontwerp volledig op het visuele effect is gericht, is een kenmerkend buitensporig ontwerp van de Memphis-groep. Op het gebied van grafische vormgeving deden zich vergelijkbare ontwikkelingen voor, waarbij expressie en intuïtie – en soms anarchie – de overhand kregen. De invloed van de in Duitsland geboren Wolfgang Weingart (1941) verspreidde zich van het Zwitserse Basel naar de rest van Europa en uiteindelijk naar de Verenigde Staten. Neville Brody (1957) in Groot-Brittannië, Studio Dumbar (opgericht in 1977) in Nederland en Javier Mariscal (1950) in Spanje maakten in de jaren tachtig en negentig alle avant-gardistische, typografische ontwerpen.

Terwijl het modernisme ernaar streefde om een moreel en tegelijk esthetisch Utopia te creëren, huldigde het postmodernisme het laat-twintigste-eeuwse pluralisme. Een van de aspecten van dit pluralisme heeft betrekking op de aard van de massamedia en de universele verspreiding van beelden in gedrukte en elektronische vorm, die de Franse filosoof Jean Baudrillard (1929) "een extase van communicatie" heeft genoemd. Als wij de werkelijkheid zien door middel van afbeeldingen, worden deze afbeeldingen dan in feite onze werkelijkheid? Wat is dan waarheid? In welk opzicht is originaliteit mogelijk? Dit zijn concepten die een beslissende invloed hebben gehad op architecten, kunstenaars en ontwerpers. In veel postmodernistisch werk ligt de meeste nadruk op de voorstelling: motieven of beelden uit vroeger werk worden in een nieuwe en merkwaardige context 'aangehaald' (of 'toegeëigend') of ontdaan van hun conventionele

Boven: **Cindy Sherman, *Untitled # 90*, 1981**
Sherman maakte de volgende opmerking over haar eigen werk: "Dit zijn beelden van emoties, geheel in hun eigen persoon, met hun eigen aanwezigheid. Ik probeer mensen iets van zichzelf te laten herkennen in plaats van mij te laten herkennen."

Tegenoverliggende pagina: **Charles Moore, Piazza d'Italia, New Orleans, 1975-80**
Historische verwijzingen, die met allure, spitsvondigheid en warmte zijn toegepast, speelden vaak een centrale rol in de architectuur van Moore. De voorliefde voor dergelijke associaties was een van de redenen waarom modernisten van de voorgaande generatie een afkeer van dit werk hadden.

betekenis ('gedeconstrueerd'). Deze werkwijze is te vinden bij uiteenlopende kunstenaars, zoals Mike Bidlo (1953), Louise Lawler (1947), Sherrie Levine (1947) en Jeff Wall (1946). Kitsch kan tot kunst worden verheven, zoals in *Rabbit* (1986) van Jeff Koons (1955, zie ook *Neopop): een beeldhouwwerk van glimmend roestvrij staal op basis van een afgietsel van een goedkope, opblaasbare paashaas.

Een tweetal kunstenaars in de Verenigde Staten, namelijk Julian Schnabel (1951) en David Salle (1952), begon aan het eind van de jaren zeventig postmodernistische technieken toe te passen, door beelden en objecten uit populaire films en tijdschriften over elkaar heen te plaatsen. De palimpsesten van Schnabels kapotte aardewerk en de spookachtige, overlappende figuren van Salle leveren verrassende combinaties op, die vragen over die combinaties zelf opwerpen. Hun werk is sterk expressief en zij worden vaak als *neo-expressionisten aangeduid en met kunstenaars van de *Transavanguardia vergeleken.

Net als op het gebied van architectuur en design heeft het postmodernisme in de visuele kunsten ernaar gestreefd uit te drukken hoe het is om aan het einde van de twintigste eeuw te leven en heeft het zich vaak rechtstreeks ingelaten met sociale en politieke problematiek. Uitgaande van het idee dat kunst voorheen een dominant sociaal type heeft gediend (de blanke, kleinburgerlijke man), hebben postmodernistische kunstenaars ervoor gekozen aandacht te besteden aan andere typen die tot dan toe waren verwaarloosd, en met name milieubewuste (zie *Land-art), etnische, seksuele en feministische typen. In diverse opzichten zijn dit de voornaamste thema's in postmodernistische werk geworden.

Jean-Michel Basquiat (1960-88), in de Verenigde Staten geboren uit Haïtiaanse en Porto Ricaanse ouders, begon aan het eind van de jaren zeventig als graffitikunstenaar en gebruikte daarbij de tag "SAMO" (*Same Old Shit*). Zijn boze, confronterende ontwerpen waarmee hij onder andere tegen raciale vooroordelen protesteerde, waren een combinatie van vluchtige schetsen van Afrikaanse maskerachtige gezichten, scènes van het New Yorkse straatleven en doorgehaalde boodschappen. "Zwarten worden in de moderne kunst

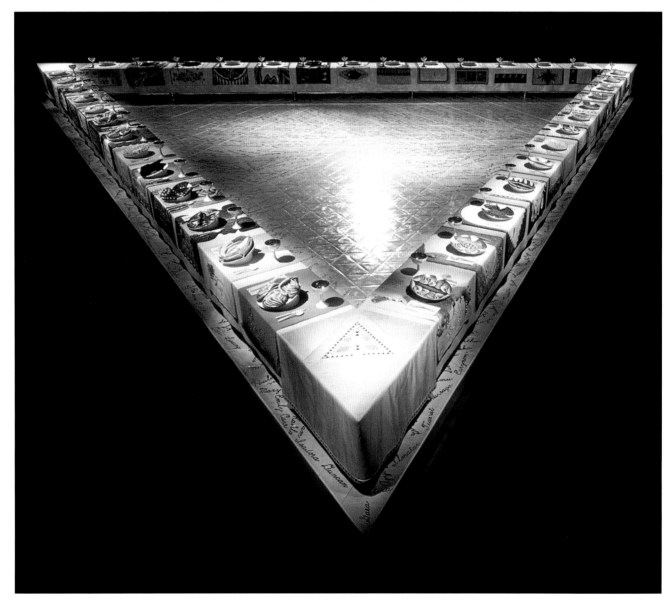

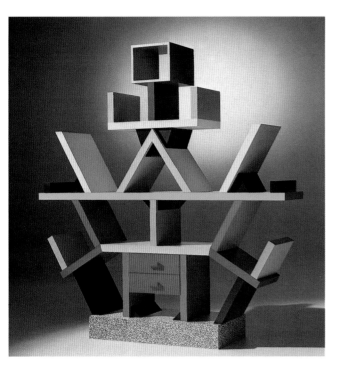

diverse postmoderne middelen toe om thema's rond de vrouwelijke identiteit aan te kaarten. Kelly's langetermijnproject *Post Partum Document* (1973-79) was oorspronkelijk bedacht als installatie in zes achtereenvolgende delen. Dit kunstwerk, waarin ze haar relatie met haar zoon gedurende de eerste vijf jaar van zijn leven beschrijft en waarbij ze zowel zijn toetreding als man tot een sociale wereld als haar eigen veranderende rol als moeder onderzoekt, wordt sinds de jaren zeventig wijd en zijd geëxposeerd en is sindsdien het onderwerp van hevige discussies.

Kruger (zie ook *Installatiekunst), voorheen hoofd grafisch ontwerp bij *Mademoiselle*, maakte een reeks fotomontages waarin op stijlvolle wijze beelden worden gecombineerd met titels die de beschouwer van zijn stuk brengen. Een voorbeeld is *Untitled ("Your gaze hits the side of my face")* uit 1981, waarin traditioneel onbesproken aspecten van sociaal gedrag (zoals mannen die naar vrouwen kijken) aan een kritische blik worden onderworpen. Holzer (in 1990 de eerste vrouw die de Verenigde Staten vertegenwoordigde op de Biënnale in Venetië) werd beroemd om haar aforismen (bijvoorbeeld "Protect me from what I want" - bescherm me tegen wat ik wil), die op diverse manieren aan het publiek worden overgebracht, zoals via internet of door middel van elektronische reclameborden of stickers die op parkeermeters worden geplakt.

Sherman is het onderwerp van haar eigen foto's, maar de series die zij heeft gemaakt (bijvoorbeeld *Untitled Film Stills* uit 1977), gaan niet over zelfportrettering. In plaats daarvan poseert zij als een personage in herkenbare scènes – uit B-films, seksbladen, televisieprogramma's of schilderijen van oude meesters – waarbij zij haar eigen identiteit verbergt om vragen over de stereotypen die zij uitbeeldt op te werpen.

De term postmodernisme zal discussies blijven uitlokken, met name omdat er geen algemeen geldende definitie van modernisme is waartegen het postmodernisme kan worden afgezet. De betekenis ervan zal ongetwijfeld ook nog veranderen naarmate het historisch perspectief langer wordt. Voorlopig lijken de complexiteit en onduidelijkheid juist passend voor de uiteenlopende, merkwaardige en soms niet in categorieën onder te brengen werken die men met de term wil verklaren.

nooit op realistische wijze afgebeeld, zelfs helemaal niet afgebeeld", zei hij. Zijn graffiti, die hij met viltstiften aanbracht op muren buiten New Yorkse galerieën, trok al snel de aandacht van de kunstwereld en hij werd met name geassocieerd met Andy Warhol (zie *Pop-art). Zijn weg naar beroemdheid was echter net zo catastrofaal als snel. In 1984 ondertekende hij een contract met de Mary Boone-galerie, een van de locaties met de meeste allure in de New Yorkse kunstwereld; vier jaar later overleed hij aan een overdosis heroïne.

De dood is ook een dominant onderwerp in de postmodernistisch kunst, evenals seksuele identiteit en met name die van de homoseksuele man. Net als Basquiat begon Keith Haring (1958-90) als graffitikunstenaar. Zijn fleurige stripfiguren, die op muren net zo doeltreffend waren als op doek, op T-shirts of op badges, kenmerkten zijn werk totdat hij in 1990 aan aids overleed. David Wojnarowicz (1954-92), een ander aids-slachtoffer, maakte de ziekte tot een centraal onderwerp van zijn werk. In *Sex Series* (1988-89) bracht hij negatieven van foto's en teksten samen in een kroniek van het trauma van AIDS in een samenleving die Wojnarowicz als gevoelloos ervoer.

In de jaren zeventig en tachtig pasten, met name in de Verenigde Staten, vrouwelijke kunstenaars zoals Mary Kelly (1941), Barbara Kruger (1945), Jenny Holzer (1950) en Cindy Sherman (1954)

Boven: **Ettore Sottsass, Carlton Bookcase, Memphis, 1981**
"Voor mij", schreef Sottsass, "houdt vormgeving niet in dat ik vorm moet geven aan een min of meer stom product voor een min of meer geavanceerde industrie. Voor mij is vormgeving een manier om het leven, sociaal verkeer, politiek, voedsel – en zelfs vormgeving – te bespreken."

Tegenoverliggende pagina: **Judy Chicago, *The Dinner Party*, 1974-79**
De installatie van Chicago, waaraan ruim honderd vrouwen hebben meegewerkt, is een hommage aan vrouwen in de geschiedenis. Het werk was enorm populair: meer dan 100.000 mensen zagen het toen het in 1979 in het San Francisco Museum of Modern Art werd geopend.

Belangrijke collecties
Kunstmuseum, Wolfsburg, Duitsland
Museum of Contemporary Art, Chicago, Illinois
Museum of Modern Art, New York
New Museum of Contemporary Art, New York
Tate Modern, Londen
Groninger Museum, Groningen

Belangrijke boeken
H. Foster (ed.), *The Anti-Aesthetic, Essays on Post-Modern Culture* (1983)
M. Lovejoy, *Postmodern Currents: Art in a Technological Age* (1989)
M. Kelly, *Post-Partum Document* (1999)

Hightech

De poëzie van de waterbouwkunde.

Sir Norman Foster

In de hightecharchitectuur worden zowel om praktische redenen als ter vergroting van het visuele effect nieuwe technieken toegepast en worden in plaats van traditionele bouwmaterialen vormen en materialen gebruikt die de moderne, industriële technologie uitdrukken. De term wordt sinds 1983, het jaar waarin het Britse tijdschrift *Architectural Review* een heel nummer aan hightech wijdde, gebruikt voor gebouwen van uiteenlopende architecten. De twee prominentste beoefenaars die met hightech worden geassocieerd, zijn de Britse architecten Sir Norman Foster (1935) en Sir Richard Rogers (1933).

Net als een aantal van hun tijdgenoten die op het gebied van vormgeving actief waren, zoals Archigram en Archizoom (zie *Antidesign), keken de hightecharchitecten verder terug dan de *internationale stijl om inspiratie op te doen. Zo keken zij naar het modernisme van de *futuristen, de *expressionisten en de Russische *constructivisten. De Amerikaanse uitvinder-ontwerper Buckminster Fuller (zie ook *Neodada) had grote invloed. Foster ontmoette Fuller in 1968 en deze ontmoeting was het begin van een langdurige vriendschap en samenwerking die duurde totdat Fuller in 1983 overleed. Fullers vooruitziende, humanistische opvattingen over technologisch geavanceerde vormgeving zijn waarneembaar in de benadering van zowel Foster als Rogers, die eraan vasthouden dat technologie geen doel op zich is, maar een middel om sociale en ecologische problemen op te lossen.

Foster en Rogers ontmoeten elkaar tijdens hun studie aan de Yale University in de Verenigde Staten aan het begin van de jaren zestig. Nadat zij naar Engeland waren teruggekeerd, richtten zij in 1963 samen met twee andere architecten, de zussen Wendy Cheesman (die later de echtgenote van Foster zou worden) en Georgie Cheesman, het

bureau Team 4 op. Hun Reliance Control-fabriek in Swindon (1965-66, afgebroken in 1991), waarmee de groep internationaal erkenning verkreeg, is achteraf aangewezen als het begin van de hightechbeweging. In dit vroege werk werd de ingetogen elegantie – waarom Foster bekend zou worden – gecombineerd met de structurele directheid van Rogers. In 1967 werd de groep ontbonden, waarna Wendy en Norman het bureau Foster Associates oprichtten en Rogers een samenwerkingsverband aanging met de Italiaanse architect en ontwerper Renzo Piano (1937).

Samenwerking tussen architecten en (weg- en water)bouwkundig ingenieurs is een belangrijk kenmerk van hightecharchitectuur. De bouwkundige vaardigheden van Ove Arup and Partners, dat in 1949 door Ove Arup (1895-1988) werd opgericht, zijn voor tal van architectuurprojecten cruciaal geweest. Voorbeelden zijn het expressionistische Sydney Opera House (1956-74) van de Deen Jørn Utzon (1918), projecten van Peter en Alison Smithson (zie *Nieuwbrutalisme) en een groot aantal projecten van Rogers en Foster. Een ander prominent bureau op het gebied van hightecharchitectuur is Anthony Hunt Associates, dat bij het Reliance Control Factory-

Boven: **Piano en Rogers, Centre Georges Pompidou, Parijs, 1971-77** Dankzij de technische expertise van Ove Arup realiseerden Piano en Rogers een technologisch kunststuk en creëerden zij een flexibele binnenruimte in een gebouw waarvan het surrealistische en speelse uiterlijk doet denken aan een van de machines van Jean Tinguely (zie *Kinetische kunst).

Tegenoverliggende pagina: **Foster and Partners, Hong Kong and Shanghai Banking Corporation Headquarters, 1979-86** Volgens Foster waren de raketwerperachtige vormen van het gebouw geïnspireerd op bronnen buiten de traditionele bouwsector, zoals "militaire inrichtingen die door middel van mobiele bruggen tankladingen krijgen".

project betrokken was. Het eerste belangrijke hightechmonument was het Centre Georges Pompidou in Parijs (1971-77), dat is gebouwd door Rogers en Piano (met Ove Arup) en dat beroemd is om het feit dat alle voorzieningen en bouwkundige elementen zich aan de buitenkant van het gebouw bevinden, zodat binnen extra ruimte beschikbaar is. Ondanks het opvallende, moderne ontwerp dat geen verband hield met de context, kreeg het gebouw al snel algemeen waardering. Een levendige, bouwkundige plasticiteit en een verwantschap met industriële architectuur werden de handelsmerken

van de latere projecten van Rogers (Richard Rogers Partnership werd in 1977 in samenwerking met zijn echtgenote Su Rogers opgericht), zoals het Lloyd's Building in Londen (1978-86, met Ove Arup), het Lloyds Register of Shipping in Londen (1995-99, met Anthony Hunt) en de Millennium Dome in Greenwich, Londen (1996-99, met Ove Arup). Dit laatste bouwwerk is het grootste, enkelvoudige tentoonstellingscomplex ter wereld en heeft een dak dat is gemaakt van met teflon bekleed glasfiber.

Foster werd intussen bekend om elegant ontworpen, precieze gebouwen. Het Sainsbury Centre for the Visual Arts in Norwich, Engeland (1978, uitbreiding 1988-91, met Anthony Hunt), het hoofdkantoor van de Hong Kong and Shanghai Banking Corporation (HSBC) in Hongkong (1979-86 met Ove Arup), het Hong Kong International Airport ('s werelds grootste luchthaven, 1992-98, met Ove Arup) en de Millennium Bridge (2000, met Ove Arup, zie *Minimalisme) zijn alle beroemde voorbeelden. Uit een eerder werk, het Willis Faber & Dumas Building in Ipswich, Engeland (1970-74, met Anthony Hunt), komt Fosters kenmerkende gemeenschapsgevoel al naar voren. Ipswich had indertijd vrijwel geen faciliteiten voor sociale activiteiten en het gebouw, met zijn overdekte zwembad, dakrestaurant en welvende, glazen gevel, was, zoals Foster opmerkte, "een sociale revolutie".

Ook gebouwen van andere architecten zijn als hightech aangemerkt. Het Schlumberger Research Facility in het Engelse Cambridge van Michael Hopkins and Partners (1984, met Anthony Hunt), het Institut du Monde Arabe in Parijs van Jean Nouvel (1987), Waterloo International Terminal in Londen van Nicholas Grimshaw and Partners (1993, met Anthony Hunt) en het London Eye (2000) van Marks Barfield Architects zijn slechts een paar voorbeelden. Een vergelijkbare toepassing van nieuwe technologie is ook kenmerkend voor de gebouwen van Frank Gehry (1929) en Zaha Hadid (1950). In het e-House2000 van Michael McDonough, een hightech, op het web gebaseerd, milieubewust huis in de buurt van de Catskills in New York, dat in samenwerking met ingenieurs, aannemers, fabrikanten, wetenschappers en milieudeskundigen werd ontwikkeld, worden verschillende technieken toegepast die voor het eerst door de hightecharchitecten werden gebruikt.

Belangrijke monumenten

Foster Associates, Hong Kong Shanghai Banking Corporation,
    Hong Kong
Jean Nouvel, Institut du Monde Arabe, Parijs
Renzo Piano en Richard Rogers, Pompidou Centre, Parijs
Richard Rogers Partnership, Lloyds Building, Londen

Belangrijke boeken

C. Davies, *High-Tech Architecture* (1988)
Norman Foster: Buildings and Projects, 6 vols (1991–98)
K. Powell, *Structure, Space and Skin: The Work of Nicholas
    Grimshaw and Partners* (1993)
R. Burdett (ed.), *Richard Rogers Partnership: Works and
    Projects* (1995)
K. Powell, *Richard Rogers: Complete Works* (1999)

Neo-expressionisme

Ik had genoeg van die zogenaamde puurheid. Ik wilde verhalen vertellen.

PHILIP GUSTON

Neo-expressionisme was een van de vele richtingen waarin het *postmodernisme zich aan het eind van de jaren zeventig ontwikkelde als gevolg van de heersende onvrede over het *minimalisme, *conceptuele kunst en de *internationale stijl. De koele en cerebrale benadering van deze bewegingen en hun voorkeur voor puristische abstractie werden afgewezen door de neo-expressionisten die zich aansloten bij de notie van de 'dode' schilderkunst en teruggrepen op alles wat eerder was verworpen – figuratie, subjectiviteit, openlijke emoties, autobiografische elementen, geheugen, psychologie, symbolisme, seksualiteit, literatuur en een verhaallijn.

Aan het begin van de jaren tachtig kwam de term neo-expressionisme in zwang met betrekking tot de nieuwe schilderijen van Duitse kunstenaars als Georg Baselitz (1938), Jörg Immendorf (1945), Anselm Kiefer (1945), A. R. Penck (1939), Sigmar Polke (1941) en Gerhard Richter (1932 zie ook *Superrealisme). Ook werd de naam neo-expressionisme gebruikt voor de zogenaamde Ugly

Realists zoals Markus Lüpertz (1941) en de Neue Wilden (Nieuwe wilden) zoals Rainer Fetting (1949). Na de internationale exposities A New Spirit in Painting in London in 1981 en Zeitgeist in Berlin in 1982 werden ook verschillende andere groepen onder deze naam ingedeeld: Figuration Libre (vrije figuratieve kunst) in Frankrijk, *Transavanguardia in Italië en een aantal kunstenaars in de VS: de

Boven: **Anselm Kiefer**, *Margarethe*, **1981**
Kiefer gebruikt vaak ongebruikelijke materialen in zijn schilderijen (in dit voorbeeld stro) om zijn oppervlakken te verrijken. De esthetische arena van het doek verandert in een ruimte waarin traumatische politieke en historische onderwerpen ten tonele kunnen worden gevoerd.

Tegenoverliggende pagina: **Gerhard Richter**, *Abstraktes Bild (860-3)*, **1999**
"Wanneer ik een abstract doek schilder" schreef Richter in 1985, "weet ik niet van tevoren hoe het eruit moet zien en weet ik tijdens het schilderen ook niet wat ik wil bereiken. Dit betekent dat schilderen een vrijwel blindelings uitgevoerde, wanhopige activiteit is."

New Image Painters, zoals Jennifer Bartlett (1941), Eric Fischl (1948), Elizabeth Murray (1940) en Susan Rothenberg (1945), de zogenaamde Bad Painters, zoals Robert Longo (1953), David Salle (1952, zie *Postmodernisme), Julian Schnabel (1951, zie *Postmodernisme) en Malcolm Morley (1931, zie *Superrealisme). Ook verschillende andere kunstenaars die tot geen enkele specifieke beweging behoorden, werden al snel neo-expressionisten genoemd, zoals Dane Per Kirkeby (1938), Miquel Barceló (1957) uit Spanje, Bruno Ceccobelli (1952) uit Italië, Annette Messager (1943) uit Frankrijk, Claude Simard (1956, zie *Installatiekunst) uit Canada en Frank Auerbach (1931), Howard Hodgkin (1932), Leon Kossoff (1926) en Paula Rego (1935) uit Groot-Brittannië.

Als gevolg hiervan verwees de term neo-expressionisme in tegenstelling tot het *expressionisme in de vroege twintigste eeuw uiteindelijk meer naar een gemeenschappelijke richting dan naar een specifieke stijl. Kort samengevat wordt neo-expressionistisch werk gekenmerkt door technische en thematische eigenschappen. De techniek is vaak tactiel, zinnelijk of rauw en zeer rijk aan emoties. De onderwerpen tonen een sterke preoccupatie met het verleden – het collectieve of persoonlijke geheugen – die tot uiting komt in allerlei allegorieën en symboliek. Neo-expressionistische werken grijpen aan de hand van traditionele materialen en thema's terug naar de geschiedenis van de schilderkunst, beeldhouwkunst en architectuur. Daarom is de invloed van expressionisme, *postimpressionisme, *surrealisme, *abstract expressionisme, *art informel en *pop-art zo duidelijk zichtbaar. Tot belangrijke hedendaagse exponenten behoren de Duitse conceptuele kunstenaar Joseph Beuys (1921-86), wiens voorbeeld op het gebied van politieke betrokkenheid en de verwerking van expressieve materialen veel navolging vond, en de Amerikaanse abstract expressionist Philip Guston (1912-80), die de kunstwereld aan het eind van de jaren zestig schokte met zijn overschakeling op zeer figuratief komisch werk.

In Duitsland hadden de Duitse expressionisten uiteraard grote invloed. De energieke expressieve zeefdrukken en schilderijen met krasserige figuren en hiëroglyfen van Penck doen denken aan *Die Brücke, terwijl in Richters abstracties uit het eind van de jaren tachtig de intens expressieve kleuren van Die Brücke worden vermengd met de lyrische tinten van *Der Blaue Reiter, wat leidt tot frisse doch getemperde abstracties. Als weerspiegeling van het symbolisme in de loop der jaren is voortgekomen uit de abstractie en het bijbehorende kleurgebruik, verwijzen zij ook terug naar de utopische aspiraties van de pioniers van het Duitse modernisme. Dit kan wellicht worden beschouwd als een herinnering aan de noodzaak van kunst ondanks of juist vanwege de overweldigende trauma's van de geschiedenis van de twintigste eeuw. Voor de Duitse kunstenaars uit de jaren tachtig is kunst evenals voor de Duitse kunstenaars van het begin van de twintigste eeuw 'de hoogste uiting van hoop'. In feite is een groot deel van de Duitse neo-expressionistische kunst uit het begin van de jaren

tachtig een expliciete confrontatie met de problematische periode van de naoorlogse Duitse geschiedenis toen het land voor lange tijd een gescheurde natie was. In Kiefers geïdealiseerde politieke schilderijen, die beschikken over een rijke textuur (vaak opgebouwd uit stro, teer, zand en lood) en vele verwijzingen naar de Duitse en Scandinavische mythologie bevatten, worden thema's als het nazisme, de oorlog en de Duitse identiteit en natie aan de orde gesteld. In zijn schilderijen stuurt Kiefer op de verlossing of de rehabilitatie van de maatschappij aan: "Hoe verder je teruggaat, des te meer vooruitgang kun je boeken."

In Amerika zijn neo-expressionisten de strijd aangegaan met de Amerikaanse levenswijze. In zijn enorme, krachtige schilderijen die zijn opgebouwd uit materialen als vloerkleden, wrakhout, ponyhaar en gebroken aardewerk 'citeert' Schnabel bijvoorbeeld zeer vaak beelden die een rol in de geschiedenis hebben gespeeld (films, foto's, religieuze voorstellingen). In de werken van Eric Fischl worden voyeuristische, verontrustende, softporno psychodrama's van blanke, welvarende, in voorsteden woonachtige Amerikanen getoond. Op deze wijze dramatiseert hij de leegheid en de gelijkvormigheid van de American dream.

Gelijkvormigheid is een onderwerp dat ook door de Britse kunstenaar Jenny Saville (1970) wordt verkend. Haar Rubensiaanse naakten waarvoor zij zelf vaak model staat, tarten de normen voor schoonheid en goede smaak nog sterker dan de werken van Fischl. In een periode waarin eetstoornissen, schadelijke diëten en plastische chirurgie aan de orde van de dag waren, zijn haar schilderijen, die doen denken aan het werk van Larry Rivers (zie *Neodada), een onconventionele en uitdagende lofzang op het menselijke lichaam.

De opkomst van het neo-expressionisme tijdens de jaren tachtig bood ook de mogelijkheid om kunstenaars van een voorgaande generatie, die al lange tijd expressionistisch werk maakten te rehabiliteren. Achteraf werd onderkend dat het werk van de Amerikanen Louise Bourgeois (1911), Leon Golub (1922) en Cy Twombly (1929), de Brit Lucian Freud (1922), de Fransman Jean Rustin (1928) en de Australiër Arnulf Rainer (1929) in feite neo-expressionistisch was.

De term neo-expressionisme heeft ook betekenis gekregen in de beeldhouwkunst en architectuur. Gebouwen als de opera van Sidney (1956-74) dat is ontworpen door Dane Jørn Utzon (1918), de winkelgebouwen die in de jaren zeventig door de multidisciplinaire organisatie SITE (opgericht in 1969) zijn ontworpen en het Guggenheim Museum te Bilbao in Spanje (1997) dat door Frank Gehry (1929) is gemaakt, worden ook als expressionistisch beschouwd. De Amerikaan Charles Simonds (1945), de Britten Antony Gormley (1950, zie ook *Site-works), Anish Kapoor (1954) en Rachel Whiteread (1963), de Tsjechische Magdalena Jetelová (1946), de Duitse Isa Genzken (1948) en de Poolse Magdalena Abakanowicz (1930) zijn enige beeldhouwers die werk maakten dat expressionistische kenmerken bevat. Hoewel hun werken sterken verschillen, van abstract tot figuratief, van puriteins tot zinnelijk en van nietig tot monumentaal, zijn deze altijd emotioneel geladen. Kapoor is een uitstekend voorbeeld van een beeldhouwer die allerlei verschillende expressieve materialen gebruikt, zoals pure pigmenten

Anish Kapoor, *1000 Names*, 1982
Kapoor verklaarde: "Tijdens het maken van de pigmentwerken, merkte ik op dat deze uit elkaar ontstaan. Daarom heb ik ze een algemene titel gegeven, *1000 Names*, die verwijst naar oneindigheid omdat duizend een symbolisch getal is."

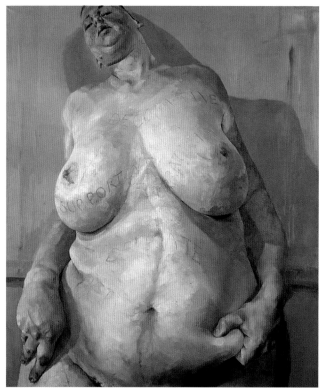

spirituele ingrediënten van de menselijke toestand. Zijn werken, die hij heeft beschreven als 'uitingen van een bewustzijnstoestand' bevatten vaak leemten, zoals hij in 1990 uitlegde:

> Ik ben voortdurend bezig met het idee om een verhaal te presenteren zonder het te vertellen, zodat psychologie, angst, dood en liefde op de meeste directe wijze kunnen worden gepresenteerd… Deze leemte is niet zonder betekenis. Het is een potentiële ruimte, niet het tegengestelde van een ruimte.

Het werk van Genzken bevat echo's naar de utopische expressionistische kunst en de bouwkundige projecten van het verleden (zie bijvoorbeeld *Arbeitsrat für Kunst, *Der Ring en *Bauhaus). Haar sculpturen van betonruïnes op poppenhuisformaat uit de tweede helft van de jaren tachtig verwijzen naar een lange geschiedenis van heroïsche bouwstijlen en -materialen, variërend van de Romeinse bouwwerken tot de modernistische Duitse gebouwen uit de jaren twintig en de minimalistische kubussen van de internationale stijl na de tweede wereldoorlog. Haar plastieken die doen denken aan bombardementen, lijken te zijn overladen met woede, verdriet en weemoed. De toeschouwer wordt geconfronteerd met het feit dat in een oorlog niet alleen miljoenen mensen omkomen maar ook dromen en idealen in rook opgaan. Whiteread's House (1993) is een betonnen afgietsel van het interieur van een onbewoonbaar verklaarde gemeentewoning in het East End van Londen, die in januari 1994 werd gesloopt, en vormt een expressief gedenkteken voor de idealen en fiasco's van de sociale woningbouwprojecten uit het verleden. De ruïnes van Genzken en het monument van Whiteread etaleren de vernietiging van de utopische droom in de kunst en architectuur. De gelaagde gebouwen van SITE bieden slechts één bruikbaar antwoord op dit probleem: verwijder de lagen met verkeerde stijlen om de oorspronkelijke doelstellingen te herontdekken. De ontwerpers van SITE bewijzen hulde aan de droom en doen een beroep op iedereen om vertrouwen te houden, omdat de fouten van het verleden niet moeten leiden tot cynisme in het heden of tot een teloorgang van het geloof dat kunst en architectuur actief kunnen bijdragen aan een betere toekomst.

met heldere kleuren in poedervorm, kalksteen, leisteen, zandsteen en spiegelende oppervlakken. Door deze materiaalkeuze wordt de toeschouwer gestimuleerd om na te denken over de fysieke en

Boven: **Eric Fischl, *Bad Boy*, 1981**
Fischl heeft verklaard dat 'de gehele strijd om betekenis sinds de jaren zeventig een strijd om het verkrijgen van een identiteit was…een behoefte aan een eigen wezen.' Deze schokkende registratie van het leven in de voorsteden (gebaseerd op foto's) bestaat uit verhalen die door zijn artistieke en emotionele identiteit zijn gefilterd.

Onder: **Jenny Saville, *Branded*, 1992**
De enorme doeken van Saville lijken nauwelijks groot genoeg voor haar uitpuilende vrouwelijke naakten. De doeken zijn vaak gedecoreerd met contourlijnen en teksten en vanaf beneden vormen ze confronterende en fascinerende voorstellingen van vrouwelijkheid en het menselijke lichaam.

Belangrijke collecties
Museum of Modern Art, New York
Solomon R. Guggenheim Museum, New York
Stedelijk Museum, Amsterdam
Tate Modern, Londen

Belangrijke boeken
D. Salle, *David Salle* (1989)
G. Celant, *Anish Kapoor* (1996)
J. Gilmour, *Fire on Earth: Anselm Kiefer and the Post-Modern World* (Philadelphia, PA, 1990)
L. Saltzman, *Anselm Kiefer: Art After Auschwitz* (Cambridge, UK, 1999)

Neopop

Het publiek is mijn readymade.

JEFF KOONS, 1992

Neopop (of postpop) verwijst naar het werk van een aantal kunstenaars die aan het eind van de jaren tachtig van de twintigste eeuw in de New Yorkse kunstwereld verschenen, en met name Ashley Bickerton (1959), Jeff Koons (1955), Alan McCollum (1944) en Haim Steinbach (1944). Neopop, een van de vele takken van het *postmodernisme, was een reactie op de overheersing van het *minimalisme en *conceptual art in de jaren zeventig. Met de methoden, materialen en beelden van de pop-art uit de jaren zestig als uitgangspunt gaf neopop ook het erfgoed weer van conceptual art in zijn soms ironische en objectieve vorm.

Deze dubbele erfenis blijkt uit het op de media gebaseerde fotografische werk van de Amerikaanse, autodidactische kunstenaar Richard Prince (1949), uit de taalwerken van Jenny Holzer (1950, zie *Postmodernisme), uit de geschilderde objecten van McCollum en uit het gebruik van gevonden populaire beelden door Steinbach en Koons.

Ook in andere twintigste-eeuwse kunstbewegingen was een voortgaande invloed van pop-art te zien, met name in het gebruik van gevonden voorwerpen en readymades (zie *Dada). De objecten van de Belgische Leo Copers bijvoorbeeld, lijken een kruising van dada, pop-art en conceptual art. In Groot-Brittannië is de erfenis van pop-art terug te vinden in de muurtekeningen van Michael Craig-Martin (1941), in de op computerbeelden lijkende afbeeldingen en grote, speelgoedachtige sculpturen van Julian Opie (1958) en in de liefdevol geschilderde rijen consumptiegoederen van Lisa Milroy (1959). Op de met formica bedekte planken van Steinbach staan op eerbiedige wijze voorwerpen uitgestald die in een winkel zijn gekocht; de assemblages zijn een commentaar op onze verheerlijking van materiële zaken en de manier waarop we die als onderdeel van onze identiteit kiezen. De planken, die doen denken aan minimalistische sculpturen en aan de schappen in een warenhuis, benadrukken hoezeer zowel pop-art als minimalisme zijn doorgedrongen in de bredere culturele wereld.

De term neopop kan ook worden gebruikt voor het late werk van twee kunstenaars die mede vorm gaven aan de taal van pop-art, namelijk Jasper Johns (zie *Neodada) en Roy Lichtenstein (zie *Pop-art). Tijdens hun gehele carrière hebben Johns en Lichtenstein in hun werk blijken van hulde gegeven aan gerespecteerde kunstenaars. In hun latere werken hebben zij echter ook beelden van hun eigen kunst verwerkt, wellicht als dankbetuiging voor de algemene erkenning die veel van hun eigen werken hadden gekregen, waarvan sommige net zo bekend werden als de beelden uit de popcultuur waarop ze waren gebaseerd.

Koons (zie ook *Postmodernisme) werd in de jaren tachtig berucht om zijn verheffing van kitsch tot kunst. Zijn werk *Balloon Dog* (1994-2000) is een glanzende, rode stalen sculptuur van ruim drie meter hoog, waarvan de schaal en de gedetailleerde constructie op een absurde wijze in contrast staan met het onderwerp, maar het tegelijkertijd een ontzagwekkende aanwezigheid geven. Koons heeft het kortlevende kinderspeelgoed getransformeerd tot een omvangrijk, blijvend monument, dat doet denken aan Claes Oldenburgs ironische

Jeff Koons, *Two Ball 50/50 Tank*, 1985
De uitspraken van Koons zijn bijna net zo bekend als zijn werk. "Een beschouwer ziet mogelijk eerst ironie in mijn werk", schreef hij. "Maar ik zie helemaal geen ironie. Ironie leidt tot een overmaat van kritische overdenking."

vereeuwiging van pop-art (zie *Pop-art en *Site-works).

Andere kunstenaars die aan het eind van de twintigste eeuw van pop-art afgeleid werk maakten, zijn onder anderen de Amerikaanse Cady Noland (1956), de Russen Vitali Komar (1943) en Alexander Melamid (1945, zie *Socialistisch realisme) en de Britse kunstenaars Damien Hirst (1965), Gary Hume (1962) en Gavin Turk (1967). Turks *Pop* (1993) is een levensgroot, wassen zelfportret dat is gekleed als Sid Vicious (lid van de punkband de Sex Pistols), gekleed in het pak van Vicious' versie van Frank Sinatra's "My Way", in de pose van Elvis Presley als cowboy, zoals geportretteerd door Andy Warhol, in een glazen doos. Pop legt de mythe van creatieve originaliteit bloot en is een bespiegeling van de opkomst van popmuziek, pop-art, de popster en de kunstenaar als popster. Het dient als aandenken aan de pioniers van zelfpromotie die de media hebben geholpen om hen van 'gewone' mensen tot iconen te maken.

Belangrijke collecties
Modern Art Museum of Fort Worth, Texas
Museum of Fine Arts, Boston, Massachusetts
San Francisco Museum of Modern Art,
    San Francisco, California
Sintra Museu de Arte Moderna, Sintra
Tate Modern, Londen
Stedelijk Museum, Amsterdam

Belangrijke boeken
The Jeff Koons Handbook (1992)
J. Johns and K. Varnedoe, *Jasper Johns:
    Interviews and Writings* (1996)
N. Rosenthal, et al., *Sensation* (tent. cat. Royal
    Academy of Arts, London, 1998)

Transavanguardia

(...) net als de koorddanser gaat de kunstenaar in verschillende richtingen, niet omdat hij bekwaam is, maar omdat hij niet slechts één richting kan kiezen.

MIMMO PALADINO, 1985

In een artikel in *Flash Art* uit oktober 1979 noemde de Italiaanse kunstcriticus Achille Bonito Oliva de Italiaanse versie van het *neo-expressionisme "Transavanguardia" (transavant-garde). Sindsdien is deze benaming gebruikt voor werk dat in de jaren tachtig en negentig van de twintigste eeuw is vervaardigd door een groep kunstenaars die werd gevormd door onder anderen Sandro Chia (1946), Francesco Clemente (1952), Enzo Cucchi (1949) en Mimmo Paladino (1948). Hun werk duidt op een terugkeer naar de schilderkunst die wordt gekenmerkt door een bepaalde hevigheid in expressie en verwerking, alsook door een romantische heimwee naar het verleden. Uit hun kleurrijke, sensuele en dramatische werk spreekt een waar genoegen in de herontdekking van de tastbare en expressieve aspecten van het schildermateriaal.

De naam die door Bonito Oliva aan de beweging werd gegeven, impliceerde dat de kunstenaars het progressieve karakter van de avant-gardisten van de twintigste eeuw voorbij waren. Samen met hun Duitse en Amerikaanse neo-expressionistische tegenhangers streden zij met hun werk tegen de overheersing van *conceptual art en *minimalisme, terwijl het werk van de Italianen ook werd beschouwd als reactie op de meer puriteinse aspecten van *Arte Povera. De verwerping van het idee dat er voor kunst een "juiste weg" vooruit was (met name één die boven al het andere waarde leek te hechten aan zuiverheid) en hun enthousiaste omarming van een medium dat lange tijd "dood" was verklaard (de schilderkunst), hadden een bevrijdend effect dat waarneembaar is in het werk en de uitspraken van de kunstenaars.

Voor hun combinaties en transformaties van vroegere tradities van vorm en inhoud putten de kunstenaars van de Transavanguardia met name uit het rijke culturele erfgoed van Italië. Bij de schilderijen van Chia, heroïsche afbeeldingen die lijken te zweven in tijd en ruimte, heeft men vaak het gevoel dat de gehele kunst- en cultuurgeschiedenis erbij wordt betrokken. De figuur van de kunstenaar, die meestal in de schilderijen aanwezig is, wordt niet alleen als held maar ook als circusclown gezien en de situaties waarvan hij deel uitmaakt, lijken uitbundig maar tegelijkertijd ook melancholiek. In een toelichting op zijn houding ten aanzien van de rol van de schilderkunst schreef Chia in 1983:

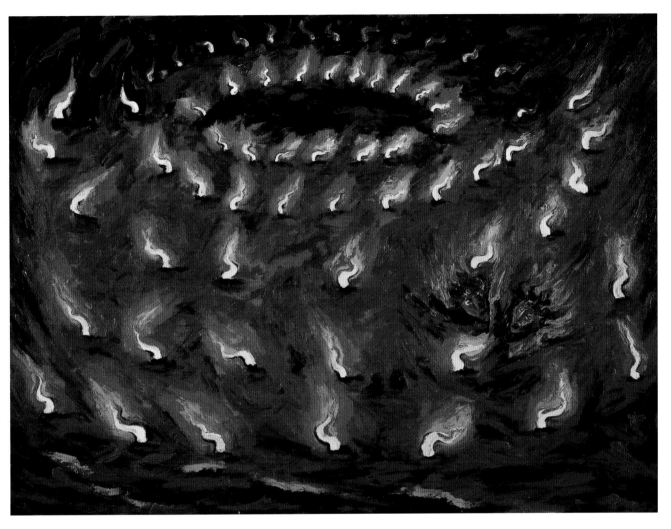

Op deze plek, omgeven door mijn schilderijen en mijn beeldhouwwerken, ben ik als een leeuwentemmer tussen zijn dieren en voel ik mij dicht bij de helden uit mijn jeugd, dicht bij Michelangelo, Titiaan en Tintoretto. Ik laat deze beeldhouwwerken en schilderijen op mijn muziek en voor mijn plezier op slechts één poot dansen.

De donkere landschappen van Cucchi doen weliswaar denken aan zijn geboorteplaats Ancona, de Adriatische havenstad in Midden-Italië, qua gevoel liggen ze het dichtst bij de noordelijke *expressionisten van het begin van de twintigste eeuw. De verbeelding van de kracht van de natuur en de nietigheid van de mens doen

Boven: Enzo Cucchi, *A Painting of Precious Fires*, 1983
De Adriatische havenstad Ancona, waar de familie van Enzo Cucchi generaties lang een boerenbedrijf had, verschafte hem een decor van landverschuivingen en brandende stoppelvelden dat in zijn schilderijen een apocalyptische kracht krijgt.

Tegenoverliggende pagina: Kunstenaars van de Transavanguardia
Van links naar rechts: Sandro Chia, Nino Longobardi, Mimmo Paladino, Paul Maenz, Francesco Clemente en zijn echtgenote, Wolfgang Max Faust, onbekend, Fantomas, Gerd de Vries, Lucio Amelio. Een van de "drie C's", Enzo Cucchi, ontbreekt.

denken aan de visionaire landschappen van Emil Nolde.

Terwijl Cucchi het idee van de kunstenaar als visionair lijkt te doen herleven, brengt het eclectische werk van Clemente de expressionistische grondregel van kunst als voertuig voor zelfexpressie op een nieuwe plan. Net als het werk van Vincent van Gogh (zie *Postimpressionisme) en Egon Schiele (zie *Expressionisme) fungeren de voorstellingen van Clemente als psychologische zelfportretten, waarin de kunstenaar vaak wordt afgebeeld als een geïsoleerde, onbegrepen held. In de voorstellingen, waarvoor uit uiteenlopende invloeden en bronnen van inspiratie wordt geput, worden religieus symbolisme, autobiografie, cultuurgeschiedenis en kunstgeschiedenis met elkaar vervlochten in een vaak erotische, persoonlijke visie van een obsessieve tocht van zelfexpressie naar zelfonthulling.

Paladino's kunst doorkruist op vergelijkbare wijze verschillende perioden en stijlen, maar hij doet dit op een bijna archeologische wijze. In zijn schilderijen en beeldhouwwerken worden het verleden en het heden met elkaar versmolten, worden de levenden verenigd met de doden, worden katholieke rituelen vermengd met heidense riten en worden symbolen, mensen en dieren samengebracht in een ouderwetse voorstelling. Het gevoel van vrijheid in Paladino's eclectische benadering blijkt uit een uitspraak die hij in 1985 deed:

Kunst is als een kasteel met een groot aantal onbekende kamers vol schilderijen, beeldhouwwerken, mozaïeken, fresco's, die je in de loop der tijd met verwondering ontdekt. De manier waarop conceptual art door dit kasteel gaat, is heel duidelijk bepaald. Bij mij is dat niet het geval; bij mij loopt het parallel. Ik kan kiezen. De oude vragen over voorstelling en uitbeelding zijn mijns inziens door abstracte kunst opzijgeschoven. Ik kan tegelijk verwijzingen naar Matisse en Malevich in mijn schilderijen opnemen zonder dat er een relatie tussen die twee is.

Door hun opname in belangrijke tentoonstellingen in de Kunsthalle in Basel, op de Biënnale in Venetië in 1980 en aan de Royal Academy in Londen in 1981 werden de kunstenaars van de Transavanguardia snel bekend in de internationale kunstwereld en als significante groep erkend. Niet lang daarna volgden solotentoonstellingen in Europa en de Verenigde Staten en kregen zij een internationale reputatie.

Belangrijke collecties
Ball State University Museum of Art, Muncie, Indiana
Museo di Capodimonte, Napels
Solomon R. Guggenheim Museum, New York
University of Lethbridge Art Gallery, Alberta, Canada

Belangrijke boeken
A. Bonito Oliva, *The Italian Transavantgarde* (Milaan, 1980)
M. Auping, *Francesco Clemente* (1985)
E. Avedon, *Clemente: An Interview* (1987)
Italian Art in the 20th Century: Painting and Sculpture 1900–1988
(tent. cat. Royal Academy of Arts, Londen, 1989)

Geluidskunst

Wat is de relatie tussen de mens en de geluiden in zijn omgeving en wat gebeurt er wanneer die geluiden veranderen?

R. MURRAY SCHAFER, THE TUNING OF THE WORLD, 1977

Geluidskunst (ook wel "audiokunst" genoemd) kreeg aan het eind van de jaren zeventig van de twintigste eeuw als categorie aanmerkelijke erkenning; algemeen bekend was het ruim twintig jaar later, in de jaren negentig, toen kunstenaars over de gehele wereld zich bezighielden met werken waarin geluiden werden gebruikt. De geluiden kunnen natuurlijk, kunstmatig, muzikaal, technologisch of akoestisch zijn en de werken kunnen de vorm aannemen van *assemblages, *installaties, *video's, *performances en *kinetische kunst, alsook van schilderijen en beeldhouwwerken.

Geluidskunst vindt haar oorsprong in het begin van de twintigste eeuw. De relatie tussen muziek en kunst was een drijvende kracht achter de ontwikkeling van abstractie (zie *Der Blaue Reiter, *Orfisme en *Synchromisme). De "kunst van geluiden" werd verkend door *futuristen en *dadaïsten en in de jaren vijftig ontwikkeld door de Amerikaanse componist John Cage. Cage noemde Robert Rauschenbergs *White Paintings* (1951), dat hij beschreef als "vliegvelden voor lichten, schaduwen en deeltjes", als een belangrijke inspiratiebron voor zijn 'stille' stuk *4'33"* (1952). Cage, die 'muziek' herdefinieerde als een combinatie van klanken en geluiden, was een invloedrijke figuur voor beoefenaars van beeldende kunst in de jaren vijftig en zestig, en met name voor degenen die worden geassocieerd met *beat, *neodada, *Fluxus en performancekunst - bewegingen die op hun beurt van invloed waren op de geluids- en performancekunstenaars Laurie Anderson en Robert Wilson in de jaren zeventig. De carrière van Rauschenberg (zie ook *Neodada, *Combines, *Performancekunst en *Conceptual art) omvat een aantal

opmerkelijke geluidswerken: *Broadcast* (1959), een *combine* met drie radio's achter het doek en twee draaiknoppen op het oppervlak; *Oracle* (1962-65), een plastische geluidsomgeving gecreëerd in samenwerking met de Zweedse technicus Billy Klüver (1927); en *Soundings* (1968), een omvangrijk plexiglazen scherm met verborgen lampen die door de geluiden van toeschouwers worden geactiveerd en vervolgens beelden van vallende stoelen laten zien. *Soundings* werd gemaakt met technische leden van E.A.T. (zie *GRAV), een organisatie die kunstenaars hielp bij het experimenteren met nieuwe technologieën.

Een aantal vroege geluidswerken werd in 1964 onder de naam "For Eyes & Ears" tentoongesteld in de galerie Cordier & Ekstrom in New York. Het ging onder andere om geluid voortbrengende objecten van de dadaïsten Marcel Duchamp en Man Ray, een geluidsinstallatie van Klüver, werken van eigentijdse beoefenaars zoals Rauschenberg en de kinetisch kunstenaars Jean Tinguely en Takis, alsook werken die gezamenlijk door kunstenaars en componisten of kunstenaars en technici waren gemaakt.

De Amerikaan Lee Ranaldo (1956) en de in Groot-Brittannië geboren Brian Eno (1948) hebben visuele-kunstwerken vervaardigd die niet zozeer worden bepaald, maar eerder worden verrijkt door hun

Christian Marclay, *Guitar Drag*, 2000
De vijftien minuten durende video van een (versterkte) elektrische gitaar die langs de vuile wegen van Texas achter een pick-up aan wordt getrokken, produceert niet alleen een buitengewoon geluid, maar roept ook een heel scala aan associaties op, variërend van lynchpartijen tot *road movies*.

muzikale achtergrond. Eno heeft met geluidskunstenaars, zoals Anderson, en met andere beeldend kunstenaars, zoals Mimmo Paladino (zie *Transavantguardia), gewerkt. Net zoals Anderson, Ranaldo en Eno aspecten van de schone kunsten en popcultuur met elkaar hebben versmolten, wordt een groot deel van de recente geluidskunst gevoed door de clubcultuur en het gebruik van elektronische muziek en sampling. De Britse Robin Rimbaud, alias Scanner, maakt geluidscollages voor clubs, tentoonstellingen, radio en televisie. Hij werkt ook samen met kunstenaars zoals de Oostenrijkse Katarina Matiasek (1965) en de Britse Paul Farrington, alias Tonne. Uit de tentoonstelling "Sonic Boom: The Art of Sound" die in 2000 in de Hayward Gallery in Londen werd gehouden, bleek het toenemende aantal eigentijdse kunstenaars dat geluid bij beeldende kunsten gebruikt. Geluidskunst maakt de beschouwer attent op de multi-zintuiglijke ervaring van de waarneming. Als flexibel en nog betrekkelijk onverkend medium staat geluidskunst voortdurend onder invloed van nieuwe ontwikkelingen op het gebied van digitale techniek en internet.

Belangrijke collecties
Kunsthalle, Hamburg
Museum Ludwig, Keulen
Stedelijk Museum, Amsterdam

Belangrijke boeken
Voice Over: Sound and Vision in Current Art (tent. cat. Arts Council of England, 1998)
K. Maur, *The Sound of Painting* (München, 1999)
Sonic Boom: The Art of Sound (tent. cat., Hayward Gallery, Londen, 2000)

Internetkunst

Een esthetiek van stelen, misleiden, lezen, spreken, ronddolen, winkelen, verlangen.

DAVID GARCIA EN GEERT LOVINK, MEDIA-ACTIVISTEN, 1997

Heeft internetkunst (ook wel "interactieve kunst", "webkunst" of "net.art" genoemd), de nieuwste vorm van digitale kunst, definitief een einde gemaakt aan de stijlen in de kunst? Volgens sommigen zijn "isms" – avant-gardebewegingen die elkaar als in een evolutieproces opvolgen – niet meer mogelijk in een technologische vorm die zowel de kunstenaar als de beschouwer zo'n buitengewone vrijheid van creativiteit geeft.

Het world wide web, dat in 1989 door de Britse wetenschapper Timothy Berners-Lee (1955) werd gelanceerd ten behoeve van natuurkundigen die in het Europese Laboratorium voor Deeltjesfysica werkzaam waren, werd rond 1995, toen er nog slechts rond 5000 gebruikers met hun eigen websites waren, een forum voor kunstbeoefening. In de laatste jaren van de twintigste eeuw heeft een enorme toename van het aantal gebruikers een snelle groei van internetkunst in de hand gewerkt. De ontwikkelingen hebben zich wereldwijd voorgedaan, wat passend is voor een medium dat zelf zo algemeen toegankelijk is. Postcommunistische Oost-Europeanen waren bijvoorbeeld een van de eerste deelnemers: het Ljudmila-mediacentrum in Slovenië, gefinancierd door het Open Society Institute van George Soros, was vernieuwend door ruimte voor sites van kunstenaars te combineren met educatieve initiatieven.

Internetkunst is bovenal een democratische kunstvorm en interactiviteit is het belangrijkste kenmerk ervan. Afbeeldingen, teksten, bewegingen en geluiden die door kunstenaars bijeen zijn gebracht, kunnen door de toeschouwers worden gestuurd, zodat zij hun eigen multimediamontages kunnen maken waarvan het uiteindelijke 'auteurschap' onduidelijk is. Beschouwers worden gebruikers. In *My Boyfriend Came Back From the War* (1996) van de Russische Olia Lialina (1971) wordt persoonlijke en politieke geschiedenis op de voorgrond geplaatst en worden verschillende afbeeldingen en teksten door de beschouwer aan elkaar gekoppeld om verschillende versies van een tot mislukking gedoemde liefdesaffaire te creëren. De Britse systeemanalist Heath Bunting, die in 1994 Irational.org startte (de naam duidt op ondermijning in een wereld van zakelijke rationaliteit), heeft de interconnectiviteit van het web op andere manieren gebruikt. Met zijn *King's-Cross Phone-In* publiceerde hij op het web de telefoonnummers van zesendertig telefooncellen in en rond het Londense King's Cross-spoorwegstation en nodigde hij bezoekers uit om forenzen op te bellen en een praatje met hen te maken, om zo het dagelijkse zakenleven te voorzien van een onverwachte, gezellige – en anarchistische – noot. Het project gaf ook aan hoe veelzijdig internetkunst kan zijn en hoe deze harmonisch aansluit op andere kunstvormen, zoals *performancekunst.

Voor kunstenaars biedt internet een nieuwe wijze van verspreiding en een nieuw medium met zijn eigen unieke kenmerken. Eén daarvan is de technologie zelf, die het materiaal van de kunstenaars vormt. Het

Jake Tilson, selectie van schermen uit *The Cooker*, 1994-99 (www.thecooker.com) In Tilsons doorlopende project wordt een exotische collectie 'gevonden voorwerpen' bijeengebracht, zoals reisfoto's, opnamen van achtergrondgeluiden in restaurants en statistische overzichten, die de beschouwer in nagenoeg oneindige combinaties kan samenvoegen.

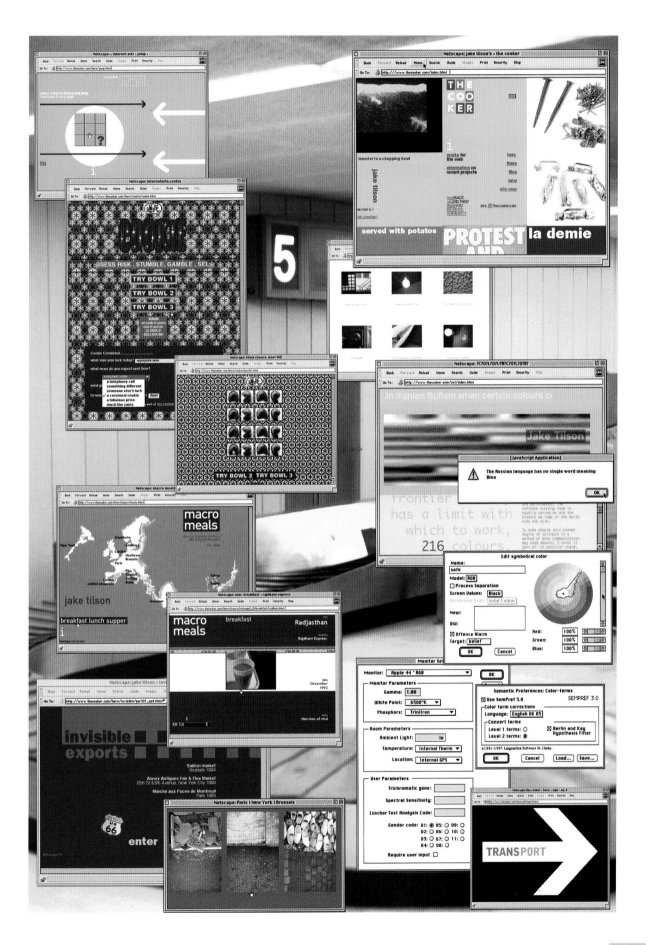

zichtbaar maken van codes die normaal gesproken verborgen zijn, zoals HTML (Hypertext Mark-up Language), is één tactiek geweest, waarmee het ogenschijnlijk chaotische karakter van technologie werd onthuld (zie bijvoorbeeld www.jodi.org). Het gebruik van op vectoren gebaseerde webhulpmiddelen (zoals Macromedia Flash) is een andere gebruikte tactiek. In tegenstelling tot op pixels gebaseerde processen, zoals gedigitaliseerde fotografie, kunnen op vectoren gebaseerde vormen onbeperkt, zonder kwaliteitsverlies, worden vergroot of verkleind. Peter Stanick (1953; www.stanick.com) maakt opvallende, *popachtige, digitale schilderijen van New Yorkse straatscènes, die hij ziet als een voortzetting van de mechanische benadering van de popkunstenaars Roy Lichtenstein en Andy Warhol. Andere kunstenaars experimenteren met kleurenpaletten die kenmerkend zijn voor webtechnologie (paletten die voortvloeien uit machinetechnologie en niet uit de fysieke eigenschappen van pigment). Een voorbeeld hiervan is het hexadecimale kleurenpalet: 256 webveilige kleuren die worden gevormd door rood, groen en blauw - de drie kleuren waaruit één schermpixel bestaat.

The Cooker, het voortgaande werk van Jake Tilson (1958) dat in 1994 is gestart, geeft een ander belangrijk kenmerk van internetkunst aan: de mogelijkheid om buitengewone geografische verbindingen tot stand te brengen, tussen zowel kunstenaars als beschouwers. Zoals Buckminster Fuller (zie ook *Neodada en *Anti-design) in de jaren zestig van de twintigste eeuw voorspelde, is het effect van technologie geweest dat het de wereld bij ons thuis heeft gebracht. *The Cooker* van Tilson biedt een verbazingwekkende reeks afbeeldingen, teksten en andere ervaringen van over de gehele wereld die betrekking hebben op het algemene thema voedsel. Bij "Macro Meals" bijvoorbeeld, kan de kijker vanachter zijn beeldscherm een bezoek aan India brengen en aan boord van de Rajasthan Express ontbijt 'bestellen', waarbij hij beelden van de trein en het eten ziet en zelfs hoort hoe de maaltijd wordt bereid en wordt genuttigd.

Beoefenaars van internetkunst hebben uiteenlopende achtergronden: sommigen hebben een opleiding genoten in de schone kunsten, anderen komen uit het bedrijfsleven, de technologiesector of de wereld van grafisch ontwerp. Äda'web (waarvan het archief nu te vinden is op de website voor het Walker Art Center in Minneapolis, zie de sites hierna) heeft zijn wortels in de heersende kunststromingen. Benjamin Weil, de curator ervan, heeft actief gevestigde kunstenaars zoals Jenny Holzer (zie *Postmodernisme) en Lawrence Weiner (zie *Conceptual art) uitgenodigd om samen met zijn ontwerpers sites te maken. De site van Holzer, *Please Change Beliefs*, die bezoekers uitnodigt om gemeenplaatsen (zoals "Sterven voor de liefde is mooi maar stom") te 'verbeteren', geeft aan hoe het interactieve karakter van internet een gevestigde kunstvorm kan uitbreiden door de ideeën van bezoekers erbij te betrekken.

John Maeda, directeur van de Aesthetics and Computation Group van het Massachusetts Institute of Technology (MIT) Media Laboratory, volgde eerst een opleiding computerwetenschap bij het MIT en studeerde daarna kunst en ontwerp in Japan. De bron van zijn kunst is veelal technologie en het onderwerp is vaak de interactie tussen mens en machine, waarbij hij visuele kunst en informatica naadloos met elkaar samenvoegt, vaak met een optisch dynamisme dat doet denken aan *op-art. Door de aard van het internet hangen veel internetprojecten af van de samenwerking tussen kunstenaars en technici (zie ook *Neodada en *GRAV), alsook van de interactiviteit tussen kunstenaars en beschouwers.

Internetkunst blijft zich nog steeds ontwikkelen en zal in de toekomst ongetwijfeld nog veel veranderingen ondergaan, niet in het minst als gevolg van de technologische vooruitgang. Kunstenaars zijn daarom verplicht – of worden daardoor in staat gesteld – om bij een verandering van het medium hun werk mee te veranderen. Naarmate de integratie tussen internet en televisie toeneemt en internet op een groter scherm, in een comfortabelere omgeving wordt bekeken, zal een van de uitdagingen voor internetkunst worden gevormd door de nieuwe relatie en associatie met televisie, video en amusement.

Olia Lialina, *My Boyfriend Came Back from the War*, 1996
(www.teleporticia.org/war) Interactieve sites zoals die van Olia Lialina tonen een affiniteit met zowel film als literatuur, maar met het cruciale verschil dat de beschouwer de weergave van afbeeldingen en tekst stuurt en zo nieuwe versies van het verhaal creëert.

Belangrijke sites
Dia Center for the Arts, New York: www.diacenter.org
Guggenheim, New York: www.guggenheim.org
Institute for Contemporary Arts, Londen:
    www.newmediacentre.com
Musée d'Art Contemporain, Montreal: www.macm.qc.ca
Museum of Modern Art, New York: www.moma.org
Tate Gallery, Londen: www.tate.org.uk
Walker Art Center, Minneapolis: www: walkerart.org

Belangrijke boeken
C. Sommerer, L. Mignonneau, *Art@Science* (1998)
M. Rush, *New Media in Late 20th-Century Art* (1999)
J. Maeda, *Maeda@Media* (2000)

200 BELANGRIJKE STIJLEN

* geeft een verwijzing naar een van de hoofdingangen (pag. 14-288) aan;
‡ geeft een van de 200 vermeldingen in dit gedeelte aan.

Abbaye de Créteil Gemeenschap van Franse kunstenaars en schrijvers die van 1906 tot 1908 in Créteil, Frankrijk, heeft bestaan. De nieuwe technieken die zij verkenden (een vereenvoudiging van voorstellingen) leidde tot latere avant-gardestijlen zoals *kubisme. Marinetti, die de gemeenschap in 1907 bezocht, putte voor zijn theorieën over het *futurisme uit hun ideeën.

ABC Linkse architectuurgroep die in 1924 in het Zwitserse Basel werd opgericht. De Rus El Lissitzky, de Nederlander Mart Stam en de Zwitserse architecten Hannes Meyer, Emil Roth, Hans Schmidt en Hans Wittwer legden zich toe op het ontwerpen van functionalistische, sociaal relevante bouwwerken, meestal in een *constructivistische stijl.

Abstraction-Création Internationale groep kunstenaars, in 1931 in Parijs opgericht en actief tot 1936. De groep propageerde abstracte kunst – een vorm van vrije expressie in een tijd van toenemende politieke onderdrukking. Toen de groep werd ontbonden, had de groep ruim 400 leden en vrienden, waaronder veel van de beroemdste kunstenaars uit die periode.

Actionisme Zie ‡Weens actionisme.

Action-painting Term die wordt gebruikt voor het werk van *abstract-expressionistische kunstenaars, met name Jackson Pollock en Willem de Kooning. Hun 'expressieve' doeken moesten een *existentieel element van de persoonlijkheid van de kunstenaar uitdrukken, wat werd bereikt door het schijnbaar impulsief aanbrengen van materialen. Doet daardoor ook denken aan *art informel.

Adhocisme Term voor het *postmodernistische gebruik in architectuur en vormgeving om reeds bestaande stijlen en vormen toe te passen en te combineren om zo een nieuwe entiteit te creëren. Titel van een boek van Charles Jencks en Nathan Silver, gepubliceerd in 1972.

Aeropittura (Italiaans voor: luchtschilderkunst) De kunst van de *futuristen van de tweede generatie wier werk sterk was gericht op het beschrijven of voorstellen van de vliegkunst. Werd aangekondigd in 1929. De voornaamste Aeropittura-kunstenaars – Gerardo Dottori, Tato, Bruno Munari en Fillia – publiceerden hun werk tot de val van het Italiaanse fascisme in 1944 in manifesten en op tentoonstellingen.

Aesthetic Movement Benaming die in de jaren zeventig en tachtig van de negentiende eeuw in de schone kunsten en versieringskunsten werd gebruikt. J.A.M. Whistler en Dante Gabriel Rossetti (zie ook *Decadentenbeweging, ‡Japanisme) maakten werk waarin zij streefden naar schoonheid en autonomie van kunst.

Affichistes Naam die door Raymond Hains en Jacques de la Villeglé werd aangenomen voor de manier waarop zij sinds 1949 kunst maakten: zij maakten collages van delen van gescheurde posters (*affiches*) die op de stadsmuren hingen. Deze methode werd ook door Mimmo Rotella en François Dufrêne toegepast. Later geassocieerd met *nouveau réalisme.

AfriCobra (African Commune of Bad Relevant Artists) Opgericht door muurschilders Barbara Jones-Hogu en Jeff Donaldson. Beweging van Afrikaans-Amerikaanse kunstenaars die hoogwaardige zeefdrukken in fluorescerende kleuren vervaardigden en die de stelling "zwarte kunst voor elk zwart gezin in Amerika" propageerden.

Agitprop (Russisch, afkorting van *agitatsionnaya propaganda*, oproerende propaganda) Russische populaire kunstvorm na de bolsjewiekrevolutie in 1917. Geïnspireerd op volkskunst en ontwikkelingen in de moderne kunst (*futurisme, *suprematisme en *constructivisme). Kunstenaars transformeerden steden met theatrale evenementen, spandoeken, posters, beeldhouwwerken, monumenten en schilderijen op treinen, trams, muren en gebouwen, waarmee zij propaganda voor het nieuwe regime maakten.

AkhRR, AKhR (Vereniging van Kunstenaars van Revolutionair Rusland) Werd in 1922 in Moskou opgericht. Wees de erfenis van het *suprematisme (abstractie) af en pleitte voor een terugkeer naar figuratief realisme. Kreeg al snel takken door het gehele land en steun van de overheid. Hoewel de groep in 1932 werd opgeheven, maakte hun heroïsche realisme en hun aandacht voor het dagelijkse leven de weg vrij voor het *socialistisch realisme.

Allianz Groep Zwitserse avant-gardekunstenaars, waaronder Max Bill, Walter Bodmer en Richard Lohse. Opgericht in 1931 en actief tot de jaren vijftig. Hun werk, dat verwant is met *concrete kunst en *constructivisme, werd door middel van groepstentoonstellingen en gezamenlijke publicaties onder de aandacht van het publiek gebracht.

Allied Artists Association (AAA) Britse groep die in 1908 door criticus Frank Rutter werd geformeerd om jaarlijks open tentoonstellingen te organiseren van internationaal werk van progressieve kunstenaars, zoals dat van de Parijse ‡Salon des Indépendants. Door middel van de tentoonstellingen, die van 1908 tot 1914 werden gehouden, werd in het Verenigd Koninkrijk een aantal nieuwe Europese ontwikkelingen geïntroduceerd.

American Abstract Artists (AAA) Vereniging van abstracte schilders en beeldhouwers die in 1936 in New York werd geformeerd als reactie op de overheersende realistische stijlen (zie *American Scene en *Sociaal realisme). Net als de Europese groep ‡Abstraction-Création, legde de AAA zich toe op het steunen en propageren van abstracte kunst in de Verenigde Staten. Zij deed dit door middel van tentoonstellingen, lezingen en publicaties. In de jaren vijftig van de twintigste eeuw had de groep ruim 200 leden.

American Craft-beweging Amerikaanse beweging na de Tweede Wereldoorlog die tot doel had om via kunstcursussen aan universiteiten ambachtelijke tradities te doen herleven. Veel van deze cursussen werden gegeven door ex-*Bauhaus-studenten. Invloedrijk tot in de jaren zeventig en tachtig van de twintigste eeuw.

American Gothic Zie *American Scene.

Angry Penguins Australisch avant-gardetijdschrift en artistieke en literaire beweging van de jaren veertig van de twintigste eeuw. De in Melbourne gevestigde groep omvatte Arthur Boyd, Max Harris, Sidney Nolan, John Perceval, John Reed en Albert Tucker. Hun werk is in grote lijnen *expressionistisch en figuratief en geeft hun belangstelling voor *surrealisme aan. Een groot aantal leden werd later lid van de ‡Antipodische groep.

Antipodische groep Australische groep kunstenaars die in 1959 werd geformeerd en actief was tot 1960. Het Antipodische Manifest, dat was opgesteld door kunsthistoricus Bernard Smith, propageerde de figuratieve schilderkunst van prominente Australische kunstenaars zoals Arthur Boyd en Clifton Pugh. Met Sidney Nolan en Russell Drysdale, wier werk *surrealisme en aboriginal kunst omvatte, had de groep gedurende de gehele tweede helft van de twintigste eeuw een grote invloed.

Architext Naam van een Japans tijdschrift en een architectuurgroep die in 1971 werd opgericht uit verzet tegen het ‡metabolisme. Verwierp de doctrinaire of totalitaire aspecten van het modernisme en propageerde het pluralisme.

Art & Language Groep Britse kunstenaars en naam van het tijdschrift via welke zij theoretische analyses en kritieken publiceerden over de relatie tussen kunst, maatschappij en politiek, waarbij theorie en kritiek werden omgezet in een soort *conceptual art. In 1968 in Coventry opgericht door Terry Atkinson, David Bainbridge, Michael Baldwin en Harold Hurrell. Had in 1976 ongeveer vijfentwintig leden in Engeland en New York.

Art autre (Frans voor: andere kunst) Aanduiding die na de Tweede Wereldoorlog door de criticus Michel Tapié werd bedacht voor kunst die was geïnspireerd op kunst van kinderen, naïeve kunst en ‡primitivisme, alsook de kunst van Vasily Kandinsky en het *existentialisme. Vaak als synoniem gebruikt voor *art informel en ‡tachisme.

Art Workers' Coalition (AWC) In 1969 in New York geformeerde pressiegroep. Tot deze groep behoorden de *minimalisten Carl Andre en Robert Morris, de *conceptual-artbeoefenaars Hans Haacke en Dennis Oppenheim, de critici Lucy Lippard en Gregory Battcock en vele anderen. Probeerde musea en galerieën ertoe over te halen om te sluiten uit protest tegen de Vietnamoorlog en voerde actie voor de rechten van kunstenaars. Probeerde ook wijzigingen in het beleid van musea te bewerkstelligen, zodat kunstenaars aan de besluitvorming konden deelnemen en er meer tentoonstellingsruimte voor vrouwen en minderheden zou komen.

Arte Cifra (Italiaans voor: codekunst) Italiaanse kunsttrend ontwikkeld uit verzet tegen *conceptual art en *Arte Povera om het onderbewuste uit te drukken dat in de schilderkunst was gecodeerd. Wordt geassocieerd met het werk van Sandro Chia, Francesco Clemente, Enzo Cucchi en Mimmo Paladino (zie *Transavanguardia).

Arte Generativo Argentijnse schilderstijlen uit de jaren vijftig van de twintigste eeuw. Worden gekenmerkt door analytische werken die zijn gebaseerd op geometrische abstractie, in navolging van de traditie van ‡Arte Madí uit de jaren veertig van de twintigste eeuw. Eduardo Macentyre en Miguel Angel Vidal stelden in 1960 een manifest op. Hun werken zijn krachtige analyses van lijnen en kleur.

Arte Madí Argentijnse/Uruguayaanse kunstbeweging van de jaren veertig van de twintigste eeuw. Propageerde door middel van manifesten een *constructivistische stijl en bestond uit schilders, beeldhouwers, schrijvers en musici. Carmelo Arden Quin en Gyula Kosice bestudeerden de zuiverheid van plastische vormen. De *shaped canvases* van Rhod Rothfuss zijn voorlopers van de technieken van de Amerikaanse abstracte kunst.

Arte Nucleare (Italiaans voor: nucleaire kunst) Beweging die in 1951 door Enrico Baj, Joe Colombo en Sergio Dangelo in Milaan werd geformeerd, waarbij zich later de voormalige *CoBrA-kunstenaar Asger Jorn aansloot. Zij experimenteerden met *surrealistisch automatisme en expressieve abstractie om schilderijen te creëren die de toestand van het naoorlogse leven in het "nucleaire landschap" verbeeldden.

Arte Programmata (Italiaans voor: geprogrammeerde kunst) Benaming die in 1962 door de schrijver Umberto Eco werd bedacht voor de kunstenaars in de jaren zestig van de twintigste eeuw die ‡Nouvelle Tendance-ideeën nastreefden (zoals de leden van ‡Gruppo N en ‡Gruppo T). Verkenden beweging, optische fenomenen en interactie met de beschouwer (zie *Kinetische kunst en *Op-art).

Atelier 5 Architectenbureau dat in 1955 in het Zwitserse Bern werd opgericht. De oorspronkelijke leden waren Erwin Fritz, Samuel Gerber, Rolf Hesterberg, Hans Hostettler en Alfredo Pini. Hun vroege werk toonde invloeden van Le Corbusier en *nieuw-brutalisme. Bekend om hun succesvolle, compacte laagbouw buiten Bern.

Atelier Populaire (Frans voor: populair atelier) Naam die in 1968 werd gebruikt door een groep stakende studenten van de Ecole des Beaux-Arts de Paris. Zij vervaardigden ruim 350 posters, die anoniem werden ontworpen en gedrukt, en die in de stad werden verspreid als wapen in de strijd voor onderwijshervorming en om hun solidariteit te tonen met stakende fabrieksarbeiders. De krachtige, treffende afbeeldingen en slogans zijn visuele emblemen van de gebeurtenissen in mei 1968 geworden.

Autodestructieve kunst Kunst die is bedoeld om zichzelf te transformeren of te vernietigen, waarbij de transformatie of vernietiging een integraal onderdeel is van het creatieve proces, zoals de zichzelf vernietigende machines van *kinetisch kunstenaar Jean Tinguely. In de jaren zestig van de twintigste eeuw schreef de in Londen gevestigde kunstenaar Gustav Metzger manifesten en organiseerde hij lezingen, demonstraties en het Destruction in Art Symposium in Londen (1966).

Bad Painting Naam van een tentoonstelling van figuratieve schilderijen die in 1978 in het New Museum in New York werd gehouden. De benaming werd na verloop van tijd gebruikt voor schilders wier werk opzettelijk ruw en kwetsend was door het gebruik van vreemde, contrasterende materialen en kleuren, teneinde het begrip "goede smaak" te tarten. Zie *Neo-expressionisme.

Bay Area Figuration Beweging in de jaren vijftig van de twintigste eeuw in het gebied rond de baai van San Francisco in Noord-Californië. Werd geleid door kunstenaars zoals Elmer Bischoff, Joan Brown, Richard

Diebenkorn en David Park. Uit hun doelbewuste terugkeer naar figuratieve onderwerpen spreekt de invloed van de *beatkunstenaars en een verwerping van het *abstract expressionisme van de oostkust.

Black Mountain College Kunstacademie in Black Mountain, North Carolina, 1933-57. Docenten waren onder anderen John Cage, Merce Cunningham, Buckminster Fuller en dichters van de *beatgeneration, alsook veel voormalige *Bauhaus-docenten en -studenten. Cultiveerde gemeenschapszin en stimuleerde experimenten. Beroemde studenten zijn onder anderen Robert Rauschenberg (zie *Neodada), Ray Johnson (zie *Fluxus, ‡Postkunst), Kenneth Noland (zie *Post-painterly abstraction) en Cy Twombly (zie *Neo-expressionisme).

Black Neighborhood Mural Movement Beweging die aan het begin van de jaren zestig van de twintigste eeuw in Chicago is ontstaan. Maakte een vorm van niet op musea gerichte kunst waarmee bepaalde verpauperde gebieden in Detroit, Boston, San Francisco, Washington, D.C., Atlanta en New Orleans werden getransformeerd.

Blauwe Roos (Russisch: Golubaya Roza) Groep Russische schilders die van 1904 tot 1908 actief was; titel van een Moskouse tentoonstelling in 1907. De groep had banden met het tijdschrift *Gulden Vlies* van Nikolay Ryabushinsky en werd gekenmerkt door bovenaards *symbolisme (met name voorstellingen van bloemen). Bestond onder meer uit de kunstenaars Mikhail Vrubel en Viktor Borisov-Musatov. Zie ook *Mir Iskusstva.

Blok Groep Poolse *constructivisten die in de periode 1924-26 in Warschau actief was. Bestond onder meer uit Henryk Berlewi, Katarzyna Kobro en Wladyslaw Strzeminski. Verspreidden hun ideeën via tentoonstellingen en elf nummers van het tijdschrift *Blok*. Onenigheid tussen de aanhangers van een 'laboratorium-constructivisme' en degenen die in de kunstenaar als ontwerper, maker en fabrikant geloofden, leidde ertoe dat de groep werd opgeheven. Velen sloten zich daarop aan bij de ‡Praesens-groep.

Bloomsbury Group Een informele vereniging van vrienden, merendeels kunstenaars en schrijvers, waaronder Virginia Woolf, E.M. Forster, Clive Bell, Vanessa Bell, Roger Fry, Duncan Grant en John Maynard Keynes. Velen woonden vanaf ongeveer 1907 tot het eind van de jaren dertig in de Londense wijk Bloomsbury. Propageerden versieringskunsten (zie ‡Omega Workshops) en nieuwe kunstbewegingen, met name *postimpressionisme.

BMPT In Parijs gevestigde groep Franse en Zwitserse kunstenaars. De naam van de groep wordt gevormd door de beginletters van hun achternamen. Als groep actief van 1966 tot 1967. Daniel Buren, Olivier Mosset, Michel Parmentier en Niele Toroni schreven een *conceptuele kritiek over de cult van de kunstenaar en originaliteit; zij vestigden de aandacht op de ontvangst van kunst en de uitstraling die kunst een plek of persoon geeft.

Bowery Boys Bijnaam voor een groep jonge kunstenaars in New York die in de jaren zestig van de twintigste eeuw op de Bowery bij elkaar in de buurt woonden. De meesten worden geassocieerd met *minimalisme, zoals Tom Doyle, Eva Hesse, Sol LeWitt, Robert Mangold, Dan Flavin en Robert Ryman en de criticus Lucy Lippard. Velen van hen ontmoetten elkaar tijdens hun werk bij het Museum of Modern Art en exposeerden later in de Dwan Gallery.

Camden Town Group Groep Britse schilders die in 1911 werd geformeerd op aansporing van de *impressionist Walter Sickert. Bestond onder meer uit Walter Bayes, Spencer Gore, Duncan Grant, Augustus John en Wyndham Lewis. Door middel van hun werk introduceerden zij het *postimpressionisme in het Verenigd Koninkrijk. Werd na drie tentoonstellingen in 1911-1912 met een aantal kleinere groepen samengevoegd tot de ‡London Group.

Canadese Automatistes Zie ‡Les Automatistes.

Cercle et Carré (Frans voor: cirkel en vierkant) Beweging die in 1929 in Parijs werd opgericht door de schrijver Michel Seuphor en de schilder Joaquín Torres-García. Propageerde door middel van een grote groepstentoonstelling en een tijdschrift *constructivistische trends in de abstracte kunst uit verzet tegen de overheersing van het *surrealisme. Hoewel het een kortstondige beweging was (de beweging kwam in 1930 tot een einde), werden de inspanningen om abstracte kunst te propageren voortgezet door de groep ‡Abstraction-Création.

Chicago Imagists Figuratieve, expressionistische schilders die aan het eind van de jaren zestig en in de jaren zeventig van de twintigste eeuw in Chicago actief waren. Met name aangetrokken tot *outsiderkunst. Velen waren enthousiaste verzamelaars. Omvatte de ‡Hairy Who en anderen zoals Don Baum, Roger Brown, Eleanor Dube, Phil Hanson, Ed Paschke, Barbara Rossi en Christina Ramberg.

Color field painting *Abstract-expressionistische schilderstijl waarbij harmonieuze kleurvlakken worden toegepast. De term is afkomstig uit de stukken van de criticus Clement Greenberg van halverwege de jaren vijftig van de twintigste eeuw. Gebruikt voor werk van Barnett Newman, Mark Rothko, Clyfford Still en anderen, in tegenstelling tot werk dat is gemaakt in een 'expressieve' schilderstijl (of ‡action-painting, bijvoorbeeld van Jackson Pollock). Later geassocieerd met ‡hard edge, *minimalisme en *op-art.

Common-Object Artists Zie *Neodada.

Computerkunst Overkoepelende term uit de jaren vijftig en zestig van de twintigste eeuw die in onbruik raakte naarmate het gebruik van computers toenam. Vroege voorbeelden zijn onder andere door computers gegenereerde afbeeldingen die in de loop van de jaren zeventig geleidelijk geavanceerder werden en waarin uiteindelijk in de jaren tachtig mogelijkheden voor interactiviteit werden toegepast. Hierdoor werd computerkunst gecombineerd met andere kunstvormen (film, *videokunst, *internetkunst) die de term zelf nu grotendeels hebben verdrongen.

Continuitá Italiaanse groep kunstenaars die in 1961 onder meer door ex-leden van de abstractekunstgroep ‡Forma werd geformeerd. Maakten gebruik van diverse stijlen, variërend van *expressionisme tot formalisme. Latere leden waren onder anderen Lucio Fontana en Giò Pomodoro. Pleitte voor een terugkeer naar de grootse Italiaanse kunst en een gevoel van continuïteit binnen de vervaardiging en omgeving van het kunstwerk zelf.

Coop Himmelblau Weense architectuurgroep die in 1968 werd opgericht door Wolf D. Prix, Helmut Swiczinsky en Rainer Michael Holzer. Hun belangstelling voor conceptuele architectuur leidde tot fantasierijke, utopische ontwerpen die agressie en spanning uitlokken: hun Groninger Museum in het Nederlandse Groningen is bedoeld om weg te roesten. Zij exposeerden op de Deconstructivist Exhibition van 1988 in New York.

Corrente Anti-fascistische, Italiaanse kunstbeweging die van 1938 tot 1943 actief was. Genoemd naar een Milaans tijdschrift. Zette zich af tegen het ‡neoclassicisme (zie *Novecento Italiano) en geometrische abstractie. Leden waren onder anderen Renato Birolli en Renato Guttuso. Na de Tweede Wereldoorlog werden velen lid van de ‡Fronte Nuovo delli Arti.

Crafts Revival Heropleving van interesse in het ambachtelijke ideaal sinds de jaren vijftig van de twintigste eeuw. Met name sterk in Groot-Brittannië, de Verenigde Staten en Scandinavië. De aandacht voor kwaliteit en individualiteit, plus het gebruik van materialen die in de industriële vormgeving werden toegepast, gaf de terugkeer van de ontwerper-maker aan.

Dau al Set (Catalaans voor: zevenzijdige dobbelsteen) Catalaanse groep die in 1948 werd opgericht door schrijvers en kunstenaars die werden geïnspireerd door *dada en *surrealisme en vooral door de kunst van Miró en Klee. Leden (waaronder Antoni Tàpies en Joan-Josep Tharrats) hielden zich met name bezig met het onderbewustzijn, het occulte en magie.

Deconstructivistische architectuur Een trend in het architectonische *postmodernisme, beïnvloed door Franse, filosofische ideeën over deconstructie, die de strijd aangaat met algemeen aanvaarde bouwwijzen. Beoefenaars experimenteren met driedimensionale weergaven die vaak een beroep doen op de fantasie (‡Coop Himmelblau) of algemeen aanvaarde ideeën van geschiedenis en functie zoals die door architectuur worden uitgedrukt, ontwrichten.

Deens modern (*Danish Modern*) Term die in de jaren vijftig van de twintigste eeuw is bedacht toen Deens meubelontwerp internationale faam verwierf wegens het uiterst precieze vakmanschap en de aandacht voor detail. Het verwijst naar de esthetiek van elegante, plastische vormen en de voortgaande toepassing van natuurlijke afwerkingen die kenmerkend zijn voor het werk van Nana en Jorgen Ditzel, Finn Juhl, Arne Jacobsen en Borge Mogensen.

Devetstil-groep Een groep linkse avant-garde-architecten, -schilders, -fotografen, -schrijvers en -dichters in Tsjecho-Slowakije. De naam is een combinatie van woorden die "negen" en "krachten" betekenen. Opgericht door de criticus Karel Teige en actief van 1920 tot 1931. Leden waren onder anderen Josef Chocol, Jaroslav Fragner, Jan Gillar, Josef Havlicek, Karel Honzík, Jaromír Krejcar, Evzen Linhart en Pavel Smetana. Pleitte voor de introductie van poëzie en lyriek in utilitaristisch functionalisme.

Die Blaue Vier (Duits voor: de blauwe vier) Duitse groep kunstenaars die in 1924 op het *Bauhaus werd opgericht. Bestond uit Vasily Kandinsky, Paul Klee, Alexei von Jawlensky en Lyonel Feininger. De groepsleden, die eerder waren aangesloten bij *Der Blaue Reiter, exposeerden ongeveer tien jaar lang gezamenlijk, met name in de Verenigde Staten, Duitsland en Mexico.

Divisionisme Term die door de *neo-impressionist Paul Signac werd bedacht voor het vleks- of stipsgewijs aanbrengen van kleur (zie ook ‡Pointillisme). Deze techniek werd toegepast door *Les Vingt, Matisse, Klimt, Mondriaan en in het vroege werk van de *futuristen. Zie ook *Orfisme, *Fauvisme.

Eccentric Abstraction Naam van een tentoonstelling die in 1966 in New York werd georganiseerd door de Amerikaanse criticus Lucy Lippard. De term werd gebruikt voor beeldhouwers zoals Louise Bourgeois, Eva Hesse, Keith Sonnier en H.C. Westermann, wier werk overeenkomsten met het *minimalisme vertoonde, maar een erotisch, sensueel of humoristisch element en een *expressionistische, *dadaïstische of *surrealistische gevoeligheid had.

Ecole de Nice (Frans voor: School van Nice) Gemeenschap van kunstenaar-vrienden die in de jaren zestig van de twintigste eeuw in en rond Nice waren gevestigd. Bestond uit kunstenaars die in uiteenlopende stijlen werkten, waaronder de *nouveau-réalisme-kunstenaars Arman, Yves Klein en Martial Raysse en de *Fluxus-leden Ben, George Brecht en Robert Filliou. De naam moest aangeven dat ook buiten Parijs en New York interessant en belangrijk werk kon worden gemaakt en geëxposeerd.

Equipo 57 (Spaans voor: Team 57) Spaanse groep kunstenaars die in 1957 in Córdoba werd geformeerd en die tot 1966 actief was. José Ceunca, Angel Duarte, José Duarte, Agustín Ibarrola en Juan Serrano werkten gezamenlijk en anoniem volgens principes die vergelijkbaar waren met die van anderen van de ‡Nouvelle Tendance, met wie zij op tal van internationale tentoonstellingen in de jaren zestig exposeerden.

Equipo Crónica (Spaans voor: Kroniekteam) Groep Spaanse kunstenaars die in 1964 in Valencia werd geformeerd en in 1981 werd opgeheven. Leden waren onder anderen Rafael Solves en Manolo Valdés. Keurden de subjectiviteit van expressieve abstractie af, werkten gezamenlijk en figuratief en maakten van *pop-art afgeleid werk in een levendige stijl waarin zij bekende beelden uit de Europese kunstgeschiedenis verwerkten. Verzetten zich tegen het regime van Franco.

Equipo Realidad (Spaans voor: Realiteitsteam) De Spaanse kunstenaars Jordi Ballester en Joan Cardella werkten van 1966 tot 1976 in Valencia samen als Equipo Realidad. Net als ‡Equipo Crónica maakten zij figuratieve werken om de Spaanse maatschappij en politiek te bekritiseren. Gebruikten de taal en beelden van de massamedia om de rol van reclame en propaganda in het Spanje van Franco onder de aandacht te brengen. Onderdeel van de Europese ‡Figuration Narrative-beweging.

Európai Iskola (Hongaars voor: Europese School) In 1945 in Budapest geformeerd door Imre Pan om nieuwe artistieke ontwikkelingen te verdedigen en een "synthese tussen Oost en West" te propageren. Had nauwe banden met de *surrealist André Breton. Organiseerde 38 tentoonstellingen, onder andere met ‡Skupina Ra en ‡Skupina 42, en surrealisten in Roemenië en Oostenrijk. Ontbonden in 1948 naar aanleiding van kritiek van degenen die het officiële culturele beleid aanhingen, hoewel zij ondergronds soms Pan, zijn broer, de dichter

A. Mezei en Lajos Kassák (zie *Hongaars activisme) bleven ontmoeten.

Euston Road School Engelse groep schilders die in 1938 hun naam kregen van de criticus Clive Bell. William Coldstream, Claude Rogers, Victor Pasmore en anderen zetten zich af tegen het *surrealisme en abstractie en schilderden in een realistische stijl stedelijke onderwerpen. Coldstream had via zijn onderwijs aan de Londense Slade School of Fine Art in de periode 1949-1975 veel invloed. Pasmore ging later over op abstracte kunst.

Experiments in Art and Technology (E.A.T.) In 1966 door de Amerikaanse *neodadakunstenaar Robert Rauschenberg en de technici Billy Klüver en Fred Waldhauer opgericht voor multimediakunstenaars die nieuwe technologieën in hun werk wilden toepassen. Bracht hiertoe kunstenaars in contact met technici en wetenschappers. Had in 1968 wereldwijd rond 3000 leden en had omstreeks 1995 inmiddels geholpen bij de totstandkoming van ruim veertig samenwerkingsprojecten. Zie ook *GRAV.

Ezelsstaart (Russisch: Oslinyy Khvost) Russische groep schilders die van 1911 tot 1915 actief was en die werd geleid door Mikhail Larionov en Natalia Goncharova (zie *Jack of Diamonds, *Rayonisme). Gaven de voorkeur aan traditionele Russische kunstvormen boven Duitse en Franse invloeden.

Factuele kunstenaars Zie *Neodada.

Fantastisch realisme Naam die werd gegeven aan de stijl van de in Wenen gevestigde, Oostenrijkse kunstenaars Erich Brauer, Ernst Fuchs, Rudolph Hausner, Wolfgang Hutter en de in Tsjechië geboren Anton Lehmdem, die rond 1945 bekendheid kregen. Gekenmerkt door een *surrealistische stijl met een vleugje minutieus realisme en belangstelling voor het werk van de in een fantastische stijl werkende schilders van het verleden, zoals Bruegel de Oude en Hiëronymus Bosch.

Feminist Art Workers Californische *performancegroep die van 1976 tot 1980 actief was. Leden trokken met performances en workshops door Californië en het Midwesten, waarbij zij geweld tegen vrouwen, gelijke rechten, de vrouwelijke identiteit en de *empowerment* van de vrouw aan de orde stelden. Onder de leden bevonden zich Nancy Angelo, Candace Compton, Cherie Gaulke, Vanalyn Green en Laurel Klick.

Figuration Libre (Frans voor: vrije figuratie) Term die door de kunstenaar Ben (zie *Fluxus) werd bedacht voor een trend in de Franse schilderkunst die aan het begin van de jaren tachtig van de twintigste eeuw te zien was in het werk van kunstenaars als Jean-Michel Alberola, Jean-Charles Blais, Rémy Blanchard, François Boisrond, Robert Combas en Hervé Di Rosa. Luidde een terugkeer naar schilderkunst, figuratie en populaire cultuur in (zie *Neo-expressionisme, *Neopop en *Transavanguardia). Geïnspireerd op jeugdcultuur, strips, televisie, reclame en rockmuziek.

Figuration Narrative (Frans voor: verhalende figuratie) Aanduiding die door de Franse criticus Gérald Gassiot-Talabot werd gebruikt voor een tak van de Europese ‡Nouvelle Figuration in de jaren zestig van de twintigste eeuw waarin de voorstelling van tijd een kenmerkend element was. Arroyo, Leonardo Cremonini, Dado, Peter Foldès, Peter Klasen, Jacques Monory, Bernard Rancillac, Hervé Télémaque en Jan Voss laten zich in hun werk inspireren door films en stripverhalen.

Forces Nouvelles Franse groep schilders die in 1935 voornamelijk als tentoonstellingsgroep in Parijs werd opgericht. Keerde terug naar traditie, de natuur en stillevens. Bestond tot 1943.

Forma Italiaanse groep die in 1947 werd opgericht door kunstenaars die zichzelf "formalisten en marxisten" noemden en die gekant waren tegen de ‡Fronte Nuovo delle Arti. De leden (waaronder Carla Accardi, Piero Dorazio en Giulio Turcato) ontwikkelden abstracte kunst die was beïnvloed door Giacomo Balla (zie *Futurisme). Verschillende leden richtten later ‡Continuità op.

Fronte Nuovo delle Arti Italiaanse groep kunstenaars die in 1946 werd opgericht om de Italiaanse kunst nieuw leven in te blazen nadat het *futurisme en *Pittura Metafisica tijdens de Tweede Wereldoorlog ter ziele waren gegaan. De uiteenlopende stijlen waren een navolging van het naturalisme, van abstractie en van late werken van Picasso. Het werk van prominente leden (waaronder Renato Guttuso, Emilio Vedova en Alberto Viani) werd gekenmerkt door politiek geëngageerd sociaal realisme.

General Idea Canadese *conceptual-artgroep die in 1968 in Toronto werd geformeerd door Michael Tims (alias A.A. Bronson), Ron Gabe (alias Felix Partz) en Jorge Saia (alias Jorge Zontal). Werken op tentoonstellingen, in performances en bij installaties en publicaties onder pseudoniemen; willen de pretenties van de kunstwereld en de Noord-Amerikaanse cultuur in het algemeen onder de aandacht brengen en ondermijnen.

Glasgow School Drie verschillende groepen die vaak met dezelfde naam worden aangeduid: (1) een in Glasgow gevestigde groep schilders aan het eind van de negentiende eeuw, ook wel de "Boys" genoemd, die de autoriteit van de Scottish Royal Academy in Edinburgh verwierpen; (2) laat-negentiende-eeuwse, door Franse kunst beïnvloede, realistische schilders die onder leiding stonden van William Yorke Macgregor; (3) term die soms in verband wordt gebracht met de architect Charles Rennie Mackintosh en die verwijst naar de vroeg-twintigste-eeuwse Schotse *art-nouveaustijl die was beïnvloed door de *Arts and Crafts-beweging.

Gran Fury Amerikaans, activistisch samenwerkingsverband dat in 1988 werd geformeerd door kunstenaars en ontwerpers die waren aangesloten bij ACT-UP (AIDS Coalition to Unleash Power). Door middel van provocerende, op informatie gebaseerde posters, tentoonstellingen en interventies probeert de groep vooroordelen en onverschilligheid aan de kaak te stellen en de aidsepidemie en de rechten van homoseksuelen onder de aandacht te brengen.

Green Mountain Boys Bijnaam voor een groep die in de jaren zestig van de twintigste eeuw rond de criticus Clement Greenberg ontstond en die zijn formalistische esthetiek steunde (het woord "Mountain" is ontleend aan het woord "berg" in zijn naam). Bestond onder meer uit de kunstenaars Paul Feeley, Helen Frankenthaler, Morris Louis, Kenneth Noland, Jules Olitski en Anthony Caro, de criticus Rosalind Krauss en de handelaar André Emmerich. Curator Alan Solomon gebruikte de naam voor Greenberg en het Bennington College in Vermont, waar veel van de kunstenaars doceerden.

Groene architectuur Ontwerpbenadering met oog voor de directe en mondiale omgeving. Het doel is om een harmonieus evenwicht te vinden tussen bebouwde en natuurlijke omgevingen door middel van economische, energiebesparende, milieuvriendelijke, handhaafbare strategieën voor nieuwbouwprojecten waarin rekening wordt gehouden met de behoeften van de gemeenschap. Komt voort uit thema's die aan het begin van de twintigste eeuw door Buckminster Fuller en Frank Lloyd Wright aan de orde werden gesteld en is uitgegroeid tot een internationale beweging.

Groep Plastische Kunstenaars Zie ‡Skupina Vytvarnych Umelcu.

Group of Seven Canadese groep schilders die in 1920 werd geformeerd en in 1933 werd ontbonden. Kunstenaars als Lawren Harris, A.Y. Jackson en J.E.H. MacDonald, waarvan de meesten in Ontario waren gevestigd, beweerden een echte 'Canadese' kunst te hebben gecreëerd met hun gestileerde landschapsschilderijen van de Northern Territories. Ondanks de verontwaardiging van kunstenaars in andere regio's, met name Quebec, waren zij succesvol en populair en groeiden zij uit tot de ‡Canadian Group of Painters.

Group X Groep die na de Eerste Wereldoorlog in Londen werd geformeerd door de Britse schilder en schrijver Wyndham Lewis en de Amerikaanse schilder en illustrator Edward McKnight Kauffer in een poging om de geest van het *vorticisme voort te zetten. Bestond uit de voormalige vorticisten Jessica Dismorr, Frederick Etchells, William Roberts, Edward Wadsworth en anderen zoals Frank Dobson en Charles Ginner. Ontbonden na een tentoonstelling in de Mansard Gallery in 1920.

Gruppo N Groep Italiaanse kunstenaars die in 1959 in Padua werd geformeerd. Leden waren onder anderen Alberto Biasi, Ennio Chiggio, Toni Costa, Edoardo Landi en Manfredo Massironi. Steunde in de jaren zestig experimentele kunst, met name het soort dat naar *concrete kunst, *kinetische kunst en *op-art neigde. Ontbonden in 1967.

Gruppo T Een in Milaan gevestigde groep Italiaanse kunstenaars, geformeerd in 1959 en actief tot 1968. Leden waren onder anderen Giovanni Anceschi, Davide Boriani, Gianni Colombo, Grazia Varisco en Gabriele de Vecchi. Geïnteresseerd in *kinetische kunst en interactie met beschouwers. Was vertegenwoordigd op de ‡Nouvelle Tendance-tentoonstellingen in Europa.

Guerrilla Art Action Group (GAAG) Een van de meest radicale actiegroepen uit het Vietnam-tijdperk. In 1969 in New York geformeerd door Jon Hendricks, Jean Toche, Poppy Johnson, Joanne Stamerra en Virginia Toche. Door middel van manifesten, persberichten, performanceacties, kunststakingen en straatprotesten voerden zij actie voor politieke en sociale verandering. Ontbonden in 1976.

Guerrilla Girls Een in New York gevestigde actiegroep van anonieme, vrouwelijke kunstenaars, die in 1985 is geformeerd met het motto: "Wij willen het geweten van de kunstwereld zijn." Hangen onder andere posters met statistische rapporten op in New York City en verschijnen met gorillamaskers en in minirokken op forums en lezingen om personen en instellingen in de kunstwereld te ontmaskeren en te bekritiseren die vrouwen en minderheden weren of te weinig vertegenwoordigen.

Gutai-groep (Japans voor: concrete groep) Japanse groep jonge avant-gardisten die in 1954 in Osaka werd opgericht door Jiro Yoshihara en tot 1972 actief was. Leden waren onder anderen Akira Kanayama, Sadamasa Motonaga, Shuso Mukai, Saburo Murakami, Shozo Shimamoto, Kazuo Shiraga en Atsuko Tanaka. Hun werk liep uiteen van *art-informelschilderijen tot *kinetische kunst, *performancekunst en *land-art. Hun werken en ideeën werden door middel van tentoonstellingen, manifesten en een tijdschrift onder de aandacht van een internationaal publiek gebracht.

Hairy Who Tentoonstellingsgroep in Chicago aan het eind van de jaren zestig van de twintigste eeuw, bestaande uit zes kunstenaars, te weten James Falconer, Art Green, Gladys Nilsson, James Nutt, Suellen Rocca en Karl Wirsum. Lieten zich inspireren door reclame, stripverhalen, volwassenenhumor en *outsiderkunst om een kunstvorm te creëren die een kruising was van *surrealistische kunst, *funk-art en *pop-art. Banden met de ‡Chicago Imagists.

Halmstadgruppen (Zweeds voor: Halmstad-groep) Groep die in 1929 werd geformeerd door zes Zweedse kunstenaars uit Halmstad: Sven Johnson, Waldemar Lorentzon, Stellan Mörner, Axel Olson, Erik Olson en Esaias Thorén. Met name bekend om hun steun voor het *surrealisme in de jaren dertig van de twintigste eeuw, toen zij op diverse internationale surrealistische tentoonstellingen de belangrijkste Zweedse deelnemers waren.

Happenings "Iets wat plaats zal hebben; een *happening*" (Allan Kaprow, 1959). De term inspireerde uiteenlopende *conceptual-artbeoefenaars en *performancekunstenaars, waaronder Kaprow, leden van *Fluxus, Claes Oldenburg en Jim Dine. Zij combineerden elementen van het theater met een expressieve schilderstijl.

Hard edge Term die in 1958 als alternatief voor "expressieve abstractie" werd bedacht, maar die werd gebruikt voor werken die bestonden uit afzonderlijke, grote platte vormen (Ellsworth Kelly, Kenneth Noland, Barnett Newman, Ad Reinhardt). Zie ook *Abstract expressionisme, *Post-painterly abstraction.

Harlem Renaissance Afro-Amerikaanse beweging die uit de "New Negro"-beweging uit de jaren twintig van de twintigste eeuw in New York ontstond. Hoewel het aanvankelijk voornamelijk een politieke en literaire groep was, verwerkten prominente schilders (Aaron Douglas, Meta Vaux Fuller en Palmer Hayden) Afrikaanse beelden in verbeeldingen van het leven in Harlem.

Hi Red Center De Japanse kunstenaars Jiro Takamatsu, Genpei Akasegawa en Natsuyuki Nakanishi waren van 1962 tot 1964 in Tokio actief. Ze voerden straatacties en *performances uit waarmee zij kritiek uitten op de naoorlogse Japanse cultuur. De naam ontstond door de eerste woorddelen van hun namen te veramerikaansen: Taka (hoog, "Hi"), Aka (rood, "Red") en Naka (centrum, "Centre"). Sommige van hun stukken werden in New York samen met leden van *Fluxus opnieuw uitgevoerd.

Imaginistgruppen (Zweeds voor: imaginistengroep) Zweedse groep die in 1946 door C.O. Hultén, Anders Österlin en Max Walter Svanberg werd opgericht en die tot 1956 actief was. Andere leden waren onder anderen Gösta Kriland, Bertil Lundberg, Bengt Orup, Bertil Gado, Lennart Lindfors en Gudrun Åhlberg-Kriland. Benadrukten het belang van de verbeelding in het creatieve proces, gebruikten *surrealistische stijlen en technieken en maakten deel uit van surrealistische tentoonstellingen en *CoBrA-tentoonstellingen.

Independent Group Kunstenaarsgroep die tussen 1952 en 1953 aan het Institute of Contemporary Arts (ICA) in Londen werd opgericht. Bestond onder anderen uit architecten (Alison en Peter Smithson, zie *Nieuw-brutalisme) en kunstenaars (Richard Hamilton, Eduardo Paolozzi) wier invloed een aanzienlijk effect had op de Britse *pop-art.

Inkhuk (gevormd op basis van het Russische Institut Khudozhestvennoy Kultury, Instituut voor Artistieke Cultuur) Sovjetrussische kunstonderzoeksinstelling (1920-1926) die door leden van ‡Narkompros in Moskou werd opgericht. De belangrijkste leden waren Vasily Kandinsky, Vladimir Tatlin, Kasimir Malevich, alsook Alexander Rodchenko, Liubov Popova en Varvara Stepanova.

Intimisme Benaming voor schilderijen van 'intieme' privé-interieurs, meestal van Pierre Bonnard en Edouard Vuillard aan het einde van de negentiende eeuw. Beide kunstenaars maakten deel uit van de *Nabis. Hun onderwerpen ontwikkelden zich tot een vredige, beschouwende stijl, met interesse voor decoratieve patronen.

Japanisme Aanduiding voor de terugkerende invloed van Japanse kunst op Westerse (vooral Europese) kunstgroepen, met name de *Nabis, de *post-impressionisten, *Arts and Crafts, *art nouveau en de *expressionisten. Technieken voor het maken van prenten, met name houtsneden, stonden regelmatig in de belangstelling.

Jeune Peinture Belge (Frans voor: jonge Belgische schilderkunst) In Brussel gevestigde groep avant-gardekunstenaars die van 1945 tot 1948 actief was. Geformeerd door de criticus Robert Delevoy en de advocaat René Lust om eigentijdse kunst te steunen. Leden waren onder anderen de latere *CoBrA-kunstenaar Pierre Alechinsky en Gaston Bertrand, Anne Bonnet, Pol Bury, Marc Mendelson en Louis Van Lint. Hun werk toont de invloed van het Vlaamse *expressionisme en bevatte aspecten van *art informel.

Junk-art De criticus en curator Lawrence Alloway begon deze term in 1961 te gebruiken voor schilderijen en beeldhouwwerken die waren vervaardigd van waardeloze materialen en stadsafval, zoals de *combines van Robert Rauschenberg en de *assemblages van veel *nouveau-réalisme-, *neodada-, *beat- en *funk-kunstenaars. De belangstelling voor alledaagse voorwerpen en de omgeving beïnvloedde ‡happenings en *pop-art.

Kalte Kunst (Duits voor: koude kunst) Term die vanaf de jaren vijftig van de twintigste eeuw wordt gebruikt voor kunst die is afgeleid van wiskundige formules, vaak met geometrisch gerangschikte kleuren. Ook geassocieerd met *op-art en *kinetische kunst. Wordt vaak gebruikt voor het werk van de Zwitserse schilders Karl Gerstner en Richard Paul Lohse.

Kubistisch realisme Zie *Precisionisme.

Kubo-futurisme Russische stijl van *kubisme die tussen 1912 en 1916 werd beoefend door Natalia Goncharova, Mikhail Larionov, Kasimir Malevich, Liubov Popova, Vladimir Tatlin en Nadezhda Udaltsova. Architectonische figuren en cilindrische vormen stonden centraal. Zie ook *Jack of Diamonds en *Rayonisme.

Kunst en Vrijheid (Arabisch: Al-fann wa'l-hurriyya) Egyptische groep *surrealisten, opgericht in 1939. De schilders Ramsis Yunan, Fu'ad Kamil en Kamil al-Talamsani en de dichter Georges Hunain werden geïnspireerd door de Parijse groep van André Breton. Hun manifest ("Vive l'Art Dégénéré", Lang leve de ontaarde kunst) propageerde artistieke vrijheid.

Les Automatistes In Montreal gevestigde groep abstracte schilders die in de jaren veertig van de twintigste eeuw tot ca. 1954 actief was. De naam is afkomstig uit *Automatisme 1.47* van Paul-Emile Borduas dat op de tweede tentoonstelling van de groep in Montreal in 1947 werd geëxposeerd. Andere leden waren onder anderen Marcel Barbeau, Roger Fauteaux, Pierre Gaureau, Fernand Leduc, Jean-Paul Mousseau en Jean-Paul Riopelle. Werden geïnspireerd door het *surrealistische automatisme en legden zich toe op abstractie. Door een in 1947 in Parijs gehouden tentoonstelling kwam hun werk onder de aandacht van de Franse schilder en promotor Georges Mathieu (zie *Art informel).

Les Plasticiens In Montreal gevestigde groep Canadese schilders, waaronder Louis Belzile, Jean-Paul Jérôme, Fernand Leduc, Fernand Toupin en Rodolphe de Repentigny. Actief van 1955 tot 1959. In tegenstelling tot de expressieve abstractie van de heersende ‡Automatistes, pleitten zij voor een formalistischer benadering zoals die van de beoefenaars van *post-painterly abstraction. De naam was gekozen als eerbewijs aan het ‡neoplasticisme van Piet Mondriaan en Theo van Doesburg (zie ook *De Stijl).

Lichtkunst Kunst waarin licht een belangrijk element is. Kwam door een aantal belangrijke, internationale tentoonstellingen in de periode 1966-1968 onder de aandacht van de kunstwereld. De belangrijkste beoefenaars zijn onder meer degenen die met neon werken, zoals Stephen Antonakos, Chryssa, Bruce Nauman (zie *Body-art) en de *nouveau-réalisme-kunstenaar Martial Raysse, en degenen die omgevingen en vertoningen creëren, zoals de *minimalist Dan Flavin en leden van ‡Zero en *GRAV.

London Group Brits genootschap dat in 1913 werd opgericht uit kleinere groepen, waaronder de ‡Camden Town Group, om uit verzet tegen het conservatisme van de Royal Academy gezamenlijke tentoonstellingen te organiseren. Onder de oprichter-leden bevonden zich veel toekomstige *vorticisten. Later hadden leden van de ‡Bloomsbury Group veel invloed.

Luminisme (1) Amerikaanse landschapsschilderkunst van de negentiende eeuw die wordt gezien als voorloper van het *impressionisme; (2) aanduiding voor Belgisch *neo-impressionisme na de opheffing van *Les Vingt; ontwikkelde zich ook in Nederland met *fauvistische kenmerken.

Lyrische abstractie (Frans: Abstraction Lyrique) Benaming die na 1945 werd geïntroduceerd door de Franse schilder Georges Mathieu voor een schilderstijl die zich tegen alle formele benaderingen afzette om spontane uitdrukking van kosmische zuiverheid over te brengen. Kunstenaars als Wols, Hans Hartung en Jean-Paul Riopelle werden met de benaming geassocieerd. Zie ook *Art informel.

Machine-esthetiek Benaming voor kunst en architectuur waarin de machine als bron van schoonheid wordt gezien. De *futuristen en *vorticisten verwelkomden het machinetijdperk en de belofte van technologische verandering die het met zich meebracht. Le Corbusier (zie *Purisme) streefde door middel van de machine naar formeel idealisme. Aan het eind van de twintigste eeuw hebben de *hightecharchitecten de verkenning van het thema voortgezet.

Machinekunst Russische *constructivistische trend in de jaren twintig van de twintigste eeuw waarmee de superioriteit van technologie tegenover de burgerlijke romantische ideeën over kunst werd gesteld. Vladimir Tatlins Monument to the Third International en zijn vliegende machine *Letatlin* geven blijk van een streven naar macht en een pure technische gedrevenheid achter de vervaardiging van progressieve kunst.

Materieschilderkunst Zie *Art informel.

Mec-art De naam (een afkorting van *mechanical art*, mechanische kunst) werd rond 1965 voor het eerst gebruikt voor het werk van onder anderen Serge Béguier, Pol Bury, Gianni Bertini, Alain Jacquet, Nikos en Mimmo Rotella. Gepropageerd door de Franse criticus Pierre Restany, die de "taal van massacommunicatie" als het uitgangspunt van hun werk zag. De kunstenaars gebruikten fotomechanische processen om afbeeldingen te veranderen in plaats van te reproduceren, teneinde de taal van de massamedia te ondermijnen. Hun werk was tot ongeveer 1971 prominent aanwezig op belangrijke tentoonstellingen in heel Europa.

Metabolisme Het manifest "Metabolisme 1960: Voorstellen voor een Nieuw Urbanisme", luidde een nieuwe beweging in de Japanse architectuur in. Leden waren onder anderen Kiyonori Kikutake en Kisho Kurokawa. De groep wilde een beter inzicht geven in de organische veranderingen in stedelijke omgevingen, zoals ook wordt geïmpliceerd door de biologische term die zij als hun naam gebruikten.

Mexicaanse muurschilders Moderne-kunstbeweging die van ongeveer 1910 tot in de jaren vijftig in Mexico floreerde. De muurschilders wilden een sociaal en politiek geëngageerde, populaire, openbare kunst creëren op basis van een mengeling van Europese stijlen en inheemse tradities. Diego Rivera, José Clemente Orozco en David Alfaro Siqueiros zijn de bekendsten. Zij schilderden allen in de jaren dertig omvangrijke muurschilderingen in de Verenigde Staten, die vooral van invoed waren op de *sociaal realisten.

Minotaurgruppen (Zweeds voor: Minotaurus-groep) Zweedse *surrealistische groep die in 1943 in Malmö werd geformeerd. De leden van de groep, C.O. Hultén, Endre Nemes, Max Walter Svanberg, Carl O. Svensson en Adja Yunkers, hielden één gezamenlijke tentoonstelling in Malmö voordat de groep in 1943 werd ontbonden. Hultén en Svanberg bleven het surrealisme aanhangen als oprichter-leden van de ‡Imaginistgruppen.

Mono-ha (Japans voor: School van Dingen) Naam die werd gegeven aan een prominente beeldhouwtrend die in de periode van 1968 tot 1972 in Japan te zien was in het werk van kunstenaars zoals Susumu Koshimizu, U-fan Lee, Nobuo Sekine, Kishio Suga en Katsuro Yoshida. Hun werk nam meestal de vorm aan van assemblages van gevonden en natuurlijke materialen of van tijdelijke, locatiespecifieke interventies in de omgeving. De nadruk op de expressieve eigenschappen van materialen, op de relaties tussen onderdelen van een object en met een object en de ruimte daaromheen, werd gedeeld door een aantal beoefenaars van *minimalisme, *Arte Povera en *land-art.

Monster Roster Kunstenaars die aan het eind van de jaren veertig en in de jaren vijftig van de twintigste eeuw in Chicago waren gevestigd en die in een figuratieve, expressionistische stijl werkten, waaruit de invloed bleek van het *magisch realisme van de uit Chicago afkomstige kunstenaar Ivan Albright, de *art brut van Jean Dubuffet en *outsiderkunst. George Cohen, Cosmo Compoli, Ray Fink, Joseph Gato, Leon Golub, Ted Halkin, June Leaf en Seymour Rosofsky waren een aantal van de kunstenaars die in 1959 door de schilder Franz Schulze met de "Monster Roster" werden aangeduid.

Movimento Arte Concreta (MAC) Italiaanse *concrete-kunstbeweging die in 1948 in Milaan werd opgericht door Atanasio Soldati, Bruno Munari, Gianni Monnet en Gillo Dorfles. Lucio Fontana en Giuseppe Capogrossi hadden ook banden met de beweging. Andere groepen ontstonden in Turijn, Napels en Florence. Verwierpen zowel het erfgoed van *Novecento Italiano als het sociaal realisme uit die tijd ten gunste van een rationele abstractie. Ontbonden in 1958.

Multiples Benaming die rond 1955 is bedacht voor series kunstwerken die meestal in beperkte oplagen werden vervaardigd. Door *Fluxus- en *popkunstenaars gebruikt en bedoeld voor reproductie of verspreiding.

Narkompros (Russisch, afkorting van Narodnyy Komissariat Proveshchen-iya, Volkscommissariaat voor Verlichting) Sovjetrussische overheidsinstelling die in 1917 in Rusland werd opgericht. Diverse leden van de avant-garde waren werkzaam op de afdeling Schone kunsten (*constructivisten, *suprematisten, ‡kubo-futuristen); zij vertrokken rond 1920, toen de instelling zich steeds sterker liet leiden door de ideologie van de communistische partij.

Nationaal-socialistische kunst (of nazikunst) Het maken en exposeren van nieuwe kunst werd na 1933 sterk gereguleerd door Hitlers nationaal-socialistische partij. Deze regulering hield in dat avant-gardestijlen in feite werden verboden en Duitse, renaissancistische en romantische stijlen werden gepropageerd die kenmerkend waren voor de negentiende-eeuwse salonschilderkunst. De publieke beeldbouwkunst (en architectuur) was erop gericht om monumentale, heroïsche ideeën te cultiveren die waren gebaseerd op nationalistische versies van de geschiedenis waarin agressie in dienst van het Duitse Rijk werd goedgekeurd.

Nationale romantiek Benaming die vanaf het eind van de negentiende eeuw wordt gebruikt voor kunst en architectuur die in een bepaald gebied wortelden. Tot in de twintigste eeuw met name gangbaar in Duitsland en Scandinavië; hield verband met de heropleving van plaatselijke volkskunst en autochtone architectonische vormen en derhalve ook met bepaalde aspecten van de nationalistische politiek.

NATO (Narrative Architecture Today) Groep die in 1983 door de (binnenhuis)architect Nigel Coates, samen met Tom Dixon en Daniel Weil, in Londen werd geformeerd. Gebruikten en hergebruikten moderne afbeeldingen. Benadrukten dat vormgeving – interieurs, meubilair, architectuur, stadsplanning – verhalen kon en moest vertellen om te behagen en interessant te zijn; dit was belangrijker dan efficiëntie.

Nederlandse Experimentele Groep Groep Amsterdamse kunstenaars, waaronder Karel Appel, Eugène Brands, Constant, Corneille, Anton Rooskens en Theo Wolvecamp, die in 1948 werd geformeerd. Via hun tijdschrift *Reflex* propageerden zij de meer expressionistische vormen van de *art-informelprincipes. Werden beïnvloed door het werk van Jean Dubuffet (zie *Art brut) en verzetten zich tegen de steriliteit van geometrische abstractie. Sloten zich later dat jaar in Parijs bij anderen aan om *CoBrA te vormen.

Neoclassicisme Trend in kunst en architectuur die de klassieke Griekse en Romeinse idealen doet herleven. Aan het eind van de negentiende eeuw en aan het begin van de twintigste eeuw waren degenen die zich met neoklassieke thema's inlieten onder anderen Picasso (rond 1914), *Pittura Metafisica-kunstenaars, architecten in Italië en Duitsland, met name tussen de wereldoorlogen, en later, diverse exponenten van het *postmodernisme.

Neodada-organisatoren Groep Japanse kunstenaars die tussen 1960 en 1963 in Tokio actief was. Bestond onder anderen uit Genpei Akasegawa, Shusaku Arakawa (zie *Conceptual art), Tesumi Kudo, Tomio Miki en Masunobu Yoshimura. Namen een strijdlustiger standpunt in dan de ‡Gutai-groep en wilden artistieke conventies omverwerpen met ‡junk-art die was beïnvloed door Robert Rauschenberg, Jasper Johns (zie *Neodada) en straatacties.

Neogeo Benaming voor het werk van schilders zoals Peter Halley, Peter Schuyff, Philip Taaffe en Meyer Vaisman, die in hun schilderijen uit de jaren tachtig van de twintigste eeuw weer de vormen van diverse typen geometrische abstractie toepasten (zie *Op-art, *Concrete kunst en *Post-painterly abstraction), ogenschijnlijk als parodie op en als uitdaging van de utopische aspiraties van de vroege beoefenaars van geometrische abstractie.

Neo-Liberty Benaming die (oorspronkelijk spottend) werd gebruikt voor de heropleving van vormen van *art nouveau (in Italië "Stile Liberty" genoemd) waarvan aan het eind van de jaren vijftig en in de jaren zestig van de twintigste eeuw in Italië sprake was. De kromlijnige ontwerpen voor meubels, lampen en interieurs van Franco Albini, Gae Aulenti, Vittorio Gregotti en Carlo Mollino (zie *Organische abstractie) duidden op de invloed van *pop-art, design en *Stile Liberty*.

Neoplasticisme In het pamflet *Le Néo-Plasticisme* (1920) beschreef Piet Mondriaan zijn abstracte schilderstijl, waarbij hij platte vlakken wit, grijs en primaire kleuren tussen zwarte horizontale en verticale lijnen verwerkte in een poging om een universele vorm te bereiken die kosmische waarheden kon uitdrukken. Zie *De Stijl.

Neoprimitivisme Uit volkskunst voortgekomen schilderstijl die van ongeveer 1908 tot 1912 in Rusland een bloeitijd meemaakte. In karakteristiek werk van *Jack of Diamond-leden Natalia Goncharova, Mikhail Larionov en de gebroeders Burliuk werden aspecten die afkomstig waren uit Europese avant-gardebewegingen, zoals *fauvisme en *impressionisme, gecombineerd met de tradities van de inheemse volkskunst en kinderkunst.

Neorealisme Term die in de loop van de twintigste eeuw op verschillende manieren is gebruikt. Met name in Groot-Brittannië en Frankrijk werd de term gebruikt voor kunstenaars die, als reactie op abstractie, in een representatieve stijl schilderen. In Frankrijk verwees het in de jaren twintig en jaren dertig naar een officieuze groep die werd gekenmerkt door het werk van André Dunoyer de Segonzac. In Italië werd de term geassocieerd met de sociaal-realistische schilderijen van Renato Guttuso. Houdt geen verband met het *nouveau réalisme van de jaren zestig van de twintigste eeuw.

Neue Künstlervereinigung München (Duits voor: Nieuwe Kunstenaarsvereniging van München) Tentoonstellingsgroep die in 1909 werd opgericht. Prominente leden waren onder anderen Vasily Kandinsky, Alexei von Jawlensky, Gabriel Münter, Franz Marc en Alfred Kubin. Kandinsky en Marc verlieten de groep in 1911 om de *Blaue Reiter-tentoonstelling te organiseren, wat het einde van de groep in 1912 aankondigde.

Neue Wilden (Duits voor: Nieuwe Wilden) Naam die in de jaren tachtig van de twintigste eeuw in Duitsland werd gebruikt voor *neo-expressionisten die in Berlijn en Keulen werkten, zoals Luciano Castelli, Rainer Fetting, Salomé, Helmut Middendorf en Bernd Zimmer.

New Image Painting Term waaronder uiteenlopende stijlen vallen, maar die de algemeen heersende terugkeer naar figuratie aangeeft die in de Amerikaanse schilderkunst van de jaren zeventig en tachtig van de twintigste eeuw (zie ook *Neo-expressionisme) te zien was in het werk van bijvoorbeeld Nicholas Africano, Jennifer Bartlett, Neil Jenney, Robert Moscowitz, Donald Sultan, Susan Rothenberg en Joe Zucker. New Image Painting is tevens de naam van een tentoonstelling die in 1978 in het Whitney Museum of American Art in New York werd gehouden.

New York Five Losse vereniging van vijf in New York gevestigde architecten die aan het eind van de jaren zestig en in de jaren zeventig van de twintigste eeuw bekendheid kregen: Peter Eisenman, Michael Graves, Charles Gwathmey, John Hejduk en Richard Meier. Zij grepen terug op het werk van de vroege Europese avant-garde – bewegingen zoals het *purisme van Le Corbusier, het rationalisme van Giuseppe Terragni (zie *M.I.A.R.) en *De Stijl van Gerrit Rietveld – om hun puristische stijl te ontwikkelen.

New York Realists Zie *Ashcan School.

New Yorkse School Zie *Abstract expressionisme.

Nieuw perceptueel realisme Benaming voor de figuratieve, realistische schilderstijl in de jaren zestig van de twintigste eeuw van kunstenaars als Alex Katz, Alfred Leslie, Philip Pearlstein en Neil Welliver. Hun werk was een verwerping van niet alleen abstractie, maar ook schilderkunstige figuratie, de commerciële onderwerpen van *pop-art en de mechanische middelen waarvan popkunstenaars en *superrealistische kunstenaars zich bedienden.

Nieuw realisme Term die aan het eind van de jaren vijftig en in de jaren zestig van de twintigste eeuw werd gebruikt voor de reacties die *abstract expressionisme en *art informel losmaakten bij kunstenaars die zich van abstractie en openlijke emotionaliteit afkeerden en de voorkeur gaven aan een koelere benadering en een terugkeer naar figuur en getrouwheid. Zie *Neodada, *Nouveau réalisme, *Pop-art, *Superrealisme en ‡Nieuw perceptueel realisme.

Nouvelle Figuration (Frans voor: nieuwe figuratie) Term die door de criticus Michel Ragon werd gegeven aan de figuratie die in de jaren zestig van de twintigste eeuw in Europa te zien was bij kunstenaars als Valerio Adami, Gilles Aillaud, Eduardo Arroyo, Erró, Peter Klasen, Jacques Monory, Peter Stämpfli, Antonio Recalcati en Hervé Télémaque. De trend werd niet alleen gezien als een reactie op de overheersing van abstractie en *nouveau réalisme, maar ook als een uitdaging van de Amerikaanse *pop-art.

Nouvelle Tendance (Frans voor: nieuwe tendens) Beweging die in 1961 in Zagreb werd opgericht door de Braziliaanse schilder Almir Mavignier, de Servische criticus Marko Mestrovich en Bozo Bek, de Kroatische directeur van de Zagrebse Galerie van Eigentijdse Kunst. Leidde tot een reeks internationale tentoonstellingen in heel Europa waarop diverse groepen kunstenaars vanuit de gehele wereld werden samengebracht die experimenteerden met *concrete kunst, *kinetische kunst en *op-art, zoals *GRAV, ‡Gruppo T en ‡Gruppo N en ‡Zero.

Nul Groep die in 1960 werd gestart door de Nederlandse kunstenaars Armando, Jan Henderikse, Henk Peeters en Jan Schoonhoven. Genoemd naar de Duitse groep ‡Zero, waarmee de groep vaak exposeerde, net als met *GRAV, ‡Gruppo T en ‡Gruppo N. Verwierp het expressionisme van de jaren vijftig van de twintigste eeuw en pleitte ervoor om met een andere bril naar de werkelijkheid en alledaagse dingen te kijken. Maakte werk dat anonimiteit, herhaling en ordening benadrukt. Als groep actief tot 1967.

Nyolcak (Hongaars voor: de acht) Hongaarse groep avant-gardekunstenaars die van 1909 tot 1912 actief was. Róbert Berény, Béla Czóbel, Dezso Czigány, Károly Kernstok, Ödön Márffy, Dezso Orbán, Bertalan Pór en Lajos Tihanyi bundelden hun krachten om zich te verzetten tegen de subjectiviteit en sentimentaliteit van de heersende *impressionistische stijl en om kunst te propageren die een sociale functie had die relevant was voor de moderne samenleving. Maakte de weg vrij voor de nog radicalere *Hongaarse activisten.

Omega Workshops Naam die in 1913 door de kunstenaar en criticus Roger Fry werd gegeven aan een bedrijf dat werken van toegepaste kunst vervaardigde en dat kunstenaars aantrok die later werden geassocieerd met *vorticisme (Wyndham Lewis, Henri Gaudier-Brzeska) en de ‡Bloomsbury-groep (Duncan Grant, Vanessa Bell). Omega Workshops werd in 1919 ontbonden.

Ontaarde kunst (Duits: Entartete Kunst) Denigrerende titel van een tentoonstelling die in 1937 in München door nazipropagandaminister Goebbels werd georganiseerd en waarop avant-gardekunst werd getoond (met name van degenen die met *expressionisme, *dada, *Bauhaus, *nieuwe zakelijkheid en *constructivisme werden geassocieerd) in een openlijke poging om Duitsland te bevrijden van onzuivere, buitenlandse invloeden. Circa 16.000 werken werden in opdracht in beslag genomen en 5.000 verbrand. Aan avant-gardisten die in Duitsland bleven, werd een verbod tot schilderen of exposeren opgelegd.

Organische architectuur (*Organic architecture*) Titel van een essay uit 1910 van Frank Lloyd Wright, die zijn werk daarna "organisch" noemde. In zijn omschrijving worden de integratie van het gebouw met zijn omgeving of locatie en respect voor de inherente eigenschappen van bouwmaterialen genoemd. De Duitse architect en theoreticus Hugo Häring gebruikte de term voor een zoektocht naar natuurlijke vormen die niet door academische geometrie werden beperkt.

Osma (Tsjechisch voor: de acht) Een in Praag gevestigde groep schilders die in 1906 werd geformeerd en die actief was tot 1911, toen een aantal leden ‡Skupina Vytvarnych Umelcu oprichtten. Leden waren onder anderen Vincenc Benes, Friedrich Feigl, Emil Filla, Max Horb, Otokar Kubín, Bohumil Kubista, Willy Nowak, Emil Artur Pittermann-Longen, Antonín Procházka en Linka Scheithauerová. Via in 1907 en 1908 gehouden tentoonstellingen werd geprobeerd Tsjechische kunst een impuls te geven door een expressionistische behandeling en nadruk op kleur te propageren.

Painters Eleven Groep van elf Canadese kunstenaars in Toronto, waaronder Jack Bush, Jock Macdonald, William Ronald en Harold Town. Geformeerd in 1953 en actief tot 1960. Door middel van gezamenlijke tentoonstellingen van hun abstracte schilderijen gingen zij de strijd aan met de overheersing van de landschapsschilders van de ‡Canadian Group of Painters en brachten zij internationale ontwikkelingen op het gebied van abstracte kunst onder de aandacht.

Pattern and Decoration Beweging in de jaren zeventig van de twintigste eeuw die met trots de eigenschappen roemde en toepaste die door formalistische aanhangers van puristische abstractie werden veroordeeld: patronen, versiering, ornamenten, inhoud en associaties met ambachten, volkskunst en 'vrouwenwerk'. In 1976 werd in New York een groep geformeerd door Miriam Schapiro en Robert Zakanitch. Anderen waren Valerie Jaudon, Joyce Kozloff, Robert Kushner, Kim MacConnel en Ned Smyth.

Phalanx Tentoonstellingsgroep die in 1901 in München werd opgericht door Vasily Kandinsky en anderen. Had een sterk sociale inslag (bijvoorbeeld gelijke toegangsrechten voor vrouwelijke leden). Banden met leden van de kolonie van Darmstadt-kunstenaars (zie *Jugendstil) en de Berlijnse Sezession. De twaalfde en laatste tentoonstelling werd in 1904 gehouden.

Pointillisme Schildertechniek waarbij puntsgewijs ongemengde kleuren worden aangebracht (in plaats van kleuren op het palet te mengen) om een optimale intensiteit te bereiken. Met name gebruikt door de *neo-impressionist Georges Seurat. Ontwikkeld door Paul Signac (zie ‡Divisionisme).

Polymaterialisten Zie *Neodada.

Postkunst (of correspondentiekunst) Term die voor het eerst in de jaren zestig van de twintigste eeuw werd gebruikt voor kunstwerken die met de post werden verzonden, met name door de Amerikaanse kunstenaar Ray Johnson en andere kunstenaars die met *Fluxus, *nouveau réalisme en de ‡Gutai-groep werden geassocieerd. Postkunst verkent de mogelijkheden van communicatie tussen de kunstenaar, het publiek en de markt. Is ook in verband gebracht met *performancekunst en *conceptual art.

Praesens Groep Poolse kunstenaars en architecten in Warschau die werd opgericht door de architect Szymon Syrkus en die van 1926 tot 1939 actief was. Velen waren voormalige leden van ‡Blok. Organiseerde tentoonstellingen in Warschau en in het buitenland. De groep benadrukte de functionele aspecten van kunst, de centrale rol van architectuur in kunst en de nauwe samenwerking tussen kunstenaars en architecten. Hun werk werd gekenmerkt door het gebruik van geometrische vormen en primaire kleuren.

Pre-Raphaelite Brotherhood (PRB) Groep Britse schilders halverwege de negentiende eeuw die werden geïnspireerd door Italiaanse kunstenaars die in de tijd vóór Rafaël werkten. Werd voorgestaan door de criticus John Ruskin. Latere exponenten waren onder anderen Dante Gabriel Rossetti, Edward Burne-Jones, Walter Crane en Evelyn de Morgan. Beïnvloedde *symbolisten, *Les Vingt, *Salon de la Rose+Croix; banden met *Arts and Crafts.

Primitivisme Benaming voor kunst waarin primitieve elementen of vormen worden gebruikt. Vroege moderne twintigste-eeuwse kunstenaars (*kubisten, *expressionisten) werden sterk beïnvloed door Afrikaanse en Oceanische kunst. Aan het eind van de twintigste eeuw werden andere uitingen van Westerse kunst (*land-art, *performancekunst) soms op bestaande of denkbeeldige primitivistische rituelen gebaseerd.

Proceskunst Benaming die in de jaren zestig en zeventig van de twintigste eeuw in ruime zin werd gebruikt in een poging om de definitie van een kunstwerk zodanig uit te breiden dat ook de feitelijke schepping van een kunstwerk onder de definitie viel. Omvat diverse activiteiten (*performancekunst, *installatiekunst, film). De bestudering van het proces zelf wordt onderdeel van de evolutie van het werk.

Psychedelische kunst Op een lsd-symposium in 1966 in San Francisco werd de term "psychedelische stijl' gebruikt voor kunst die onder invloed van hallucinogene middelen was gemaakt of die een door drugs veranderde geestesgesteldheid probeerde te simuleren. Nam meestal de vorm aan van schilderijen, posters en licht- en geluidsomgevingen.

Puteaux-groep Benaming voor de informele groep kunstenaars die tussen 1911 en 1913 bijeenkwamen in de studio van Jacques Villon en Raymond Duchamp-Villon in de Parijse voorstad Puteaux om aspecten van *kubisme te bespreken. Bestond onder anderen uit Robert Delaunay, Marcel Duchamp, Juan Gris, Fernand Léger, Frantisek Kupka, Francis Picabia, Albert Gleizes en Jean Metzinger. Organiseerde in 1912 een grote groepstentoonstelling in Parijs, in de Salon de la ‡Section d'Or, waarmee het kubisme onder de aandacht van een breed publiek kwam.

Quadriga Groep Duitse *art-informelschilders die van 1952 tot 1954 in Frankfurt am Main actief waren. Leden waren onder anderen Karl Otto Götz, Otto Greis, Heinz Kreutz, Bernard Schultze en Emil Schumacher. Beïnvloed door *CoBrA, *art informel en *abstract expressionisme.

Radical Design Tendens in architectuur en design aan het eind van de jaren zestig en in de jaren zeventig van de twintigste eeuw. Vergelijkbaar met *anti-design, maar met een nog sterkere politieke motivatie en inzet om architectuur en vormgeving opnieuw te verbinden met een fundamentele sociale functie. Probeerde de grondbeginselen van 'goede vormgeving' en ‡'technochic' van het Westerse kapitalisme te ondermijnen en omarmde 'slechte smaak', de smaak van het publiek en gebruikersinterventie. De meeste visies van studio's zoals Archigram, Archizoom, Superstudio en ‡UFO zijn nooit verwezenlijkt.

Rationalisme Zie *M.I.A.R.

Rebel Art Centre In 1914 opgericht door Wyndham Lewis als alternatief voor de ‡Omega Workshops van Roger Fry. Bestond uit diverse ex-leden van de groep van Fry. De groep werd geïnspireerd door Marinetti's Italiaanse *futuristen. Hield slechts een paar bijeenkomsten en tentoonstellingen voordat de groep werd opgeheven. Lewis en anderen ontwikkelden later het *vorticisme.

Regionalisme Amerikaanse representatieve schilderbeweging in de jaren dertig van de twintigste eeuw. De drie bekendste exponenten, Thomas Hart Benton, John Steuart Curry en Grant Wood, hadden banden met *American Scene. Hoewel de beweging tijdens de Depressie nationale populariteit genoot, was de beweging in de Tweede Wereldoorlog voorbij.

Revolutionary Black Gang Zie *Ashcan School.

Salon des Indépendants Open tentoonstelling die was opgezet door de Société des Artistes Indépendants, een groep die in 1884 was geformeerd en waarvan de oorspronkelijke leden bestonden uit een aantal *neo-impressionisten en *symbolisten die gekant waren tegen de officiële Salon. De regels van de nieuwe Salon bepaalden dat iedere kunstenaar na voldoening van het entreegeld kon exposeren zonder aan een selectiecommissie te worden onderworpen.

School van Barbizon Franse groep schilders halverwege de negentiende eeuw wier gewoonte om buitenshuis landschappen te schilderen een rechtstreekse invloed had op de *impressionisten.

School van Londen Term die oorspronkelijk in 1976 door R.B. Kitaj werd bedacht en de titel van een reizende tentoonstelling van de British Council (Brits Cultureel Genootschap) in 1987. Ook informeel gebruikt voor kunstenaars als Michael Andrews, Frank Auerbach, Francis Bacon, Lucian Freud, Kitaj en Leon Kossoff.

School van Nancy Emile Gallé en zijn volgelingen in het Franse Nancy, waaronder Emile André, Eugène Vallin, Jacques Grüber, Louis Majorelle en de gebroeders Auguste en Antonin Daum. Bekend om hun elegante, verfijnde *art-nouveaumeubilair en -glaswerk dat was geïnspireerd op de natuur, Romeinse kunst en kunst uit de Oudheid, het Nabije Oosten en het Verre Oosten.

School van Pont-Aven Informele groep kunstenaars rond Paul Gauguin. Genoemd naar het Bretonse dorp waarin zij werkten (hoewel er nooit een formele school is gevormd). Naam wordt geassocieerd met *synthetisme en *cloisonnisme.

School van St. Ives Gemeenschap van kunstenaars die in St. Ives in Cornwall in het zuidwesten van Engeland leefden en werkten. In de jaren veertig van de twintigste eeuw waren dit Naum Gabo, Barbara Hepworth en Ben Nicholson. Later sloten Terry Frost, Patrick Heron, Roger Hilton, Peter Lanyon en Bryan Wynter zich bij hen aan. Benaming werd later gebruikt voor een type expressieve, abstracte landschapschilderstijl. In 1993 werd de Tate Gallery St. Ives geopend waarin het werk van de kunstenaars van St. Ives werd gehuisvest.

School van Worpswede Kolonie van Duitse kunstenaars in de buurt van Bremen die in 1889 werd opgericht om in de open lucht te schilderen; kunstenaarsgroep die daar in 1897 werd opgericht. Prominente leden waren onder anderen Fritz Mackensen, Otto Modersohn en zijn echtgenote Paula Modersohn-Becker (zie ook *expressionisme), wier overlijden in 1907 het einde van de groep (in 1908) bespoedigde.

Schotse coloristen (*Scottish Colourists*) Schotse groep schilders die van 1910 tot 1930 actief was. Naam is achteraf gegeven aan S.J. Peploe, Leslie Hunter en F.C.B. Cadell, en later aan J.D. Fergusson. Werden beïnvloed door de Glasgow Boys (zie ‡Glasgow School) en hun bezoeken aan Frankrijk en Italië hadden een sterke invloed op hun werk, met name op hun gebruik van kleur.

Scuola Romana (Italiaans voor: Romeinse school) Naam voor een losse vereniging van kunstenaars die tussen de twee wereldoorlogen in Rome werkten. Verwierpen het ‡neoclassicisme van de *Novecento Italiano. Uit hun werk spreekt de invloed van de meer expressionistische schilders van de *Ecole de Paris en de *magisch realisten. Mario Mafai en Scipione worden als de oprichters van de school beschouwd.

Section d'Or Groep kunstenaars die in 1912 in Parijs exposeerden: Jacques Villon, Raymond Duchamp-Villon, Marcel Duchamp, Juan Gris, Fernand Léger, Francis Picabia en anderen die tot *kubisme werden gerekend (zie ook ‡Puteaux-groep). De naam is afkomstig uit de theorie van verhoudingen in kunst (gulden snede).

Seriekunst (ook wel systeemkunst, *Systems Art*) Kunst waarin herhaling, progressieve variatie of *minimalistische vereenvoudiging wordt verkend. Voorbeelden variëren van Monets series (bijvoorbeeld van de kathedraal in Rouen en hooibergen; zie *Impressionisme) tot het werk van *conceptuele kunstenaars in de eenentwintigste eeuw. Namen die in het bijzonder met de term worden geassocieerd, zijn Josef Albers, Carl Andre, Sol LeWitt en Andy Warhol.

SITE (Sculpture in the Environment) Multidisciplinaire organisatie voor architectuur- en omgevingskunstwetenschappen die in 1969 in New York door James Wines werd opgezet. Andere partners zijn Allison Sky, Emilio Sousa en Michelle Stone. De missie van SITE is om gebouwen te maken waarin kunst en architectuur een harmonieus geheel vormen en om met behulp van de taal van architectuur nieuwe typen gebouwen te maken waarmee de bebouwde omgeving kan worden verlevendigd. Zie *Neo-expressionisme.

Situationisme Groep Britse abstracte kunstenaars waarvan de naam is ontleend aan de titel van een tentoonstelling die in 1960 in Londen werd gehouden. Onder de achttien kunstenaars bevonden zich William Turnbull, Gillian Ayres en John Hoyland. Hun werk, dat zo groot was dat het de ruimte van de beschouwer vulde, creëerde een 'situatie' waarbij de beschouwer was betrokken.

Situationisten Zie *Situationist International.

Skupina 42 (Tsjechisch voor: Groep 42) Samenwerkingsverband van in Praag gevestigde Tsjechische schilders, beeldhouwers, fotografen en dichters, waaronder Frantisek Gross, Frantisek Hudecek, Jiri Kolár, Johan Kotík, Bohmír Matal en Jan Smetana. Actief van 1942 tot 1945. Uit hun werk blijkt de erfenis van het *surrealisme, maar ze verwierpen het onbewuste ten gunste van de verbeelding van de wereld om hen heen. De deprimerende buitenwijken van Praag en wegrottende machines waren belangrijke thema's waarmee de *existentiële staat van de mens werd overgebracht.

Skupina Ra (Tsjechisch voor: Groep Ra) Groep Tsjechische *surrealistische kunstenaars die in 1937 in de plaats Rakovnik (waaraan de naam van de groep is ontleend) in Bohemen bijeenkwamen. Joseph Istler, Bohdan Lacina en Václav Tikal en anderen propageerden tijdens de Tweede Wereldoorlog en enige tijd daarna moderne kunst door middel van een reizende tentoonstelling en een anthologie-manifest. In 1949 werd de groep onder politieke druk opgeheven.

Skupina Vytvarnych Umelcu (Tsjechisch voor: Groep van beoefenaars van schone, of beeldende kunsten) Avant-gardegroep die van 1911 tot 1914 in Praag actief was en die na het ter ziele gaan van ‡Osma was geformeerd. Leden waren onder anderen de kunstenaars Vincenc Benes, Emil Filla en Otto Gutfreund, de architecten en ontwerpers Josef Capek, Josef Chochol, Josef Gocár, Vlastislav Hofmann, Pavel Janák en Otokar Novotny. Propageerden door middel van tentoonstellingen en een eigen tijdschrift het *kubisme in de schilderkunst, beeldbouwkunst, architectuur en design.

Société Anonyme Inc. Baanbrekende organisatie die in 1920 in New York werd opgericht door Katherine Dreier, Marcel Duchamp en Man Ray (zie *Dada) om internationale avant-gardekunst in de Verenigde Staten te propageren. In 1940 had de vereniging inmiddels ruim 80 tentoonstellingen in de Verenigde Staten georganiseerd, een uitgebreid programma van lezingen en publicaties voortgebracht en een belangrijke, permanente collectie van moderne kunst aangelegd, die in 1941 aan de Yale University werd geschonken. Werd in 1950 opgeheven.

Sots-art Stijl van in Rusland onofficiële kunst die in de jaren zeventig en tachtig van de twintigste eeuw werd beoefend door Komar en Melamid, Erik Bulatov, Ilya Kabakov, Dmitry Prigov, Aleksy Kosolapov en Leonid Sokov. Net als de naam zelf is de stijl een mengeling van *socialistisch realisme en *pop-art, die wordt toegepast om de mythen en ideologieën van zowel de Sovjet-Unie als de Verenigde Staten te bekritiseren en te bespotten.

Spazialismo (Italiaans voor: spatialisme) Beweging die in 1947 in Milaan werd opgericht door Lucio Fontana om zijn overtuiging in de praktijk te brengen dat in kunst nieuwe technologieën en andere tactieken moesten worden toegepast om los te komen van het platte doek. In zijn eigen werk gebruikt Fontana televisie en neonverlichting en zijn latere doeken zijn ingekeept of doorboord om hen een driedimensionaal karakter te geven.

Spur (Duits voor: spoor) Duitse groep kunstenaars die in 1958 in München werd opgericht. Wilden elementen van *art informel combineren met expressieve figuratie. De groep werd beïnvloed door *CoBrA en aangemoedigd door Asger Jorn. Werd in 1959 geaccepteerd door de *Situationistische Internationale en in 1962 geroyeerd. Sloot zich aan bij de groep Wir om in 1967 de groep Geflecht te vormen.

Stedelijk realisme Zie *Precisionisme.

Stuckisme (Vastloopisme) Neoconservatieve beweging die in 1999 in het Verenigd Koninkrijk werd gestart door de kunstenaars Billy Childish en Charles Thomson. Thomson ontleende de naam aan een opmerking die Childish naar het hoofd werd geslingerd door zijn ex-vriendin, ‡YBA-lid Tracey Emin ("Je schilderijen zijn vastgelopen, jij bent vastgelopen!"). Noemen zichzelf "de eerste hermodernistische kunstgroep". Strijden tegen *postmodernisme, *installatiekunst en *conceptual art (waaraan de YBA's de voorkeur geven) en propageren conservatieve schildertechnieken en een wederopleving van spiritualiteit in kunst.

Studio Alchymia Galerie annex tentoonstellings-ruimte die in 1979 in Milaan werd opgezet door de architect Alessandro Guerriero en die uitgroeide tot ontwerpstudio. De leden werkten de ideeën van de ‡Radical Design-beweging van de jaren zestig van de twintigste eeuw verder uit, waarbij zij een anti-modernistisch standpunt innamen en een alledaagse lokale stijl toepasten. Belangrijke leden van de studio waren onder anderen Ettore Sottsass, Michele de Lucchi, Andrea Branzi en Alessandro Mendini (zie ook *Postmodernisme).

Stupid In Keulen gevestigde groep Duitse kunstenaars die in 1920 werd geformeerd door Willy Fick, Marta Hegemann, Heinrich en Angelika Hoerle, Anton Räderscheidt en Franz Seiwert. Na eerder met *dada te zijn geassocieerd, scheidden zij zich daarvan af om te proberen een meer communistisch-gerichte, 'proleta-rische' kunst te maken om sociaal-politieke gebeurte-nissen aan de orde te stellen.

SUM IJslandse groep avant-gardekunstenaars die van 1965 tot 1975 actief was. Onder leiding van Dieter Roth (zie *Fluxus) brachten Jon Gunnar Árnasson, Hreinn Fridfinnsson, Kristjan en Sigurdur Gudmundsson, Sigurjon Johansson en Haukur Dor Sturluson ideeën die met *neodada, *pop-art, *Fluxus en *Arte Povera samenhingen naar IJsland.

Tachisme (afgeleid van het Franse *tache*, vlek) Term bedacht door criticus Michel Tapié voor een vorm van expressieve, abstracte kunst (met name in Frankrijk in de jaren vijftig van de twintigste eeuw). Vaak als synoniem gebruikt van *art informel. Ook geassocieerd met ‡art autre, *art brut, *lettrisme en ‡lyrische abstractie.

Team X (Team Ten, Team 10) Internationale groep architecten die in 1956 op het tiende symposium van het CIAM (Congrès Internationaux d'Architecture Moderne, zie *Internationale stijl) werd geformeerd. Probeerden een meer humanistische noot te introduceren in de moderne architectuur (zie *Nieuw-brutalisme). Kwamen tot het begin van de jaren tachtig bijeen.

Techno-chic Benaming voor de esthetiek van gestroomlijnd, chic, exclusief, luxueus Italiaans design aan het eind van de jaren vijftig en in de jaren zestig van de twintigste eeuw. De stijl werd gekenmerkt door plastische vormen en het gebruik van zwart leer, chroom en in hoge mate afgewerkte kunststof voor meubels en lampen met het idee van rijkdom, status en 'goede smaak' over te brengen.

Tecton Architectenbureau dat in 1932 in Londen werd opgericht en in 1948 werd opgeheven. Bestond onder anderen uit Anthony Chitty, Lindsey Drake, Michael Dugdale, Valentine Harding, Denys Lasdun, Berthold Lubetkin, Godfrey Samuel en Frances Skinner. Gebouwen van de jaren dertig van de twintigste eeuw, zoals die voor de dierentuin van Londen, de Highpoint I- en Highpoint II-flats en het Finsbury Health Centre in Londen, maakten hen tot de belangrijkste beoefenaars van de *internationale stijl in Groot-Brittannië.

Tendenza Neorationalistische beweging voor stedelijk ontwerp (zie *M.I.A.R.) die aan het eind van de jaren zestig van de twintigste eeuw in Italië en Zwitserland verscheen. Opgericht door de Italiaanse architecten Aldo Rossi (zie *Postmodernisme), Giorgio Grassi en Massimo Scolari.

The Apostles of Ugliness Zie *Ashcan School.

The Canadian Group of Painters Groep die na de opheffing van de ‡Group of Seven in 1933 werd geformeerd. Legde in navolging van de oude groep de nadruk op het nationalistische landschap en domineerde de Canadese kunst tot de groep in de jaren vijftig concurrentie kreeg van de ‡Painters Eleven en ‡Les Automatistes. Ontbonden in 1969.

The Eight Amerikaanse schilders die zich in 1907 aansloten bij Robert Henri als reactie op het exclusieve tentoonstellingsbeleid van de National Academy of Design. Henri, Arthur B. Davies, William Glackens, Ernest Lawson, George Luks, Maurice Prendergast, Everett Shinn en John Sloan organiseerden in 1908 een onafhankelijke tentoonstelling in New York. Werkend in individuele stijlen variërend van stedelijk realisme (*Ashcan School) tot *impressionisme, *postimpressio-nisme en *symbolisme, kwamen zij op voor stilistische vrijheid en artistieke onafhankelijkheid.

The Ten (1) Groep Amerikaanse schilders die van 1898 tot 1919 exposeerden; beïnvloed door *impressionisme en verbonden met ‡The Eight; (2) groep schilders, waaronder Adolph Gottlieb en Mark Rothko (zie *Abstract expressionisme), die in zowel abstracte als figuratieve stijlen werkten en van 1935 tot 1939 exposeerden.

Tonalisme Amerikaanse schilderstijl in de periode 1880-1920. Exponenten waren onder anderen J.A.M. Whistler (zie *Decadentenbeweging), Thomas Wilmer Dening en Dwight W. Tryon. Werd gekenmerkt door ingetogen palet en zachte tonen; doet soms denken aan *symbolistisch werk.

UFO Groep die in 1967 in Florence werd opgericht om de ideeën van radicale vormgeving te propageren. Leden waren architecten, ontwerpers en intellectuelen, zoals de schrijver Umberto Eco. Onderdeel van de ‡Radical Design-beweging.

Ugly Realists Aanduiding voor het werk van een aantal schilders in Berlijn in de jaren zeventig van de twintigste eeuw, zoals K.H. Hödicke, Bernd Hoberling, Markus Lüpertz, Wolfgang Petrick en Peter Sorge. Werk varieerde van *neo-expressionistisch tot een kritisch realisme dat doet denken aan de schilders van de *nieuwe zakelijkheid.

Unisme Schildersysteem dat in 1927 in Polen werd ontwikkeld door ‡Blok-kunstenaars Wladyslaw Strzeminski en Henryk Stazewski. Beoefenaars streefden naar optische eenheid en werden beïnvloed door het *suprematisme. Gingen nog verder in hun zoektocht naar een pure, niet-objectieve kunst, door abstracte schilderijen met een totaalpatroon te maken. Liepen daarmee vooruit op de opkomst van de minimale schilderkunst van de jaren zestig van de twintigste eeuw (zie *Post-painterly abstraction).

Unit One Britse groep schilders, beeldhouwers en architecten die in 1933 werd geformeerd door Paul Nash (zie *Neoromantiek) om moderne kunst en architectuur in Engeland te propageren. Leden waren onder anderen Wells Coates, Barbara Hepworth, Henry Moore en Ben Nicholson. Na één tentoonstelling en een boek in 1934 werd de groep opgeheven als gevolg van menings-verschillen tussen aanhangers van abstractie en aanhangers van het *surrealisme.

Unovis (Russisch voor: voorvechter van de nieuwe kunst) Groep kunstenaars en ontwerpers, waaronder Ilya Chashnik, Vera Eermolaeva, Nina Kogan, El Lissitzky, Nikolai Suetin en Lev Yudin, die in 1919-20 door Kasimir Malevich in Vitebsk werd geformeerd. Waren aanhangers van het *suprematisme van Malevich en pasten suprematistische ideeën en ontwerpen toe op porselein, stoffen en architectonische ontwerpen. Verspreidden hun ideeën door middel van manifesten, publicaties en tentoonstellingen. Andere takken werden geformeerd in Moskou, Odessa, Orenburg, Petrograd, Samara, Saratov en Smolensk. Actief tot 1927.

Utility Furniture Brits meubilair dat vanaf 1943 onder leiding van Gordon Russell werd vervaardigd. Het waren eenvoudige, houten meubels op basis van traditionele, praktische vormen en een degelijke constructie, ontstaan uit de toepassing van *Arts and Crafts-principes op massaproductie om tijdens en na de Tweede Wereldoorlog hoogwaardige, laaggeprijsde goederen te leveren.

Verisme (1) Italiaanse kunstbeweging in de tweede helft van de negentiende eeuw, die zich in tegenstelling tot het ‡neoclassicisme bezighield met eigentijdse thema's; (2) koele, sociaal-politieke trend van de Duitse *nieuwe zakelijkheid die zich afzette tegen het *expressionisme.

Weens actionisme (Duits: Wiener Aktionismus) Groep Oostenrijkse *performancekunstenaars (voornamelijk Günter Brus, Otto Muehl en Hermann Nitsch) die van 1961 tot 1969 actief was. Hun ritualistische acties waren in strijd met seksuele en ethische conventies en leidden soms tot gerechtelijke vervolging, zoals in 1966 in Londen, toen afbeeldingen van mannelijke geslachtsdelen werden geprojecteerd op het karkas van een lam terwijl het van zijn ingewanden werd ontdaan.

YBA's (Young British Artists) Britse kunstenaars die aan het eind van de jaren tachtig van de twintigste eeuw opkwamen en snel nationaal en internationaal bekendheid kregen, zoals Jake en Dinos Chapman, Tracey Emin, Marcus Harvey, Damien Hirst, Gary Hume, Sarah Lucas, Ron Mueck, Chris Ofili, Simon Patterson, Marc Quinn, Jenny Saville, Sam Taylor-Wood, Gavin Turk, Gillian Wearing en Rachel Whiteread. De naam is afkomstig van de reeks "Young British Artists"-tentoonstellingen die vanaf 1992 in de Saatchi Gallery in Londen worden gehouden.

Zebra Duitse groep kunstenaars die in 1965 in Hamburg werd opgericht als reactie op *art informel. Koele, grafische stijl vaak gebaseerd op foto's (zie *Superrealisme). Leden waren onder anderen Dieter Asmus, Peter Nagel, Nikolaus Störtenbecker en Dietmar Ullrich.

Zen 49 In München gevestigde groep Duitse kunstenaars, waaronder Willi Baumeister, Rupprecht Geiger, Hans Hartung, Otto Ritschl, Theodor Werner en Fritz Winter. De naam werd gekozen om een algemeen inzicht in en sympathie voor zenboeddhisme, alsook de oprichtingsdatum (1949) aan te geven. Richtte zich op abstracte kunst en het doen herleven van Duitse kunst door de traditie van artistieke vrijheid en het uitvoeren van experimenten van *Der Blaue Reiter en het *Bauhaus weer op te pakken. Door tentoonstellingen in Duitsland en de Verenigde Staten kwamen zij in de kring van *art informel. De groep was actief tot 1957.

Zero Informeel samenwerkingsverband van jonge, internationale kunstenaars dat in 1957 in Düsseldorf werd opgericht door de kunstenaars Otto Piene en Heinz Mack, bij wie zich Günther Uecker aansloot. Wezen de subjectiviteit van *art informel en *existentialisme af en beoefenden *nouveau réalisme, *kinetische kunst en ‡lichtkunst. Hun technologische optimisme verbond hun werk met hun tijdgenoten bij *Nul, *GRAV en ‡E.A.T. Ontbonden in 1967.

Zwart expressionisme (*Black Expressionism*) Figuratieve stijl die zich in de Afrikaans-Amerikaanse kunst van de jaren zestig en zeventig van de twintigste eeuw ontwikkelde. Beïnvloed door *abstract expressionisme, ‡color field painting en ‡hard edge. De beweging kwam voort uit politieke onrust en acties voor burgerrechten; in het werk werden vaak politieke slogans verwerkt en werd opvallend gebruik gemaakt van zwart, rood en groen (de kleuren van de zwarte nationalistische vlag).

ILLUSTRATIEVERANTWOORDING

Afmetingen van werken worden weergegeven in centimeters, hoogte voor breedte, b=boven, o=onder, m=midden, l=links, r=rechts.

1 Piero Manzoni, *Levende sculptuur*, 1961. Archivo Opera Piero Manzoni. © DACS 2002 **2–3** detail van 277 **6l** zie 14 **6ml** zie 38 **6m** zie 54 **6mr** zie 70 **6r** zie 76 **7ml** zie 79 **7m** zie 100 **7r** zie 115 **8l** zie 152 **8ml** zie 194 **8mr** zie 238 **8r** zie 244 **9l** zie 253 **9ml** zie 269 **9m** zie 273 **9mr** zie 280o **9r** zie 287 **10l** zie 16r **10ml** zie 46 **10m** zie 116 **10mr** zie 131 **10r** zie 136 **11l** zie 183 **11ml** zie 203 **11m** zie 236 **11mr** zie 278 **11r** zie 285 **12** Pissarro in zijn studio in Eragny, ca. 1897. Claude Bonin Pissarro Archives **14** Auguste Rodin, *Hurkende vrouw*, 1880-82. Brons, afgietsel George Rudier, 95,3 x 63,5 x 55,9. BG Cantos Art Foundation, Beverly Hills, Californië **15** Claude Monet, *Impressie, zonsopgang*, ca. 1872-73. Olieverf op doek, 47,9 x 62,9, Musée Marmottan, Parijs. Foto Studio Lourmel **16l** Edgar Degas, *Vrouw die haar haar laat kammen*, ca.1886. Pastel, 74 x 60,6.The Metropolitan Museum of Art, New York. Legaat van mevr. H. O. Havemeyer, 1929. Collectie H. O. Havemeyer (29.100.35) **16r** Pierre-Auguste Renoir, *Mevrouw Portalis*, 1890. University of Harvard, Fogg Art Museum, Cambridge, Massachusetts **17** Berthe Morisot, *Boten in aanbouw*, 1874. Olieverf op doek, 32 x 41. Musée Marmottan – Claude Monet, Parijs **19m** Philip Webb, Het rode huis, Bexley Heath, Kent, 1859 **19o** The Grange, Fulham, Londen. Interieur met twee Philip Webb tafels, Ford Madox Browns versie van de 'Sussex'-stoel en het '*Fruit*'-behang van William Morris. **20** Gustav Stickley, Spindelbankje gemaakt van Amerikaans wit eikenhout, 1905-7. Verzameling Beth en David Cathers **21** C. F. A. Voysey, Behang met een karikatuur van zichzelf als een demon, ontwerp uit 1889. RIBA, Londen **23** D. H. Burnham Co., Reliance Building, Chicago,1891-95 **24** Louis Sullivan, Carson Pirie Scott & Co., Chicago, 1899 en 1903-4 **25** Fernand Khnopff, *Liefkozingen van de Sfinx (De Sfinx)*, 1896. Olieverf op doek, 50 x 150. Musées Royaux des Beaux-Arts, Brussel **26** Fernand Khnopff, *Les XX*, Poster voor de tentoonstelling van 1891. Foto E. Tweedy **27** Georges Seurat, *Zondagmiddag op het eiland La Grande Jatte*, 1883-86. Olieverf op doek, 207,6 x 308. The Art Institute of Chicago Helen Birch Bartlett Memorial Collection 1926.224 **28l** Georges Seurat, *Eindstudie voor 'Le Chahut'*, 1889. Olieverf op doek, 70,8 x 46,7. Albright-Knox Art Gallery, Buffalo, New York, General Purchase Funds, 1943 **28r** Michel-Eugène Chevreul, *Premier cercle chromatique*, uit *Des Couleurs et de leurs applications aux arts industriels*. Parijs, 1864 **29** Paul Signac, *Portret van Félix Fénéon tegen een achtergrondritmiek met gebogen lijnen en hoeken, tonen en kleuren*, 1890. Olieverf op doek, 73,5 x 92,5. Privécollectie, New York. © ADAGP, Parijs, en DACS, Londen 2002 **30** Aubrey Beardsley, Omslagontwerp voor *The Yellow Book*, Volume 1, 1894 **31** James Abbott McNeill Whistler, Eind-muurpaneel van *Harmony in Blue and Gold: The Peacock Room*, 1876-77. Olieverf en bladmetaal op doek, leer en hout, afmetingen van de kamer 424,8 x 1010,9 x 608,3. Freer Gallery of Art, Smithsonian Institution, Washington, D.C. **32** Sir Lawrence Alma-Tadema, *The Roses of Heliogabalus*, 1888. Olieverf op doek, 132 x 214. Whitford & Hughes **33** Hector Guimard, metrostation Bastille, Parijs, gietijzer en glas, ca. 1900. Foto Roger-Viollet **34** Victor Horta, Smeedijzeren trap voor het Hotel Tassel, Brussel, 1893. Foto © Reiner Lautwein/artur. © DACS 2002 **36** Charles Rennie Mackintosh, Stoel, ca. 1902 **37** Alphonse Mucha, *Gismonda*, 1894. Poster, 74,2 x 216. © ADAGP, Parijs, en DACS, Londen 2002 **38** Antoni Gaudí, Siertorentje van een van de torens van de Sagrada Familia, Barcelona, 1883. Foto © AISA-Archivo Iconográfico, Barcelona **39** Antoni Gaudí, Park Güell, Barcelona, 1900-14. Foto © AISA-Archivo Iconográfico, Barcelona **40** Antoni Gaudí, Casa Milà, 1905-10. Foto Institut Amatller d'Art Hispànic, Barcelona **41** Gustav Moreau, *De verschijning*, 1876. Waterverf, 106 x 72. Musée du Louvre, Parijs **42** Edvard Munch, *Puberteit*, 1894. Olieverf op doek, 151,5 x 110. Nasjonalgalleriet, Oslo. © Munch Museum/Munch-Ellingsen Group, BONO, Oslo, DACS, Londen 2002 **43** Odilon Redon, *Orpheus*, ca. 1913-16. Pastel, 70 x 56,5. Cleveland Museum of Art. Schenking van J. H. Wade **45** Henri de Toulouse-Lautrec, *Japanse divan*, 1893. Poster, 79,5 x 59,5. V&A, Londen **46** Vincent van Gogh, *Zelfportret*, 1889. Olieverf op doek, 65 x 54. Musée d'Orsay, Parijs **47** Paul Cézanne, *Mont Sainte-Victoire*, 1902-4. Olieverf op doek, 69,8 x 89,5. Philadelphia Museum of Art, Collectie George W. Elkins **49** Emile Bernard, *De Maria Boodschap*, 1889. Collectie Stuart Pivar. © ADAGP, Parijs, en DACS, Londen 2002 **51b** Maurice Denis, *Hommage aan Cézanne*, 1900. Olieverf op doek, 180 x 240. Musée d'Orsay, Parijs. © ADAGP, Parijs, en DACS, Londen 2002 **51o** Pierre Bonnard, *Frankrijk-Champagne-poster*, 1891. Kleurenlitho, 78 x 50. © ADAGP, Parijs, en DACS, Londen 2002 **52** Edouard Vuillard, *Misia en Valloton*, 1894. Olieverf op doek. Collectie dhr. en mevr. William Kelly Simpson, New York. © ADAGP, Parijs, en DACS, Londen 2002 **54** Paul Gauguin, Visioen na de preek: *Jacob die worstelt met de engel*, 1888, 1888. Olieverf op doek, 73 x 92. National Gallery of Scotland, Edinburgh **55** Paul Gauguin, *Dag van de goden (Mahana No Atua)*, 1894. Olieverf op doek 68,3 x 91,5. Helen Birch Bartlett Memorial Collection, 1926.198. The Art Institute of Chicago **56** Carlos Schwabe, *De maagd van de lelies*, 1899. Waterverf, 97 x 47. Privécollectie **58** August Endell, Façade van atelier Elvira, München, (vernietigd), 1897-1898. Foto Dr. Franz Stoedtner **59b** Josef Hoffmann, Het beeldmerk van de Wiener Werkstätte **59o** Gustav Klimt, *Beethovenfries* (detail), 1902. Kast, verf op stucco, ingelegd met verschillende materialen, totale hoogte en lengte 220 x 2400. Österreichische Galerie, Wenen **60** Josef Hoffmann, Palais Stoclet, Brussel, 1905-11. Bildarchiv Foto Marburg **61** Joseph Maria Olbrich, Affiche voor de tweede Sezessionsexpositie, 1898-99. Litho, 85,5 x 50,5. Collectie dhr. en mevr. Leonard A. Lauder **62** Léon Bakst, decorontwerp voor *Schéhérazade*, 1910. Musée des Arts Decoratifs, Parijs. Foto L. Sully-Jaulmes **63** Léon Bakst, *De rode sultane*, 1910. Privécollectie **64** Matisse in zijn atelier in het Hôtel Regina, Nice, werkend aan het keramiekproject *De maagd en het kind* voor La chapelle du Rosaire in Vence, 1950. Foto Hélène Adant. Musée National d'Art Moderne, Centre Georges Pompidou, Parijs. © Nalatenschap H. Matisse/DACS 2002 **66** Henri Matisse, *Levensvreugde (Bonheur de vivre: Joie de vivre)*, 1905-06. Olieverf op doek, 174 x 238. © The Barnes Foundation, Merion, Pennsylvania. © Nalatenschap H. Matisse/DACS 2002 **67** André Derain, *Drie figuren, zittend op het gras*, 1906. Olieverf op doek, 38,1 x 54,9. Musée d'Art Moderne de la Ville de Paris. © ADAGP, Parijs, en DACS, Londen 2002 **68** Raoul Dufy, *Straat vol vlaggen (De veertiende juli in Le Havre)*, 1906. Olieverf op doek, 46,5 x 38. Met toestemming van Fridart Foundation. © ADAGP, Parijs, en DACS, Londen 2002 **69** Maurice de Vlaminck, *Het witte huis*, 1905-6. Olieverf op doek, 45 x 55. Privécollectie. Foto Gallerie Schmit, Parijs. © ADAGP, Parijs, en DACS, Londen 2002 **70** Egon Schiele, *Naakt meisje met armen over elkaar*, 1910. Zwart krijt en waterverf, 44,8 x 28. Graphische Sammlung Albertina, Wenen **71** Paula Modersohn-Becker, *Zelfportret op de zesde verjaardag van haar trouwdag*, 1906. Olieverf op paneel, 101,8 x 70,2. Kunstsammlungen Böttcherstrasse, Bremen **72** Oskar Kokoschka, *Bruid van de wind (De storm)*, 1914. Olieverf op doek, 181 x 122. Öffentliche Kunstsammlung Basel, Kunstmuseum, Inv. 1745. Foto Öffentliche Kunstsammlung Basel **73** Emil Nolde, *Profeet*, 1912. Houtsnede, in zwart afgedrukt, compositie 32,1 x 22,2. The Museum of Modern Art New York. Anonieme gift (in ruil). Foto © 2002 The Museum of Modern Art, New York **74** Erich Mendelsohn, Einstein-toren, Potsdam, 1919-21. Potsdam. Foto Dr. Franz Stoedtner **75b** Erich Heckel, *Twee mannen aan een tafel*, 1912. Olieverf op doek, 96,8 x 120. Kunsthaus, Hamburg. © DACS 2002 **75o** Ernst Ludwig Kirchner, *De schilders van Die Brücke*, 1926. Olieverf op doek, 168 x 126. Museum Ludwig, Keulen. Copyright: Ingeborg & Dr. Wolfgang Henze-Ketterer, Wichtrach/Bern **76** Ernst Ludwig Kirchner, *Poster: Die Brücke*, 1910. Kaiser Wilhelm Museum Krefeld. Copyright: Ingeborg & Dr. Wolfgang Henze-Ketterer, Wichtrach/Bern **77** Ernst Ludwig Kirchner, *Vijf vrouwen op straat*, 1913. Olieverf op doek, 120 x 90. Wallraf-Richartz Museum, Keulen. Copyright: Ingeborg & Dr. Wolfgang Henze-Ketterer, Wichtrach/Bern **78** Lewis W. Hine, Acht jaar oude kinderen die oesters uitsteken. Foto. Library of Congress, Washington, D.C. **79b** George Bellows, *Stag at Sharkey's*, 1909. Olieverf op doek, 92,1 x 122,6. The Cleveland Museum of Art, Hinman B. Hurlbut Collection **79m** John Sloan, *Hairdresser's Window*, 1907. Olieverf op doek, 81 x 66. Wadsworth Atheneum, Hartford, Connecticut, Collectie Ella Gallup Sumner en Mary Catlin Sumner **80** Peter Behrens, AEG Turbinefabriek, 1908-9. Berlijn. © DACS 2002 **81** Weissenhofsiedlung, Stuttgart, 1927. Omvat werk van Le Corbusier, J. J. P. Oud, Mies van der Rohe **82** Walter Gropius, Slaapcompartiment van Mitropa-wagon, ca. 1914 **83** Peter Behrens, Elektrische tafelventilator van AEG, 1908. © DACS 2002 **84l** George Braques, *Viaduct bij L'Estaque*, 1908. Olieverf op doek, 72,5 x 59. Musée National d'Art Moderne, Centre Georges Pompidou, Parijs. Gift van dhr. en mevr. Claude Laurens. © ADAGP, Parijs, en DACS, Londen 2002 **84r** Pablo Picasso, *Stilleven met rieten stoelzitting*, 1911-12. Olieverf en opgeplakt papier dat stoelzitting op doek simuleert, en dat wordt omgeven door touw, ovaal, 27 x 35. Musée Picasso, Parijs. © Nalatenschap Picasso/DACS 2002 **85** Juan Gris, *Viool en gitaar*, 1913. Olieverf op doek, 100 x 65,5. Privécollectie **86** Fernand Léger, Toneelmodel voor *La Création du Monde (De schepping van de wereld)*, 1923. Dansmuseet, Stockholm. © ADAGP, Parijs, en DACS, Londen 2002 **87** Emil Králícek en Matej Blecha, Lantaarnpaal, Praag, 1912-13. Foto AKG, Londen/Keith Collie **88** Carlo Carra, *Paard en ruiter* of *Rode ruiter*, 1913. Inkt en tempera op papier dat op doek is geplakt, 26 x 36. Collectie Riccardo en Magda Jucker, uitgeleend aan Pinacoteca van Brera, Milaan. © DACS 2002 **89** Giacomo Balla, *Ritme van een violist*, 1912. Olieverf op doek, 75 x 52. Collectie dhr. en mevr. Eric Estorick. © DACS 2002 **90l** Marinetti en Marchesi in Turijn met Marinetti's portret, gemaakt door Zatkova. Foto.**90r** Alberto Boccioni, *Unieke vormen van continuïteit in ruimte*, 1913. Brons, 111,4 x 88,6 x 40. Galleria Civica d'Arte Moderna, Milaan **91** Sant'Elia, *La Citta Futurista*, uit 'Manifest van futuristische architectuur', 1914 **92** Mikhail Larionov, *De soldaten* (tweede versie), 1909. Olieverf op doek, 88,2 x 102,5. Los Angeles County Museum of Art, Los Angeles. © ADAGP, Parijs, en DACS, Londen 2002 **93** Ilya Mashkov, *Portret van een jongen in een geborduurd shirt*, 1909. Olieverf op doek, 119,5 x 80. The State Russian Museum, St. Petersburg **94** August Macke, *Vrouw in groen jasje*, 1913. Olieverf op doek, 44,5 x 43,5. Museum Ludwig, Keulen **95** Franz Marc, *De grote blauwe paarden*, 1911. Olieverf op doek, 104,8 x 181. Walker Art Centre, Minneapolis, Minnesota. Gift van de T.B. Walker Foundation, Gilbert M. Walker Fund, 1942 **96** Vasily Kandinsky, *Improvisatie 'Klamm'*, 1914. Olieverf op doek, 110 x 110. Städtische Galerie im Lenbachhaus, München. © ADAGP, Parijs, en DACS, Londen 2002 **97** Paul Klee, *De föhnwind in tuin van de Marcs*, 1915. Waterverf op papier, op karton bevestigd, 20 x 15. Städtische Galerie im Lenbachhaus, München. © DACS 2002 **98** Morgan Russell, *Synchromie in oranje: naar vorm*, 1913-14. Olieverf op doek, 342,9 x 308,6. Albright-Knox Art Gallery, Buffalo, New York. Gift van Seymour H. Knox, 1958 **99** Foto van een auto die is geschilderd naar een ontwerp van Sonia Delaunay, en model met bijpassende jas en hoed, 1925 **100** Robert Delaunay, *Formes circulaires, Soleil Lune (soleil et lune, simultané, n. 2)* 1913 (gedateerd 1912 op schilderij). Olieverf op doek, 134,5 doorsnee. The Museum of Modern Art, New York. Mevr. Simon Guggenheim fonds. Foto © 2002 The Museum of Modern Art, New York. © L & M SERVICES B.V. Amsterdam 20010409 **101** Sonia Delaunay, Omslagontwerp van stoffen voor een boek van Ricciotto Canudo, 1912. © L & M SERVICES B.V. Amsterdam 20010409 **102** Natalia Goncharova, *Vliegtuig boven een trein*, 1913. Olieverf op doek, 55 x 83,5. State Museum of the Visual Arts of Tatarstan, Kazan. © ADAGP, Parijs, en DACS, Londen 2002 **104** De schilderijen van Kasimir Malevich, tentoongesteld op de 0-10 expositie, St. Petersburg, 1915 **105** Kasimir Malevich, *Suprematistisch schilderij*, 1917-18. Olieverf op doek, 97 x 70. Stedelijk Museum, Amsterdam **106** Konstantin Melnikov, De Rusakov Club, Moskou, 1927 **107** Vladimir Tatlin, Monument voor de Derde Internationale, 1919. National Museum, Stockholm. © DACS 2002 **108b** El Lissitzky, *Versla de witten met de rode wig*, 1919-20. Poster, 48,5 x 69,2. Stedelijk Van Abbemuseum, Eindhoven. © DACS 2002 **108o** Pagina's uit Russisch constructivistisch tijdschrift, *Lef*. Varvara Stepanova, ontwerpen voor sportkleren (links) en Rodchenko, logo-ontwerpen (rechts), 1917. © DACS 2002 **110** Giorgio de Chirico, *Place d'Italie*, 1912. Privécollectie, Milaan. © DACS

2002 **112** Wyndham Lewis, *Timon van Athene*, 1913. Potlood, zwarte & bruine inkt, 34,5 x 26,5. Foto met toestemming van Anthony d'Offay Gallery, Londen. © Estate dhr. G.A. Wyndham Lewis **113** Lajos Kassák, *Bildarchitektur* (Beeldarchitectuur), 1922. Olieverf op karton, 28 x 20,5. Hungarian National Gallery, Budapest. **114** Michael de Klerk, Woningbouwproject Eigen Haard, Amsterdam, in de Spaarndammerbuurt, Amsterdam-West, 1913-20 **115** Marcel Duchamp, *Fontein*, 1917, replica 1963. Porseleinen urinoir, h 33,5. Indiana University Art Museum. © Nalatenschap Marcel Duchamp/ADAGP, Parijs, en DACS, Londen 2002 **116** Jean (Hans) Arp, *Collage gemaakt volgens de wetten van het toeval*, 1916. Collage, 25,3 x 12,5. Kunstmuseum, Basel. © DACS 2002 **117** Hannah Höch, *Snee met het keukenmes*, ca.1919. Collage, 114 x 89,8. Staatliche Museen, Berlin © DACS 2002 **118** Opening van de Eerste internationale dada-tentoonstelling in de galerie van Dr. Otto Burchard's, Berlijn, Juni 1920. Foto **120** Le Corbuiser, Interieur van het *Pavillon de l'Esprit Nouveau* op de Exposition Internationale des Arts Décoratifs, Parijs, 1925. © FLC/ADAGP, Parijs, en DACS, Londen 2002 **121** Gerrit Rietveld, Schröder-huis, Utrecht, Nederland 1924-25. © DACS 2002 **122b** Piet Mondriaan, *Compositie A; Compositie met Zwart, Rood, Grijs, Geel en Blauw*, 1920. Olieverf op doek, 91,5 x 92. Galleria Nazionale d'Arte Moderna, Rome. Su concessione del Ministero per i beni e la Attività Culturali. © 2002 Mondriaan/Holtzman Trust c/o Beeldrecht, Amsterdam, Holland & DACS, Londen 122b Gerrit Rietveld, *Rood-blauwe stoel*, reconstructie, ca. 1923. © DACS 2002 **123** Theo Van Doesburg, Foto en schetsen die betrekking hebben op Van Doesburgs schilderij, *De Koe* uit Van Doesburg, *Grundbegriffe der Neuen Gestaltenden Kunst*, 1925. British Architectural Library/RIBA, Londen. © DACS 2002 **124** Le Corbusier met een model van het Paleis van de Sovjets, 1931. Foto AKG, Londen / Walter Limot, 1931. © FLC/ADAGP, Parijs, en DACS, Londen 2002 **126b** Houtsnede - illustratie voor een pamflet, uitgegeven door de Arbeitsrat für Kunst, April 1919. Mogelijk gemaakt door Max Pechstein. © DACS 2002 **126o** Bruno Taut, Glaspaviljoen, 1914. Tentoonstelling van de Deutscher Werkbund, Keulen, 1914 **127** Bruno Taut, Glaspaviljoen, trappen, 1914. Tentoonstelling van de Deutscher Werkbund, Keulen, 1914 **129** Hans Richter, *Vormittagsspuk* (Geesten voor het ontbijt), 1927. 11 minuten, stil. Estate Hans Richter. Steven Vail Galleries **130** Walter Gropius, Bauhaus-gebouw, tussen het hoofdgebouw en het blok voor technisch onderwijs op de openingsdag, Dessau, Duitsland, 1925-26 **131l** Joost Schmidt, Poster voor de Bauhaus-tentoonstelling van 1923. Bauhaus-Archiv/Museum für Gestaltung, Berlijn. © DACS 2002 **131r** Oskar Schlemmer als Turk in zijn *Triadisch ballet* 1922. Oskar Schlemmer Archive, Stuttgart © The Oskar Schemmer Theatre Estate I-028824 Oggebbio, Italië **132b** Peter Keler, wieg, 1922. Staatliche Kunstammlungen, Weimar **132o** Brandt en Hein Briedendiek, Bedlamp, ontworpen voor Körting en Mathiesen. 1928. Bauhaus-Archiv/Museum für Gestaltung, Berlin **134** Charles Demuth, *Moderne gemakken*, 1921. Olieverf op doek, 65,4 x 54,3. Columbus Museum of Art, Ohio. Gift van Ferdinand Howald (31.137) **136** Tamara de Lempicka, *Zelfportret (Tamara in een groene Bugatti)*, ca. 1925. Olieverf op hout, 35 x 26. Privécollectie, Parijs. © ADAGP, Parijs, en DACS, Londen 2002 137 A. M. Cassandre, *Normandië*, 1935. Lithografische poster, 62 x 100. © Mouron. Cassandre. Alle rechten voorbehouden **138l** William Van Alen, Chrysler-gebouw, New York, 1928-30. Foto © Paterson **138r** De skyline van New York op het Bal des Beaux Arts, 1932. Kilham Collection, Drawings and Archives Department, Avery Architectural and Fine Arts Library, Columbia University, New York **139l** Sloan & Robertson, Toilet, 52^e verdieping, Chanin-gebouw, New York, 1928-29. Foto Angelo Hornak **139r** Oliver Percy Bernard, Ingang foyer van het Strand Palace Hotel, Londen,1930 **140** Marc Chagall, *Verjaardag*, 1915. Olieverf op doek, 81 x 100. The Solomon R. Guggenheim Museum, New York. © ADAGP, Parijs, en DACS, Londen 2002 **141** Amedeo Modigliani, *Zittend Naakt*, 1912. Olieverf op doek, 92,1 x 60. The Courtauld Institute of Art, Londen **142** Adolf Loos, Kärntner Bar, Wenen, 1907. © DACS 2002 **143** Le Corbusier, Villa Savoye, Poissy, Frankrijk. 1928-29. Foto © CH. Bastin & J. Evrard. © FLC/ADAGP, Parijs en DACS, Londen 2002 **144** Oscar Niemeyer, gebouw van het Nationaal Congres, Brazilië, 1960 **145l** Ludwig Mies van der Rohe, Lake Shore Drive Apartments, Chicago, Illinois, 1948-51. Foto Ezra Stoller, Esto. © DACS 2002 **145r** Philip Johnson, Glass House, New Canaan, Connecticut, 1949. Foto met toestemming van Philip Johnson **146** Mario Sironi, *Paesaggio urbano* (Stadslandschap), 1921. Olieverf op doek, 50 x 80. Pinacoteca di Brera, Milaan. Gift van Emilio en Maria Jesi. © DACS 2002 **148** Bruno Taut, De Hufeisensiedlung (Hoefijzerwijk), Berlijn-Neukölln, met Martin Wagner, 1925-30. Landesbildstelle, Berlijn **149** George Grosz, *Daum trouwt met haar pedante robot George in mei 1920; John Heartfield is er erg blij mee*, 1920. Waterverf, collage, pen, potlood, 41,9 x 29,8. Galerie Nierendorf, Berlijn. © DACS 2002 **150l** Otto Dix, *Kaartspelende oorlogsinvaliden*, 1920. Olieverf op doek met montage, 109,9 x 87. Privécollectie. © DACS 2002 **150r** John Heartfield, *Adolf de supermens slikt goud en spuwt rotzooi*, 1932. Fotomontage, 35,4 x 24,6. Galleria Schwarz, Milaan. © DACS 2002 **151** Max Ernst, *Bij de bijeenkomst van vrienden*, 1922. Olieverf op doek, 130 x 195. Ludwig Museum, Keulen. © ADAGP, Parijs, en DACS, Londen 2002 **152** Joan Miró, *Zomer*, 1938. Gouache op papier, 75 x 55,5. Privécollectie. © ADAGP, Parijs, en DACS, Londen 2002 **153** Salvador Dalí, *Téléphone-Homard* (Kreefttelefoon), ca. 1936. Assemblage, 18 x 12,5 x 30,5. Privécollectie. © Koninkrijk van Spanje, universeel erfgenaam van Salvador Dalí, DACS 2002. © Gala-Salvador Dalí Foundation, benoeming door het Koninkrijk van Spanje, DACS, 2002 **154** Man Ray, *Anatomieën*, 1929. Gelatin-zilverprint, 22,6 x 17,2. The Museum of Modern Art, New York. Gift van James Thrall Soby. Copy Print © 2002 The Museum of Modern Art, New York. © Man Ray Trust/ADAGP, Parijs en DACS, Londen 2002 **155** Van Doesburg, Café L'Aubette, Straatsburg.1928-29. Foto met toestemming van Frank den Oudsten. © DACS 2002 **156** Guiseppe Terragni, Novocomum-flats, Como,1927-28 158 Guiseppe Terragni, Casa del Fascio, Como, 1932-36 **160** Max Bill, *Rhythm in Four Squares*, 1943. Olieverf op doek, 30 x 120. Kunsthaus Zurich. © DACS 2002 **161** Paul Delvaux, *Les Mains* (*De droom*), 1941. Claude Spaak Collection, Parijs. © Foundation P. Delvaux – St. Idesbald, Belgium/DACS, Londen 2002 **162** René Magritte, omslag van *Minotaure*, nr. 10, 1937. Gouache. © ADAGP, Parijs, en DACS, Londen 2002 **163** Edward Hopper, *Approaching a City*, 1946. Olieverf op doek, 68,9 x 91,4. The Phillips Collection, Washington, D.C. **164** Grant Wood, *Stone City, Iowa*, 1930. Olieverf op houtpaneel, 77 x 101,5. Joslyn Art Museum, Omaha, Nebraska. © Estate Grant Wood/VAGA, New York/DACS, Londen 2002 **165** Norman Rockwell, *Freedom from Want*, 1943. Olieverf op doek, 116,2 x 90,2. Norman Rockwell Museum, Stockbridge, Massachusetts. Afgedrukt met toestemming van de Norman Rockwell Family Trust. Copyright © 1943 de Norman Rockwell Family Trust **166** Margaret Bourke-White, *At the Time of the Louisville Flood*, 1937. Gelatin zilverprint, 24,6 x 34. Whitney Museum of American Art, New York. Gift van Sean Callahan 92.58. Met toestemming van de Estate Margaret Bourke-White **167** Ben Shahn, *Years of Dust*, poster uitgegeven door Resettlement Authority, ca.1935. Library of Congress, Washington, D.C. © Estate Ben Shahn/VAGA, New York/DACS, Londen 2002 **169** Vera Mukhina, *Fabrieksarbeider en meisje van collectief landbouwbedrijf*, 1937. Brons, h 158,5. The State Russian Museum, St. Petersburg. © DACS 2002 **170** Komar en Melamid, *Double-Portrait as Young Pioneers*, 1982-83. Olieverf op doek, 182,9 x 127. Met toestemming van Ronald Feldman Fine Arts, New York. Foto D. James Dee **171** Paul Nash, *Totes Meer (Dode Zee)*, 1940-41. Olieverf op doek, 101,6 x 152,4. Tate Gallery, Londen. Gift van de War Artists Advisory Committee 1946 **172** Jackson Pollock in zijn studio, East Hampton, Long Island. Foto Hans Namuth **174** Madge Gill, *Zonder titel*, ca. 1940. Inkt op kaart, 20,3 x 7,6. Met toestemming van Henry Boxer Gallery, Richmond, England **175** Jean Dubuffet, *De koe met de subtiele neus*, uit de *Cows, Grass, Foliage*-reeks,1954. Olieverf en email op doek, 88,9 x 116,1. The Museum of Modern Art, New York. Benjamin Scharps en David Scharps Fund. Foto © 2002 The Museum of Modern Art, New York. © ADAGP, Parijs, en DACS, Londen 2002 **177b** Germaine Richier, *L'Eau*, 1953-54. Brons, 144 x 64 x 98. Tate Gallery, Londen. © ADAGP, Parijs, en DACS, Londen 2002 **177o** Jean Fautrier, *Otage*, 1945. Olieverf op papier, op doek gelegd, 35 x 27. Privécollectie. Foto met toestemming van Sotheby's. © ADAGP, Parijs, en DACS, Londen 2002 **178** Alberto Giacometti, *Homme qui Marche III*, 1960. Galerie Maeght, Parijs. © ADAGP, Parijs, en DACS, Londen 2002 **179** Francis Bacon, *Figure in Movement*, 1976. Olieverf op doek, 198 x 147,5. Privécollectie, Genève. © Estate Francis Bacon/ARS, NY, en DACS, Londen 2002 **180** Nek Chand, *Massed Villagers, tweede fase van de Rotstuin*, 1965-95. Chandigarh, India. Foto © Maggie Jones Maizels. Met toestemming van Raw Vision **181** Isamu Noguchi, Tafel, ca.1940, gemaakt door Herman Miller, 1947 **182** Archille Castiglioni, 220 *Messadro*, 1957. Trekkerzadel. Zanotta S.p.A., Milaan. Foto Masera **183** Henry Moore, *Liggende figuur*, 1936. Iepenhout, lengte 106,7 (42) Wakefields City Art Gallery & Museum. De op pagina's 11 en 183 afgebeelde werken zijn gereproduceerd met toestemming van de Henry Moore Foundation **184** Hans Hartung, *Zonder titel*, 1961. Olieverf op doek, 80 x 130. Privécollectie. © ADAGP, Parijs, en DACS, Londen 2002 **185** Wols, *De blauwe fantoom*, 1951. Olieverf op doek, 73 x 60. Ludwig Museum, Keulen. © ADAGP, Parijs, en DACS, Londen 2002 **186** Patrick Heron, *Cadmium met Violet, Purper, Smaragd, Citroen en Venetiaans rood*, 1969. Olieverf op doek, 198,1 x 397,5. Tate Gallery, Londen. © Estate Patrick Heron 2002. Alle rechten voorbehouden DACS **187** Georges Mathieu, *Mathieu uit de Elzas gaat naar Ramsey Abbey*. Olieverf op doek. Privécollectie **188** Arshile Gorky, *The Liver is the Cock's Comb*, 1944. Olieverf op doek, 186 x 250. Albright-Knox Art Gallery, Buffalo, New York. Gift van de kunstenaar, 1964. © ADAGP, Parijs, en DACS, Londen 2002 **189b** Mark Rothko, *Black on Maroon*, 1958. Olieverf op doek, 266 x 381. Tate Gallery, Londen. © Kate Rothko Prizel & Christopher Rothko/DACS 1998 **189o** Willem de Kooning, *Two Standing Women*, 1949. Olieverf op karton, 74,9 x 66,7. Los Angeles County Museum of Art, Collectie dhr. en mevr. Norton Simon, Los Angeles. © Willem de Kooning Revocable Trust/ARS, NY, en DACS, Londen 2002 **190** Jackson Pollock, *Blue Poles*, 1952. Olieverf, email en aluminiumverf met glas op doek, 212,9 x 489. National Gallery of Australia, Canberra © ARS, NY, en DACS, Londen 2002 **191** David Smith, *Cubi XVIII*, 1964. Roestvrij staal, hoogte 298,7. Met toestemming van The Marlborough Gallery, New York. © Estate David Smith/VAGA, New York/DACS, Londen 2002 **192** Isidore Isou, *Traité de bave et d'éternité* (Verhandeling over Gezever en de Eeuwigheid), 1950-51. 35mm film, zwart-wit met geluid. Musée National d'Art Moderne, Centre Georges Pompidou, Parijs **193** Corneille, 1960, Atelier Rue Santeuil, Parijs. Foto Cor Dekkinga, Frankrijk **194** Karel Appel, *Vragende kinderen*, 1949. Gouache op vurenhouten reliëf 87,3 x 59,8 x 15,8. Tate Gallery, Londen. © DACS 2002 **196** Jess, *Tricky Cad, Case I*, 1954. Notitieboekje met 12 collages, handgeschreven titelpagina en lege eindpagina's, elke collage 24,1 x 19. Met toestemming van Odyssia Gallery, New York **197** Alexander Calder, *Four Red Systems (Mobile)*, 1960. Geschilderd metaal en draad, 195 x 180 x 180. Louisiana Museum of Modern Art, NY, Carlsbergfondet, Humlebaek, © ARS, NY, en DACS, Londen 2002 **198l** László Moholy-Nagy, *Licht-Raum-Modulator*, 1930. Kinetische sculptuur van staal, plastic, hout en andere materialen met elektrische motor, 151,1 x 69,9 x 69,9. Gift van Sibyl Moholy-Nagy. © President and Fellows, Harvard College, Harvard University Art Museums. Met toestemming van Hattula Moholy-Nagy **198r** Jean Tinguely, *Homage to New York*, 1960. Gemengde media, vernietigd. Foto © David Gahr 1960. © ADAGP, Parijs, en DACS, Londen 2002 **200** John Bratby, *Table Top*, 1955. Olieverf op karton, 123,5 x 123,5. Portsmouth City Museums. Met toestemming van Patti Bratby **201** Rauschenberg in zijn atelier aan Front Street, New York, 1958. Onbekende fotograaf. Foto met toestemming van Statens Konstmuseen, Stockholm. **202** Larry Rivers, *Washington Crossing the Delaware*, 1953. Olieverf, grafiet en houtskool op linnen, 212,4 x 283,5. The Museum of Modern Art, New York. Anonieme gift. Foto © 2002 The Museum of Modern Art, New York. © Larry Rivers/VAGA, New York/DACS, Londen 2002 **203** Jasper Johns, *Flag, Target with Plaster Casts*, 1955. Wasschildering en collage op doek met objecten, 129,5 x 111,8 x 8,8. Collectie David Geffen, Los Angeles. © Jasper Johns, VAGA, New York/DACS, Londen, 2002 **204** Larry Rivers en Jean Tinguely, *Turning Friendship of America and France*, 1961. Olieverf op doek, metaal, 204 x 104 x 81. Musée des Arts Décoratifs, Parijs. © Larry Rivers/VAGA, New York/DACS, Londen 2002. © ADAGP, Parijs, en DACS, Londen 2002 **205** Robert Rauschenberg, *Bed*, 1955. Combine-schilderij: olieverf en potlood op kussen, deken en laken op houten steunen, 191,1 x 80 x 20,3. The Museum of Modern Art, New York. Gift van Leo Castelli ter ere van Alfred H. Barr, Jr. Foto © 2002 The Museum of Modern Art, New York. © Robert Rauschenberg/DACS, Londen/VAGA, New York 2002 **207** Jack Lynn en Ivor Smith, Park Hill, Sheffield, 1961 **208** Edward Kienholz, *Portable War Memorial*, 1968. Environment-constructie met werkende Coke-machine, 289 x 243,8 x 975,4. Museum Ludwig, Keulen. © Estate Kienholz. Met toestemming van L.A. Louvre, Venice, Californië **209** Bruce Conner, *BLACK DAHLIA*, 1960. Gemengde media-assemblage, 67,9 x 27,3 x 7. Collectie Walter Hopps, Houston. Foto van George Hixson. Met toestemming van Michael Kohn Gallery, Los Angeles **210** Arman, *Accumulatie van kannen*, 1961. Emaillen kannen in vitrine van plexiglas, 83 x 142 x 42. Museum Ludwig, Keulen, Ludwig Donation. © ADAGP, Parijs, en DACS, Londen 2002 **211** Yves Klein, *Anthropométries de l'époque bleue*, 9 March 1960. Galerie Internationale d'Art Contemporain, Parijs. Foto Shunk-Kender. © ADAGP, Parijs, en DACS, Londen 2002 **212** Niki de Saint Phalle, *Venus de Milo*, 1962. Gips op constructie van kippengaas, kleur, 193 x 64 x 64. © ADAGP, Parijs, en DACS, Londen 2002 **214** Pinot Gallizio, *Le Temple des Mécréants* (de tempel der ongelovigen), 1959. Olieverf op doek, environment. Installatie in het Centre Georges Pompidou, Parijs, 1989 **215** Louise Nevelson, *Royal Tide IV*, 1959-60. Hout, bespoten met goudgekleurde oplossingen, 35 delen, 323 x 445,5 x 55. Museum Ludwig, Keulen, Ludwig Donation. © ARS, NY, en DACS, Londen 2002 **216** Joseph Cornell, *L'Egypte de Mlle Cléo de Mérode: cours élémentaire d'Histoire Naturelle*, 1940. Met toestemming van Leo Castelli Gallery, New York. © The Joseph and Robert Cornell Memorial Foundation/VAGA, New York/DACS, Londen 2002 **217** Richard Hamilton, *Just What Is It That Makes Today's Homes So Different, So Appealing?* 1956. Collage, 26 x 25. Kunsthalle, Tübingen, Sammlung. Prof. Dr. Georg Zundel. © Richard Hamilton 2002. Alle rechten voorbehouden, DACS **218** David Hockney, *I'm in the Mood for Love*, 1961. Olieverf op karton, 127 x 101,6. Royal College of Art Collection, Londen. © David Hockney 1961 **219** Andy Warhol, *Orange Disaster*, 1963. Zeefdrukinkt op synthetische polymeerverf op doek, 76,5 x 76,2. Collectie Francesco Pellizzi. © The Andy Warhol Foundation for the Visual Arts, Inc./ARS, NY, en DACS, Londen 2002 **220** Jonathan De Pas, Donato D'Urbino en Paolo Lomazzi, 'Joe Sofa', manufactured by Zanotta in 1971. Studio De Pas, D'Urbino, Lomazzi **221** Roy Lichtenstein, *Mr Bellamy*, 1961. Olieverf op doek, 143,5 x 107,9. Collectie van het Modern Art Museum of Fort Worth, Texas. The Benjamin J. Tillar Memorial Trust, verkregen uit de collectie Vernon Nikkel, Clovis, New Mexico. © Estate Roy Lichtenstein/DACS 2002 **222** Yves Klein, *Leap into the Void*, 1960. Foto: Harry Shunk. © ADAGP, Parijs, en DACS, Londen 2002 **223** Carolee Schneeman, *Meat Joy*, 1964. Voor het eerst uitgevoerd op 29 mei 1964, Festival of Free Expression, American Centre, Parijs. Foto Al Giese. Met toestemming van de kunstenaar. © ARS, NY, en DACS, Londen 2002 **224** Yayoi Kusama 'anti-oorlog'-naakthappening en vlagverbranding tegen de oorlog op Brooklyn Bridge, 1968. Performance. © Yayoi Kusama. Met toestemming van Robert Miller Gallery, New York **225** Laurie Anderson, *Wired for Light and Sound*, uit *Home of the Brave*, New York, 1986. Foto John Lindley. Met toestemming van de kunstenaar **227** Julio Le Parc, *Lunettes pour une vision autre*, 1965. Foto's: André Morain. Privécollectie. © ADAGP, Parijs, en DACS, Londen 2002 **228** George Maciunas, Dick Higgins, Wolf Vostell, Benjamin Patterson en Emmet Williams geven uitvoering aan Philip Corners *Piano Activities* op de Fluxus Internationale Festspiele Neuester Musik in Wiesbaden in september 1962. Foto Harmut Rekort **229** Yoko Ono, *A Grapefruit in the World of Park...*, 24 november 1961. Carnegie Recital Hall, New York. Foto George Maciunas. Met toestemming van de Gilbert and Lila Silverman Fluxus Collection Foundation, Detroit **230** Bridget Riley, *Pause*, 1964. Emulsie op karton, 111,5 x 106,5. Privécollectie. Prudence Cuming Associates Ltd. © De kunstenaar **231** Victor Vasarely, *Vega-Gyongiy-2*, 1971. Acrylverf op karton, 80 x 80. Privécollectie. © ADAGP, Parijs, en DACS, Londen 2002 **232** Kenneth Noland, *First*, 1958. Acrylverf op doek, 122 x 127. Knoedler Kasmin Ltd. © Kenneth Noland/VAGA, New York/DACS, Londen 2002 **233** Frank Stella, *Nunca Pasa Nada*, 1964. Olieverf op doek, 270 x 540. The Lannan Foundation, New York. © ARS, NY, en DACS, Londen 2002 **234** Foto:Tseng Kwong Chi van Keith Haring, tekenend in de ondergrondse van New York, 1982. © Muna Tseng Dance Projects, Inc., New York **236** Donald Judd, *Untitled*, 1969. Koper en gekleurd fluorescerend plexiglas op steunen, 295,9 x 68,6 x 61. Hirshhorn Museum and Sculpture Garden, Smithsonian Insitution, Washington, D.C. Gift van Joseph H. Hirschhorn, 1972. Art © Donald Judd Foundation/VAGA, New York/DACS, Londen 2002 **237** Dan Flavin, *Fluorescent light installation*, 1974. Kunsthalle Keulen. © ARS, NY, en DACS, Londen 2002 **238** Carl Andre, *Equivalent VIII*, 1966. Brandsteen, 12,7 x 68,6 x 229,2. Tate Gallery, Londen. © Carl Andre/VAGA, New York/DACS, Londen 2002 **239** Foster and Partners, The Millennium Bridge, Londen. Fotograaf Jeremy Young/GMJ **240** Joseph Kosuth, *One and Three Chairs*, 1965. Houten klapstoel, Fotokopie van een stoel en fotografische vergroting van woordenboekdefinitie van een stoel; stoel 82 x 37,8 x 53; fotopaneel, 91,5 x 61,2; tekstpaneel, 61,2 x 62,2. The Museum of Modern Art, New York. Larry Aldrich Foundation Fund. Foto © 2002 The Museum of Modern Art, New York. © ARS, NY, en DACS, Londen 2002 **241** Joseph Beuys, *The Pack*, 1969. Volkswagenbus met 20 sleden, elk met vilt, vet en een zaklamp. Collectie Herbig, Duitsland. © DACS 2002 **242** Piero Manzoni, *Merda d'artista no. 066* (Poep van de kunstenaar, nr. 066), 1961. Metalen blik, 4,8 x 6,5. © DACS 2002 **243** Marcel Broodthaers, *Musée d'Art Moderne, Département des Aigles, Section XIX Siècle*, Brussel, 1968-69. Foto © Gilissen. © DACS 2002 **244** Bruce Nauman, *Self-Portrait as a Fountain*, 1966-67. Kleurenfoto, 50 x 60. The Gerald S. Elliott Collection of Contemporary Art. © ARS, NY, en DACS, Londen 2002 **245** Chris Burden, *Trans-fixed*, 23 April 1974, Venice, Californië. Foto Charles Hill. Met toestemming van de kunstenaar © Chris Burden **246** Marc Quinn, *Self* (detail), 1991. Bloed, roestvrij staal, perspex en koelapparatuur, 208 x 63 x 63. Foto The Saatchi Gallery, Londen. Met toestemming van Jay Jopling/White Cube **247** Marcel Duchamp. Foto van de installatie voor de tentoonstelling voor de 'First Papers of Surrealism', een tentoonstelling voor de Coordinating Council of French Relief Societies, New York, 1942. © Nalatenschap Marcel Duchamp/ADAGP, Parijs, en DACS, Londen 2002 **248** Maurizio Cattelan, *La Nona Ora* (Het negende uur), 2000. Tapijt, glas, was, verf, levensgrote figuur. Installatie: Royal Academy of Arts, Londen. Foto Attilio Maranzano. Met toestemming van Anthony d'Offay Gallery, Londen **249** Barbara Kruger, *Zonder titel*, 1991. Gemengde media. Met toestemming van Mary Boone Gallery, New York. Foto Zindman/Freemont **250** Claude Simard, aanblik van installatie, 1999. Jack Shainman Gallery, New York **251** Richard Estes, *Holland Hotel*, 1894. Olieverf op doek, 114 x 181. Louis K Meisel Gallery, New York. Foto Steve Lopez. © Richard Estes/VAGA, New York/DACS, Londen 2002 **252** John Ahearn, *Veronica and her Mother*, 1988. Olieverf op vezelglas, 180 x 90 x 90. Contemporary Realist Gallery, San Francisco. Met toestemming van Alexander en Bonin, New York **253** Chuck Close, *Mark*, 1978-79. Acrylverf op doek, 274,3 x 213,4 Privécollectie, New York. © Chuck Close **255** Ron Herron, *Walking City Project*, 1964 **256** Expositie in galerie Jean Fournier, 15-22 april, 1971. Werken die werden gemaakt in de zomer van 1970 door Dezeuze, Saytour, Valensi en Viallat werden tentoongesteld tijdens deze expositie. Collectie Galerie Jean Fournier. **257** Bill Viola, *Nantes Triptych*, 1992. Installatie op drie schermen met projectie van achteren. Musée des Beaux-Arts de Nantes. Met toestemming van de kunstenaar **258** Nam June Paik, *Global Groove*, 1973. Videotape, kleur, geluid, 28 min. Reproductie met toestemming van Nam June Paik en de Holly Solomon Gallery **259** Tony Oursler, *The Influence Machine*, 2000. Installatie. Foto: Aaron Diskin/Met toestemming van Public Art Fund. Met toestemming van de kunstenaar en Metro Pictures. **260** Walter De Maria, *The Lightning Field*, 1977. 400 roestvrij stalen palen met solide punten, gerangschikt in een rechthoekige rasteropstelling, 1 mijl x 1 kilometer, Catron County, New Mexico. Met toestemming van het Dia Center for the Arts. Foto John Cliett **261** Robert Smithson, *Spiral Jetty*, 1970. Stenen, aarde en zoutkristallen, spiraal 457,2 x 3,81 m. Nu ondergelopen. © Estate Robert Smithson/VAGA, New York/DACS, Londen 2002 **262** Christo en Jeanne-Claude, *Wrapped Coast, Little Bay, Australië*, 1969. Drieënnegentigduizend vierkante meter anti-erosiemateriaal en 58 kilometer polypropyleentouw. De kust bleef vanaf 28 oktober 1969 tien weken lang ingepakt voordat al het materiaal werd verwijderd en de locatie in haar oorspronkelijke staat werd teruggebracht. Foto Harry Shunk. © Christo 1969 **263** Richard Serra, *Tilted Arc*, Federal Plaza, New York, 1981. Staal 366 x 3658 x 6. Met toestemming van The Pace Wildenstein Gallery, New York. © ARS, NY, en DACS, Londen 2002 **264** Claes Oldenburg en Coosje van Bruggen, *Batcolumn* 1977. Staal en aluminium, geverfd met polyuretaan-email, 29,46 x 2,97 m doorsnede op voet 1,22 x 3,05 m doorsnede. Harold Washington Social Security Center, 600 West Madison Street, Chicago © Claes Oldenburg. Alle rechten voorbehouden **265** Daniel Buren, *Deux Plateaux*, 1985-86. 260 Vrijstaande kolommen van cement en marmer, met verschillende hoogten, lichten en een verzonken kunstmatige stroom. Palais Royal, Parijs. © ADAGP, Parijs, en DACS, Londen 2002 **266** Mario Merz, *Igloo*, 1984-85. Spiegelglas, staal, gaas, plexiglas en was, 100 x 250 x 300. The Gerald S. Elliott Collection of Contemporary Art **267** Michelangelo Pistoletto, *Golden Venus of Rags*, 1967-71. Beton met mica en lappen, 180 x 130 x 100. Met toestemming van de kunstenaar **269** Hans Haacke, *Freedom is now just going to be sponsored – out of petty cash*, 1990. Tentoongesteld op Die Endlichkeit der Freiheit DAAD, Berlijn, 1990. Met toestemming van John Webber Gallery, New York. Foto Werner Zellien. © DACS 2002 **270** Charles Moore, *Piazza d'Italia*, New Orleans, 1975-80. Foto Moore/Andersson Architects, Austin, Texas **271** Cindy Sherman, *Untitled # 90*, 1981. Kleurenfoto, 61 x 121,9. Editie van 10. Collectie van de kunstenaar. Met toestemming van de kunstenaar en Metro Pictures, New York **272** Judy Chicago, *The Dinner Party*, 1974-79. Gemengde media 14,63 x 12,8 x 91,4 m. Foto © Donald Woodman. © Judy Chicago 1979 **273** Ettore Sottsass, Carlton Bookcase, Memphis, 1981. HPL Print-laminaat. Foto Aldo Ballo **274** Piano en Rogers, Georges Pompidou Centre, Parijs, Foto © AISA-Archivo Iconográfico, Barcelona **275** Foster en Partners, Hong Kong and Shanghai Banking Corporation Headquarters, 1979-86. Foto Ian Lambot **276** Anselm Kiefer, *Margarethe*, 1981. Olieverf en stro op doek, 280 x 380. Met toestemming van Anthony d'Offay Gallery, Londen **277** Gerhard Richter, *Abstraktes Bild (860-3)*, 1999. Olieverf op doek, 102 x 82. Collectie van de kunstenaar. © Gerhard Richter **278** Anish Kapoor, *1000 Names*, 1982. Gemengde media, pigment. Privécollectie. **280b** Eric Fischl, *Bad Boy*, 1981. Olieverf op doek, 168 x 244. Privécollectie. Met toestemming van Mary Boone Gallery, New York **280o** Jenny Saville, *Branded*, 1992. Olieverf op doek, 213,4 x 182,9. The Saatchi Gallery, Londen **281** Jeff Koons, *Two Ball 50/50 Tank*, 1985. Glas, staal, gedistilleerd water, basketballen, 159,4 x 93,3 x 33,7. Ex-Saatchi Collection © Jeff Koons **282** Foto van links naar rechts: Sandro Chia, Nino Longobardi, Mimmo Paladino, Paul Maenz, Francesco Clemente en zijn vrouw, Wolfgang Max Faust, niet-geïdentificeerd, Fantomas, Gerd de Vries, Lucio Amelio **283** Enzo Cucchi, *A Painting of Precious Fires*, 1983. Olieverf op doek met neon, 298 x 390. The Gerald S. Elliott Collection of Contemporary Art. Met toestemming van Galerie Bruno Bischofberger, Zürich **285** Christian Marclay, *Guitar Drag*, 2000. DVD-projectie met geluid, tijdsduur 15 minuten. Met toestemming van Paula Cooper Gallery, New York **287** Jake Tilson, Selectie van schermen uit website *The Cooker*, 1994-99. Met toestemming van Jake Tilson http://www.thecooker.com **288** Olia Lialina, *My Boyfriend Came Back From the War*, 1996 (www.teleportacia.org/war)

REGISTER